La France et ses régions

Édition 2010

Coordination Marie-Annick Bras, Stève Lacroix, Olivier Pégaz-Blanc, Patrick Redor

Contribution *Insee :*
Mélanie Bigard, Éric Durieux, Laurence Labosse, Olivier Léon, Patrick Redor

Ministère de la Santé et des Sports, Direction de la recherche, des études, de l'évaluation et des statistiques (Drees) :
Muriel Barlet, Laurent Fauvet, François Guillaumat-Tailliet, Lucile Olier

Ministère de l'Intérieur, de l'Outre-mer et des Collectivités territoriales, Direction générale des collectivités locales (DGCL) :
François Gitton, Malika Krouri

Directeur de la publication Jean-Philippe Cotis

Directeur de la collection Gaël de Peretti

Rédaction Michèle Casaccia, Agnès Dugué, Delphine Kocoglu, Françoise Martial, Gaël de Peretti, Patricia Roosz, Joëlle Tronyo

Composition **Coordination**
Jean-Jacques Ribier, Pierre Thibaudeau

Maquette
Sylvie Couturaud, Scalabrino Laterza, Pascal Nguyen, Rose Pinelli-Vanbauce, Pierre Thibaudeau

Cartographie Stéphan Fesquet, François Sémécurbe

Couverture **Coordination**
Françoise Danger

Conception et réalisation
Ineiaki Global Design

Éditeur Institut national de la statistique et des études économiques
18, boulevard Adolphe-Pinard 75675 PARIS CEDEX 14
www.insee.fr

Signes conventionnels utilisés

…	Résultat non disponible
p	Nombre provisoire
n.s.	Résultat non significatif
s	Secret statistique
///	Absence de résultat due à la nature des choses
ε	Chiffre inférieur à la moitié de l'unité du dernier ordre exprimé
M	Million
Md	Milliard

Guide de lecture

Dans le sommaire, le logo DD signale des pages comportant des indicateurs du développement durable.

Fiches thématiques

Afin de faciliter la lecture des tableaux, pour de nombreux indicateurs, la valeur régionale métropolitaine la plus élevée est indiquée en **rouge**, la plus faible en **vert**. Les Dom, dont les indicateurs se situent souvent dans des tranches de valeur très différentes des régions métropolitaines, ne sont pas pris en compte pour déterminer ces valeurs extrêmes.
Ces tableaux permettent, pour un indicateur donné, de situer aisément chaque région par rapport aux valeurs extrêmes, ainsi qu'aux moyennes de France métropolitaine, France de province (France métropolitaine hors Île-de-France), ou de France (France métropolitaine et Dom).

	Hôtels de tourisme homologués		
	Hôtels au 1er janvier 2009		Nuitées en 2008
	Nombre	Capacité (milliers de chambres)	(milliers)
Alsace	552	18,9	5 748
Aquitaine	1 100	30,6	8 356
Auvergne	655	15,3	3 417
Bourgogne	594	16,6	4 806
Bretagne	900	25,2	6 723
Centre	683	19,8	5 846
Champagne-Ardenne	304	9,1	2 744
Corse	373	11,0	2 915
Franche-Comté	318	7,6	2 041
Île-de-France	**2 360**	**150,3**	**66 183**
Languedoc-Roussillon	919	26,4	7 568
Limousin	259	5,6	**1 342**
Lorraine	435	13,5	3 702
Midi-Pyrénées	1 202	38,8	10 311
Nord - Pas-de-Calais	408	17,8	6 030
Basse-Normandie	509	15,1	4 599

Glossaire

Il comprend toutes les définitions utiles pour l'ensemble de l'ouvrage, en particulier pour les fiches thématiques. Y sont intégrées les définitions utilisées par Eurostat (l'office statistique de l'Union européenne) dans les tableaux des fiches « régions de l'Union européenne ».

La France administrative

Pays de l'Union européenne à 27

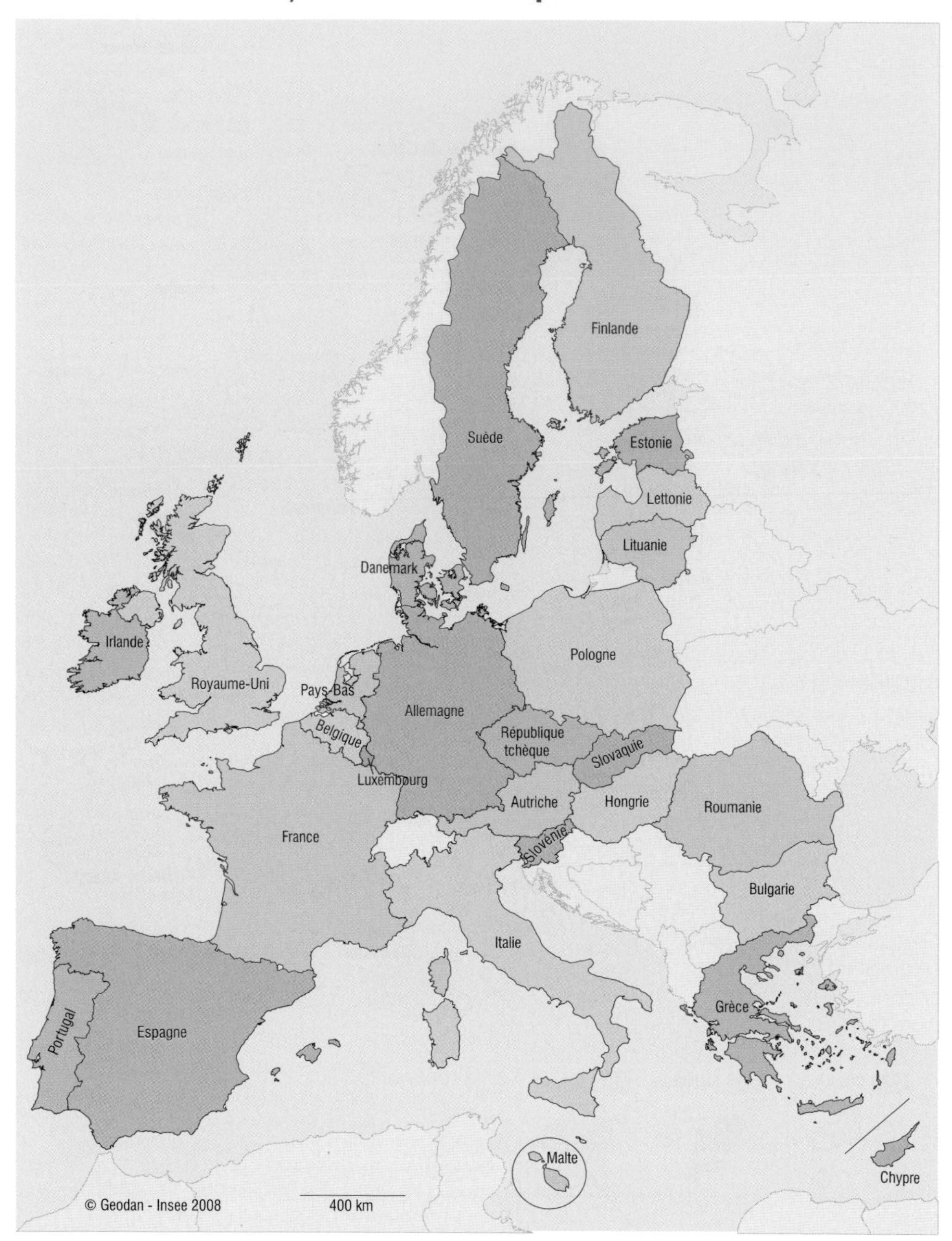

Édition 2010

La France et ses régions

Vue d'ensemble

Faits et enjeux des territoires 11

Dossiers

Pauvreté : différents profils de régions et départements 19

Occupation du territoire et mobilités : une typologie des aires urbaines et du rural 29

Attractivité des territoires : 14 types de zones d'emploi 41

La progression de l'intercommunalité à fiscalité propre depuis 1999 53

Quelles perspectives pour la démographie médicale ? 65

Dynamiques régionales, dynamiques urbaines 79

Panorama des régions françaises

1.1 Alsace 90

1.2 Aquitaine 94

1.3 Auvergne 98

1.4 Bourgogne 102

1.5 Bretagne 106

1.6 Centre 110

1.7 Champagne-Ardenne 114

1.8 Corse 118

1.9 Franche-Comté 122

1.10 Île-de-France 126

1.11 Languedoc-Roussillon 130

1.12 Limousin 134

1.13 Lorraine 138

1.14 Midi-Pyrénées 142

1.15 Nord - Pas-de-Calais 146

1.16 Basse-Normandie 150

1.17 Haute-Normandie 154

1.18 Pays de la Loire 158

1.19 Picardie 162

1.20 Poitou-Charentes 166

1.21 Provence - Alpes - Côte d'Azur 170

1.22 Rhône-Alpes 174

1.23 Guadeloupe 179

1.24 Guyane 183

1.25 Martinique 187

1.26 La Réunion 191

Fiches thématiques

2.1	Territoire DD	196
2.2	Population DD	204
2.3	Travail - Emploi	214
2.4	Revenus - Salaires	222
2.5	Conditions de vie - Société	230
2.6	Santé DD	238
2.7	Enseignement - Éducation	248
2.8	Économie - Entreprises DD	256
2.9	Agriculture DD	268
2.10	Industrie - Construction	274
2.11	Commerce - Services - Tourisme - Transports	282
2.12	Développement social et urbain	288

Fiches régions de l'Union européenne

	Introduction	301
3.I	Population	304
3.II	Évolution de la population	305
3.III	Natalité	306
3.IV	Solde migratoire	307
3.V	Solde naturel	308
3.VI	Les moins de 20 ans	309
3.VII	Dépendance démographique des personnes âgées	310
3.VIII	Niveau d'éducation	311
3.IX	Emploi	312
3.X	Emploi des 55-64 ans	313
3.XI	Emploi des femmes	314
3.XII	Chômage	315
3.XIII	Produit intérieur brut DD	316
3.XIV	Intensité de recherche et développement	317
3.XV	Emploi industriel	318
3.XVI	Emploi agricole	319
3.XVII	Capacité d'accueil touristique	320

Annexe

Glossaire 322

Vue d'ensemble

Faits et enjeux des territoires

*Patrick Redor**

L'attractivité constitue l'un des premiers enjeux des territoires. Ainsi, la concentration des fonctions de commandement politique et économique favorise l'attractivité de Paris et de son agglomération, et à des niveaux différents celle des métropoles régionales, alors que le développement d'activités plus traditionnelles favorise celle de zones à dominante rurale. Dynamiques économiques et démographiques étant liées, ce sont souvent les villes conjuguant les croissances fortes du PIB et de la population qui sont au cœur du développement économique régional.
En combinant projections régionales de population et de médecins, on observe que les dix prochaines années devraient voir se réduire les écarts de densité médicale entre régions, avant une nouvelle hausse. Un autre enjeu qui fait écho aux précédents est celui des inégalités sociales : les écarts de pauvreté régionaux s'expliquent pour l'essentiel par la situation locale des marchés du travail et les caractéristiques sociodémographiques des personnes.
Autre fait marquant depuis le début des années 2000, l'intercommunalité à fiscalité propre qui s'est fortement développée. Si aujourd'hui 90 % des communes sont concernées, le découpage en intercommunalités reste inégal suivant les régions

La région demeure l'entrée privilégiée sur les indicateurs d'analyse des territoires. Plusieurs sources et études permettent ainsi d'illustrer certaines des disparités ou similitudes régionales au travers de thèmes tels que l'économie, la santé, la démographie ou encore les institutions.

Des types d'attractivité très différents selon les régions

L'attractivité d'un territoire peut être définie par sa capacité, non seulement à attirer, mais aussi à retenir des entreprises et de la population. Les types d'attractivité peuvent être très différents selon la nature et la composition des flux. L'attractivité économique renvoie à l'attractivité démographique, et inversement : la population est attirée par l'emploi ou par les biens et services offerts ; les revenus et dépenses de cette population (éventuellement non résidente, lorsqu'il s'agit de touristes) sont à leur tour générateurs de nouvelles activités, et par conséquent de nouveaux revenus et de nouvelles dépenses.

En termes d'emploi *(voir dossier Attractivité des territoires : 14 types de zones d'emploi)*, la concentration des fonctions de commandement politique et économique (notamment sièges sociaux des grandes entreprises ou des groupes) favorise, à différents niveaux, d'une part Paris et son agglomération, d'autre part les grandes métropoles régionales *(figure 1)*.

L'attractivité économique ne se construit pas seulement sur des activités métropolitaines à haute valeur ajoutée ; le développement d'activités plus «traditionnelles», tournées vers les services à la personne et des marchés locaux peut être également un facteur d'attractivité, grâce auquel certaines zones à dominante rurale réussissent à tirer leur épingle du jeu.

* Patrick Redor, Insee.

1. Évolution démographique selon les zones d'emploi

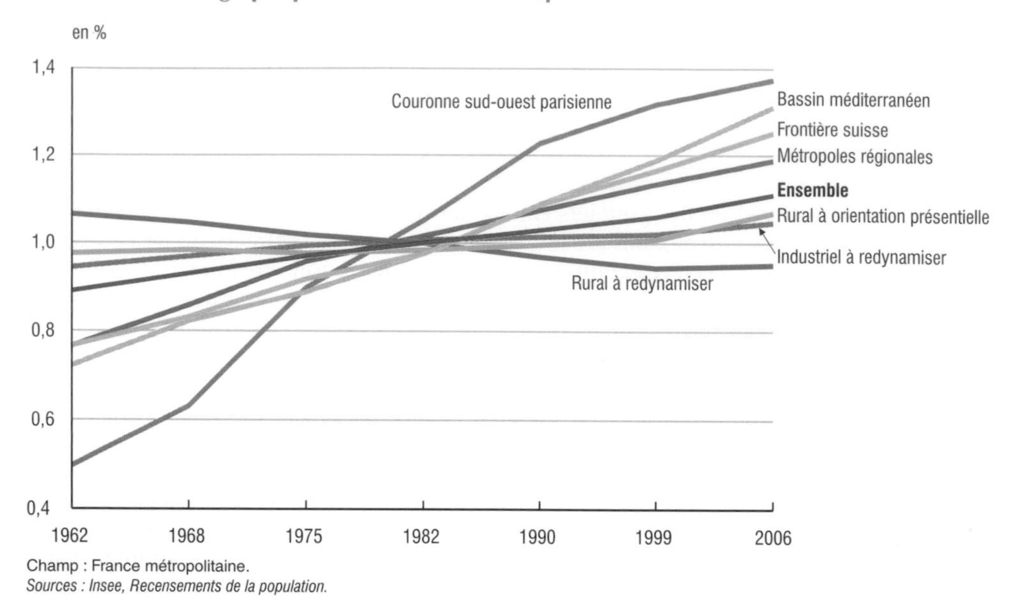

Champ : France métropolitaine.
Sources : Insee, Recensements de la population.

Le périurbain, à la croisée de l'urbain et du rural

Une lecture strictement comparative des territoires, en comptabilisant les perdants et les gagnants selon un nombre plus ou moins grand d'indicateurs, court le risque de les faire apparaître comme des espaces uniquement concurrents. La réalité est plus complexe. Les espaces urbains et ruraux obéissent à des logiques d'interdépendance ou d'interaction, qui se dessinent à travers les différentes formes de déplacements de leur population : mobilité résidentielle, navettes domicile-travail, déplacements motivés par l'accès aux services et aux équipements *(voir dossier Occupation du territoire et mobilités : une typologie des aires urbaines et du rural)*. On connaît le mouvement qui entraîne les citadins à migrer vers la périphérie des villes pour y trouver de l'espace, mais le mouvement inverse qui amène les ruraux à se rapprocher des centres d'emploi et de services existe également. Dans le jeu des interactions entre territoires, le périurbain occupe paradoxalement une place centrale. À la jonction des attractions réciproques de l'urbain et du rural, il est aussi, autour des plus grosses agglomérations, l'espace où de nouveaux pôles d'emploi émergent et se développent, dessinant les traits d'armatures urbaines polycentriques.

Les villes au cœur du développement économique régional

Au niveau infrarégional, les dynamiques économiques et démographiques sont étroitement liées. Les dynamiques régionales sont par ailleurs très dépendantes du poids relatifs des secteurs de l'industrie ; les régions les plus industrielles ont connu sur les dernière années une croissance dans l'ensemble plus faible que la moyenne nationale, témoignant des difficultés de ces secteurs.

Quelle place occupent alors les villes, en tant que vecteurs d'emploi, dans ces disparités régionales ? Une classification des unités urbaines, en se concentrant sur les plus importantes en population, met en évidence le lien entre le dynamisme des régions et celui de leurs villes *(voir dossier Dynamiques régionales, dynamiques urbaines)*. La relation néanmoins n'est pas simple ni univoque, et les disparités entre les villes d'une même région peuvent être fortes. En définitive, c'est dans les régions les plus dynamiques que l'on trouve aussi les villes les plus dynamiques ; d'un autre côté, les difficultés économiques d'une région semblent se concentrer sur certaines villes intermédiaires, qui ne disposent pas des atouts des métropoles pour y faire face. La question du ciblage des politiques de soutien sur ces villes est ainsi posée.

Les écarts de pauvreté font écho à ceux du chômage

Un autre enjeu, qui fait écho au précédent mais aussi aux questions d'attractivité et de dynamiques, est celui de la transcription dans le spatial des inégalités sociales de niveaux de vie. Les différences de revenus entre régions ou départements sont moins accusées que leurs disparités économiques mesurées par leur contribution au produit intérieur brut national. Cela provient de la relative concentration spatiale de l'appareil productif par rapport à la population, et de la traduction, sur le territoire, des politiques de redistribution de revenus entre groupes sociaux (prestations, retraites, etc.).

Néanmoins, une part toujours importante des revenus provient de l'activité ; pour cette raison, l'aisance monétaire d'une population reste tributaire de la prospérité du territoire où elle réside. Le dynamisme de l'activité et de l'emploi ne suffit pas à lui seul à protéger de l'incidence des phénomènes de précarité et de pauvreté *(voir dossier Pauvreté : différents profils de régions et départements)*. Des taux de pauvreté élevés concernent aussi bien le Nord - Pas-de-Calais, fragilisé par les restructurations industrielles, que les régions du pourtour méditerranéen, dont la plus forte croissance est portée par le développement des activités de services et du tourisme *(figure 2)*. C'est qu'en effet, dans ce dernier cas, le dynamisme de

2. Taux de pauvreté et travailleurs pauvres par région

Région	Taux de pauvreté en 2006 (%)	Estimation du nombre des travailleurs pauvres en 2007 (effectifs)
Alsace	10,3	30 000
Aquitaine	12,8	100 000
Auvergne	13,8	40 000
Basse-Normandie	13,2	50 000
Bourgogne	12,0	30 000
Bretagne	10,9	60 000
Centre	11,4	70 000
Champagne-Ardenne	14,0	40 000
Corse	19,3	10 000
Franche-Comté	12,1	30 000
Haute-Normandie	12,7	60 000
Île-de-France	12,3	330 000
Languedoc-Roussillon	18,3	110 000
Limousin	14,1	20 000
Lorraine	14,1	50 000
Midi-Pyrénées	13,7	100 000
Nord - Pas-de-Calais	18,0	110 000
Pays de la Loire	11,1	80 000
Picardie	13,9	70 000
Poitou-Charentes	13,7	50 000
Provence - Alpes - Côte d'Azur	15,5	130 000
Rhône-Alpes	11,5	140 000
France métropolitaine	**13,1**	**1 710 000**

Champ : France métropolitaine.
Source : Insee, Revenus Disponibles Localisés 2006, enquête SRCV 2007.

l'activité repose plutôt sur de l'emploi faiblement qualifié et s'accompagne d'un dynamisme au moins aussi fort de la population, soutenu par des entrées en provenance des autres régions. En définitive, les écarts de pauvreté entre les territoires s'expliquent pour une part essentielle par la situation locale des marchés du travail et les caractéristiques sociodémographiques des personnes.

Vers un rééquilibrage de la population médicale

On a vu, à propos des dynamiques régionales, le lien entre croissance économique et démographique. Le futur visage des territoires sera modelé, pour une grande part, par le résultat des évolutions démographiques en cours et à venir. Il est évidemment impossible d'affirmer avec certitude comment variera le nombre d'habitants et la répartition de la population sur le territoire français ; au mieux, à l'aide des projections de population, il est possible de brosser des scénarios d'évolution.

Quoique d'une utilisation délicate, les projections de population sont cependant indispensables pour évaluer l'évolution des besoins en services de la population. Les perspectives d'évolution de la démographie médicale, la cohérence de ces perspectives avec celles de la population sont en effet des questions importantes *(voir dossier Quelles perspectives pour la démographie médicale ?)*.

La France compte ainsi actuellement 214 000 médecins en activité, le chiffre le plus élevé de son histoire. La population des médecins a cependant vieilli. La façon dont le renouvellement à venir de la population médicale va affecter la répartition de cette population sur le territoire sera très tributaire des décisions réglementaires. En combinant projections régionales de population et du nombre de médecins, sur les bases d'un scénario tendanciel, les 10 prochaines années devraient voir, dans la continuité des tendances passées, une réduction des écarts de densité médicale entre régions, écarts qui repartiraient ensuite cependant à la hausse *(figure 3)*. Un pilotage plus prospectif de la répartition des médecins sur le territoire permettrait cependant de réduire davantage les écarts entre régions.

3. Densité de médecins par rapport à la moyenne nationale en 2006, 2019 et 2030

Densité ensemble des médecins en 2006

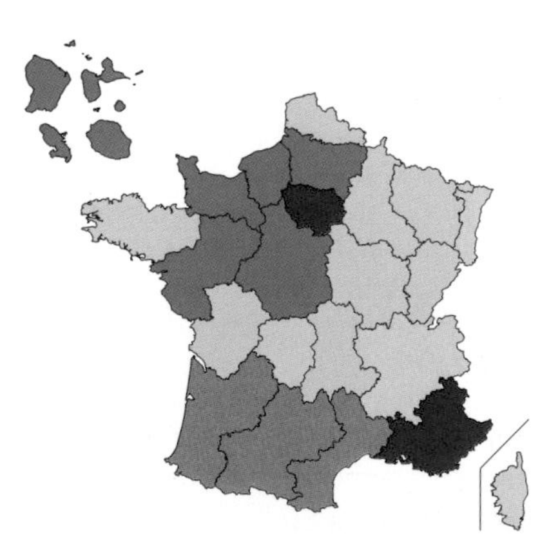

3. Densité de médecins par rapport à la moyenne nationale en 2006, 2019 et 2030 *(suite)*

Densité ensemble des médecins en 2019 - Scénario tendanciel

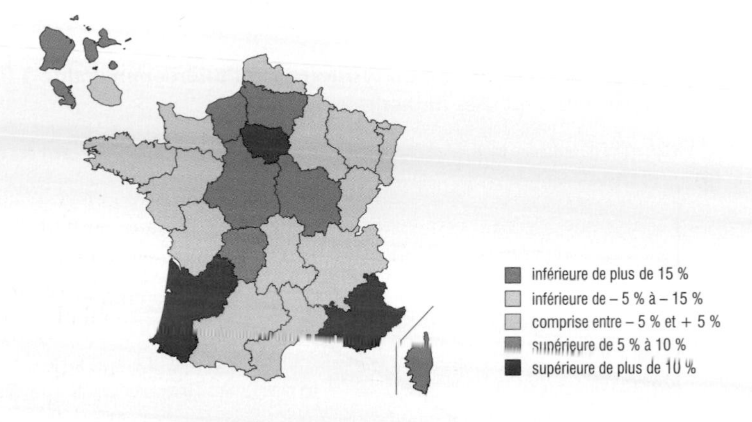

Densité ensemble des médecins en 2030 - Scénario tendanciel

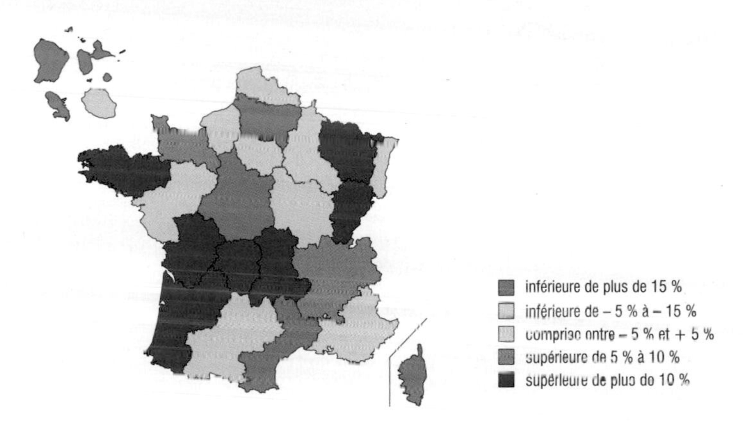

Champ : médecins en activité régulière ou remplaçants, hors médecins en cessation temporaire d'activité, France métropolitaine et Dom.
Sources : fichier 2006 du Conseil national de l'Ordre des médecins, traitement Drees ; projections de population Insee ; projections Drees.

Des intercommunalités plus nombreuses et plus fortes

La ville émerge ainsi comme échelon majeur du développement régional, soit qu'elle l'impulse, soit qu'elle reflète les difficultés subies par l'ensemble de l'économie d'une région. On parle bien ici de la ville définie comme unité urbaine, autrement dit comme agglomération, et il est frappant de voir que ces enjeux économiques sont posés autour et à propos de la ville à un moment où les structures intercommunales, communautés urbaines ou communautés d'agglomérations, se sont fortement développées.

Encore inégalement répandue en 1999, l'intercommunalité à fiscalité propre (communautés urbaines ou d'agglomération, mais aussi communautés de communes pour le rural) est désormais présente sur tout le territoire ; près de 90 % des communes et de la population font partie désormais d'un des 2 601 groupements à fiscalité propre recensés au 1er janvier 2009 *(voir dossier La progression de l'intercommunalité à fiscalité propre depuis 1999)*.

La progression de l'intercommunalité s'est accompagnée de celle des dépenses mutualisées. La part des dépenses prises en charge par les intercommunalités atteint maintenant le quart des dépenses communales dans les groupements *(figure 4)*. ■

4. Évolution de la couverture du territoire par l'intercommunalité à fiscalité propre et de la part des dépenses mutualisées

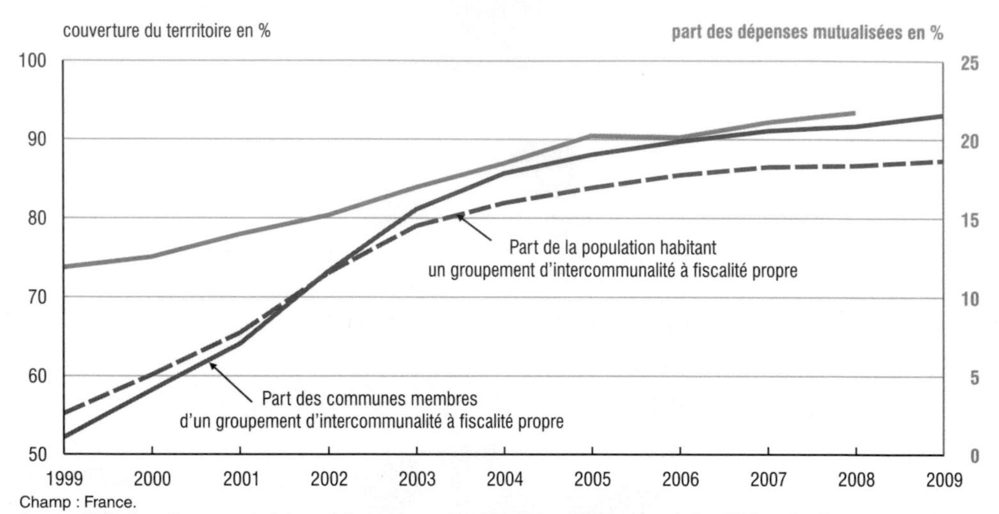

Champ : France.

Sources : DGCL ; Insee, Recensements de la population pour la couverture du territoire ; DGFiP, premiers résultats 2008 pour les dépenses mutualisées.

Dossiers

Pauvreté : différents profils de régions et départements

*Olivier Léon**

Le taux de pauvreté monétaire atteint 13,1 % en 2006 en France métropolitaine mais varie selon les régions de 10 % en Alsace à 19 % en Corse. Ces écarts sont liés en partie à la situation locale du marché du travail mais aussi aux caractéristiques sociodémographiques des personnes. Ainsi, les jeunes actifs sont surreprésentés dans le Nord - Pas-de-calais et le Languedoc-Roussillon, et les retraités dans les zones rurales du sud de la France.
En outre, l'étude des inégalités, des bas salaires, des travailleurs pauvres et des bénéficiaires de minima sociaux, peut faire émerger, à l'aune de ces différentes formes d'insuffisance de ressources monétaires, six familles de départements. Dans les extrémités nord et sud, la pauvreté est élevée dans toutes les catégories de la population tandis qu'elle est limitée aux retraités dans les zones rurales du Massif central. De même, le faible taux de pauvreté des départements de l'ouest traduit une grande homogénéité des niveaux de vie tandis que dans l'ouest parisien il masque de fortes inégalités. À mi-chemin entre ces deux situations se trouvent les départements d'Alsace, de Rhône-Alpes et du grand Bassin parisien, tandis que d'autres départements du grand quart nord-est présentent un profil intermédiaire.

En France métropolitaine, la période 2005-2007 s'est caractérisée par une orientation positive d'un certain nombre d'indicateurs macro-économiques : le taux de chômage a reculé de 8,8 % à 8 % en moyenne annuelle, le produit intérieur brut (PIB) a augmenté de 4,5 % en volume, le pouvoir d'achat des ménages par unité de consommation a progressé de 4,2 % tandis que le nombre d'allocataires de minima sociaux a diminué. Dans ce contexte économique favorable, le taux de pauvreté (*voir Définitions*) est resté stable autour de 13 % sur cette période. Cette trajectoire tient en premier lieu au caractère relatif de cet indicateur : le seuil de pauvreté (*voir Définitions*), qui évolue selon les revenus de tous les ménages, a en effet progressé de 3,6 % en euros constants au cours de la période 2005-2007. En second lieu, elle témoigne d'un accroissement des inégalités, qui s'étaient pourtant réduites au cours de la décennie précédente [Pujol, Tomasini] : pour les 10 % de la population les plus aisés (dernier décile), le niveau de vie a progressé un peu plus rapidement (+ 4,5 %) que le niveau de vie médian (*voir Définitions*) et le seuil de pauvreté.

Pauvreté et inégalités vont de pair sauf en Île-de-France

Compte tenu des disparités de coût de la vie existant entre les territoires, la mesure de la pauvreté locale à l'aune d'un seuil métropolitain ne saurait traduire une quelconque capacité ou incapacité financière des ménages à faire face à leurs besoins élémentaires. En particulier, les disparités de prix de logements entre zones rurales et urbaines, confèrent à ces espaces des réalités différentes.

Pauvreté et inégalités sont généralement liées. Ainsi, c'est en Bretagne et dans les Pays de la Loire que la pauvreté et les inégalités (*voir Définitions*) sont les moins prononcées (*figure 1*). Le taux de pauvreté en 2006 y est faible (entre 10 % et 11 % comme en Alsace), tout comme la part

*Olivier Léon, Insee.

de la population à haut niveau de vie : un peu moins de 8 % de personnes sont parmi les 10 % les plus aisées de métropole. Le marché de l'emploi régional explique en partie ces résultats : un chômage faible, préservant de la pauvreté ; une structure des emplois plus homogène, d'où une échelle de rémunérations plus resserrée. En revanche, l'Île-de-France fait exception à ce schéma. Malgré un taux de pauvreté relativement faible (12,3 % contre 13,1 % en métropole en 2006), la région capitale est la plus inégalitaire et la pauvreté y est plus intense qu'ailleurs : le seuil de pauvreté dépasse de 20 % le niveau de vie médian des Franciliens pauvres (contre 18,5 % en France métropolitaine). À l'autre extrémité de l'échelle, la région capitale abrite de nombreux sièges d'entreprises et d'institutions offrant des emplois très qualifiés et rémunérateurs. De ce fait, plus de 17 % des Franciliens font partie des 10 % les plus aisés de métropole en 2006. Compte tenu de son poids démographique, plus du quart de la population à haut niveau de vie réside en Île-de-France.

1. Les régions métropolitaines selon le taux de pauvreté et l'intensité des inégalités de niveau de vie en 2006

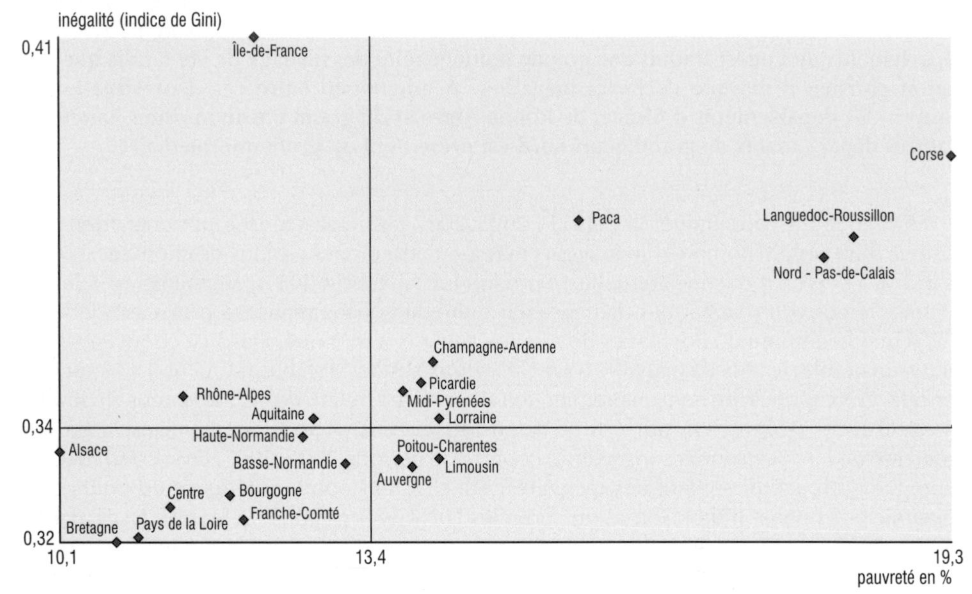

Champ : France métropolitaine.
Lecture : l'axe des abscisses correspond à la pauvreté (mesurée à l'aide du taux de pauvreté), l'axe des ordonnées à l'intensité des inégalités de revenus (mesurée à l'aide de l'indice de Gini des revenus disponibles des ménages, voir définitions). Afin d'éviter les problèmes d'échelle, les valeurs ont été normées et varient de 0 à 1. Les axes se coupent à la valeur médiane de ces indicateurs normés. Toutefois, les chiffres reportés sur les axes correspondent aux valeurs minimales, maximales et médianes de pauvreté et d'intensité d'inégalité. Ainsi, l'Île-de-France est la région de France la plus inégalitaire en termes de revenu mais son taux de pauvreté est au-dessous de la médiane des régions françaises.
Source : Insee, Revenus Disponibles Localisés 2006.

La carte de la pauvreté monétaire recoupe celle du chômage

Lié mécaniquement à la composition et au revenu des ménages, le taux de pauvreté est naturellement plus élevé dans les ménages nombreux où les ressources sont faibles et apportées par peu de personnes. Il atteint 29,5 % chez les familles monoparentales et il est plus important pour les couples avec enfants que sans (11,5 % contre 6,8 %) en 2006 en France métropolitaine. De même, parmi les ménages aux ressources principalement issues de prestations sociales, il culmine à 81,4 %, un taux deux fois plus élevé que pour ceux vivant principalement d'allocations chômage -revenu témoignant d'une activité professionnelle passée- et dix fois plus élevé que pour ceux vivant principalement de revenus salariaux. Ce constat met en lumière le rôle majeur de l'emploi face à la pauvreté. Ainsi, en 2006, le taux de pauvreté dépasse 18 % dans les régions enregistrant les plus forts taux de chômage : Nord - Pas-de-Calais, Languedoc-Roussillon et Corse.

Entre les différents types d'espaces, des disparités en partie liées à l'emploi s'observent également. Dans les pôles urbains, où chômage et emplois très qualifiés se côtoient, le taux de pauvreté avoisine la moyenne métropolitaine (14,5 %), tandis que dans les couronnes périurbaines, où vivent des actifs travaillant dans ces pôles urbains, il atteint un minimum (8,2 %). Dans le monde rural, moins concerné par le chômage mais moins doté en actifs hautement qualifiés, les situations de pauvreté peuvent également être reliées à l'emploi. Le taux de pauvreté des pôles ruraux et de leur couronne, comparable à celui des pôles urbains, est inférieur à celui du reste de l'espace rural (15,1 %), où le poids du monde agricole et des retraités, aux revenus plus faibles, est important. Si ces derniers ont bénéficié de carrières moins heurtées que les actifs actuels, ils ont également exercé des métiers moins qualifiés et moins rémunérateurs et touchent de ce fait des pensions peu élevées.

Pauvreté de jeunes et d'actifs en Nord - Pas-de-Calais, et de retraités dans les zones rurales du Sud

Bien que porteur d'enseignements, le taux de pauvreté ne saurait à lui seul restituer la diversité des situations au sein des territoires. Étudier le taux de bas revenus, qui certes porte sur une population plus restreinte (*voir Définitions*) fournit une approche complémentaire, notamment sur des territoires plus fins et aux âges d'activité. Supérieur de 3 points au taux de pauvreté au niveau métropolitain, il illustre ainsi la surexposition des moins de 65 ans à la pauvreté. Par ailleurs, la variabilité de cet écart selon les régions peut refléter diverses formes de pauvreté. Ainsi, en Lozère, Creuse et Cantal, départements ruraux et âgés, cet écart est négatif. La pauvreté y est donc, contrairement au niveau national, davantage concentrée chez les plus de 65 ans et les agriculteurs tandis que pour les autres catégories de population, elle est plutôt moins élevée qu'ailleurs.

À l'inverse, en Nord - Pas-de-Calais et Languedoc-Roussillon, cet écart dépasse 6 points et suggère une pauvreté fortement concentrée aux jeunes âges et aux âges d'activité. Ces régions sont par ailleurs les plus touchées par la pauvreté institutionnelle (*voir Définitions*), mesurée par la part de bénéficiaires de minima sociaux versés par les Caisses d'allocations familiales (CAF).

La redistribution atténue les situations de pauvreté

Le système de redistribution permet d'augmenter les revenus au-dessus du seuil de pauvreté de 6 % des personnes grâce aux prestations versées. En l'absence de redistribution, en Nord - Pas-de-Calais, Languedoc-Roussillon et Corse, plus du quart de la population aurait des revenus inférieurs à 880 euros mensuels par unité de consommation, ce qui correspond au seuil de pauvreté après redistribution. L'effet de la redistribution est maximal en Nord - Pas-de-Calais, où 8 % des personnes passent au-dessus de ce seuil, contre 6 % en Languedoc-Roussillon (*figure 2*). Cette nuance tient aux différences de structure de la population. Région plus jeune et plus féconde, le Nord - Pas-de-Calais abrite, parmi ses ménages, un tiers de couples avec enfants, contre un quart en Languedoc-Roussillon. Or cette catégorie constitue, avec les familles monoparentales, celle pour laquelle les prestations

2. Effet de la redistribution par région

Région	Personnes sous le seuil de pauvreté avant redistribution	Taux de pauvreté	Écart
	(%)	(%)	(point)
Alsace	15,3	10,3	5,0
Aquitaine	18,0	12,8	5,2
Auvergne	19,2	13,8	5,4
Basse-Normandie	19,2	13,2	6,1
Bourgogne	17,5	12,0	5,5
Bretagne	16,0	10,9	5,1
Centre	16,4	11,4	5,1
Champagne-Ardenne	20,1	14,0	6,0
Corse	26,9	19,3	7,6
Franche-Comté	18,0	12,1	5,8
Haute-Normandie	18,7	12,7	6,0
Île-de-France	17,7	12,3	5,4
Languedoc-Roussillon	24,3	18,3	6,0
Limousin	19,5	14,1	5,4
Lorraine	19,8	14,1	5,7
Midi-Pyrénées	18,9	13,7	5,2
Nord - Pas-de-Calais	25,7	18,0	7,7
Provence - Alpes - Côte d'Azur	21,3	15,5	5,8
Pays de la Loire	16,4	11,1	5,3
Picardie	20,4	13,9	6,5
Poitou-Charentes	18,9	13,7	5,2
Rhône-Alpes	16,9	11,5	5,4
France métropolitaine[1]	**18,9**	**13,2**	**5,7**

1. Le taux de pauvreté monétaire calculé sur la France métropolitaine à partir de la source RDL est légèrement différent de celui obtenu à partir de l'enquête revenus fiscaux : 13,2 % contre 13,1 %. Cette différence s'explique par une légère différence de champ et des méthodes d'imputation des prestations sociales.
Source : Insee, Revenus Disponibles Localisés 2006.

sociales sont les plus élevées et les plus propices à un franchissement du seuil de pauvreté. De plus, pour les personnes seules et les personnes âgées, les dispositifs d'aide ont, à l'instar du minimum vieillesse, un impact plus faible sur la pauvreté. En Nord - Pas-de-Calais, d'une part, le poids démographique des personnes âgées est plus faible en raison d'une espérance de vie moindre ; d'autre part, en raison d'une orientation productive passée davantage tournée vers l'industrie, le niveau des retraites, plus élevé que dans le monde rural, y limite le nombre de personnes éligibles au minimum vieillesse.

Les travailleurs pauvres

Occuper un emploi ne constitue pas un rempart absolu contre la pauvreté monétaire même si cela en atténue l'incidence. En effet, la France métropolitaine compte parmi les personnes en emploi et vivant en ménage ordinaire 7 % de travailleurs pauvres en 2006 (*voir Définitions*), soit 1,7 million de personnes. Cette situation peut regrouper deux phénomènes non exclusifs l'un de l'autre : des revenus annuels du travail trop faibles, dus aux temps partiels ou à de courtes périodes d'emploi ; ou une famille nombreuse dont seul un des membres perçoit des revenus d'activité. La part des travailleurs pauvres s'élève en effet à 14 % chez les familles monoparentales et à 20 % chez les couples avec enfants dans lesquels un seul des conjoints travaille.

Par ailleurs, la pauvreté laborieuse est plus fréquente en début d'activité professionnelle. Ainsi dénombre-t-on 12 % de travailleurs pauvres chez les personnes ayant moins de 3 ans de vie professionnelle. Ceci renvoie aux trois profils principaux formant cette catégorie : jeunes en phase d'insertion sur le marché du travail et accumulant des contrats courts et discontinus ; mères de familles monoparentales quadragénaires travaillant à temps partiel ; pères de familles nombreuses en milieu ouvrier, uniques apporteurs de ressources du ménage. La faible qualification constitue le dénominateur commun à ces situations : seuls 13 % des travailleurs pauvres ont un diplôme supérieur au baccalauréat, contre 30 % de l'ensemble des travailleurs.

Au niveau régional, l'acuité du phénomène découle principalement de la structure des populations. Ainsi, la Bretagne, l'Alsace et les Pays de la Loire comptent-elles environ 5 % de travailleurs pauvres. Cette situation est à rapprocher d'autres caractéristiques de ces régions, telles un faible taux de chômage, une forte proportion de couples et des taux d'activité féminins très élevés. En outre, les familles monoparentales et les couples avec un unique apporteur de ressources y sont relativement moins représentés qu'ailleurs. En revanche, en Languedoc-Roussillon, où le temps partiel est plus répandu qu'en moyenne, plus d'un travailleur sur dix est pauvre (*figure 3*).

Malgré ces différences structurelles, on observe une certaine corrélation entre le taux de pauvreté et la part des travailleurs pauvres parmi les personnes en emploi. Le Nord - Pas-de-Calais, où la part des travailleurs pauvres se situe dans la moyenne, se distingue toutefois. D'une part, comme indiqué précédemment, une taille des ménages plus élevée qu'en moyenne concourt à une pauvreté davantage concentrée. D'autre part, aux âges d'activité, les personnes privées d'emploi y connaissent une pauvreté plus élevée qu'ailleurs.

Bien que 37 % des travailleurs pauvres soient propriétaires de leur logement, les problèmes de confort, d'exiguïté, d'humidité ou de nuisances sonores et environnementales sont très prégnants, comme chez la population pauvre. Sur le plan de la vie quotidienne, ils éprouvent également des difficultés à honorer des factures dans les délais (19 % contre 6 % pour l'ensemble des travailleurs) ainsi qu'à se soigner autant que de besoin. En revanche, du point de vue de l'accès aux nouvelles technologies, la différence avec le reste de la population est moindre, tant pour la possession d'un ordinateur (66 % contre 77 % de l'ensemble des travailleurs), d'un téléphone portable que pour l'accès à internet.

3. Estimation du nombre de travailleurs pauvres par région en 2006

Région	Nombre de travailleurs pauvres	Part des travailleurs pauvres parmi les travailleurs (%)
Alsace	30 000	5
Aquitaine	100 000	8
Auvergne	40 000	7
Basse-Normandie	50 000	9
Bourgogne	30 000	6
Bretagne	60 000	5
Centre	70 000	7
Champagne-Ardenne	40 000	8
Corse	10 000	8
Franche-Comté	30 000	8
Haute-Normandie	60 000	8
Île-de-France	330 000	6
Languedoc-Roussillon	110 000	11
Limousin	20 000	9
Lorraine	50 000	6
Midi-Pyrénées	100 000	9
Nord - Pas-de-Calais	110 000	7
Pays de la Loire	80 000	6
Picardie	70 000	9
Poitou-Charentes	50 000	7
Provence - Alpes - Côte d'Azur	130 000	7
Rhône-Alpes	140 000	6
France métropolitaine	**1 710 000**	**7**

Champ : personnes vivant en ménages ordinaires en France métropolitaine.
Source : Insee, Enquête SRCV 2007, traitements Insee.

Pauvreté et bas salaires : des liens variables selon les régions

La faiblesse des revenus d'activité est le principal déterminant de la pauvreté laborieuse. Une majorité de travailleurs pauvres (71 % contre 25 % chez les salariés) perçoit une rémunération inférieure au seuil de bas salaires (*voir Définitions*), fixé ici à 794 euros nets mensuels en 2006 (*figure 4*). Avec cette convention, les bas salaires constituent une population de 5 millions de personnes, bien plus large que celle des travailleurs pauvres. Pour beaucoup, ce sont les revenus des autres membres de leur ménage qui les protègent de la pauvreté.

Le temps partiel et les courtes périodes d'emploi expliquent l'appartenance à cette catégorie, qui partage deux des trois profils caractérisant les travailleurs pauvres. On y retrouve ainsi, d'une part, des femmes exerçant à temps partiel, souvent dans des établissements de plus de 50 salariés de l'éducation, la santé, l'action sociale, l'administration ou les activités de nettoyage, et d'autre part de jeunes hommes en apprentissage ou occupant des postes de courte durée, parfois à temps complet et pour un salaire dépassant 1,2 fois le Smic.

La part des salariés à bas salaires est particulièrement élevée en Bretagne et dans les régions méditerranéennes (*figure 5*). Elle découle principalement des courtes périodes d'emploi en Bretagne, région à la fois touristique et industrielle, où les contrats saisonniers et l'intérim occupent une place importante. À l'inverse, en Languedoc-Roussillon, elle traduit un fort développement du temps partiel. Cette différence explique en partie le positionnement opposé de ces deux régions en termes de pauvreté laborieuse, malgré des similitudes sur le plan des bas salaires. En Bretagne, les emplois saisonniers et touristiques sont en effet souvent occupés par jeunes appartenant toujours au ménage parental qui dispose d'autres sources de revenus. À l'inverse, en Île-de-France, la part des bas salaires est faible, les emplois stables, très qualifiés et rémunérateurs y étant plus développés qu'ailleurs.

4. Répartition des individus selon la situation sur le marché du travail sur l'année 2006 et le niveau de revenu individuel

en %

		Ensemble des travailleurs pauvres salariés	Ensemble des salariés
Salarié toute l'année	**< Seuil de bas salaire**	**30**	**10**
	≥ Seuil de bas salaire	**26**	**71**
dont salarié à temps complet toute l'année	*< Seuil de bas salaire*	*8*	*4*
	≥ Seuil de bas salaire	*23*	*63*
dont salarié à temps partiel toute l'année	*< Seuil de bas salaire*	*21*	*7*
	≥ Seuil de bas salaire	*3*	*7*
Alternance de périodes d'emploi salarié, de chômage et d'inactivité	**< Seuil de bas salaire**	**41**	**15**
	≥ Seuil de bas salaire	**3**	**4**
Total		**100**	**100**

Champ : personnes salariées au moins un mois dans l'année et âgées de 17 à 64 ans en France métropolitaine.
Source : Insee, Enquête SRCV 2007.

5. Part des bas salaires parmi les salariés selon la région

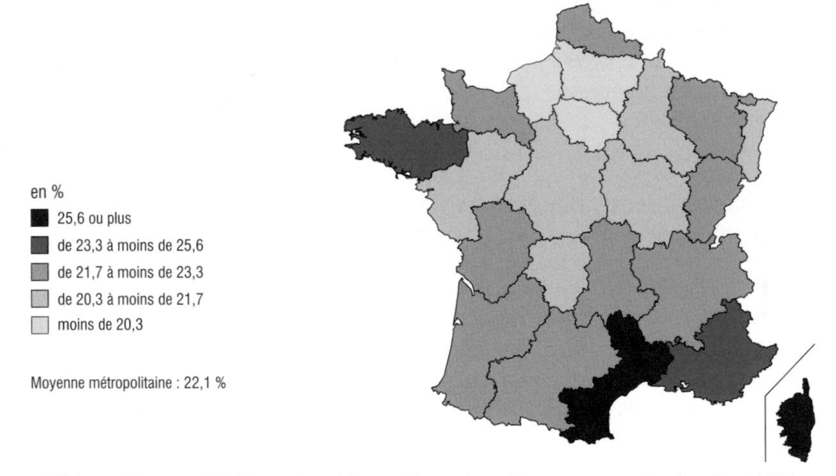

Note : un salarié à bas salaire est un individu pour lequel le cumul de tous les salaires nets perçus dans l'année est inférieur au seuil des salaires (794 euros par UC et par mois)
Source : Insee, DADS 2006.

Six familles de départements selon les différentes formes de pauvreté

Pauvreté, inégalités, bas revenus et bas salaires rendent compte de diverses formes d'insuffisance de ressources monétaires. À partir de ces grandeurs et de leur déclinaison selon les différentes franges de la population, six familles de départements peuvent être distinguées (*encadré, figure 6*).

Une première famille, bien implantée dans le quart nord-est, en Normandie ainsi que dans les Charentes et près de la Côte d'Azur, présente un profil proche de la moyenne métropolitaine. Si des nuances existent d'un département à l'autre, cette catégorie apparaît représentative de la métropole eu égard à certains critères généraux : équilibre rural/urbain avec à la fois des villes moyennes ou importantes et des espaces ruraux conséquents, ou encore diversification sectorielle du tissu productif. On peut cependant relever, au sein de cette famille, une plus faible part de la population à haut niveau de vie, ainsi qu'une légère surreprésentation des familles monoparentales pauvres.

Dans une autre famille, principalement implantée dans le quart nord-ouest, la pauvreté est faible, peu intense et les allocataires de minima sociaux peu nombreux. Les inégalités sont également peu élevées. Ces constats sont encore plus nets chez les moins de 30 ans. Malgré des personnes à bas salaires en nombre important, cette famille se distingue par une forte présence de ménages au niveau de vie confortable, sans pour autant figurer parmi les 10 % les plus aisés. Cet ensemble est marqué par une population très homogène, regroupée autour de « classes moyennes », tirant parti de la faiblesse du chômage et de la forte activité féminine, qui assurent aux ménages plusieurs sources de revenus, diminuant ainsi le risque d'entrer dans la pauvreté.

En Alsace, Rhône-Alpes et dans le Bassin parisien, la pauvreté est également faible, notamment chez les personnes seules, les familles monoparentales, les personnes âgées et en milieu urbain. Ce constat prévaut également pour l'intensité des bas revenus et des bas salaires. En revanche, la pauvreté est aussi intense qu'en moyenne métropolitaine et les inégalités y sont comparables, en lien avec la forte implantation de populations à niveau de vie assez ou très élevé. Cet ensemble géographique bénéficie tout à la fois d'un faible chômage et de la proximité de zones où les salaires sont plus élevés, comme en région parisienne ou dans les zones transfrontalières de Suisse ou d'Allemagne. Ces élements contextuels s'avèrent favorable à la prospérité globale de la population.

Paris et sa banlieue ouest constituent une famille à part entière caractérisée par une pauvreté faible mais intense notamment chez les personnes seules et les familles monoparentales. Les inégalités y sont très fortes, en raison de la coexistence de ménages à très bas et très haut niveau de vie. La part de la population à bas salaires et à bas revenus y est faible mais la part des bénéficiaires de minima sociaux y est moyenne. Les hommes seuls constituent la moitié des RMistes.

Encadré

Méthodologie de la constitution des six familles de départements

Dans un premier temps, une analyse en composantes principales (ACP) a été effectuée sur un certain nombre de variables caractérisant les départements : des taux globaux d'une part (pauvreté, population aisée, intensité des inégalités, bas revenus, bas salaires, RMIstes, APIstes) et, d'autre part, une déclinaison de ces taux selon différentes catégories de population (tranches d'âge, composition du ménage, situation sur le marché du travail).

Cette analyse a permis de faire émerger les variables qui contribuaient le plus à l'analyse et à la différenciation des départements.

Sur cette base, une classification ascendante hiérarchique (CAH) a permis de regrouper les départements en 6 familles, en agrégeant deux à deux et selon un processus itératif, ceux qui présentent le profil le plus proche eu égard aux variables retenues à l'issue de l'ACP (taux globaux, taux de pauvreté des jeunes, des personnes âgées, des personnes seules et en milieu urbain, part des jeunes et des personnes seules chez les bas revenus, part des personnes seules et des familles monoparentales chez les RMIstes). Cette procédure d'agrégation a été réalisée selon une méthode (critère de Ward) qui maximise l'homogénéité des profils au sein d'une famille, mais aussi leur hétérogénéité d'une famille à l'autre.

Enfin, deux familles de départements concentrent les plus fortes situations de pauvreté. D'une part, dans le Nord - Pas-de-Calais, l'Aisne, les Ardennes mais aussi le Languedoc-Roussillon, la Corse et la Provence, ou encore en Seine-Saint-Denis, dans le Lot-et-Garonne et le Tarn-et-Garonne, la pauvreté est très élevée et très intense dans toutes les catégories de population mais en particulier chez les jeunes, les familles monoparentales et les personnes résidant en milieu urbain. Les ménages modestes situés juste au-dessus du seuil de pauvreté sont également surreprésentés. De même, la part des allocataires de minima sociaux, des personnes à bas revenus et bas salaires y est également élevée, tout comme les inégalités : si la part des personnes à hauts revenus est assez faible, cette catégorie de population n'est pas négligeable : 6 à 8 % des personnes selon les départements sont parmi les 10 % les plus aisés de la métropole.

D'autre part, dans des départements ruraux du sud de la France, près du Massif central, la pauvreté est élevée mais essentiellement concentrée chez les retraités. Les inégalités sont faibles. Il s'agit d'une pauvreté essentiellement rurale : chez les personnes d'âge actif, les différentes formes de pauvreté sont en effet proches de la moyenne nationale. ■

6. Les familles de départements selon les différentes formes de pauvreté

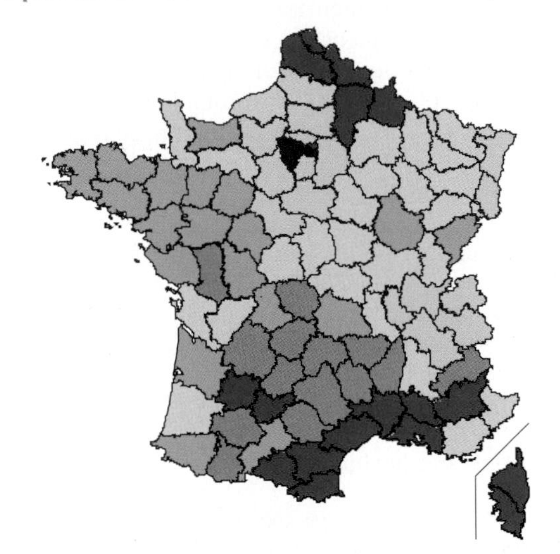

- Départements proches du profil métropolitain à de nombreux points de vue : acuité et intensité de la pauvreté et des inégalitaires, part et structure de la population à bas revenus, à bas salaires et bénéficiaire de minima sociaux.
- Départements à forte implantation de classes moyennes : pauvreté faible et peu intense, inégalités faibles également. Faible part de la population à bas revenus et bénéficiant de minima sociaux. En revanche, le taux de bas salaires et proche de la moyenne métropolitaine, comme la part de la population à haut niveau de vie.
- Département où la pauvreté, sous toutes ses formes,est la plus forte et la plus intense, dans toutes les catégories de population et en particulier chez les jeunes, les familles monoparentales et en milieu urbain. Forte présence également des ménages modestes, situés juste au dessus du seuil de pauvreté. Les inégalités sont assez fortes. La part de la population à haut niveau de vie est relativement faible.
- Départements à pauvreté forte mais essentiellement concentrée chez les retraités. Pour les autres catégories de population, la pauvreté, sous toutes des formes, y est moyenne, assez peu intense et les inégalités sont faibles. La part de la population à haut niveau de vie est très faible, tout comme la part des bénéficaires de minima sociaux.
- Départements à pauvreté faible, sous toutes ses formes, notamment chez les personnes seules, familles monoparentales, personnes âgées et en milieu urbain. Les inégalités y sont moyennes en raison d'un taux élevé de personnes à haut niveau de vie.
- Départements très inégalitaires. A l'exception des jeunes, la pauvreté, notamment pour les personnes âgées et les familles monoparentales, y est faible mais intense. La part des personnes à haut niveau de vie est très élevée.

Source : Insee, Revenus MAS disponibles Localisés, DADS 2006, CAF 2006.

Définitions

Le **taux de pauvreté** monétaire est défini comme la proportion d'individus ayant un niveau de vie inférieur au **seuil de pauvreté**, fixé à 60 % du niveau de vie médian, soit 880 euros par unité de consommation et par mois en 2006. Le **niveau de vie** d'un individu est le rapport entre le **revenu disponible** du ménage auquel il appartient et le nombre d'**unités de consommation** (UC). Par convention, tous les individus d'un même ménage ont le même niveau de vie.

Le **revenu disponible** d'un ménage est la somme de toutes les ressources des différentes personnes composant le ménage -revenus d'activité (salaires nets, bénéfices, etc.), de remplacement (allocations chômage, retraites, etc.), du patrimoine et prestations reçues (prestations familiales, aides au logement, minima sociaux)- de laquelle on déduit quatre impôts directs payés par le ménage : impôt sur le revenu, taxe d'habitation, contribution sociale généralisée (CSG) et contribution au remboursement de la dette sociale (CRDS).

L'ampleur des **inégalités** est définie à partir de la distribution du revenu disponible des ménages et mesurée par l'indice de Gini. Cet indicateur synthétique peut varier entre 0 et 1. Il est égal à 0 dans la situation d'égalité parfaite où tous les niveaux de vie seraient égaux. À l'autre extrême, il vaut 1 dans la situation la plus inégalitaire possible, celle où tous les niveaux de vie seraient nuls, à l'exception d'un ménage qui concentrerait toute la richesse. Entre 0 et 1, l'inégalité est d'autant plus importante que l'indice de Gini est élevé.

Le nombre d'**unités de consommation** d'un ménage diffère en général du nombre de personnes dans le ménage car on tient compte des économies d'échelle que procure la vie en commun. Le décompte effectué est le suivant : 1 UC pour le premier adulte du ménage ; 0,5 UC pour les autres personnes de 14 ans ou plus ; 0,3 UC pour les enfants de moins de 14 ans.

Un **travailleur pauvre** est une personne qui, sur une même période de 12 mois, vit dans un ménage pauvre et a été active pendant au moins 6 mois, dont au moins 1 mois en emploi.

Le **taux de bas revenus**, calculé à partir de la source CAF (Caisse d'allocations familiales), est défini comme la proportion d'individus de moins de 65 ans vivant dans un **foyer** qui, au sein de la population des foyers de moins de 65 ans ne relevant pas du régime agricole ou de régimes spéciaux, dispose de ressources inférieures au **seuil de bas revenus**, fixé à 60 % du revenu médian par unité de consommation, soit 871 euros par unité de consommation et par mois en 2006. Par rapport au taux de pauvreté, outre la différence de champ, ce taux ne prend pas en compte les impôts directs versés et utilise une échelle d'équivalence différente pour le calcul des unités de consommation en ajoutant 0,2 unité de consommation dans les familles monoparentales.

Un **foyer** comprend une personne de référence, son conjoint, ses enfants et les autres personnes à charge prises en compte pour le calcul de certaines prestations. Il se distingue d'un ménage, qui englobe l'ensemble des personnes partageant une même résidence principale.

Le **taux de bas salaires**, calqué dans cette étude sur le modèle du taux de pauvreté et de bas revenus, se définit comme la part des salariés dont le cumul, sur l'année 2006, de l'ensemble des salaires nets, est inférieur à 60 % du revenu salarial mensuel médian. Ramené à un salaire mensuel, ce seuil équivaut en 2006 à 794 euros par mois.

La **pauvreté institutionnelle** se définit ici par le fait de bénéficier d'un minimum social versé par les CAF : Revenu minimum d'insertion (RMI), Allocation de parent isolé (API), Allocation d'adulte handicapé (AAH).

Pour en savoir plus

Concialdi P., « Bas salaires et travailleurs pauvres », *Les Cahiers Français* n° 304, Septembre 2001.

Goutard L., Pujol J., « Les niveaux de vie en 2006 », *Insee Première* n° 1203, juillet 2008.

Guégnard C., Mériot S.-A., « Les emplois à bas salaire et les salariés à l'épreuve de la flexibilité », *Bref* n° 237, Cereq, janvier 2007.Ponthieux S., Raynaud É., « Les travailleurs pauvres », *Les Travaux de l'Observatoire National de la Pauvreté et de l'Exclusion Sociale*, édition 2007-2008.

Pujol J., Tomasini M., « Les inégalités de niveau de vie entre 1996 et 2007 », *Insee Première* n° 1266, novembre 2009.

Occupation du territoire et mobilités : une typologie des aires urbaines et du rural

*Mélanie Bigard, Éric Durieux**

Plus de 75 % de la population de France métropolitaine vit dans l'une de ses 354 aires urbaines, que ce soit en centre ville ou dans un espace directement sous son influence. L'analyse conjointe des mobilités résidentielles, des déplacements pendulaires et de l'accès aux équipements fait ressortir quatre schémas de développement des espaces urbains. Dans les plus grandes aires urbaines, le phénomène de périurbanisation est très sensible mais sans allongement des trajets domicile-travail, grâce à l'émergence de pôles d'emploi en périphérie. Dans les aires de taille moyenne, l'éloignement des centres-villes est modéré par un resserrement du rural vers le périurbain. Les petites aires urbaines jouent le rôle de pôle rural, concentrant les emplois et les équipements en leur centre. Certaines aires urbaines sont elles-mêmes sous influence d'autres aires urbaines, comme satellite d'un grand pôle ou comme partie d'un réseau sans pôle principal. Le rural se caractérise par deux classes extrêmes : le rural sous influence urbaine, où les résidents vont chercher l'emploi et les équipements dans l'aire urbaine la plus proche ; le rural isolé, au sein de régions montagneuses, où l'emploi se trouve généralement proche du domicile mais où l'accès aux équipements demeure compliqué avec des temps de trajet importants.

En France, jusque dans les années 1960, l'exode rural vide les campagnes et permet aux communes formant les actuels pôles urbains (*voir Définitions*) de se développer plus rapidement que toutes les autres composantes du territoire métropolitain. À partir des années 1960, les villes commencent à s'étendre et à se diluer, c'est-à-dire à se développer vers leur périphérie (phénomène de périurbanisation) tout en voyant leurs surfaces artificialisées augmenter. Ce sont alors les communes des couronnes périurbaines (*voir Définitions*) qui connaissent la croissance la plus vive, grâce au phénomène de desserrement urbain. Ainsi la croissance de la population française entre 1962 et 2006 (*figure 1*), qui s'élève à près de 32 %, ne s'est pas réalisée uniformément sur l'ensemble du territoire. En effet, elle est très rapide dans les banlieues (*voir Définitions*) et couronnes périurbaines (respectivement + 60 % et + 50 %, soit + 1,1 % et + 0,9 % en moyenne annuelle), mais plus contrastée dans les villes-centres (*voir Définitions*) des pôles urbains (+ 8 % sur la période). Dans le même temps les espaces ruraux enregistrent une hausse légère (+ 0,5 % sur la période). Néanmoins, ce phénomène de périurbanisation n'est pas uniforme durant toute la période et connaît son apogée entre 1975 et 1990 (+ 1,9 % par an entre 1975 et 1982, + 1,5 % entre 1982 et 1990) pour nettement ralentir ensuite. Aujourd'hui, 75 % de la population de France métropolitaine vit dans une de ses 354 aires urbaines (*voir Définitions*).

*Mélanie Bigard, Éric Durieux, Insee.

1. Taux annuel moyen d'évolution démographique par sous-espace

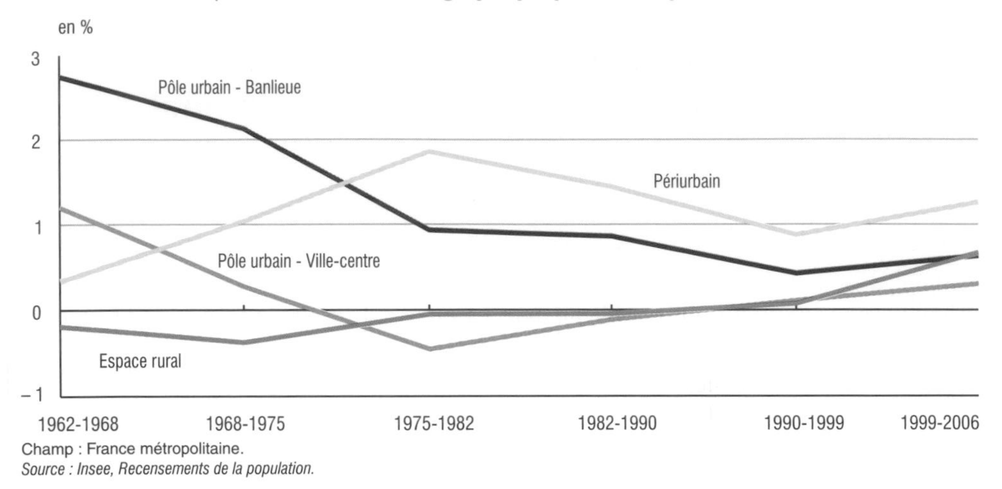

Champ : France métropolitaine.
Source : Insee, Recensements de la population.

Des années 1990 marquées par une croissance démographique des espaces ruraux et urbains

Les schémas de développement démographique des espaces urbains observés dans les années 1990 mettent l'accent sur l'attractivité en termes d'emplois des pôles urbains et confèrent ainsi aux territoires satellites une dépendance accrue. En effet, les espaces périurbains portent l'essentiel de la croissance démographique alors que l'emploi reste très concentré dans les pôles. Ces dernières années, tous les espaces du paysage français ont retrouvé une dynamique de croissance de leur population, en particulier les villes-centres et les espaces ruraux (+ 0,3 % et + 0,7 % par an respectivement entre 1999 et 2006). La différence entre ces derniers résident dans le fait que la croissance des villes-centres provient d'un solde naturel fortement positif, tandis que les espaces ruraux bénéficient quant à eux d'un solde migratoire positif. Les flux migratoires continuent d'être soutenus dans la période la plus récente : entre 2001 et 2006, 10 % de la population de France métropolitaine a changé de département de résidence. Une ligne allant du Finistère à la Haute-Savoie sépare les départements attractifs de l'Ouest et du Sud à des départements déficitaires en termes de migrations nettes. C'est le cas par exemple des départements du pourtour du Bassin parisien. Ainsi, les départements les plus attractifs sont pour la plupart des départements ruraux (c'est-à-dire dans lesquels 50 % au moins de la population réside dans un espace à dominante rurale). Toutefois, les migrants s'installent en majorité dans les villes-centres de ces départements. Cette attractivité des espaces ruraux s'est renforcée depuis les années 1990.

Déplacement domicile-travail et accès aux équipements au cœur des reconfigurations des territoires

Pour éclairer ces stratégies de localisation des populations, deux dimensions explicatives sont analysées : la première est la distance au lieu de travail, appréhendée au travers des navettes domicile-travail. La seconde concerne l'accessibilité aux équipements. Dans quelle mesure ces mécanismes à l'œuvre peuvent-ils tendre vers un nouvel équilibre des territoires ? Selon que l'on réside en ville-centre, en périphérie ou en milieu rural, la recherche d'une meilleure accessibilité à son lieu de travail ou à certains équipements induit des fonctions différentes, voire nouvelles pour les territoires. L'expansion urbaine des personnes et des activités pose en des termes nouveaux les relations entre les différents types d'espace dans la mesure où elle s'accompagne d'une reconfiguration des différentes fonctions. De plus, elle entraîne bien souvent une modification de la géographie des déplacements qui leur sont liés.

L'analyse combinée des flux migratoires et des déplacements domicile-travail permet de faire ressortir des schémas complémentaires de développement des espaces. Quels que soient les territoires, les migrations résidentielles se sont généralement traduites par un allongement des déplacements : les distances domicile-travail se sont accrues de 26 % dans le rural ou les espaces faiblement urbanisés, de 10 % dans les grandes agglomérations entre 1994 et 2008 [Hubert].

L'objectif de cette étude est de dresser une typologie des espaces du paysage français à partir de trois dimensions : les déplacements domicile-travail ; l'accès aux services d'équipement ; les migrations résidentielles. Cette typologie distingue d'emblée l'espace urbain et l'espace rural (*encadré*) et classe les territoires en 4 classes d'espaces urbains et trois classes d'espaces ruraux (*figures 2 et 3*).

2 . Répartition des sept classes sur le territoire métropolitain

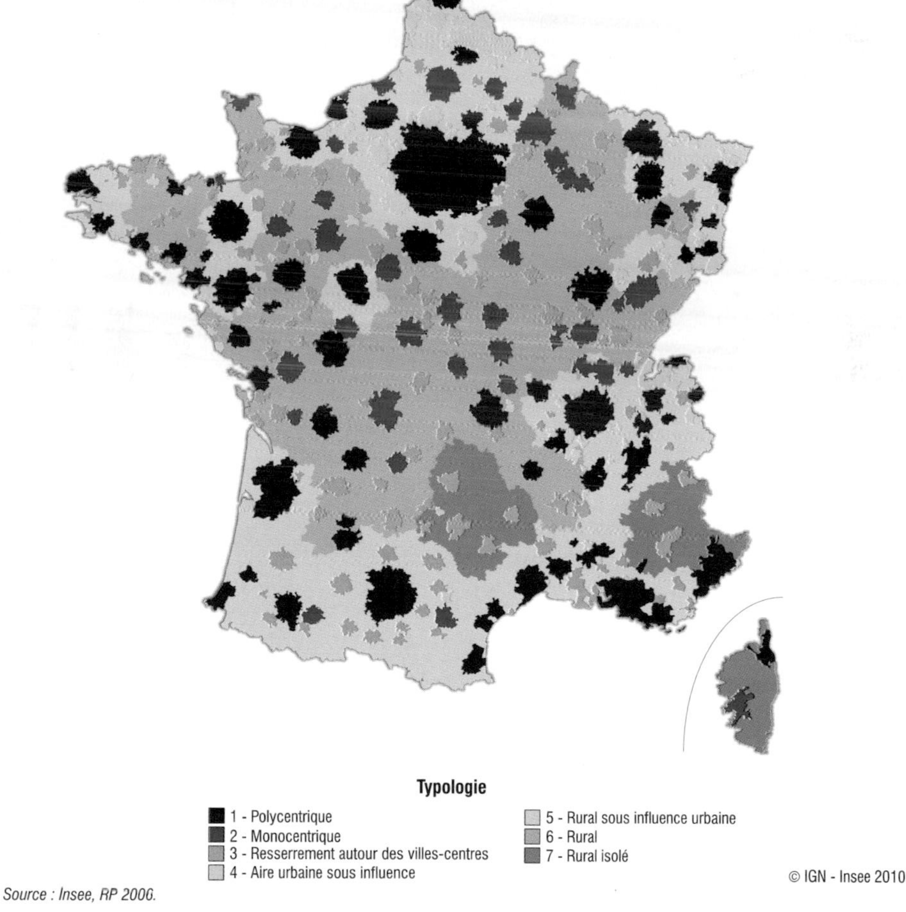

Source : Insee, RP 2006.

3 . Description des sept classes de la typologie des territoires

en %

	1 Polycentrique	2 monocentrique	3 Resserrement autour des villes-centre	4 Aire urbaine sous influence	5 Rural sous influence urbaine	6 Rural	7 Rural isolé	France
Migrations résidentielles								
Part des arrivants des villes-centre					**37**	**37**	**42**	**42**
Ville-centre	34	34	31	27				
Banlieue	60	62	47	57				
Couronne périurbaine	35	51	51	41				
Part des arrivants du rural					**14**	**19**	**18**	**16**
Ville-centre	16	16	29	19				
Banlieue	10	13	24	8				
Couronne périurbaine	14	24	24	21				
Ratio CS + / CS - des arrivants[1]					**36**	**29**	**38**	**57**
Ville-centre	81	81	45	42				
Banlieue	71	54	46	45				
Couronne périurbaine	60	44	44	45				
Déplacements domicile-travail								
Part des travailleurs dans l'espace de résidence					**39**	**28**	**17**	...
Ville-centre	92	92	76	71				
Banlieue	93	87	77	69				
Couronne périurbaine	87	79	79	67				
Part des travailleurs dans une autre aire urbaine					...	...	...	...
Ville-centre	5	5	14	22				
Banlieue	6	6	12	27				
Couronne périurbaine	7	9	9	21				
Part des travailleurs dans le rural					**61**	**72**	**83**	**18**
Ville-centre	3	3	10	7				
Banlieue	1	6	12	4				
Couronne périurbaine	6	12	12	12				
Part des « stables » (au niveau communal)					**34**	**39**	**53**	**38**
Ville-centre	70	70	67	45				
Banlieue	24	23	26	22				
Couronne périurbaine	21	20	20	15				
Accès aux équipements								
Temps d'accès à la gamme supérieure en heures pleines (minutes)					**31**	**37**	**60**	**17**
Ville-centre	2	2	7	8				
Banlieue	11	18	21	19				
Couronne périurbaine	25	27	27	24				

1. Les CS font référence aux catégories socioprofessionnelles définies par l'Insee. Les CS plus regroupent les cadres et les professions intermédiaires tandis que les CS moins regroupent les employés et les ouvriers.
Champ : France métropolitaine.
Lecture : pour la classe 1, 34 % des migrants s'installant en ville-centre arrivent d'une commune de la ville-centre de cette même aire urbaine. 60 % des migrants s'installant dans sa banlieue sont en provenance de la ville-centre de l'aire urbaine.
Source : Insee, Recensement de la population 2006, BPE.

Étalement démographique et polycentrisme de l'emploi

La première classe compte 74 aires urbaines et concentre 69 % des urbains et 70 % des actifs urbains, soit 14 millions d'actifs. Elle regroupe les capitales régionales comme Paris, Lyon, Marseille, Nice, Bordeaux, etc. La densité moyenne de la population y est de 378 habitants au km², avec un maximum pour l'aire urbaine de Paris qui compte 821 habitants au km² (contre 112 au niveau national).

Ces espaces urbains se caractérisent par un phénomène de périurbanisation très marqué : les habitants des villes-centres partent s'installer en banlieue et les habitants des banlieues migrent vers les couronnes périurbaines (*figure 4*). En moyenne, 60 % des migrants en banlieue proviennent d'une ville-centre de la même aire urbaine et 46 % des nouveaux arrivants en couronne périurbaine sont originaires de la banlieue.

Dans ce type d'aires urbaines, l'étalement de la population s'accompagne d'un relatif étalement de l'emploi marqué par l'émergence de pôles d'emploi secondaires. En effet, les actifs qui ne résident pas en ville-centre n'ont pas forcément besoin de la rejoindre pour aller travailler : 64 % des habitants de banlieue travaillent dans cette même banlieue (ils peuvent néanmoins être amenés à changer de commune).

Les habitants de la couronne périurbaine travaillent également pour la plus grande part dans cette même couronne, mais dans une moindre mesure (37 %). Néanmoins, la moitié de ces périurbains se rend dans le pôle urbain pour travailler, se répartissant à parts égales entre banlieue et ville-centre. Les flux partant de la couronne vers la ville-centre restent bien plus faibles que pour les autres classes d'aires urbaines.

4 . Polycentriques

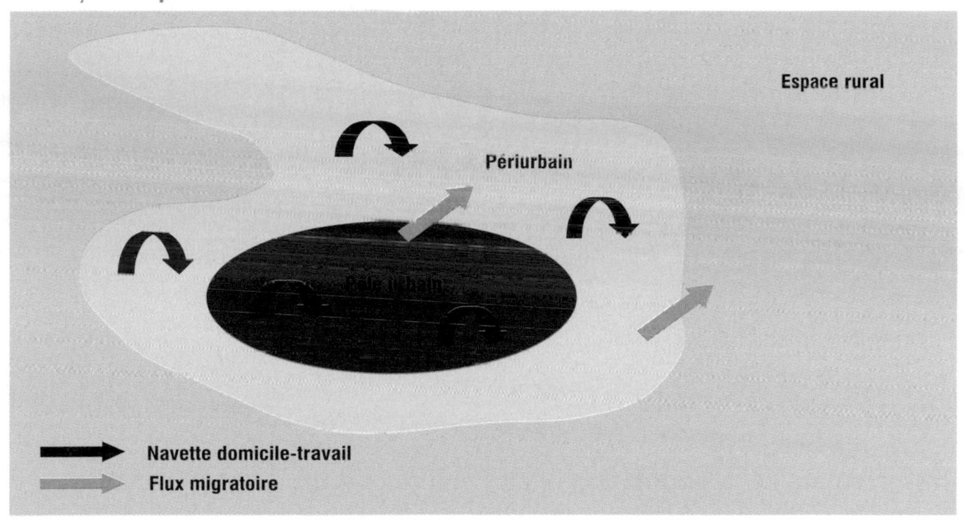

Étalement démographique contrasté et « monocentrisme » de l'emploi

La deuxième classe est constituée d'aires urbaines moins importantes que les précédentes : au nombre de 41, elles abritent 9 % de la population urbaine et près de 10 % des actifs urbains. La densité moyenne de population de ces aires est de 136 habitants au km².

Cette deuxième catégorie d'aires urbaines se caractérise par un double mouvement : étalement urbain et resserrement autour du pôle urbain (*figure 5*).

L'étalement urbain se manifeste au travers des déménagements d'habitants des villes-centres vers la banlieue et la couronne. Les originaires de ville-centre représentent près de 60 % des nouveaux arrivants en banlieue et 50 % des arrivants en couronne périurbaine.

Mais les arrivants en couronne ne sont pas que des citadins : 24 % d'entre eux viennent de communes rurales. C'est en cela que l'on peut parler de resserrement. Ces originaires du rural s'installent dans l'aire urbaine pour se rapprocher de l'emploi mais pas uniquement. Certains viennent sans doute y rechercher un meilleur accès aux équipements, en se rapprochant de la ville-centre qui les concentre. À titre d'exemple, le temps d'accès aux services de la gamme supérieure (en termes de détour par rapport au trajet domicile-travail, *encadré*) est de moins de deux minutes dans les villes-centres dont il est question ici, alors qu'en banlieue ce temps varie de 11 à 22 minutes en moyenne. Les arrivants continuent en majorité de travailler en milieu rural : 12 % des habitants des couronnes vont travailler dans le rural.

Le resserrement autour du pôle se matérialise aussi par le fait que, contrairement à la première catégorie d'aires urbaines, l'emploi reste polarisé au sein du pôle urbain : 70 à 90 % des habitants des banlieues de ces aires urbaines vont travailler dans le pôle urbain. Les habitants de la couronne sont 42 % à travailler dans la ville-centre et 30 % dans la couronne.

5 . Monocentriques

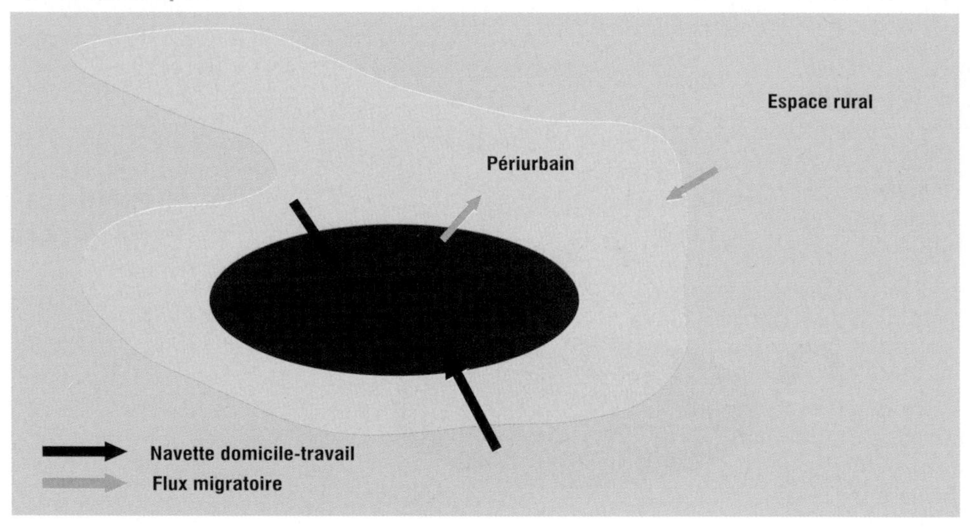

Resserrement de la population et de l'emploi autour de la ville-centre

La troisième catégorie d'aires est celle qui en recense le plus grand nombre : 126. Son poids en termes de population et d'actifs est le plus faible : 8 % de la population urbaine et des actifs urbains. C'est également la classe d'aires urbaines où la densité moyenne de population est la plus basse, avec 110 habitants au km^2.

Ces aires urbaines se caractérisent par un mouvement de resserrement autour de la ville-centre (*figure 6*). On note un afflux vers le centre en provenance de la couronne mais aussi du rural. Parmi ceux qui quittent les couronnes, 42 % vont en ville-centre. Les ruraux représentent 30 % des arrivants en ville-centre et 24 % des arrivants en couronne périurbaine.

On peut distinguer deux facteurs pour expliquer ce resserrement. D'une part, la ville-centre peut être vue comme réserve d'emplois. Cela explique des migrations pendulaires vers les villes-centres : 42 % des habitants des couronnes travaillent en ville-centre.

Mais l'emploi ne peut expliquer seul cet afflux vers le centre des aires urbaines : en effet, 10 % des habitants des villes-centres vont travailler dans le rural. Certains ruraux viennent ainsi s'installer en ville-centre pour obtenir un meilleur accès aux équipements. Le temps d'accès aux équipements de la gamme supérieure, par exemple, peut être divisé par 6 et même par 10 selon que l'on habite en milieu rural ou en ville-centre, même si ces villes-centres sont assez petites.

6 . Resserrement

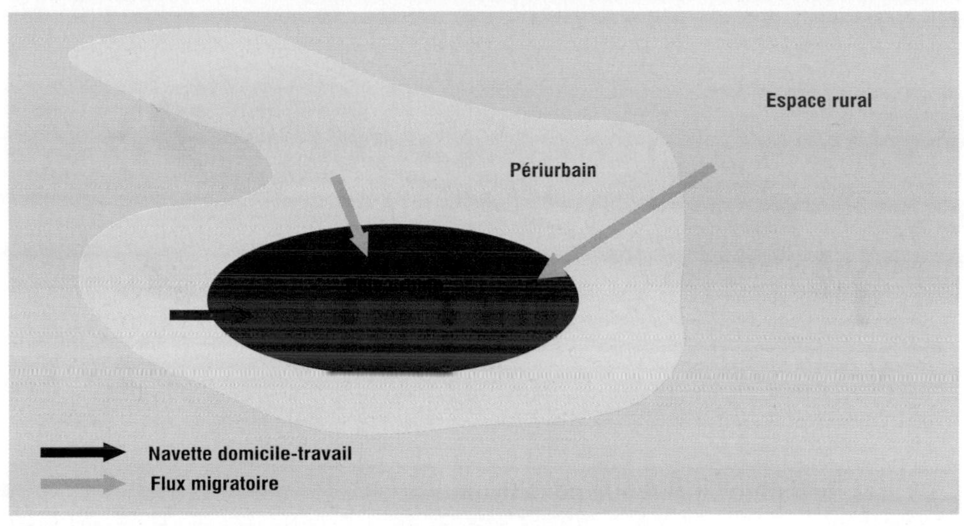

Les aires urbaines sous influence d'autres aires urbaines

La quatrième catégorie d'aires compte 113 aires urbaines qui rassemblent 14 % des urbains et 13 % des actifs urbains. La densité moyenne de la population de ces aires est comparable à celle de la première catégorie (329 habitants au km^2) car ces aires sont souvent de petite taille avec une forte concentration, surtout celles du Nord.

Le trait distinctif de ces aires urbaines est la part importante des actifs urbains qui vont travailler en dehors de leur aire urbaine (*figure 7*). En moyenne, 22 % des habitants de villes-centres quittent leur aire urbaine de résidence pour se rendre au travail (alors qu'en moyenne, seuls 6 % des résidents d'une aire urbaine vont travailler dans une autre aire urbaine).

Au sein de cette catégorie, il convient de distinguer deux sous-groupes. Le premier, majoritaire, concerne des aires urbaines situées à proximité d'aires urbaines plus importantes (appartenant à notre première catégorie). On peut citer en exemple un ensemble d'aires urbaines situées autour de l'aire urbaine parisienne (Chartres, Dreux, Beauvais) ou autour de l'aire lyonnaise (Villefranche-sur-Saône, Tarare).

Ainsi de nombreux actifs rejoignent quotidiennement l'aire urbaine voisine qui est mieux dotée en emplois et en équipements que celle où ils habitent. On peut parler d'aires urbaines « satellites » des grandes aires urbaines.

Un deuxième sous-groupe concerne des aires urbaines organisées en une sorte de réseau où l'on observe des échanges quotidiens croisés : c'est typiquement le cas de l'aire lilloise et des aires qui l'entourent. Ce sont des aires urbaines où la population est très concentrée, avec par exemple 1 214 habitants au km² dans l'aire lilloise (soit la densité maximale toutes aires confondues), ou encore 809 habitants au km² pour l'aire de Douai-Lens.

Aucune ne joue un rôle de pôle principal, mais la proximité favorise une forte mobilité des actifs entre les aires urbaines.

7 . Influence autre aire urbaine

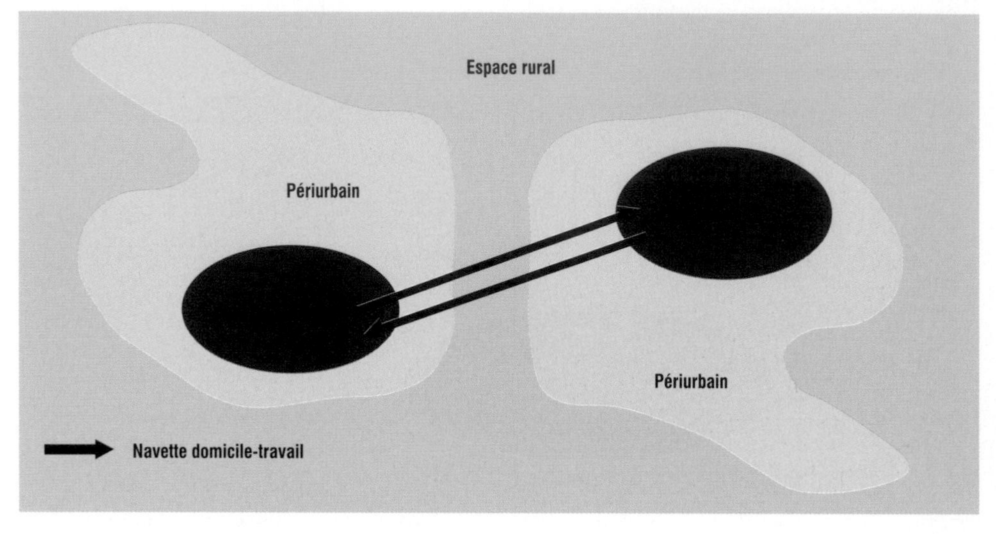

Un rural fortement influencé par l'urbain...

Le rural, qui représente 18 % de la population française, a connu depuis l'après-guerre une longue phase de déclin qui n'a pris fin qu'au cours des années 1980. Un renversement de tendance s'est même effectué à la fin du XXe siècle, et la population a légèrement augmenté dans les départements les plus ruraux. La population active occupée y représente 22 % du volume national. Les résidents des espaces ruraux parcourent des distances supérieures aux urbains pour se rendre sur leur lieu de travail : 20 km contre 14 km. Cela peut s'expliquer par la polarisation des emplois au sein des aires urbaines, qui accueillent 34 % des actifs résidant dans le rural. L'accessibilité aux équipements y est plus compliquée car les distances à parcourir sont plus longues. Ainsi, pour accéder aux équipements de la gamme supérieure, bien que légèrement surreprésentés au regard de la population, il faut 37 minutes de trajet depuis le domicile, 2 fois plus qu'en moyenne nationale. Néanmoins, deux profils particuliers se dégagent au sein des espaces ruraux.

La majorité des ruraux (54 %) vivent à proximité de grandes aires urbaines (première catégorie). Parmi ces ruraux, 39 % vont travailler dans une aire urbaine. L'accessibilité moyenne des équipements reste assez faible comparativement à celle des villes-centres et des banlieues, mais s'améliore légèrement lorsque l'on prend en compte le trajet domicile-travail : à titre d'exemple, le temps d'accès moyen aux services de la gamme supérieure est de 31 minutes sur le trajet domicile-travail contre 33 minutes depuis le domicile.

Par ailleurs, on note que le ratio CS plus/CS moins (*encadré*) est élevé, ce qui est encore un signe du caractère « urbain » de ces espaces.

Encadré

Méthodologie de la constitution des différents espaces urbains et ruraux

Une typologie des espaces a été réalisée sur la base des aires urbaines et des espaces à dominante rurale (croisés avec le département). Les indicateurs choisis pour effectuer cette typologie sont issus des données du recensement 2006 ainsi que de la Base permanente des équipements (BPE). Les indicateurs retenus (15 au total) concernent les déplacements domicile-travail, les migrations résidentielles, ou encore l'accessibilité aux équipements. Dans cette typologie, les communes multi-polarisées (*voir Définitions*) ont été agrégées avec l'espace rural.

Les variables prépondérantes pour la constitution de cette typologie sont regroupées en trois catégories :

– migrations résidentielles : part des migrants originaires de ville-centre ; part des migrants originaires de banlieue ; part des migrants originaires de la couronne périurbaine ; part des migrants originaires du rural ; ratio CS + /CS – des immigrants ;

– déplacements domicile-travail : part des travailleurs en ville-centre ; part des travailleurs en banlieue ; part des travailleurs en couronne périurbaine ; part des travailleurs dans le rural ; part des stables (la commune de résidence est la commune de travail) ;

– accès aux équipements : temps d'accès aux services de la gamme supérieure.

Les CS font référence aux catégories socioprofessionnelles (CS) définies par l'Insee. Les CS plus regroupent les cadres et les professions intermédiaires tandis que les CS moins regroupent les employés et les ouvriers. De leur côté, les gammes d'équipements sont divisées en trois catégories :

– gamme de proximité : 23 types d'équipements dont école maternelle, pharmacie, boulangerie, Poste, etc. ;

– gamme intermédiaire : 28 types d'équipements dont collège, orthophoniste, supermarché, Trésor public, etc. ;

– gamme supérieure : 36 types d'équipements dont lycée, maternité, hypermarché, Pôle emploi, etc.

Les temps d'accès aux équipements des trois gammes ont été calculés selon deux approches. La première consiste à trouver la distance (et le temps nécessaire pour la parcourir) entre la commune de résidence et la commune équipée la plus proche. La deuxième approche prend en compte le trajet domicile-travail en calculant le détour effectué par la personne pour se rendre à l'équipement.

Voici un schéma explicatif :

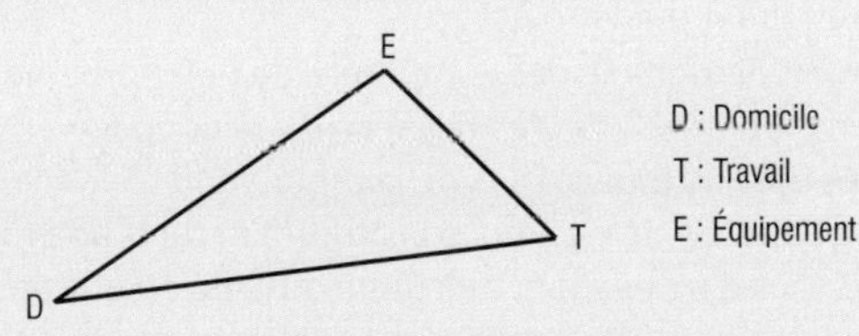

Selon cette approche, on considère que le temps d'accès à l'équipement est égal au détour par rapport au trajet domicile-travail (soit $\varepsilon = DE + ET - DT$). Seule exception : si ce détour est supérieur au temps d'accès du domicile à l'équipement (DE), on ne garde pas ε mais DE.

Sur l'ensemble de ces indicateurs, nous avons réalisé une analyse en composantes principales (ACP), puis une classification ascendante hiérarchique (CAH) sur les axes de cette ACP. Les résultats obtenus nous fournissent 4 classes pour les aires urbaines et 2 classes particulières pour le croisement rural/département (plus une classe proche de la moyenne du rural dans son ensemble qui ne sera pas décrite dans cette étude).

... ou un rural isolé

Le rural dit « isolé » concerne seulement 4 % des ruraux. Il s'agit d'un rural beaucoup plus « autarcique », au sens où ses liens avec les aires urbaines sont très restreints. 83 % de ses actifs travaillent en milieu rural. 53 % d'entre eux travaillent dans leur commune de résidence. De ce fait, le temps d'accès aux équipements est élevé : le temps d'accès aux services de la gamme supérieure, par exemple, est le double de celui des deux autres classes rurales (60 minutes). Ce temps rallongé s'explique également par la géographie de ces départements, traversés (ou proches) de massifs montagneux, ce qui ne facilite pas les déplacements.

Les communes de ce type d'espace rural apparaissent souvent comme suréquipées au regard de leur faible population. Cela n'empêche pas que la distance moyenne parcourue pour accéder aux équipements soit élevée, comme nous l'avons vu plus haut. En effet, la population de ces communes est très dispersée, ce qui implique des temps d'accès aux équipements relativement longs, que les personnes se rendent dans l'aire urbaine la plus proche ou dans une autre commune rurale. ■

Définitions

Le zonage en aires urbaines (ZAU) décline le territoire en deux grandes catégories : l'**espace à dominante urbaine** et l'**espace à dominante rurale**.

L'**espace à dominante urbaine** regroupe les **aires urbaines** (**pôles urbains** et **couronne périurbaine**) et des **communes multi-polarisées**.

Une **aire urbaine** est un ensemble de communes d'un seul tenant et sans enclave, ne tenant pas compte des limites administratives, constitué par un **pôle urbain** et par une **couronne périurbaine**. Elle mesure l'aire d'influence économique d'une grande ville (agglomération comportant plus de 5 000 emplois sur son territoire). Une aire urbaine peut se réduire au seul pôle urbain.

Un **pôle urbain** est une unité urbaine offrant au moins 5 000 emplois et n'appartenant pas à la couronne périurbaine d'un autre pôle urbain.

La **couronne périurbaine** est l'ensemble des communes de l'aire urbaine à l'exclusion de son pôle urbain. Elle est formée de communes rurales (au sens du découpage en unités urbaines), d'unités urbaines ou de communes dont au moins 40 % de la population résidente ayant un emploi travaille dans le pôle. La couronne périurbaine est alors construite à partir d'un processus d'agrégation itératif. Si au cours de ce processus d'agrégation, une unité urbaine est attirée à plus de 40 % par un des pôles et par les communes qui y sont agrégées, elle fait alors partie de sa couronne périurbaine, même si elle offre plus de 5 000 emplois.

Les **communes multi-polarisées** sont les communes rurales et unités urbaines situées hors des aires urbaines, dont au moins 40 % de la population résidente ayant un emploi travaille dans plusieurs aires urbaines, sans atteindre ce seuil avec une seule d'entre elles, et qui forment avec elles un ensemble d'un seul tenant. Ces communes sont attirées par plusieurs grandes villes du fait de l'attraction en termes d'emploi des actifs de ces communes vers ces grandes villes.

L'**espace à dominante rurale** est l'ensemble des communes rurales et unités urbaines n'appartenant pas à l'espace à dominante urbaine.

Pour en savoir plus

Baccaïni B., Levy D., « Les migrations entre départements : le Sud et l'Ouest toujours très attractifs », *Insee Première* n° 1248, juillet 2009.

Baccaïni B., Sémécurbe F., « La croissance périurbaine depuis 45 ans. Extension et densification », *Insee Première* n° 1240, juin 2009.

Baccaïni B., Sémécurbe F., Thomas G., « Les déplacements domicile-travail amplifiés par la périurbanisation », *Insee Première* n° 1129, mars 2007.

Bessy-Pietri P., « Les formes récentes de la croissance urbaine », *Économie et statistique* n° 336, Insee, janvier 2001.

Bessy-Pietri P., Sicamois Y., « Le zonage en aires urbaines en 1999 : 4 millions d'habitants en plus dans les aires urbaines », *Insee Première* n° 765, avril 2001.

Hubert J.-P., « Dans les grandes agglomérations, la mobilité quotidienne des habitants diminue, et elle augmente ailleurs », *Insee Première* n° 1252, juillet 2009.

Laganier J., Vienne D., « Recensement de la population 2006. La croissance retrouvée des espaces ruraux et des grandes villes », *Insee Première* n° 1218, janvier 2009.

Attractivité des territoires : 14 types de zones d'emploi

*Laurence Labosse**

La France est composée de territoires aux types d'attractivité très différents. La concentration, sur Paris et ses couronnes, des centres de décision des grandes entreprises internationales, et des universités et grandes écoles renommées, attire les jeunes actifs et les étudiants. En province, des métropoles régionales jouent, à leur échelle, le rôle de la capitale et sont attractives pour les étudiants, ainsi que pour les grandes entreprises et leurs emplois. Il s'agit là d'une attractivité de type « métropolitain ». Autour d'elles, des territoires, plus orientés vers une économie résidentielle, bénéficient d'une attractivité de type « péri-métropolitain ». La plupart des zones du sud de la France, attractives pour toutes les populations, profitent ainsi d'une attractivité de type « présentiel ». À l'opposé, les territoires du nord de la France, marqués par l'industrie ou l'agriculture, peuvent apparaître en panne d'attractivité.

Depuis plusieurs décennies, les politiques publiques d'aménagement du territoire et de développement économique, et les choix de localisation des entreprises et des ménages ont remodelé l'espace économique français. La France reste pourtant très marquée par le poids de son histoire et par sa géographie. Elle est aujourd'hui composée de territoires dotés de formes d'attractivité très différentes.

L'attractivité d'un territoire est sa capacité à attirer et à retenir des activités nouvelles et des facteurs de production, c'est-à-dire des entreprises et leurs emplois, mais aussi des populations et leurs revenus, qu'il s'agisse de résidents permanents ou de touristes. Les facteurs favorisant l'attractivité d'un territoire sont nombreux et diffèrent selon le type d'acteur économique. Il peut s'agir de l'environnement économique, des réseaux de transport, d'une main-d'œuvre qualifiée ou bon marché, du cadre naturel et de la qualité de vie, de la proximité d'une ressource naturelle, de l'image des territoires et de leur passé, etc.

Une typologie des 348 zones d'emploi *(voir Définitions)* de France métropolitaine *(encadré)*, prenant en compte un grand nombre d'indicateurs et de facteurs d'attractivité, permet de les regrouper en quatorze types et de les caractériser *(figure 1)*.

Paris et ses couronnes attirent les jeunes actifs et les sièges d'entreprises

La concentration sur Paris des « fonctions de commandement », des centres de décision des grandes entreprises internationales, et des universités et grandes écoles renommées, placent Paris et les zones d'emploi qui l'entourent dans une situation unique en France. Première métropole de l'Union européenne en terme de population, Paris est la seule ville française qui jouisse d'un rayonnement à l'échelle mondiale. Elle appartient au réseau des « villes globales » qui impulsent le fonctionnement de l'économie mondialisée.

Paris et les zones d'emploi les plus proches, comme Nanterre, Boulogne-Billancourt, Vitry-sur-Seine, Créteil, Orly, etc., composent dans notre typologie la métropole parisienne. Avec une densité économique de 2 900 emplois par kilomètre carré, un salaire horaire brut de

* Laurence Labosse, Insee.

plus de 19 euros en 2005 très largement supérieur à la moyenne française, et une part importante de contrats à durée indéterminée, ce territoire attire de nombreux cadres, des étudiants et des étrangers. Les fonctions *(voir Définitions)* de gestion (chefs d'entreprise, cadres dirigeants et financiers, etc.) et de prestations intellectuelles (avocats, interprètes, architectes, etc.) y sont très bien représentées. Les emplois dans les services à forte intensité de

1. Typologie des territoires en fonction de leur attractivité

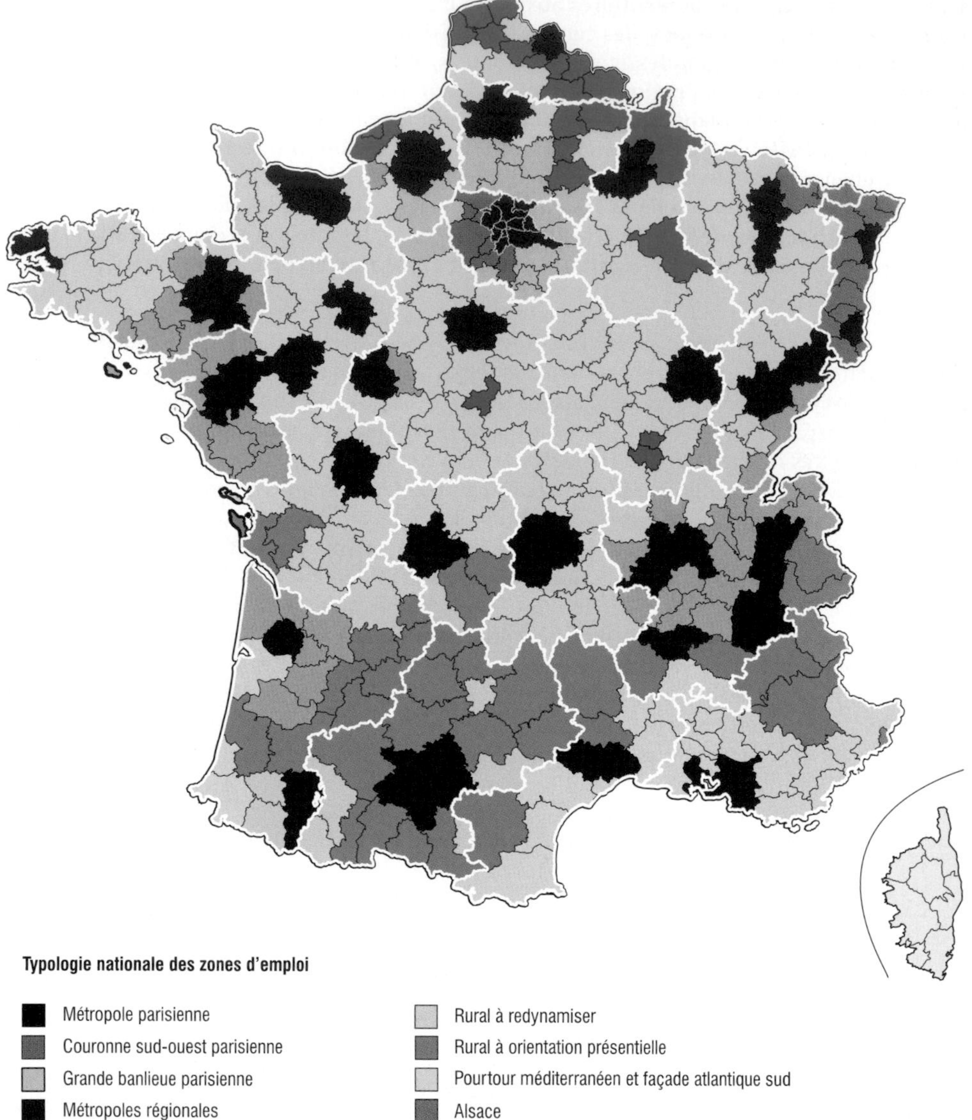

Source : Insee

connaissance de haute technologie, tels que les télécommunications, les activités informatiques et la recherche et développement, représentent 6 % des emplois, soit le double de la moyenne nationale. La métropole parisienne attire également des entreprises souvent à la recherche d'une main-d'œuvre qualifiée. Cependant, certains facteurs, comme la forte densité de population ou la faible part des logements individuels, poussent une partie de la population, notamment les actifs de plus de 40 ans et les retraités, à quitter le territoire, d'où un solde migratoire *(Définitions)* négatif depuis plusieurs années.

À l'ouest et au sud de la métropole parisienne, les zones d'emploi de Cergy, Poissy, Les Mureaux, Versailles, Orsay, Dourdan et Évry (couronne sud-ouest parisienne) forment un ensemble dont la trajectoire démographique depuis 40 ans est assez spectaculaire *(figure 2)*. De 643 000 habitants en 1962, cette « couronne sud-ouest parisienne » est peuplée en 2006 de 1 755 000 habitants, soit presque le triple. Les grands établissements de recherche (CEA, CNRS, Inra) et les salaires élevés attirent notamment des cadres ou des actifs diplômés de l'enseignement supérieur. La mobilité des actifs est particulièrement forte. Le cadre de vie conduit une population aux revenus relativement élevés à s'y installer. Toutefois, 57 % des actifs travaillent hors de la zone et près de la moitié des emplois sont occupés par des actifs habitant à l'extérieur. Comme pour la métropole parisienne, les plus de 40 ans ont tendance à quitter la ceinture sud-ouest parisienne. Malgré près de 19 % de nouveaux arrivants entre 2001 et 2006, le solde migratoire de cet espace est négatif.

Autour de la métropole parisienne et de sa couronne sud-ouest, un ensemble de zones d'emploi forme la « grande banlieue parisienne », qui dépasse les limites régionales de l'Île-de-France et s'étend notamment en Picardie et en Haute-Normandie. Siège de grands

2. Évolution démographique des 14 catégories de zones d'emploi

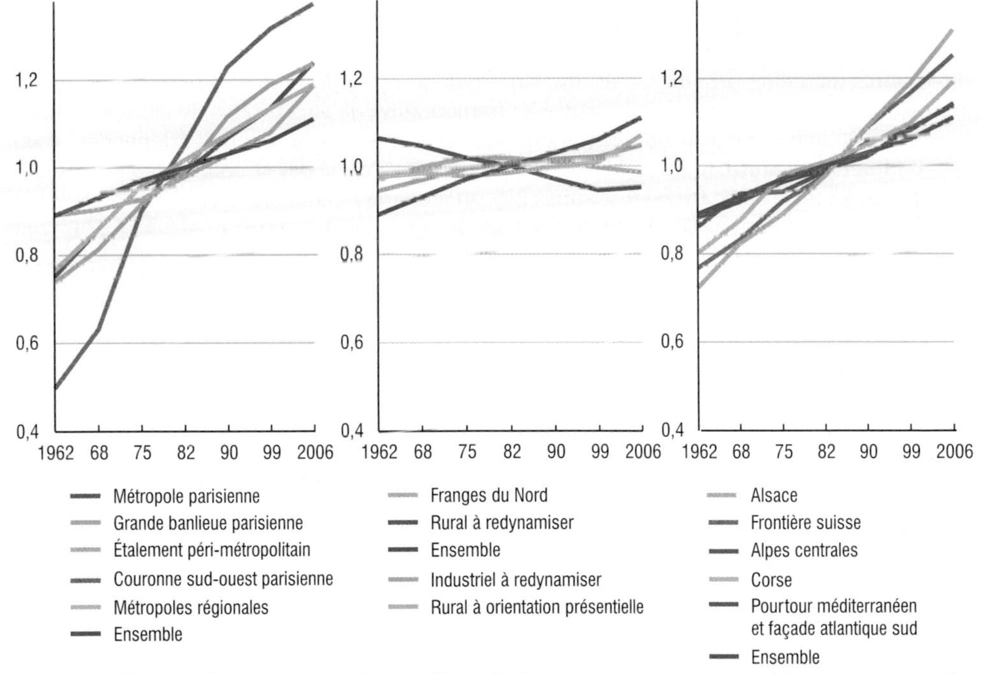

Lecture : le profil démographique de chaque territoire est défini par l'indicateur qui rapporte leur population à l'un des recensements à la moyenne des populations de l'ensemble des recensements. Sur les graphiques, les profils démographiques des types sont les moyennes simples des profils des zones d'emploi qui les composent.
Source : Insee, Recensements de la population de 1962 à 2006.

groupes étrangers, cette grande banlieue parisienne comprend une part importante de professions intermédiaires et d'employés. Toutefois, avec 45 % d'actifs qui travaillent en dehors de ce territoire (en augmentation de 13 points depuis 1990) et 29 % des emplois pourvus par des actifs venant de l'extérieur, les migrations alternantes sont très élevées ici encore. Entre 1962 et 2006, la population a presque doublé, mais le solde migratoire est là encore négatif. De jeunes actifs de 25 à 39 ans élisent domicile avec leurs enfants dans cette grande banlieue parisienne. Depuis 1999, la part des logements individuels est en hausse. En 2006, ils représentent 60 % des logements contre 55 % en moyenne nationale. L'emploi dans l'éducation s'est fortement développé depuis 1982, en augmentation de 64 %, accompagnant l'arrivée des jeunes actifs et de leurs enfants. Malgré un revenu fiscal médian encore élevé en 2005, les populations concernées par le RMI ont augmenté entre 2002 et 2005. De même, la part des familles monoparentales ne cesse de progresser depuis 1990. Le taux de chômage des personnes de moins de 50 ans s'est, lui aussi, accru entre 1990 et 2006 (+ 4,4 points pour les moins de 25 ans et + 1,5 point pour les 25-49 ans).

En termes d'attractivité, les enjeux de la métropole parisienne et de ses couronnes sont multiples. La saturation des réseaux de transports atteint un point critique, du fait de la croissance des navettes domicile-travail. Le développement de la mixité des fonctions urbaines et des populations, constitue également un défi, pour préserver la qualité de la vie et la cohésion du territoire.

Universités et grandes entreprises dans les métropoles régionales, économie résidentielle à la périphérie

En province, un ensemble de grandes villes, de Lille à Marseille, de Brest à Strasbourg, présente une attractivité de type métropolitain.

Dans l'ensemble de ces territoires, la part des emplois dans les fonctions de gestion, de prestations intellectuelles et de recherche est plus élevée qu'en moyenne nationale. La part des cadres et celle des diplômés du supérieur sont importantes. La présence d'une main-d'œuvre qualifiée est due en partie à l'implantation de succursales de grands groupes français et étrangers. Près de 39 % des salariés de cet ensemble de métropoles dépendent d'un groupe français, contre 30 % au niveau national, et 14 % travaillent pour un établissement appartenant à un groupe étranger, contre 12 % en moyenne nationale. L'importante mobilité des établissements entre 2000 et 2006 et le taux de créations d'entreprises élevé en 2007 ont contribué au renouvellement du tissu économique.

La plupart des métropoles régionales, pôles universitaires, attirent des étudiants, notamment Toulouse, Lille, Lyon et Bordeaux. Toutefois, dans cet ensemble, certaines villes, comme Annecy, Valence, Montbéliard ou Mulhouse, moins pourvues d'établissements d'enseignement supérieur, voient leurs étudiants les quitter.

Par ailleurs, les métropoles régionales perdent des cadres, des professions intermédiaires et des jeunes actifs de 25 à 39 ans : ils viennent y travailler, mais préfèrent s'installer à la périphérie. Du fait de leur configuration, les zones d'emploi de Toulouse, Annecy, Chambéry, L'Étang-de-Berre, Fos-sur-Mer, Pau et Valence font figure d'exception, en gagnant simultanément des cadres, des professions intermédiaires et des habitants de 25 à 39 ans.

Autour de certaines de ces grandes villes, comme Lyon, Bordeaux, Rennes et Nantes, plusieurs zones d'emploi sont agglomérées et constituent l'étalement péri-métropolitain. Ces zones ont en commun un solde migratoire positif et élevé, avec des gains de populations particulièrement élevés autour de Nantes et Rennes. Ces territoires attirent tous types de population : employés, retraités, autres inactifs, artisans, mais plus particulièrement les professions intermédiaires et les cadres qui se retirent des grandes villes voisines. En hausse constante depuis 1962, l'augmentation de la population de ces zones est encore plus forte entre 1999 et

2006 (+ 10 %). Cette augmentation va de pair avec celle de la part des actifs travaillant hors de la zone (+ 5 points, contre + 3 sur l'ensemble de la France). Cet essor de la population a favorisé le développement entre 1999 et 2006 de l'emploi tertiaire, notamment dans les domaines de la santé et de l'éducation. Dans cet ensemble de territoires « péri-métropolitains », le taux de chômage et la part des ménages à bas revenus sont relativement faibles. Le taux de créations d'entreprise est de 11 %, soit la moyenne nationale.

L'enjeu pour les métropoles régionales, qui ont tiré profit ces dernières années des politiques de décentralisation et jouissent de réputations d'attractivité, est de renforcer leurs fonctions métropolitaines, de préserver la cohérence sociale et territoriale avec leurs périphéries et de maîtriser l'étalement urbain.

Au-delà de ces attractivités de types métropolitain ou péri-métropolitain, présentes dans presque toutes les régions de France, on peut continuer à distinguer une opposition entre une France du Nord, plus industrielle, et une France du Sud, plus tertiaire.

Le nord de la France : des territoires industriels et ruraux à redynamiser

Sur une grande partie nord de la France, trois types de territoires dominent : les territoires des franges du Nord, les territoires de type « industriel à redynamiser » et ceux de type « rural à redynamiser ».

Un ensemble, constitué d'une vingtaine de zones d'emploi situées principalement sur les franges du nord de la France et marquées par leur passé industriel, est affecté par la baisse de sa population depuis la fin des années 1970. Le solde migratoire est négatif, quels que soient l'âge et la catégorie socio-professionnelle. Ces territoires sont très exposés au vieillissement de la population. Entre 1999 et 2006, le taux de vieillissement *(voir Définitions)* augmente de 3 points, alors qu'il est stable sur l'ensemble de la France, et la part des retraités est également en hausse. Encore aujourd'hui, les fonctions de fabrication, de transport de personnes et de marchandises, et d'entretien-réparation sont très présentes. Les ouvriers constituent près du tiers des emplois. Les indicateurs de pauvreté sont particulièrement élevés sur ces territoires. Les bas revenus concernent 18 % de la population, soit 6 points de plus que la moyenne nationale. Les personnes percevant le RMI représentent 5 % de la population, soit près du double du niveau national. La part des familles monoparentales est de 9 %, contre 8 % sur l'ensemble de la France. En 2008, le taux de chômage reste élevé (11 %), avec des pointes dans les zones d'emploi de Calaisis (13,7 %), Lens-Hénin (12,8 %) et Sambre-Avesnois (12,8 %), mais diminue plus fortement qu'en moyenne nationale depuis 2000. Par ailleurs, depuis 1999, la part des actifs travaillant à l'extérieur de cet espace augmente et les services de proximité se développent. Les zones d'emploi concernées poursuivent ainsi leur reconversion, à des rythmes différents.

Tout en préservant leurs activités industrielles, 87 zones d'emploi de type « industriel à redynamiser » développent parallèlement une économie plus résidentielle. Depuis 1962, la population n'y a augmenté que très légèrement. En 2006, le solde migratoire reste positif, avec l'arrivée de personnes de plus de 55 ans, de retraités et d'autres inactifs. Les anciens agriculteurs, employés et ouvriers représentent près des trois quarts des retraités. Malgré l'arrivée de ces populations, l'emploi dans le secteur tertiaire, notamment dans les services de proximité et la santé, a moins augmenté qu'en moyenne nationale entre 1999 et 2006 (+ 12 %, contre + 15 %). La part des activités de fabrication et celle des ouvriers sont encore très élevées en 2006, en dépit de la baisse de l'emploi industriel depuis 30 ans. Dans ces territoires, le taux de création d'entreprises et la mobilité des établissements sont relativement faibles. Trait caractéristique des territoires industriels, près de la moitié des salariés travaillent pour un établissement contrôlé par une entreprise extérieure à la zone. À Herqueville, dans la zone d'emploi de Cherbourg, l'usine de transformation de matières nucléaires, *Areva NC*, dont le siège est à

Paris, emploie plus de 3 500 salariés en 2007. Autre exemple, l'aciérie de Florange dans la zone d'emploi de Thionville, qui emploie 3 000 salariés en 2007, appartient au groupe international *Arcelor Mittal Atlantique et Lorraine*. Par ailleurs, dans cet ensemble de territoires, la hausse du nombre de familles monoparentales sur courte ou longue période est moins importante que dans le reste de la France. Entre 1999 et 2006, le nombre de femmes au chômage diminue en moyenne de 11 %, soit plus qu'au niveau national (– 7 %). Enfin, avec l'intensification et l'allongement des déplacements domicile-travail, quelques zones de cet ensemble, comme Bourg-en-Bresse, Quimper, Sud Deux-Sèvres, etc., gagnent des habitants de 25 à 39 ans qui viennent s'y installer avec leurs enfants.

Enfin, dans une cinquantaine de zones d'emploi de type « rural à redynamiser », la population a diminué constamment des années 1960 à la fin des années 1990, avant de repartir légèrement à la hausse depuis. Le solde migratoire entre 2001 et 2006 est en moyenne positif sur l'ensemble de ces territoires, avec des gains de populations élevés pour certaines zones de Bretagne, comme Morlaix ou Pontivy-Loudéac. L'arrivée de personnes de plus de 55 ans, de retraités, d'autres inactifs, d'artisans, d'agriculteurs, mais également d'Anglais, notamment dans les zones de Bellac ou Rochechouart dans le Limousin, ou en Haute-Charente, contribuent à cette hausse de population. Le taux de vieillissement, en baisse depuis 1999, reste toutefois élevé en 2006 (138 %). Les retraités représentent plus du tiers de la population de plus de 15 ans. Avec une hausse du revenu fiscal médian entre 2000 et 2005 et une part plutôt faible de ménages à bas revenus, la population est moins touchée par la pauvreté que celle des territoires des franges du Nord. Les métiers de l'agriculture représentent 11 % de l'emploi total, contre seulement 6 % en moyenne.

Ces trois types de territoire restent très marqués par leur passé industriel ou rural. Dans une économie en constante mutation, pour renouer avec la croissance de l'emploi et de la population, ils sont handicapés par une image de faible attractivité. Ils ne peuvent seulement se résigner à devenir les lointaines banlieues des métropoles, mais doivent maintenir et moderniser leur base économique, tout en favorisant les activités présentielles et en préservant l'environnement, dans une optique de développement durable et endogène.

France du Sud : de plus en plus orientée vers l'économie présentielle

Dans le sud de la France, deux ensembles prédominent : les territoires de type « rural à orientation présentielle » et les territoires du bassin méditerranéen.

Dans une trentaine de zones d'emploi de type « rural à orientation présentielle », comme Agen, Mont-de-Marsan, Cahors, la population, qui a stagné du début des années 1960 à la fin des années 1990, croît depuis. Le solde migratoire est positif et élevé entre 2001 et 2006. Les retraités ne sont pas les seuls à s'installer sur ces territoires, des artisans, des employés, des professions intermédiaires et des cadres viennent également y habiter. Ainsi, le taux de vieillissement a fortement diminué sur la période récente, même s'il reste encore élevé en 2006 (137 %). Dans cet espace, l'agriculture est encore bien présente, mais laisse peu à peu sa place aux métiers de la construction, de la santé et des services de proximité. La forte capacité d'accueil touristique, la part importante des résidences secondaires et la faible mobilité des actifs font de ces zones des territoires tournés vers l'économie présentielle.

Une trentaine de zones d'emploi, situées pour la plupart dans le bassin méditerranéen, se caractérisent par un essor démographique continu depuis 1962. La situation géographique en fait une destination privilégiée pour les touristes, les retraités, mais aussi pour les actifs, cadres, professions intermédiaires ou employés. La population active y a fortement augmenté entre 1999 et 2006, mais les nombreuses créations d'entreprises et l'importante mobilité des établissements lui permettent de travailler sur place. Les services de proximité et les activités de gestion se sont développés dès le début des années 1980 et occupent aujourd'hui une part élevée de l'emploi. Dans l'éducation, les effectifs ont également fortement augmenté depuis 1982, mais représentent encore en 2006 une faible part de l'emploi total. Plus récemment, l'emploi dans la construction, dans la culture et dans la fabrication augmente. Cependant, le taux de chômage et la part des personnes à bas revenus ou percevant le RMI sont élevés, notamment dans les zones d'emploi d'Alès, Béziers, Sète, Nîmes, Perpignan, Arles et Avignon.

Incontestablement, ces territoires du sud de la France ont su tirer parti de leur situation géographique en attirant non seulement des touristes, mais aussi des résidents, retraités ou actifs. L'enjeu pour ces territoires est désormais de pouvoir faire face à l'arrivée d'actifs en quête d'un emploi, en continuant à développer l'économie présentielle, mais également en faisant émerger des activités industrielles et de services de haute technologie.

Une attractivité spécifique de certains territoires

Les zones d'emploi alsaciennes (sauf Strasbourg et Mulhouse), Sarreguemines et le Bassin houiller en Lorraine, se caractérisent par des mouvements migratoires modestes au cours des quarante dernières années. Avec des salaires horaires en moyenne plus élevés qu'au niveau national et une proportion importante de contrats à durée indéterminée, les salariés y bénéficient souvent d'une situation stable. En partie dû au nombre important de travailleurs transfrontaliers, le revenu médian est plus élevé qu'en moyenne nationale et la part des personnes à bas revenus ou percevant le RMI est relativement faible. Toutefois, le taux de chômage est en hausse depuis 2000, même s'il reste à un niveau inférieur à la moyenne nationale en 2008.

Dans l'espace frontalier avec la Suisse, de Morteau en Franche-Comté à la Vallée de l'Arve en Rhône-Alpes, la population ne cesse d'augmenter depuis 1962. L'arrivée de jeunes actifs de 25 à 39 ans, de cadres, de professions intermédiaires, d'ouvriers, et de Suisses contribue à cet essor démographique. Avec l'arrivée de ces catégories de populations, les revenus ont fortement augmenté au cours des dix dernières années. Un emploi sur cinq appartient au domaine de la fabrication, et l'industrie de haute technologie est bien représentée. Dans les domaines du bâtiment, de la santé et des prestations intellectuelles, l'emploi a progressé entre 1982 et 2006. Malgré une hausse depuis 2000, le chômage reste encore faible en 2008, en partie grâce au développement des emplois transfrontaliers.

Les zones d'emploi des Alpes centrales, Tarentaise et Maurienne en Rhône Alpes, Briançon en Provence - Alpes - Côte d'Azur (type auquel se rattache également Menton), sont caractérisées par un tourisme très développé. En 2006, les services de proximité et les activités de culture-loisirs occupent une place importante dans l'emploi, tout comme les artisans et les salariés sous contrat à durée déterminée. Cependant, l'emploi dans les services de proximité est resté stable depuis 1999. Les indicateurs de pauvreté et le taux de chômage sont moins élevés dans ces territoires que sur l'ensemble de la France. Entre 2001 et 2006, le solde migratoire est positif, avec l'arrivée d'étrangers et d'employés.

Enfin, la Corse constitue un espace à part, attirant à la fois touristes et retraités. Entre 1999 et 2006, l'emploi total a augmenté de 26 %, contre seulement 9 % au niveau national. Tous les domaines, sauf l'agriculture, sont concernés, mais plus particulièrement ceux de la construction et de la gestion. Ainsi, depuis 2000, le chômage diminue, même s'il reste plus élevé que sur l'ensemble de la France en 2008 (7,8 % contre 7,4 %). En ce qui concerne les indicateurs de pauvreté, la Corse se rapproche plutôt des zones du pourtour méditerranéen, avec un nombre important de ménages à bas revenus, même si le nombre des personnes percevant le RMI a fortement diminué entre 2002 et 2006. ■

Encadré

Méthodologie de la constitution de la typologie des zones d'attractivité

Afin de mesurer l'attractivité des territoires, une typologie des 348 zones d'emploi métropolitaines a été réalisée. Le zonage en zones d'emploi permet en effet de réaliser des comparaisons pertinentes à l'échelle nationale. Cette typologie s'appuie sur des indicateurs d'attractivité, comme les flux démographiques et économiques (soldes migratoires, taux d'arrivée des établissements, taux de sortie et taux d'entrée des actifs, évolution des logements secondaires, etc.), et sur des facteurs d'attractivité, pour les populations (densité de population, indicateur de vieillissement, taux de chômage, salaires, etc.) et pour les entreprises (part des industries de haute technologie, indice de spécificité, indice de concentration, etc.) (Annexes : *figure 3*). Différentes sources sont ainsi mobilisées : les recensements de la population de 1962 à 2006, les déclarations annuelles de données sociales de 2000 et 2005, le répertoire des entreprises et des établissements de 2007, le fichier « Clap » (Connaissance locale de l'appareil productif) de 2007, les enquêtes touristiques, et le fichier « Lifi » (Liaisons financières) de 2006. En définitive, la typologie a mis en évidence 14 types différents d'attractivité et permet d'en identifier les moteurs ou les freins (Annexes : *figure 4*).

Pour parvenir à ce résultat, dans une première étape, a été réalisée une analyse en composantes principales (ACP), qui permet de donner du sens au positionnement des zones d'emploi dans l'espace des variables. Dans une seconde étape, une classification ascendante hiérarchique (CAH) a permis de regrouper les zones d'emploi selon un faisceau de caractéristiques communes. Les moyennes citées dans cet article sont des moyennes simples des indicateurs calculées pour les zones d'emploi, non pondérées par leur population.

Définitions

Solde migratoire : c'est la différence entre le nombre de personnes qui sont entrées sur le territoire et le nombre de personnes qui en sont sorties au cours de l'année. Ce concept est indépendant de la nationalité.

Auparavant (recensements « classiques »), on interrogeait les personnes sur leur lieu de résidence au 1er janvier de l'année du précédent recensement. Ainsi, en 1999, les personnes ont indiqué leur lieu de résidence au 1er janvier 1990. Dorénavant, les personnes renseignent leur lieu de résidence 5 ans plus tôt. Ainsi, lors de la collecte de 2008, les personnes ont indiqué leur lieu de résidence au 1er janvier 2003. Étant donné que les données collectées de 2004 à 2008 sont ramenées à l'année médiane 2006, on parle donc de soldes migratoires entre 2001 et 2006.

Zone d'emploi : une zone d'emploi est un espace géographique à l'intérieur duquel la plupart des actifs résident et travaillent. Effectué conjointement par l'Insee et les services statistiques du Ministère en charge du travail en 1994, le découpage en zones d'emploi constitue une partition du territoire adaptée aux études locales sur l'emploi et son environnement.

Les déplacements domicile-travail constituent la variable de base pour la détermination de ce zonage. Le découpage respecte les limites régionales. La France métropolitaine compte 348 zones d'emploi.

Taux de vieillissement : rapport entre le nombre de personnes de plus de 60 ans et le nombre de personnes de moins de 20 ans.

Quinze grandes fonctions : dans le cadre d'un groupe de travail national sur l'analyse fonctionnelle des emplois, l'Insee a mis en place des regroupements pertinents de professions, à partir de la nomenclature PCS, dans le but de faire apparaître de grandes fonctions, transversales aux secteurs d'activité. Au final, 15 fonctions ont été définies :

Définitions (suite)

– **conception - recherche** : professions de la conception, de la recherche et de l'innovation. Dans l'industrie, elles recouvrent les phases préliminaires à la fabrication. Cette fonction se distingue de la fonction « prestations intellectuelles » par la dimension d'innovation incluse dans les travaux des métiers concernés ;

– **prestations intellectuelles** : professions de mise à disposition de connaissances spécifiques pour le conseil, l'analyse, l'expertise, etc. ;

– **agriculture et pêche** : ensemble des professions concourant directement à la production agricole, à la pêche ou à l'exploitation forestière ;

– **bâtiment et travaux publics** : ensemble des professions concourant directement à la construction de bâtiments et d'ouvrages de travaux publics ;

– **fabrication** : ensemble des professions consistant à mettre en œuvre des matériels ou des processus techniques, hors agriculture et pêche et hors BTP. Pour l'essentiel il s'agit des métiers concourant directement aux différentes étapes de la production de biens matériels et d'énergie ;

– **commerce inter-entreprises** : professions en relation directe avec le commerce de gros et le commerce entre les entreprises, que ce soit pour l'achat ou la vente ;

– **gestion** : professions de la gestion d'entreprise, de la banque et de l'assurance ;

– **transports - logistique** : professions du transport des personnes et des flux de marchandises ;

– **entretien - réparation** : professions prioritairement orientées vers l'entretien et la maintenance (hors bâtiment et travaux publics), ainsi que le traitement des déchets (et par extension l'environnement) ;

– **distribution** : ensemble des professions de la vente aux particuliers, y compris l'artisanat commercial ;

– **services de proximité** : professions des services de la vie courante (hors distribution, transport, éducation et santé) ;

– **éducation-formation** : métiers de l'enseignement scolaire et universitaire (primaire, secondaire et supérieur) et de la formation professionnelle, y compris l'organisation de ces enseignements. Cette fonction n'intègre pas les animateurs sportifs ou de loisirs qui sont inclus dans la fonction culture-loisirs ;

– **santé et action sociale** : professionnels de la santé et de l'action sociale, y compris les pharmaciens ;

– **culture-loisirs** : professions de la culture et des loisirs, sportifs ou non ;

– **administration publique** : emplois liés aux activités régaliennes et d'administration de l'État et des collectivités locales, hors services de la santé, de l'éducation. Elle intègre en particulier toutes les professions de la sécurité publique et de la justice.

3. Des types de territoires aux caractéristiques d'attractivité très différentes

	Salaire horaire total 2005	Taux d'entrée des actifs	Taux de créations d'entreprises en 2007	Part des groupes dans l'emploi	Taux de sortie des actifs	Taux de solde migratoire des étudiants	Évolution de l'emploi total entre 1999 et 2006	Part de la population à bas revenus	Variation de la population 1975-2006	Variation de la population 1999-2006	Taux de solde migratoire total	Taux de solde migratoire des retraités	Part des résidences secondaires
Métropole parisienne	1	1	2	2	2	2	3	5	4	4	12	14	14
Couronne sud-ouest parisienne	2	2	3	1	1	3	10	12	1	10	14	13	13
Grande banlieue parisienne	5	3	7	5	3	6	14	7	5	11	11	12	9
Métropoles régionales	3	10	5	3	13	1	5	4	7	9	9	11	10
Étalement péri-métropolitain	11	5	8	9	5	9	6	9	6	2	1	4	7
Franges du Nord	6	7	11	4	7	5	13	1	13	14	13	9	11
Industriel à redynamiser	7	8	13	6	10	8	11	8	12	12	7	6	8
Alsace	4	4	6	7	4	10	8	13	10	8	8	8	12
Frontière suisse	9	11	12	13	6	12	9	14	3	5	10	10	4
Alpes centrales	10	12	10	11	11	11	4	11	9	7	5	7	1
Rural à redynamiser	14	6	14	8	9	13	12	10	14	13	6	5	6
Rural à orientation présentielle	12	13	9	12	12	7	7	6	11	6	3	2	3
Poutour méditerranéen et façade atlantique sud	8	9	1	10	8	4	2	2	2	1	2	3	5
Corse	13	14	4	14	14	n.s.	1	3	8	3	4	1	2

Lecture : pour chaque colonne, les types de territoire sont classés de 1 à 14 dans l'ordre croissant. Par exemple, la métropole parisienne est classée en 1 pour le salaire horaire total en 2005, c'est-à-dire que c'est dans ce territoire que ce salaire est le plus élevé. *A contrario*, elle est classée en 14 pour la part des résidences secondaires, ce qui signifie qu'elle a le taux le plus bas de résidences secondaires. Pour chaque variable présentée, les trois premiers types de territoires sont dans des dégradés d'orange et les trois derniers dans des dégradés de vert. Le sigle n.s. signifie que ce résultat est non significatif.

Source : Insee, RP de 1962 à 2006, DADS 2000 et 2005, REE 2007, Clap 2007, Lifi 2006.

4. Synthèse des 14 types d'attractivité

Type d'attractivité	Nombre de zones d'emploi	Description	Attractivité
Métropole parisienne	10	Noyau rayonnant, grandes entreprises, hausse de la population continue depuis 1962, mais solde migratoire négatif	Résidents : étudiants, cadres, étrangers, fonctions de gestion et de prestations intellectuelles, services à forte intensité de connaissance de aute technologie, salaires élevés
Couronne sud-ouest parisienne	7	Hausse de population spectaculaire depuis 1962, mais solde migratoire négatif, grands établissements de recherche	Résidents : cadres, actifs diplômés de l'enseignement supérieur, forte mobilité des actifs, salaires élevés
Grande banlieue parisienne	18	Forte hausse de population depuis 1962, mais solde migratoire négatif, grands groupes étrangers	Résidents : jeunes actifs (25-39 ans) et leurs enfants (5-14 ans), professions intermédiaires, employés, forte mobilité des actifs, revenus encore élevés, mais hausse récente des personnes au RMI
Métropoles régionales	38	Hausse continue de la population depuis 1962, mais solde migratoire négatif, groupes français	Résidents : étudiants, actifs diplômés de l'enseignement supérieur, fonctions de gestion, de prestations intellectuelles, de recherche, mobilité des établissements et créations d'entreprises
Étalement péri-métropolitain	32	Hausse continue de la population depuis 1962 et solde migratoire positif	Résidents : tous, notamment cadres et professions intermédiaires, sauf les étudiants, hausse de l'emploi tertiaire, notamment santé et éducation, revenus élevés
Franges du Nord	21	Baisse continue de la population depuis 1975 et solde migratoire négatif, lourd passé industriel, ouvriers, territoire qui vieillit, indicateurs de pauvreté élevés (bas revenus, RMI)	Pas d'attractivité
Industriel à redynamiser	87	Hausse légère mais continue de la population depuis 1962, solde migratoire positif, fabrication, ouvriers	Résidents : personnes de plus de 55 ans, retraités et autres inactifs
Alsace	12	Hausse de la population depuis 1962, mais solde migratoire légèrement négatif	Résidents : tous, sauf les étudiants, travailleurs transfrontaliers, revenus élevés
Frontière suisse	7	Essor démographique depuis 1962 et solde migratoire positif	Résidents : jeunes actifs (25-39 ans), cadres, professions intermédiaires, ouvriers, Suisses, travailleurs frontaliers, revenus élevés, fabrication et industries de haute technologie
Alpes centrales	4	Hausse continue de la population depuis 1975 et solde migratoire positif	Résidents : jeunes de 25 à 39 ans, employés, étrangers, tourisme très développé, fonctions de culture-loisirs et services de proximité
Rural à redynamiser	48	Baisse continue de la population depuis 1962 avec une légère hausse sur la période récente (1999-2006) et solde migratoire positif	Résidents : personnes de plus de 55 ans, retraités, autres inactifs, artisans, agriculteurs, revenus relativement élevés
Rural à orientation présentielle	31	Forte hausse de la population entre 1999 et 2006 et solde migratoire positif	Résidents : retraités, artisans employés, professions intermédiaires et cadres, agriculture encore présente, mais développement récent de l'économie présentielle pour les résidents permanents et les touristes
Pourtour méditerranéen et façade atlantique sud	26	Essor démographique depuis 1962, indicateurs de pauvreté élevés (bas revenus, RMI, taux de chômage)	Résidents : retraités, cadres, professions intermédiaires et employés, touristes, mobilité des établissements, créations d'entreprises, fonctions de gestion et de services de proximité
Corse	7	Hausse de la population depuis 1962 et solde migratoire positif, ménages à bas revenus	Résidents : tous, et notamment les retraités, tourisme, forte hausse de l'emploi entre 1999 et 2006, plus particulièrement dans la construction et la gestion

Source : Insee, RP de 1962 à 2006, DADS 2000 et 2005, REE 2007, Clap 2007, enquêtes touristiques, Lifi 2006.

La progression de l'intercommunalité à fiscalité propre depuis 1999

*François Gitton, Malika Krouri**

L'intercommunalité à fiscalité propre s'est fortement développée depuis le début des années 2000. Avec 93 % des communes appartenant à une structure intercommunale, la phase d'extension de la couverture du territoire est largement achevée. Le découpage en intercommunalités est inégal suivant les régions, mais plus homogène que le découpage communal.
La part des dépenses du secteur communal prise en charge par les groupements progresse régulièrement et représente en moyenne un quart des dépenses réalisées par les communes et les groupements sur le territoire intercommunal. Cette part des dépenses mutualisées dépend de la nature juridique, de l'ancienneté du groupement mais également du découpage. Le nombre d'habitants joue un rôle important, les petites et les grandes intercommunalités sont celles où la dépense est la plus mutualisée. L'étendue géographique a également une influence avec notamment une faible mutualisation dans les intercommunalités les plus vastes.

L'intercommunalité (ou coopération intercommunale) permet aux communes qui se regroupent au sein d'un établissement public (appelé établissement public de coopération intercommunale [EPCI] ou plus communément groupement), de gérer en commun des équipements ou des services publics et/ou d'élaborer des projets de développement économique, d'aménagement ou d'urbanisme à l'échelle d'un territoire plus vaste que celui de la commune. Les communautés urbaines, communautés d'agglomération, communautés de communes, syndicats d'agglomération nouvelle et les syndicats de communes sont des EPCI. Un groupement de communes à fiscalité propre est une structure intercommunale ayant la possibilité de lever l'impôt *(encadré 1)*.

Depuis la loi du 12 juillet 1999 relative au renforcement et à la simplification de la coopération intercommunale (dite « loi Chevènement »), l'intercommunalité à fiscalité propre a beaucoup progressé en France *(figure 1)*. Ainsi au 1er janvier 2009 *(encadré 2)*, les 2 601 groupements à fiscalité propre couvrent 93 % des communes et rassemblent 87 % des habitants.

1. Évolution de la couverture du territoire par l'intercommunalité à fiscalité propre

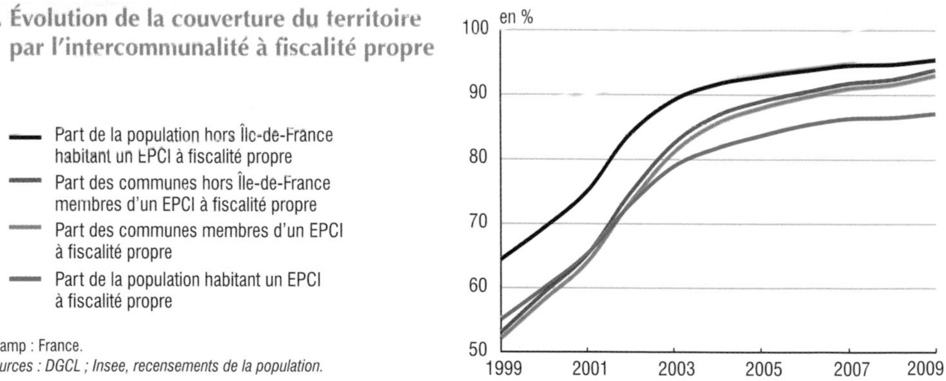

Champ : France.
Sources : DGCL ; Insee, recensements de la population.

* François Gitton, Malika Krouri, Département des études et statistiques locales, Direction générale des collectivités locales, ministère de l'Intérieur.

Encadré 1

Différentes formes d'intercommunalité à fiscalité propre

Un groupement de communes à fiscalité propre est une structure intercommunale ayant la possibilité de lever l'impôt. Il peut être de quatre natures juridiques distinctes.

1. Communautés urbaines

Les communautés urbaines instaurées par la loi du 31 décembre 1966 regroupent, dans de grandes agglomérations urbaines, la gestion de services et d'équipements. Leur caractère urbain a été réaffirmé par la loi du 12 juillet 1999 qui impose pour leur création une taille minimum de 500 000 habitants. Les communautés urbaines exercent désormais six blocs de compétences obligatoires :

– le développement et l'aménagement économique, social et culturel ;

– l'aménagement en matière de plan d'occupation des sols et d'organisation des transports urbains ;

– l'équilibre social de l'habitat ;

– la politique de la ville ;

– la gestion de services d'intérêt collectif ;

– la protection et la mise en valeur de l'environnement, ainsi que la politique de cadre de vie.

2. Communautés d'agglomération

Les communautés d'agglomération créées par la loi du 12 juillet 1999 sont dotées de compétences obligatoires dans quatre domaines :

– le développement économique ;

– l'aménagement de l'espace communautaire ;

– l'équilibre social de l'habitat ;

– la politique de la ville.

Elles peuvent également exercer des compétences optionnelles choisies parmi l'aménagement et l'entretien de la voirie d'intérêt communautaire, l'assainissement, l'eau, la protection et la mise en valeur de l'environnement et du cadre de vie et la construction, l'entretien et la gestion d'équipements culturels et sportifs d'intérêt communautaire. Elles doivent compter au moins 50 000 habitants.

3. Communautés de communes

Les communautés de communes créées par la loi du 6 février 1992, intègrent obligatoirement dans leur champ de compétences l'aménagement de l'espace et le développement économique. La loi du 12 juillet 1999 confère à cette structure un caractère rural. Leur régime de compétences obligatoires est allégé, une seule compétence optionnelle est associée aux deux blocs de compétences obligatoires.

4. Syndicats d'agglomération nouvelle (SAN)

Les syndicats d'agglomération nouvelle sont issus de la réforme du 13 juillet 1983 qui a modifié le statut des villes nouvelles créées en 1965. Ils ont vocation à se transformer progressivement en communauté d'agglomération, lorsque les opérations de construction et d'aménagement déclarées à leur création seront considérées comme terminées.

Encadré 2

Note sur les sources

Les populations utilisées ici sont les populations totales authentifiées au 1er janvier de chaque année : issues du recensement général de 1999 modifié le cas échéant par les recensements complémentaires validés, population au 1er janvier 2009 issue des enquêtes de recensement de 2004 à 2008.

Les dépenses sont issues des comptes administratifs (DGCL) et comptes de gestion (DGFiP). Afin de ne pas compter deux fois certaines dépenses, certains flux ont été neutralisés. Les dépenses des groupements s'entendent hors reversements fiscaux aux communes, hors subventions de fonctionnement aux communes ou autres groupements, et hors subventions d'équipement aux organismes publics. Les dépenses des communes s'entendent hors subventions de fonctionnement aux groupements ou aux autres communes, et hors subventions d'équipement aux organismes publics.

Au 1er janvier 1999 ces proportions étaient respectivement de 52,1 % et 55 %. L'essentiel de l'essor de l'intercommunalité à fiscalité propre, avec notamment la création de communautés d'agglomération, s'est fait au début des années 2000. Au 1er janvier 2004, 85,7 % des communes rassemblant 81,9 % des habitants appartenaient déjà à une structure intercommunale. Depuis quelques années, la couverture du territoire étant bien avancée, les nouvelles adhésions sont moins nombreuses.

Un essor rapide de l'intercommunalité dans toutes les régions

Au 1er janvier 2009, la part de la population appartenant à un groupement à fiscalité propre excède 90 % dans 20 régions métropolititaines *(figure 2)*. Les deux exceptions sont la Corse et l'Île-de-France. En Corse, la plupart des communes isolées, c'est-à-dire qui n'appartiennent pas à une structure intercommunale, sont des communes de montagne. La situation en Île-de-France est particulière. D'une part, les communes sont beaucoup plus peuplées et de ce fait l'intercommunalité s'impose moins, d'autre part de nombreuses compétences sont déjà assurées sur un territoire plus large par d'autres organismes que des structures intercommunales à fiscalité propre (Syndicat des transports en Île-de-France, syndicat des eaux...).

L'intercommunalité est également bien développée dans les régions d'outre-mer, où les communes sont en moyenne beaucoup plus grandes. Seule la Guadeloupe fait exception.

En 1999, l'intercommunalité à fiscalité propre était très inégalement répandue. Des régions comme le Limousin, le Centre, l'Auvergne ou la région Provence - Alpes - Côte d'Azur étaient couvertes à moins de 50 %. L'essor des dix dernières années s'est traduit par un lissage de ces différences.

2. Part de la population régionale appartenant à un groupement à fiscalité propre au 1er janvier

en %

	1999	2004	2009
Alsace	79,5	95,6	95,7
Aquitaine	54,9	92,8	97,4
Auvergne	40,1	96,2	97,6
Bourgogne	55,8	83,0	95,1
Bretagne	87,1	97,0	98,8
Centre	32,4	81,3	94,0
Champagne-Ardenne	60,6	80,6	91,7
Corse	20,3	68,3	78,2
Franche-Comté	60,2	96,4	98,1
Île-de-France	12,8	37,2	50,1
Languedoc-Roussillon	45,9	95,7	98,2
Limousin	26,2	95,6	98,3
Lorraine	61,3	86,2	96,7
Midi-Pyrénées	67,0	89,3	93,4
Nord - Pas-de-Calais	81,3	98,8	99,1
Basse-Normandie	70,9	97,2	97,7
Haute-Normandie	51,6	97,8	99,4
Pays de la Loire	84,7	98,6	98,9
Picardie	78,0	95,1	97,9
Poitou-Charentes	94,4	98,1	98,6
Provence - Alpes - Côte d'Azur	46,7	88,5	90,7
Rhône-Alpes	73,0	88,5	92,4
Métropole	**55,1**	**82,0**	**87,4**
Guadeloupe	3,0	22,2	44,3
Guyane	85,2	85,3	85,8
Martinique	28,4	100,0	100,0
Réunion	100,0	99,3	99,4
France	**55,2**	**81,9**	**87,3**

Sources : DGCL ; Insee, recensements de la population.

Un découpage en groupements inégal, mais plus homogène que le maillage communal

La couverture du territoire s'est faite en fonction de décisions locales et a abouti à un découpage inégal suivant les régions. Le potentiel de création de communautés urbaines ou d'agglomération est lié à l'armature urbaine d'une région. La plus ou moins grande présence de villes, structurant l'espace, explique d'importantes différences entre régions. Ainsi, les formes urbaines d'intercommunalité sont logiquement plus présentes dans le Nord - Pas-de-Calais que dans la région Champagne-Ardenne *(figure 3)*.

3. Couverture du territoire selon les types de groupements au 1er janvier 2009

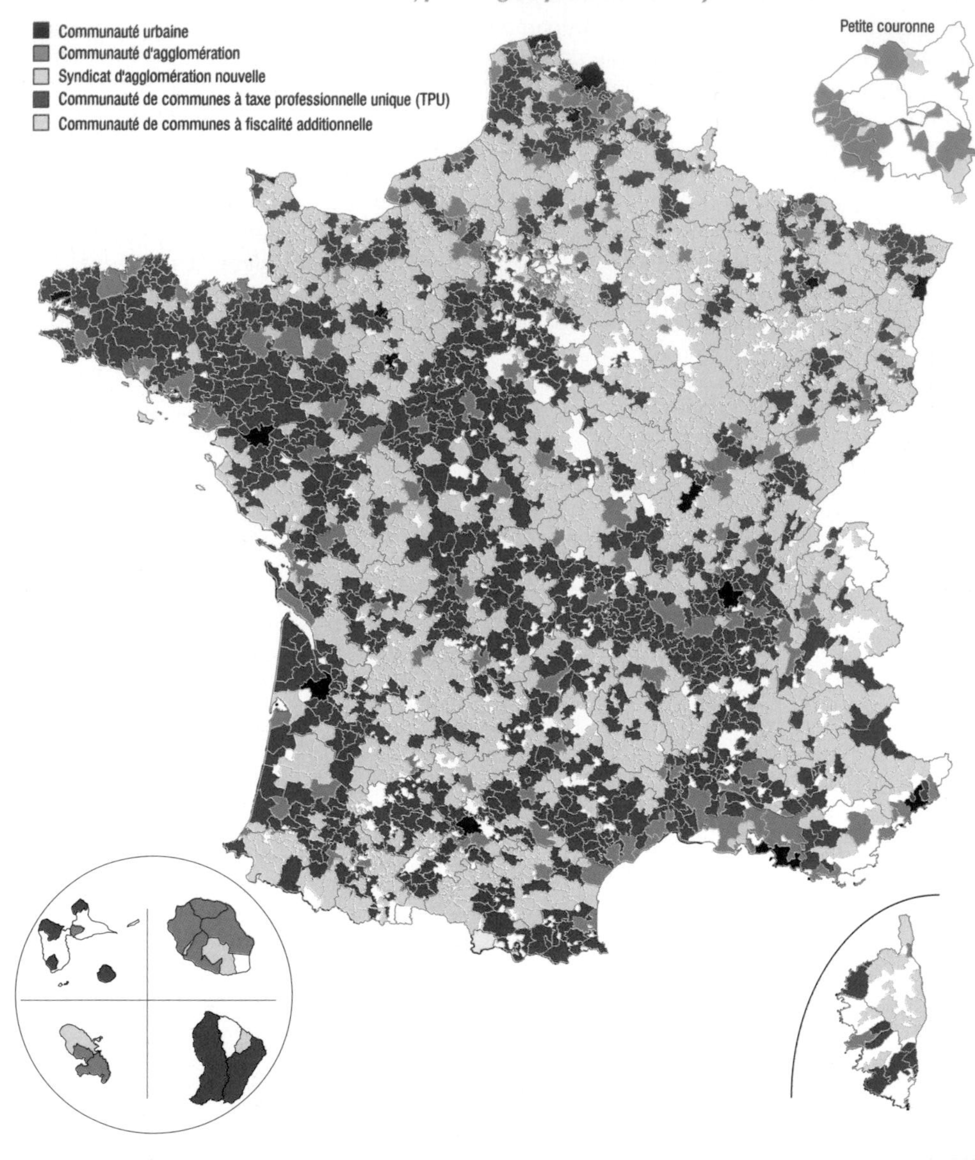

© IGN 2008, Claritas 2002

Cartographie : Direction générale des collectivités locales, DESL, Janvier 2009

Sources : Insee ; ministère de l'Intérieur.

Il existe également d'importantes disparités dans la taille des communautés de communes. Ces dernières sont le fruit de politiques locales appliquées sur des territoires qui diffèrent par la densité de population ou le maillage communal *(figure 4)*. Par exemple, les communautés de communes bas-normandes sont beaucoup moins étendues que les communautés de communes bretonnes, mais elles rassemblent en moyenne plus de communes. Les communautés de communes picardes réunissent deux fois plus de communes que la moyenne métropolitaine (27 contre 13).

Le découpage intercommunal est fortement dépendant du maillage communal. Dans le sud, les communes sont plus vastes et en moyenne plus peuplées. Ainsi, en ne comptant en moyenne que 8 communes, les communautés de communes de la région Provence - Alpes - Côte-d'Azur rassemblent un nombre d'habitants conforme à la moyenne métropolitaine sur une superficie plus étendue. À l'inverse, la Franche-Comté est composée de petites communes peu peuplées. Les communautés de communes franc-comtoises regroupent en moyenne, par rapport à la métropole, plus de communes et moins d'habitants sur un territoire un peu moins étendu.

4. Taille moyenne des groupements de communes selon les régions au 1er janvier 2009

	Taille moyenne des groupements à fiscalité propre			Taille moyenne des communautés de communes			Taille moyenne des communes	
	En nombre d'habitants	En nombre de communes	En km²	En nombre d'habitants	En nombre de communes	En km²	En nombre d'habitants	En km²
Alsace	23 600	11	105	14 200	11	100	2 060	9
Aquitaine	17 000	12	216	10 500	12	213	1 420	18
Auvergne	13 200	12	244	7 700	12	233	1 070	20
Bourgogne	12 100	14	221	7 700	14	215	840	15
Bretagne	26 600	11	230	16 200	10	212	2 520	21
Centre	17 100	12	248	10 500	11	246	1 470	21
Champagne-Ardenne	10 700	14	187	6 900	14	189	750	13
Corse	11 700	10	265	5 500	10	276	1 170	24
Franche-Comté	12 300	18	164	7 800	17	159	680	9
Île-de-France	55 200	8	79	26 400	10	99	6 550	9
Languedoc-Roussillon	18 900	11	199	9 200	11	187	1 700	18
Limousin	11 100	11	244	7 200	11	240	1 030	23
Lorraine	15 600	15	151	10 800	15	150	1 040	10
Midi-Pyrénées	12 500	13	189	7 300	12	187	990	15
Nord - Pas-de-Calais	44 000	17	134	14 000	14	114	2 640	8
Basse-Normandie	11 600	14	136	8 800	14	135	820	10
Haute-Normandie	25 000	19	167	13 100	18	159	1 310	9
Pays de la Loire	26 500	11	237	16 100	11	227	2 370	21
Picardie	22 700	27	226	18 200	27	226	850	8
Poitou-Charentes	17 900	15	258	11 700	14	251	1 230	18
Provence - Alpes - Côte d'Azur	46 600	9	285	11 400	8	254	5 210	33
Rhône-Alpes	25 100	12	168	12 700	11	160	2 170	15
Métropole	**21 200**	**13**	**195**	**11 300**	**13**	**190**	**1 610**	**15**
Guadeloupe	36 100	3	130	25 500	3	142	12 900	51
Guyane	59 600	6	23 864	59 600	6	23 864	9 930	3797
Martinique	134 600	11	376	112 300	18	548	11 880	33
Réunion	157 200	5	470	120 000	4	437	34 180	104
France	**21 700**	**13**	**223**	**11 400**	**13**	**220**	**1 650**	**17**

Sources : DGCL ; Insee, recensement de la population.

Tout en étant inégal selon les régions (hors Île-de-France), le découpage en groupements à fiscalité propre est beaucoup plus homogène que celui des communes. De fait, la taille moyenne des communautés de communes varie ainsi de 5 500 à 18 200 habitants selon les régions, soit un rapport de 1 à 3,3, alors que la taille moyenne des communes varie de 680 à 5 200 habitants, soit un rapport de 1 à 7,7. De même, quand la superficie moyenne des communautés de communes varie de 100 à 276 km² selon les régions, soit un rapport de 1 à 2,8, l'étendue moyenne des communes françaises va de 8 à 33 km², soit un rapport de 1 à 4,1.

Plus d'un cinquième des dépenses du secteur communal est pris en charge par les groupements à fiscalité propre

L'importance de l'intercommunalité peut s'apprécier à l'aide de critères financiers. La part des dépenses prises en charge par le groupement (ou part des dépenses mutualisées) permet de mesurer l'importance financière relative des groupements et indirectement l'importance des compétences prises en charge par l'intercommunalité. En 2008, les dépenses des groupements de communes à fiscalité propre représentent 22 % des dépenses du secteur communal dans son ensemble, c'est-à-dire dans toutes les communes et tous les groupements à fiscalité propre *(figure 5)*. Cette part est supérieure à 25 % si l'on exclut du champ les communes n'appartenant pas à un groupement à fiscalité propre.

5. Évolution de la part des dépenses mutualisées dans le secteur communal

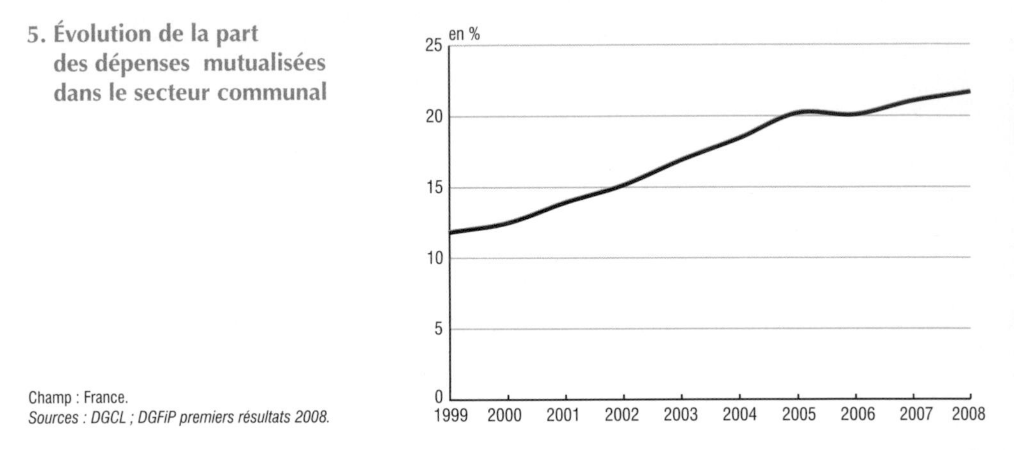

Champ : France.
Sources : DGCL ; DGFiP premiers résultats 2008.

De 1999 à 2008, la part des dépenses mutualisées est en croissance régulière, passant de 12 % à 22 %. Deux mécanismes sont à l'œuvre, la couverture du territoire en forte progression et la montée en puissance des structures intercommunales dans la mise en œuvre des compétences transférées. Ainsi, peu à peu, de nouvelles compétences comme l'entretien de la voirie ou le ramassage des ordures ménagères sont transférées des communes aux groupements de communes. De 1999 à 2004, la part de la population regroupée en intercommunalités est passée de 52 % à 82 %. Une fois le groupement constitué, les dépenses se sont de plus en plus mutualisées au fil des années. Sur cette période, entre créations nombreuses de nouvelles structures (qui influencent la part moyenne des dépenses mutualisées à la baisse) et prise en charge croissante de compétences transférées (qui influencent la part moyenne des dépenses mutualisées à la hausse), la part moyenne des dépenses mutualisées dans les groupements, c'est-à-dire en excluant les communes qui n'appartiennent pas à un groupement à fiscalité propre, est restée stable, entre 20 et 21 %. Depuis 2004, la couverture du territoire est bien avancée et les nouvelles structures sont peu nombreuses chaque année : la part moyenne des dépenses mutualisées dans les groupements est passée de 21 % à plus de 25 %, essentiellement sous l'effet de la montée en puissance progressive des structures en place.

Des communautés urbaines très intégrées, des communautés d'agglomération encore jeunes

Le nombre de compétences obligatoires dépend de la nature juridique du groupement à fiscalité propre *(encadré 3)*. Aussi, il est normal que la part des dépenses prise en charge par les communautés urbaines soit supérieure à celle prise en charge par les communautés d'agglomération, elle-même supérieure à celle prise en charge par les communautés de communes *(figure 6)*. En plus de la nature juridique, l'ancienneté des structures intercommunales joue également un rôle. Ainsi, les 14 communautés urbaines existantes au 1er janvier 2007

Encadré 3

Les différents régimes fiscaux taxe professionnelle unique (TPU) et fiscalité additionnelle

La **taxe professionnelle unique** consiste pour les communes à mettre en commun leurs ressources de taxe professionnelle et à appliquer un taux unique sur le territoire. Il s'agit de favoriser la solidarité sur le territoire et d'éviter la concurrence fiscale entre communes.

Afin de ne pas faire reposer l'intercommunalité uniquement sur les taxes entreprises, les groupements à TPU peuvent instaurer la fiscalité mixte. Ils votent des taux de taxe additionnelle sur les taxes foncières et d'habitation.

La fiscalité additionnelle est la forme la plus ancienne de fiscalité intercommunale. Aux taux communaux, le groupement ajoute un taux intercommunal lui permettant de prélever directement un impôt.

Les groupements à **fiscalité additionnelle** peuvent opter pour la taxe professionnelle de zone. Ils définissent certaines zones d'activité sur lesquelles s'applique une taxe professionnelle unique. En dehors de la zone, les bases de taxe professionnelle sont soumises à un taux additionnel de la part du groupement. La taxe professionnelle de zone permet de distinguer les pratiques selon l'importance des acteurs économiques, selon qu'ils jouent ou non un rôle structurant à l'échelle de l'intercommunalité. Pour les autres taxes, il s'agit d'un taux additionnel sur tout le territoire. Le régime fiscal de la taxe professionnelle éolienne repose sur le même principe.

Les communautés d'agglomération et les communautés urbaines nouvellement créées sont nécessairement à TPU. Les communautés de communes peuvent choisir le régime de la fiscalité additionnelle.

6. Répartition de la part des dépenses mutualisées en 2007

	Nombre de groupements au 01/01/2007	Part des dépenses mutualisées	1er décile	1er quartile	Médiane	3e quartile	9e décile
		(%)					
Communauté urbaine	14	43	32	38	43	49	56
Communauté d'agglomération	169	23	10	17	22	28	33
Communauté de communes à taxe professionnelle unique	1 013	20	10	15	20	27	33
Communauté de communes à fiscalité additionnelle	1 387	19	08	13	20	29	38
Ensemble des groupements à fiscalité propre	**2 588[1]**	**25**	**09**	**14**	**20**	**28**	**36**

1. L'ensemble des groupements à fiscalité propre contient également 5 syndicats d'agglomérations nouvelles (SAN) qui sont des structures anciennes adaptées au developpement des villes nouvelles. Ces structures sont particulièrement intégrées (*i.e.* le groupement assume une grande part des dépenses).

Lecture : les quantiles permettent d'apprécier la distribution des parts des dépenses mutualisées. Ainsi dans les communautés d'agglomération, la part moyenne des dépenses mutualisée est de 23 %. Dans 10 % des cas (1er décile) elle est inférieure à 10 %, dans 25 % des cas (1er quartile) elle est inférieure à 17 %, dans 50 % des cas (médiane) elle est inférieure à 22 %, dans 75 % des cas (3e quartile) elle est inférieure à 28 % (et donc dans 25 % des cas supérieure à 25 %) et enfin dans 10 % des cas (9e décile) elle est supérieure à 33 %. Dans les communautés de communes à fiscalité additionnelle, la part moyenne des dépenses mutualisées est inférieure à 8 % dans 10 % des cas, et supérieure à 38 % dans 10 % des cas. L'hétérogénéité des situations est plus grande pour les communautés de communes à fiscalité additionnelle que pour les communautés d'agglomération.

Champ : France.

Sources : DGCL ; DGFiP.

sont toutes des structures relativement anciennes *(figure 7)*. Dans tous les cas, la part des dépenses mutualisées est importante : on dit de ces structures qu'elles sont intégrées financièrement. Dans les communautés urbaines, la part des dépenses prises en charge par l'intercommunalité s'élève à 43 % ; cette part est de 52 % pour les opérations d'équipement.

Les communautés d'agglomération sont des structures en moyenne beaucoup plus jeunes. En effet, elles ont été créées depuis 1999, soit sur la base d'un groupement existant, soit *ex nihilo*. Ces différences d'origine expliquent en partie l'hétérogénéité des comportements en matière de mutualisation de la dépense. La prise en charge récente de nouvelles compétences explique la relative faiblesse de la part des dépenses mutualisées mais celle-ci apparaît en progrès régulier. En 2007, dans les communautés d'agglomération, la part des dépenses prise en charge par l'intercommunalité s'élève à 23 % ; cette part est de 26 % pour les opérations d'équipement.

7. Part des dépenses mutualisées selon le type d'intercommunalité en 2007

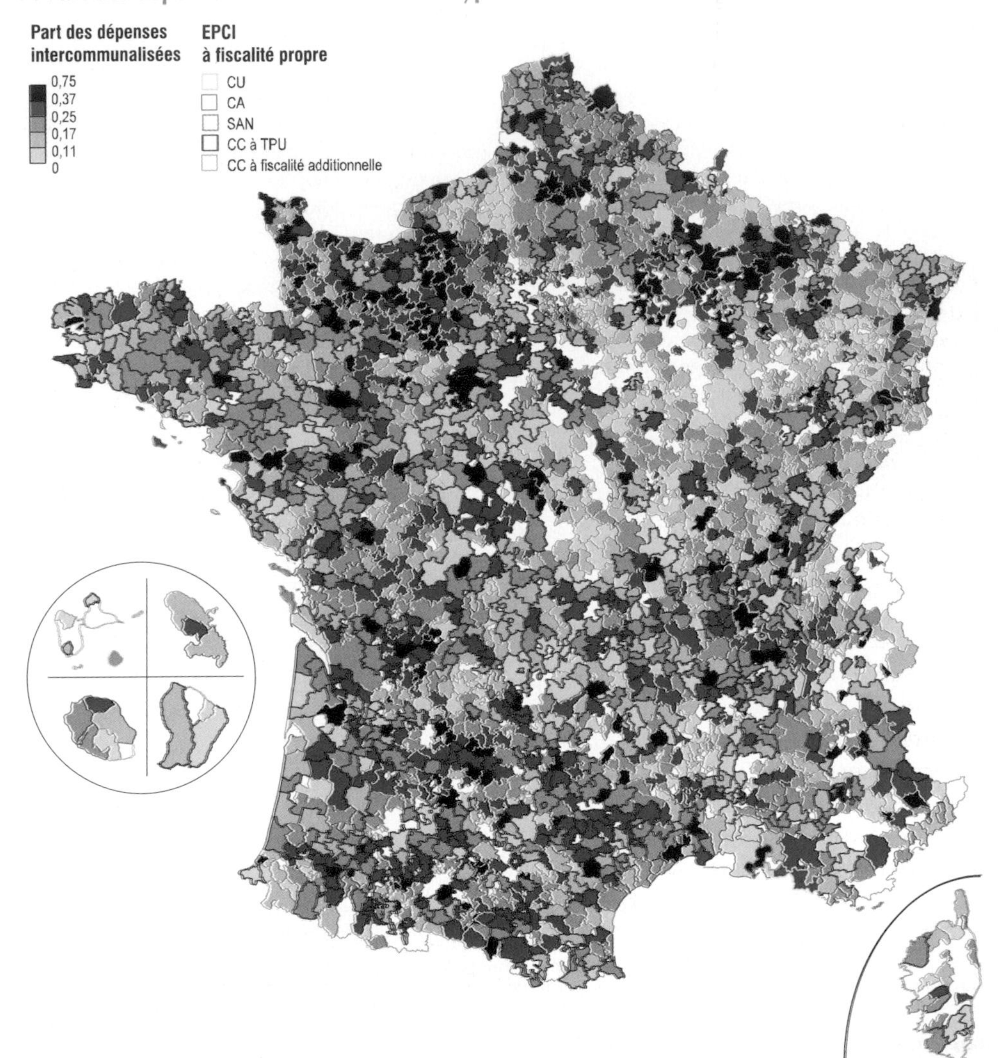

Sources : DGCL ; DGFIP.

Une grande variété de communautés de communes

Parmi les communautés de communes, la diversité des situations est grande. Non seulement ces communautés peuvent avoir été créées à divers moments, mais en plus l'ampleur des compétences prises en charge peut varier très fortement puisque le socle de compétences obligatoires est nettement moindre. Le choix du régime fiscal de la taxe professionnelle unique (TPU) témoigne de la volonté des communes de mettre en commun une part importante des ressources. Cependant, ce choix s'accompagne du versement aux communes d'attributions de compensation de perte de la taxe professionnelle. Le montant de l'attribution, fixé lors du passage en TPU, est figé dans le temps. Aussi le choix de la TPU permet de s'assurer que le développement économique du territoire profitera bien aux ressources propres du groupement et non à celles des communes membres. Les communautés de communes à TPU se rapprochent beaucoup des communautés d'agglomération à un facteur de taille près, et les distributions des parts des dépenses mutualisées sont très proches.

Les communautés de communes à fiscalité additionnelle représentent la forme la plus souple d'intercommunalité. Certes, la part des dépenses mutualisées est en moyenne plus faible dans les communautés de communes à fiscalité additionnelle, mais la diversité des situations est très grande et dans de nombreux cas le régime de la fiscalité additionnelle s'accompagne d'une forte mutualisation. Ainsi, la part des dépenses mutualisées dépasse 28 % dans plus d'un quart des communautés de communes à fiscalité additionnelle.

Des dépenses davantage mutualisées dans les petites et les grandes structures

La part des dépenses mutualisées en fonction de la taille démographique du groupement à fiscalité propre décrit une courbe en U *(figure 8)*. Ce ratio est en effet plus élevé aux deux extrémités de la distribution : les petites communautés de communes et les grandes structures, communautés urbaines et grandes communautés d'agglomération. La part est moindre dans les grandes communautés de communes et petites communautés d'agglomération.

Le poids élevé de la part de la dépense intercommunale dans les très grandes structures s'explique par l'ancienneté de certains de ces groupements et par le nombre de compétences transférées avec certaines charges appréhendées d'emblée à l'échelle de la communauté urbaine. Parmi les 7 groupements à fiscalité propre de plus 500 000 habitants, on compte, en 2007, 6 communautés urbaines.

8. Poids des dépenses des groupements à fiscalité propre dans les dépenses du secteur communal par taille du groupement en 2007

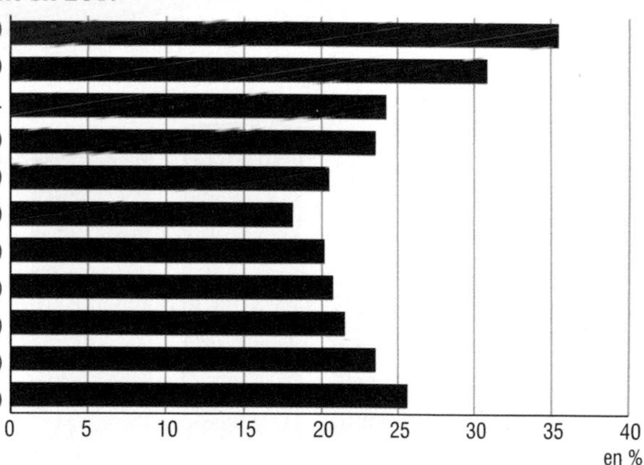

Champ : France.
Note : gfp = groupements à fiscalité propre.
Sources : DGCL ; DGFiP.

Dans les petites structures, l'intercommunalité se prête naturellement à une mutualisation qui peut être très pertinente dans le cas où certains projets n'ont un sens qu'à partir d'une taille critique. C'est vrai pour un certain nombre de communautés de communes pouvant assurer des charges qui ne pourraient l'être par les communes trop petites. Ainsi, dans 15 % des communautés de communes de moins de 5 000 habitants, la part des dépenses du groupement dépasse 40 %, alors que seulement 7 % des groupements, toutes tailles confondues, sont dans ce cas.

Un moindre partage des dépenses dans les communautés de communes très étendues

La prise de décision collective, nécessaire à toute forme de mutualisation, est d'autant plus difficile qu'il y a beaucoup d'acteurs concernés et que ces acteurs sont distants les uns des autres. Il ne s'agit pas ici d'étudier la « distance » entre les acteurs au sens large (c'est-à-dire l'ensemble des différences entre les acteurs), mais uniquement l'éloignement géographique. La distance peut ainsi être représentée par la superficie de la communauté et le nombre d'acteurs peut être observé à l'aide du nombre de communes membres.

Sur la carte de la part des dépenses mutualisées en 2007 *(figure 7)*, l'étendue géographique semble corrélée négativement à la propension à partager les dépenses. Les communautés de communes de grande taille sont celles dans lesquelles la part des dépenses mutualisées est la plus faible. À l'inverse, les « petites » intercommunalités, dans l'Eure ou en Basse-Normandie par exemple, se distinguent nettement par un fort poids des dépenses du groupement. Une grande étendue géographique semble être un frein au partage des dépenses. Ce constat se vérifie en comparant les poids des dépenses des communautés de communes dans les dépenses du secteur communal selon la superficie : au-delà de 300 km², et surtout à partir de 500 km², la mutualisation des dépenses apparaît plus faible *(figure 9)*. Sans être systématique, ceci se vérifie sur un grand nombre d'intercommunalités. Ainsi moins de 15 % des communautés de communes de 500 à 1000 km² ont une part des dépenses mutualisées supérieure à 25 %. Près de 35 % des intercommunalités de 100 à 200 km² sont dans ce cas.

Une étendue réduite se traduit également, en moyenne, par une plus faible part des dépenses du groupement. Cependant, contrairement à ce que l'on observe pour les communautés très étendues, les situations des communautés de petite taille sont très hétérogènes. Dans de nombreux cas, la part des dépenses mutualisées est importante.

9. Poids des dépenses des communautés de communes dans les dépenses du secteur communal selon la superficie en 2007

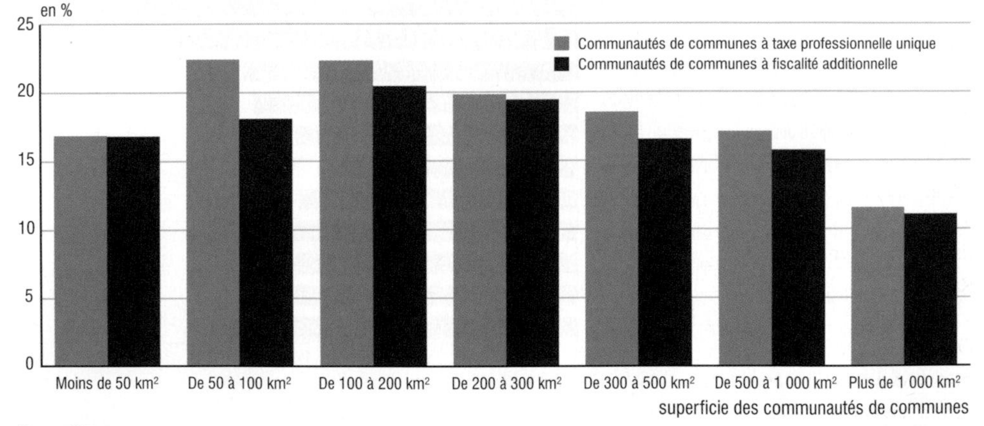

Champ : France.
Sources : DGCL ; DGFiP.

En France, la superficie moyenne des communes est très inégale suivant les régions, aussi l'étendue géographique et le nombre de communes d'un groupement décrivent deux réalités différentes. En pratique, la liaison entre part de dépenses mutualisées et nombre de communes est moins nette que la liaison avec la superficie ou le nombre d'habitants. En moyenne, la part des dépenses mutualisées est maximale entre 10 et 30 communes.

En dessous de 10 communes, la situation s'explique souvent par d'autres facteurs : l'étendue géographique de certaines communes, la prise en compte de la topographie ou tout simplement les liaisons entre les territoires peuvent être des freins au développement de l'intercommunalité.

Au-delà de 30 communes, le nombre d'acteurs est important et la coopération peut être plus difficile.

Ainsi, à partir d'une certaine taille, mesurée aussi bien en nombre de communes qu'en superficie, l'extension se fait souvent au prix d'une moindre mutualisation. L'éloignement des acteurs et la nécessité de préserver les communes ou des syndicats intercommunaux *(encadré 4)* pour les politiques de proximité peuvent alors expliquer la moindre importance financière du groupement. ■

Encadré 4

Syndicats intercommunaux à vocation unique (Sivu) - Syndicats intercommunaux à vocation multiple (Sivom)

Les Sivu et Sivom se distinguent par le nombre de compétences exercées (une pour les Sivu, plusieurs pour les Sivom). Les syndicats mixtes peuvent regrouper des communes avec d'autres collectivités ou établissements publics. En moyenne, une commune appartient à 3 syndicats. Les Sivu regroupent en moyenne 3 communes, les Sivom 9 communes et les syndicats mixtes 21 communes. On n'observe pas de différence importante de taille des syndicats selon la taille du groupement de communes à fiscalité propre auquel appartient une commune. Aussi, plus un groupement comporte de communes, plus son territoire compte de syndicats, qui exercent chacun une ou plusieurs compétences. La présence de syndicats rend moins nécessaire une large mutualisation à l'échelle du groupement à fiscalité propre : en effet, pour les communes dans ce cas, l'outil de mutualisation existe déjà. La mutualisation à l'échelle du groupement est en outre d'autant plus difficile que les syndicats exercent des compétences différentes selon les différentes parties du territoire intercommunal.

Pour en savoir plus

« L'intercommunalité à fiscalité propre en 2010 », *BIS* n° 71, DESL, février 2010.

« Les finances du secteur communal : les groupements de communes réalisent 20 % des dépenses », *BIS* n° 61, août 2008.

« Les dépenses du secteur communal en 2007 : 21% des dépenses sont le fait des groupements à fiscalité propre », *BIS* n° 67, DESL, juillet 2009.

Rapport de l'observatoire des finances locales, 2009.

« Dynamiques et développement durable des territoires », Rapport de l'Observatoire des territoires, DIACT, 2008.

http://www.dgcl.interieur.gouv.fr/ – rubrique statistique

http://www.territoires.gouv.fr

Quelles perspectives pour la démographie médicale ?

*Muriel Barlet, Laurent Fauvet, François Guillaumat-Tailliet, Lucile Olier**

En 2009, la France compte 214 000 médecins en activité ; cet effectif résulte d'une croissance ininterrompue depuis des décennies, il est le plus élevé de son histoire. Pour la première fois cependant, il serait appelé à diminuer de 10 % jusqu'en 2019 avant de revenir à son niveau actuel en 2030. Dans le même temps, la population française devrait croître d'environ 10 % entre 2006 et 2030. Ainsi, la densité médicale, qui rapporte l'effectif de médecins à la population, serait durablement inférieure à son niveau actuel. Ce résultat moyen est le fruit d'évolutions contrastées entre régions : la répartition des médecins sur le territoire serait fortement modifiée entre 2006 et 2030. Certaines régions actuellement bien dotées en médecins connaîtraient une forte baisse de leur densité médicale. Les écarts régionaux, poursuivant leur tendance des vingt dernières années, se réduiraient jusqu'en 2019, en faveur notamment des régions moins bien dotées actuellement. Ces résultats, issus du modèle de projection des médecins, trouvent leur origine dans la démographie actuelle et dans le pilotage réglementaire des effectifs d'étudiants en médecine et des postes ouverts à l'internat par spécialités et par régions.

Au 1er janvier 2009, la France métropolitaine et les Dom comptent 214 000 médecins en activité. Ce chiffre est le plus élevé de son histoire ; il résulte d'une progression continue des effectifs (+ 22 % depuis 1990, tandis que la population augmentait d'un peu moins de 10 %), qui s'est ralentie progressivement suite aux mesures de régulation mises en oeuvre dans les dernières décennies (instauration puis resserrement du *numerus clausus*). La population des médecins a vieilli. Combinée dans les prochaines années aux départs en retraite de générations plus nombreuses, les inquiétudes sur la manière dont la relève va s'opérer peuvent créer un sentiment de pénurie, plus marqué dans certaines spécialités et dans certaines régions.

S'il n'y a jamais eu autant de médecins en France, ils ne sont pas répartis de manière homogène sur le territoire. La répartition régionale des médecins ne reflète pas celle de la population. Certaines régions, en particulier l'Île-de-France et les régions du sud, sont mieux dotées en médecins. En 2006, la densité médicale de la France est de 327 médecins pour 100 000 habitants mais elle varie d'une région à l'autre : de 255 en Picardie à 402 en Île de-France *(figure 1)*. Ces densités devraient se modifier profondément dans les années à venir.

L'inertie des évolutions est renforcée par la durée des études de médecine

Les études médicales durent de 9 à 11 ans selon les spécialités. Elles sont organisées en trois cycles de durée inégale : le premier dure 2 ans, le deuxième 4 ans et le troisième de 3 à 5 ans. Elles sont rythmées par plusieurs temps forts. Le passage de la 1re à la 2e année du premier cycle s'effectue par un concours pour lequel le nombre de places (le *numerus clausus*) est fixé par arrêté ministériel depuis 1972, ce au niveau national et par faculté de médecine. À l'issue de la 4e année du deuxième cycle, les étudiants passent les épreuves classantes nationales (ECN). Cet examen a remplacé le concours

* Muriel Barlet, Laurent Fauvet, François Guillaumat-Tailliet, Lucile Olier, Drees.

de l'internat en 2004. Chaque étudiant passant les ECN est classé et il peut choisir en fonction de son rang de classement une discipline (une spécialité – dont médecine générale[1] – ou un groupe de spécialités) et une subdivision d'affectation (là où se trouve le centre hospitalier universitaire de la région). Le nombre de postes offerts par discipline et lieu d'affectation est fixé annuellement au *Journal officiel*. Les ECN constituent par conséquent un puissant outil de régulation de la répartition territoriale des effectifs médicaux, d'une part en fixant les effectifs formés en un lieu donné et d'autre part en agissant sur les choix des lieux d'exercice des médecins, puisqu'en moyenne 79,5 % d'entre eux débutent leur vie active là où ils ont été formés. Le troisième cycle, appelé aussi internat, dure de 3 à 5 ans, il est effectué en milieu professionnel (majoritairement en centre hospitalier universitaire). Le diplôme de médecine est obtenu par la soutenance d'une thèse et la validation de semestres de spécialisation.

1. Nombre et densité de médecins en activité par région

	Médecins (effectifs)			Population (milliers)			Densité (médecins/100 000 habitants)		
		Projections selon le scénario tendanciel			Projections[1]			Projections selon le scénario tendanciel	
	2006	2019	2030	2006	2019	2030	2006	2019	2030
Alsace	6 101	5 504	5 802	1 831	1 976	2 073	333	279	280
Antilles-Guyane	2 337	2 324	2 782	1 066	1 240	1 416	219	187	196
Aquitaine	10 694	10 439	12 139	3 117	3 382	3 580	343	309	339
Auvergne	3 921	3 642	4 320	1 335	1 343	1 328	294	271	325
Basse-Normandie	4 000	3 872	4 569	1 453	1 481	1 479	275	261	309
Bourgogne	4 565	3 832	4 070	1 631	1 637	1 616	280	234	252
Bretagne	9 258	9 543	11 586	3 087	3 321	3 484	300	287	333
Centre	6 627	5 663	6 160	2 511	2 609	2 657	264	217	232
Champagne-Ardenne	3 750	3 320	3 737	1 333	1 304	1 257	281	255	297
Corse	910	708	668	279	300	315	326	236	212
Franche-Comté	3 356	3 345	3 971	1 151	1 183	1 189	292	283	334
Haute-Normandie	4 857	4 363	4 916	1 815	1 853	1 851	268	235	266
Île-de-France	46 144	37 085	37 132	11 474	12 043	12 437	402	308	299
Languedoc-Roussillon	9 040	7 934	8 274	2 557	2 966	3 336	354	267	248
Limousin	2 415	2 172	2 415	727	736	738	332	295	327
Lorraine	6 834	6 439	7 303	2 337	2 324	2 266	292	277	322
Midi-pyrénées	9 668	8 439	9 132	2 780	3 086	3 353	348	273	272
Nord - Pas-de-Calais	11 770	10 959	11 651	4 046	4 090	4 058	291	268	287
Pays de la Loire	9 392	9 615	11 408	3 441	3 753	3 969	273	256	287
Picardie	4 814	4 342	4 778	1 887	1 926	1 929	255	225	248
Poitou-Charentes	4 998	5 111	6 296	1 720	1 815	1 872	291	282	336
Provence - Alpes - Côte d'Azur	19 286	16 296	16 821	4 816	5 273	5 646	400	309	298
La Réunion	2 079	2 237	2 573	793	933	1 034	262	240	249
Rhône-Alpes	19 698	19 150	21 448	6 040	6 581	6 982	326	291	307
Tom[1]	1 244	1 347	1 640	...	...	...	...	...	...
France métropolitaine + Dom	**206 514**	**186 331**	**203 953**	**63 225**	**67 158**	**69 866**	**327**	**277**	**292**

1. Projections de l'Insee. Les projections de population ne sont pas disponibles pour les Tom, pour lesquels les densités ne peuvent donc pas être calculées.
Champ : médecins en activité régulière ou remplaçants, hors médecins en cessation temporaire d'activité.
Sources : fichier du Conseil national de l'Ordre des médecins pour l'année 2006 (traitement Drees), population Insee.

[1] Auparavant, devenaient généralistes les étudiants qui soit échouaient au concours de l'internat, soit ne le passaient pas.

Modéliser l'impact des variations du *numerus clausus* : une aide à la décision publique sur la démographie médicale

Les modèles de projections sont l'un des outils mobilisables pour éclairer les tendances et les enjeux de la démographie médicale. La Drees réalise à intervalles réguliers de tels exercices. Ceux-ci ne sont pas des prévisions, mais une tentative de modélisation et de quantification de différents scénarios permettant d'éclairer la décision publique.

L'un de ces scénarios, dit « tendanciel», sert de référence. Ce scénario repose sur l'hypothèse de comportements constants *(encadré)* : les pouvoirs publics sont supposés ne pas modifier leur politique actuelle et les étudiants et médecins effectuer les mêmes choix qu'au cours du passé récent jusqu'au terme de la période de projection. Cette hypothèse prolonge les tendances observées sans être évidemment la plus probable.

Par contraste avec ce scénario tendanciel, les variantes, qui consistent à modifier à chaque fois une hypothèse, permettent d'isoler et d'évaluer l'effet potentiel d'un changement de comportement ou d'une mesure d'ajustement. Deux variantes sont retenues : l'une avec un *numerus clausus* à 7 000 (variante « NC bas ») et l'autre avec un *numerus clausus* à 8 000 (variante « NC haut »). Nous présentons ici les principaux résultats régionaux du dernier exercice de projection de la Drees.

Encadré

Le modèle de projection et ses hypothèses

Le modèle employé pour réaliser le présent exercice de projections (2008) est une nouvelle version du modèle utilisé par la Drees jusqu'en 2004, dont la première version avait été élaborée conjointement par l'Ined et la Drees en 2000.

Le modèle produit des effectifs projetés de médecins en activité au cours de chaque année de la période de projection, celle-ci allant de 2007 à 2030 pour l'exercice réalisé en 2008. Ces effectifs sont ventilés par spécialité, âge, sexe, région d'exercice, mode d'exercice et zone d'exercice.

Les médecins actifs au début de la période de projection sont ceux inscrits à l'Ordre des médecins au 31 décembre 2006. Les autres données utilisées par le modèle sont principalement les résultats des épreuves classantes nationales (ECN) produits par le centre national de gestion, les données du système SISE de la direction de l'Évaluation, de la prospective et de la performance (ministère de l'Éducation nationale) relatives aux étudiants en médecine, les données sur la mortalité et les projections de populations régionales de l'Insee.

Le champ retenu est celui des médecins actifs y compris les médecins remplaçants. En revanche, les médecins ayant cessé temporairement leur activité ne sont pas comptabilisés.

Le modèle simule l'évolution des effectifs de médecins actifs année après année jusqu'en 2030, de façon agrégée jusqu'à l'entrée en troisième cycle des études médicales, puis individuellement (méthode de « microsimulation »).

Le scénario tendanciel repose principalement sur l'hypothèse de comportements constants des médecins. Par exemple, les comportements des étudiants en médecine lors des ECN (redoublement, absence, abandon, etc.) ou encore les comportements des jeunes médecins à l'entrée dans la vie active en ce qui concerne le choix de leur région, de leur mode ou de leur zone d'exercice sont supposés identiques à ceux observés des années précédant la projection. Il en est de même en ce qui concerne les décisions de régulation portant sur les répartitions des postes ouverts aux ECN par discipline ou par région.

Le *numerus clausus* passe progressivement dans le scénario tendanciel de 7 100 à un maximum de 8 000 de 2011 à 2020 avant de décroître pour atteindre 7 000 en 2030. Ce profil correspond à celui envisagé par les pouvoirs publics à l'été 2008 au moment de la construction du modèle.

Les flux internationaux de médecins actifs, entrants et sortants, sont supposés nuls ; par contre on comptabilise les flux d'étudiants en médecine entre la France et l'étranger, les départs vers l'étranger de jeunes médecins diplômés en France, avant leur entrée dans la vie active et les médecins diplômés à l'étranger et inscrits à l'Ordre au 31 décembre 2006.

Les effectifs médicaux nationaux devraient baisser de près de 10 % d'ici 2019, avant de revenir à leur niveau actuel en 2030

Sous les hypothèses du scénario tendanciel, le nombre de médecins actifs passerait de 208 000 en 2006 à 188 000 en 2019, diminuant ainsi de 9,7 %. L'évolution des effectifs médicaux d'ici à 2019 est largement inéluctable : elle résulte presque entièrement de décisions déjà prises. La durée des études de médecine est telle que pratiquement tous les médecins qui exerceront à cette date sont actifs ou ont déjà commencé leurs études. Le nombre de futures installations est donc relativement facile à prévoir. En outre, les départs en retraite dans les dix prochaines années sont modélisés de façon fiable dans les projections dans la mesure où les comportements de cessation d'activité sont peu susceptibles de se modifier fortement à cet horizon *(figure 2)*.

Au-delà de 2019, les évolutions de la démographie médicale sont sensibles aux hypothèses faites sur l'évolution du *numerus clausus*. Dans le scénario tendanciel, après 2019, les effectifs médicaux repartiraient à la hausse pour revenir à un niveau proche de leur niveau actuel en 2030 (206 000). Sur la période 2006-2030, ils diminueraient donc de 1 % seulement *(figure 3)*. Cependant, si l'on poursuit la projection au-delà de 2030, les effectifs médicaux poursuivent leur progression et atteignent près de 260 000 en 2050.

Les effets d'une correction significative du *numerus clausus* ne sont nettement perceptibles qu'à partir d'un délai de l'ordre d'une quinzaine d'années. Ce n'est en effet que lorsque plusieurs promotions soumises successivement à des *numerus clausus* accrus (ou réduits) entrent dans la vie active que les effectifs de médecins en activité se trouvent sensiblement modifiés. Ainsi, un retour rapide du *numerus clausus* à 7 000 (variante « NC bas »), ne commencerait à avoir un effet visible et croissant avec le temps que 11 ans plus tard. De même, le maintien du *numerus clausus* à 8 000 ne serait pas perceptible avant 2030 (variante « NC haut »).

La baisse des effectifs médicaux en 2030 ne concernerait que les spécialistes (– 2,7 % par rapport à 2006) alors que les effectifs des diplômés de médecine générale seraient légèrement supérieurs à leur niveau de 2006 (+ 0,6 %).

2. Entrées et sorties définitives ou temporaires de la vie active d'après le scénario tendanciel

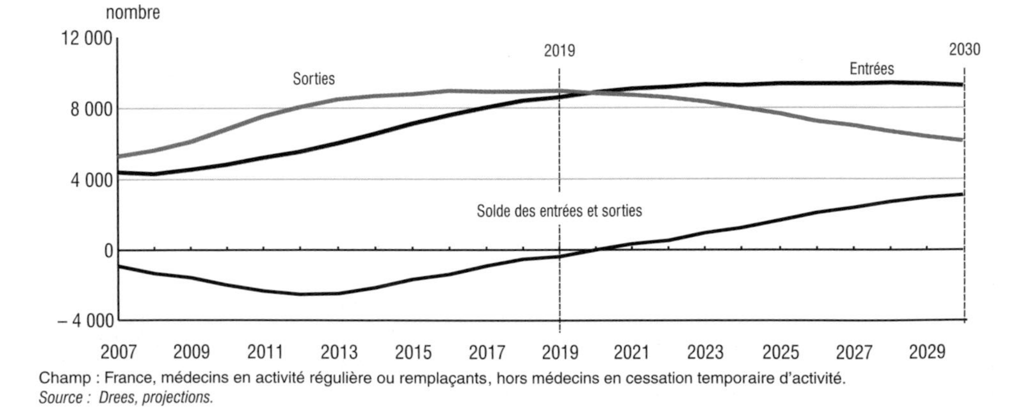

Champ : France, médecins en activité régulière ou remplaçants, hors médecins en cessation temporaire d'activité.
Source : Drees, projections.

La densité médicale serait durablement inférieure à son niveau actuel

La situation de la démographie médicale ne peut s'apprécier de façon pertinente à un moment donné qu'à l'aune des besoins de soins de la population. Modéliser l'évolution de la demande de soins est en dehors des objectifs des exercices de projections ; néanmoins l'évolution du nombre de médecins peut être mise en regard de celle de la population qui détermine, en première approximation, la demande de soins.

D'après les projections de l'Insee, la population française devrait croître d'environ 10 % entre 2006 et 2030, de façon continue. Par conséquent, la densité médicale, c'est-à-dire le nombre de médecins par habitant, devrait chuter plus fortement que l'effectif de médecins dans les années à venir. D'après le scénario tendanciel, pour l'ensemble France métropolitaine et Dom, la densité médicale passerait de 327 à 279 médecins pour 100 000 habitants entre 2006 et 2020 *(figure 3)*, diminuant ainsi de 16 %, pour retrouver son niveau du milieu des années 1980 en 2020. Si les comportements des médecins restaient inchangés et si le *numerus clausus* augmentait jusqu'à 8 000 en 2011 puis après 2020 redescendait progressivement à 7 000 (scénario tendanciel), la densité médicale serait à nouveau croissante entre 2024 et 2030, année à laquelle elle serait de 295 médecins pour 100 000 habitants, c'est-à-dire inférieure d'environ 10,6 % à son niveau de 2006.

3. Médecins en activité d'après le scénario tendanciel et les variantes« NC Bas » et « NC Haut »

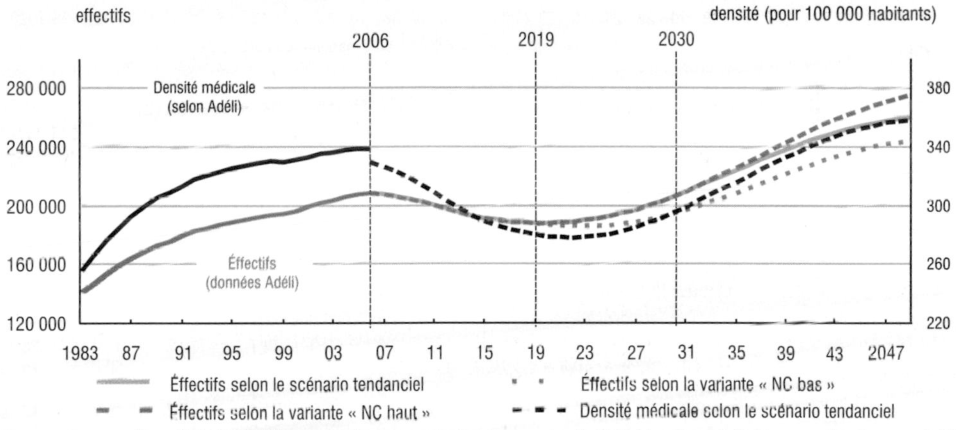

Champ : France métropolitaine, médecins en activité ou en cessation temporaire d'activité (données Adeli) ; France, médecins en activité régulière ou remplaçants, hors médecins en cessation temporaire d'activité (projections).
Lecture : en 2039, il y aurait 237 700 médecins en activité selon le scénario tendanciel, 221 000 selon l'hypothèse du *numerus clausus* à 7 000 ("NC Bas") et 242 400 selon l'hypothèse du *numerus clausus* à 8 000 ("NC Haut"). Cette même année, selon le scénario tendanciel, il y aurait 336 médecins pour 100 000 habitants.
Source : Drees, répertoire Adeli, fichier du Conseil national de l'Ordre des médecins pour l'année 2006, traitement et projections Drees.

La densité médicale serait en forte baisse dans certaines régions actuellement bien dotées

De même, les densités régionales devraient toutes diminuer sur la première partie de la période de projection. Il s'agirait donc là d'une rupture de tendance, puisqu'au cours des vingt dernières années, elles tendaient à croître. Leur hausse a été assez marquée jusqu'au début des années 1990, puis s'est un peu ralentie. En 2030, en revanche, les résultats sont relativement contrastés. Sous les hypothèses du scénario tendanciel, les évolutions des densités régionales seraient assez différenciées *(figures 4 et 5)*.

Le modèle prévoit une baisse de la densité médicale pour 16 des 24 régions entre 2006 et 2030. Cette baisse serait particulièrement marquée pour 5 régions : Corse (– 35 %), Languedoc-Roussillon (– 30 %), Île-de-France (– 26 %), Provence - Alpes - Côte d'Azur (PACA) (– 26 %) et Midi-Pyrénées (– 22 %). Pour ces régions, on observerait pratiquement une baisse continue de la densité médicale sur toute la période de projection. La baisse de la densité médicale de l'Alsace, de la

4. Évolution des densités médicales régionales de 2006 à 2030 d'après le scénario tendanciel

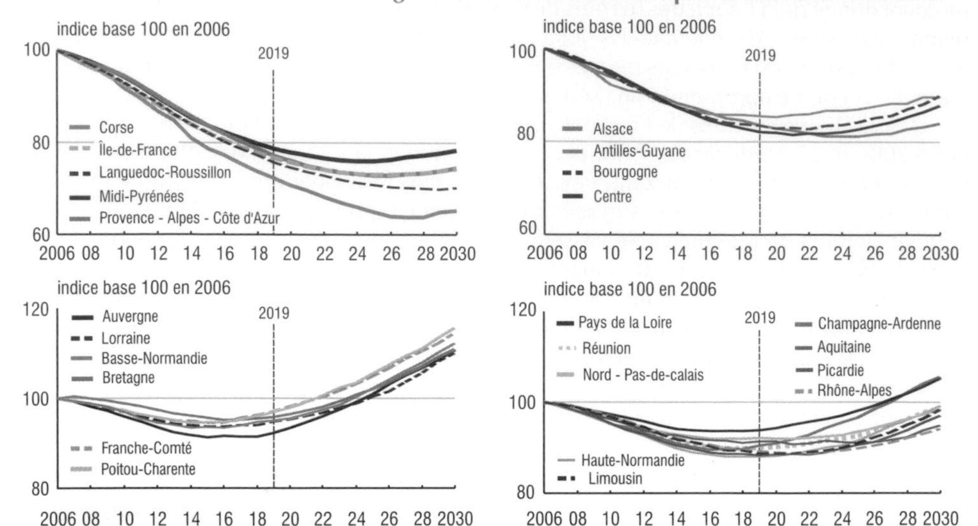

Champ : France, médecins en activité régulière ou remplaçants, hors médecins en cessation temporaire d'activité.
Sources : fichier 2006 du Conseil national de l'Ordre des médecins, traitement Drees ; projections de population Insee ; projections Drees.

5. Évolution du nombre, de la densité de médecins en activité et de leurs facteurs, d'après le scénario tendanciel

en %

	Évolutions 2006-2030			Pop. région./ ensemble de la pop. au 01/01/2007[1]	Part de la région dans			Part de diplômés entrant dans la vie active dans la région		Médecins de plus de 50 ans en 2006	Solde migratoire annuel[3]
	Nombre de médecins	Population[1]	Densité médicale pour 100 000 hab.		le *numerus clausus*[2]	les postes ouverts aux ECN[2]	les postes pourvus aux ECN[2]	diplômés de la région[3]	diplômés dans une autre région[3]		
Alsace	– 4,9	13,2	– 16,0	2,9	3,4	3,6	3,9	74,7	10,9	48,4	– 28
Antilles-Guyane	19,0	32,8	– 10,3	1,7	1,1	1,7	1,3	…	…	50,3	18
Aquitaine	13,5	14,8	– 1,2	4,9	5,0	4,0	4,3	77,9	15,5	50,7	14
Auvergne	10,2	– 0,5	10,8	2,1	2,3	2,5	2,8	75,1	12,2	49,3	– 16
Basse-Normandie	14,2	1,8	12,2	2,3	2,3	3,8	3,0	73,9	11,8	51,1	– 13
Bourgogne	– 10,9	– 0,9	– 10,0	2,6	2,5	3,7	2,5	62,8	14,9	51,2	– 1
Bretagne	25,2	12,9	10,9	4,9	4,3	4,8	5,2	81,8	21,4	49,0	29
Centre	– 7,0	5,8	– 12,2	4,0	2,8	4,5	2,9	78,6	19,0	53,1	17
Champagne-Ardenne	– 0,3	– 5,7	5,7	2,1	2,4	3,7	2,7	73,8	7,2	50,3	– 22
Corse	– 26,6	12,7	– 34,9	0,4	0,3	0,0	0,0	…	…	53,6	9
Franche-Comté	18,3	3,3	14,6	1,8	2,0	2,4	2,6	79,4	10,1	48,3	– 17
Haute-Normandie	1,2	2,0	– 0,7	2,9	2,6	3,9	3,5	68,2	12,4	50,8	– 9
Île-de-France	– 19,5	8,4	– 25,8	18,3	22,8	14,7	16,1	87,0	24,7	53,1	– 166
Languedoc-Roussillon	– 8,5	30,5	– 29,8	4,0	3,2	2,7	3,0	82,8	23,7	50,3	55
Limousin	0,0	1,6	– 1,6	1,1	1,8	1,4	1,5	76,2	11,9	50,2	– 5
Lorraine	6,9	– 3,0	10,2	3,7	3,7	4,8	4,7	78,8	9,2	49,6	– 30
Midi-Pyrénées	– 5,5	20,6	– 21,7	4,4	3,7	3,4	3,7	80,0	21,8	52,2	42
Nord - Pas-de-Calais	– 1,0	0,3	– 1,3	6,4	7,1	6,8	7,4	78,2	9,4	43,9	– 75
Pays de la Loire	21,5	15,3	5,3	5,5	4,5	5,5	6,0	78,9	15,0	47,9	14
Picardie	– 0,8	2,2	– 2,9	3,0	2,4	3,9	3,2	70,0	14,2	49,1	– 18
Poitou-Charentes	26,0	8,9	15,7	2,7	2,4	3,5	3,6	71,2	21,0	51,3	14
Provence - Alpes - Côte d'Azur	– 12,8	17,2	– 25,6	7,6	6,8	5,2	5,7	86,0	24,5	52,7	120
Réunion	23,8	30,5	– 5,1	1,3	0,5	0,8	0,9	…	…	42,4	15
Rhône-Alpes	8,9	15,6	– 5,8	9,6	10,0	8,6	9,4	83,9	20,4	47,6	32
Ensemble	**– 1,2**	**10,5**	**– 10,6**	…	…	…	…	**79,5**	**20,5**	**50,4**	…

1. Estimations de population, Insee.
2. Valeurs observées en 2007 et supposées constantes tout au long de la période de projection.
3. Valeurs moyennes au cours de la période de projection.
Champ : médecins en activité régulière ou remplaçants, hors médecins en cessation temporaire d'activité.
Sources : fichier 2006 du Conseil national de l'Ordre des médecins, traitement Drees ; projections de population Insee ; projections Drees.

Bourgogne, du Centre et des Antilles-Guyane[2], un peu moins marquée, mais aussi moins durable, serait de l'ordre de – 10 à – 20 % en 2030, par rapport à 2006. Au contraire, entre 2006 et 2030, la densité régionale croîtrait relativement fortement (de 10 à 16 %) en Poitou-Charentes, en Franche-Comté, en Basse-Normandie, en Bretagne, en Auvergne et en Lorraine. Dans ces régions, elle serait décroissante jusqu'au milieu des années 2010, mais augmenterait assez nettement par la suite. En 2030, les densités des autres régions ne seraient pas très éloignées de leurs valeurs de 2006. Celles de la Champagne-Ardenne et des Pays de la Loire seraient supérieures et les autres inférieures aux densités actuelles. Cependant, elles seraient dans un premier temps décroissantes, jusqu'au début des années 2020 pour la plupart d'entre elles, donc plus faibles pendant une partie de la période de projection.

L'évolution à l'horizon 2030 du nombre de médecins actifs dans une région donnée est déterminée principalement par le niveau des flux d'entrées dans la vie active, la structure par âge actuelle de la population médicale, qui détermine le nombre de sorties de la vie active au cours de la période de projection, et enfin les flux migratoires au moment de l'entrée dans la vie active, mais aussi en cours de carrière. La répartition régionale des postes d'internes lors des ECN détermine en grande partie les flux régionaux d'entrées dans la vie active (voir *supra)*. Le scénario tendanciel suppose que la répartition actuelle des postes aux ECN est maintenue constante sur toute la période de projection. Cette hypothèse, forte et peu réaliste, a néanmoins le mérite de mettre en évidence l'impact, pour chaque région, de la mobilité en cours de carrière et des départs en retraite des médecins, à flux d'installation donnés, figés aux niveaux relatifs actuels.

Si la plupart des régions devraient connaître une hausse de leur population sur la période 2006-2030 – les plus dynamiques connaîtraient une hausse de 13 % à 30 % de leur population – d'autres en revanche font exception et seraient moins peuplées en 2030 qu'en 2006. La population en Champagne-Ardenne diminuerait tout au long de la période de projection et celles de la Lorraine, de la Bourgogne et de l'Auvergne commenceraient à diminuer dans les années 2010 *(figure 5)*.

Pour comprendre les changements qui marquent la densité médicale régionale, il faut donc prendre en compte l'évolution de chacun de ces facteurs, qui se combinent d'une façon particulière pour chaque région. La forte baisse du nombre de médecins actifs en Île-de-France au cours de la période 2006-2030 (– 19,5 %), par exemple, résulterait tout à la fois d'une répartition défavorable des postes ouvert aux ECN, d'un solde migratoire négatif pour les médecins en activité et d'un nombre conséquent de cessations d'activité car en 2006 la part des médecins de plus de 50 ans y est en moyenne plus élevée que dans le reste de la France.

La démographie médicale évoluerait de façon contrastée selon les régions

D'ici à 2030, dans les régions dont la densité médicale diminuerait d'au moins 10 % – à l'exception des Antilles-Guyane (Corse, Languedoc-Roussillon, Midi-Pyrénées, Île-de-France, PACA, Alsace, Bourgogne et Centre), la population régionale serait en hausse (sauf pour la Bourgogne) et le nombre de médecins actifs en baisse *(figure 5)*. Ces régions seraient donc plutôt « défavorisées » pour ce qui concerne les entrées dans la vie active : les parts des postes offerts (ou pourvus) en première année d'internat y seraient généralement plutôt faibles au regard du poids de leurs populations régionales. Parmi ces régions, celles dont la densité médicale diminuerait le plus fortement seraient pourtant plutôt attractives et « retiendraient» bien leurs diplômés. Dans la plupart de ces régions, la population médicale est actuellement plus âgée qu'au niveau national. Les arrivées dans ces régions seraient en général plus fréquentes et dans certaines d'entre elles, les départs seraient également plus rares. Le solde migratoire résultant des changements de région d'exercice en cours de carrière serait positif

[2] Dans le cadre des projections d'effectifs de médecins, la Martinique, la Guadeloupe et la Guyane constituent un seul ensemble, du fait de leurs faibles effectifs de médecins.

chaque année (sauf pour l'Île-de-France, l'Alsace et la Bourgogne). Les Antilles-Guyane se caractériseraient par des flux migratoires entrants et sortants particulièrement importants.

En Auvergne, en Basse-Normandie, en Bretagne, en Franche-Comté, en Lorraine et en Poitou-Charentes, régions dont la densité médicale augmenterait nettement dès la fin des années 2010, les entrées dans la vie active seraient assez nombreuses au regard des effectifs régionaux de médecins actifs, notamment parce que ces régions bénéficieraient d'une part assez importante des postes d'internes ouverts et pourvus à l'issue des ECN. Leur attractivité et leur capacité à « retenir » leur diplômés seraient en revanche plutôt faibles, même si la Bretagne se distinguerait en la matière. Les médecins actifs dans ces régions seraient généralement un peu plus jeunes en moyenne que l'ensemble des médecins. Les cessations définitives d'activité ne seraient donc pas particulièrement fréquentes au cours de la période de projection. À l'exception de la Bretagne et du Poitou-Charentes, ces régions perdraient chaque année des médecins du fait des migrations en cours de carrière.

Les densités médicales des régions Aquitaine, Pays de la Loire, Réunion, Rhône-Alpes d'une part et de Champagne-Ardenne, Haute-Normandie, Limousin, Nord - Pas-de-Calais et Picardie d'autre part resteraient proches de leurs niveaux actuels. Les premières ont une population médicale plus jeune que la moyenne. Les sorties de la vie active seraient par conséquent moins nombreuses. En revanche, ces régions ne sont pas favorisées par la répartition géographique actuelle des postes ouverts en première année d'internat. Sauf pour La Réunion, caractérisée comme les Antilles - Guyane et les Dom par des flux entrants et sortants importants, les migrations en cours de carrière à destination ou en provenance de ces régions ne seraient pas particulièrement fréquentes, mais le solde migratoire serait chaque année positif. Les secondes bénéficieraient quant à elles d'un nombre d'entrées dans la vie professionnelle un peu plus important que la moyenne, en raison d'une répartition géographique des postes ouverts en première année d'internat un peu plus favorable, leur attractivité et leur capacité à « retenir » des jeunes diplômés étant assez faibles. Les médecins exerçant en 2006 dans ces régions ne sont pas particulièrement âgés, et ceux exerçant en Nord - Pas-de-Calais sont même plutôt jeunes. Les sorties de la vie active au cours de la période ne seraient donc pas particulièrement fréquentes. Sauf pour Nord - Pas-de-Calais, les arrivées de médecins dans ces régions seraient plus fréquentes que dans l'ensemble des régions, mais il en serait de même des départs. Le solde migratoire serait négatif chaque année.

Les écarts régionaux continueraient à se réduire avant de se creuser à nouveau

La baisse ou la hausse de la densité médicale dans une région n'a cependant pas la même signification selon que la région était initialement bien ou peu dotée en médecins. Une hausse de la densité médicale dans les régions les moins dotées, éventuellement accompagnée d'une baisse de la densité médicale dans les régions bien dotées conduirait à une baisse des écarts régionaux. En 2006, les écarts entre les densités régionales sont en moyenne de 15 % de la densité nationale (France métropolitaine et Dom) *(figure 6)*.

Les disparités régionales sont pourtant bien moindres aujourd'hui que par le passé et se sont réduites de façon continue au cours des vingt dernières années. Les écarts, exprimés en valeur absolue, entre les densités régionales et la densité métropolitaine représentaient en moyenne 21 % de la densité de la France métropolitaine en 1983 *(figure 7)*. Ils n'en représentent plus que 14 % (et 15 % de la densité nationale) en 2006. La baisse des écarts a concerné presque toutes les régions, avec plus ou moins d'ampleur : l'écart à la densité métropolitaine s'est réduit fortement entre 1983 et 2006 en Île-de-France (région pour laquelle il est passé de + 40 % à + 22 %), en Languedoc-Roussillon (de + 20 % à + 8 %), en Nord - Pas-de-Calais (de – 24 % à – 11 %), en Bretagne (de – 18 % à – 9 %) et dans le Limousin (de – 10 % à 0 %), alors qu'il est resté quasiment stable (et négatif) en Auvergne *(figure 8)*.

6. Densité de médecins par rapport à la moyenne nationale en 2006, 2019 et 2030

Densité ensemble des médecins en 2006

Densité ensemble des médecins en 2019
Scénario tendanciel

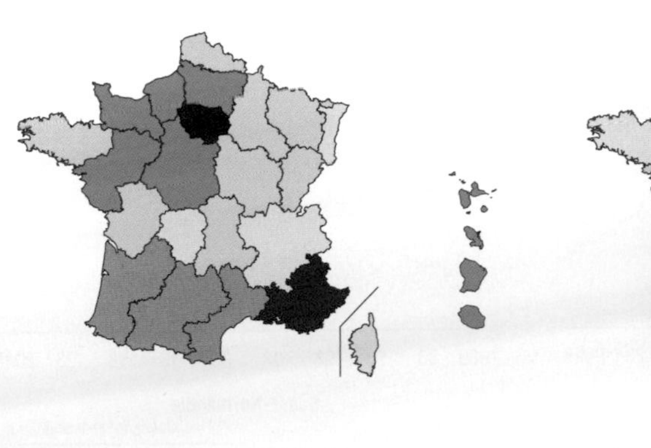

Densité ensemble des médecins en 2030
Scénario tendanciel

Densité ensemble des médecins en 2030
Variante rééquilibrage régional avec 3 ajustements

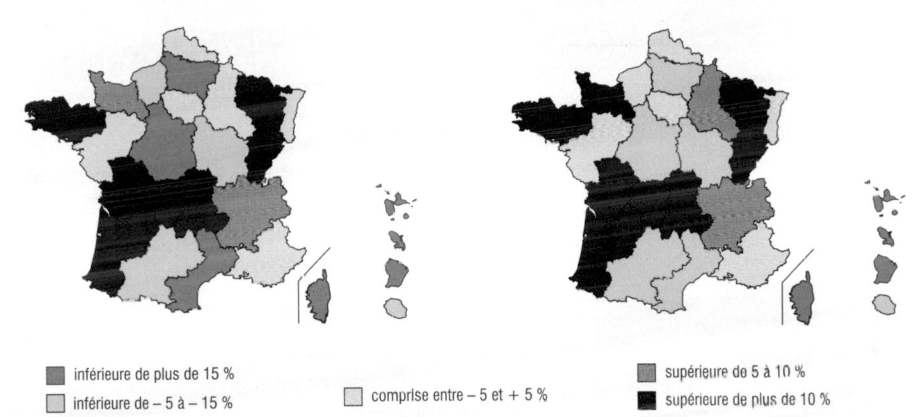

- inférieure de plus de 15 %
- inférieure de – 5 à – 15 %
- comprise entre – 5 et + 5 %
- supérieure de 5 à 10 %
- supérieure de plus de 10 %

Champ : médecins en activité régulière ou remplaçants, hors médecins en cessation temporaire d'activité, France métropolitaine et Dom.
Sources : fichier 2006 du Conseil national de l'Ordre des médecins, traitement Drees ; projections de population Insee ; projections Drees.

7. Écart moyen à la densité nationale de médecins

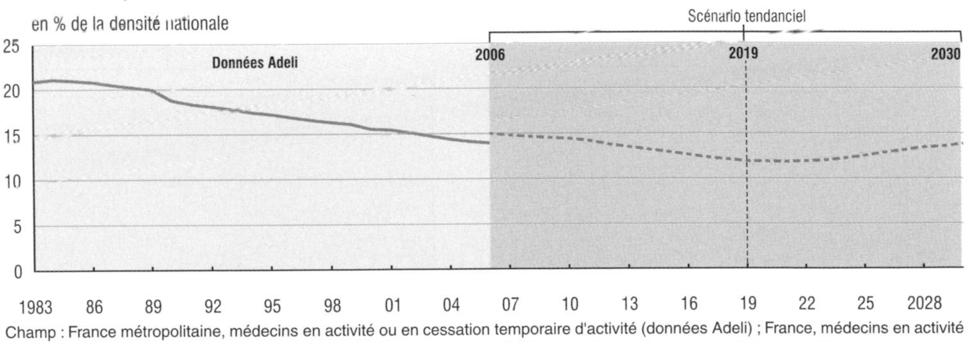

Champ : France métropolitaine, médecins en activité ou en cessation temporaire d'activité (données Adeli) ; France, médecins en activité régulière ou remplaçants, hors médecins en cessation temporaire d'activité (projections selon le scénario tendanciel).
Note : la densité nationale est ici la densité calculée pour l'ensemble France. Il s'agit de l'écart quadratique moyen des densités régionales à la densité nationale, chaque région comptant pour 1.
Sources : fichier 2006 du Conseil national de l'Ordre des médecins, traitement Drees ; projections de population Insee ; projections Drees.

8. Écart entre la densité régionale de médecins et la densité nationale

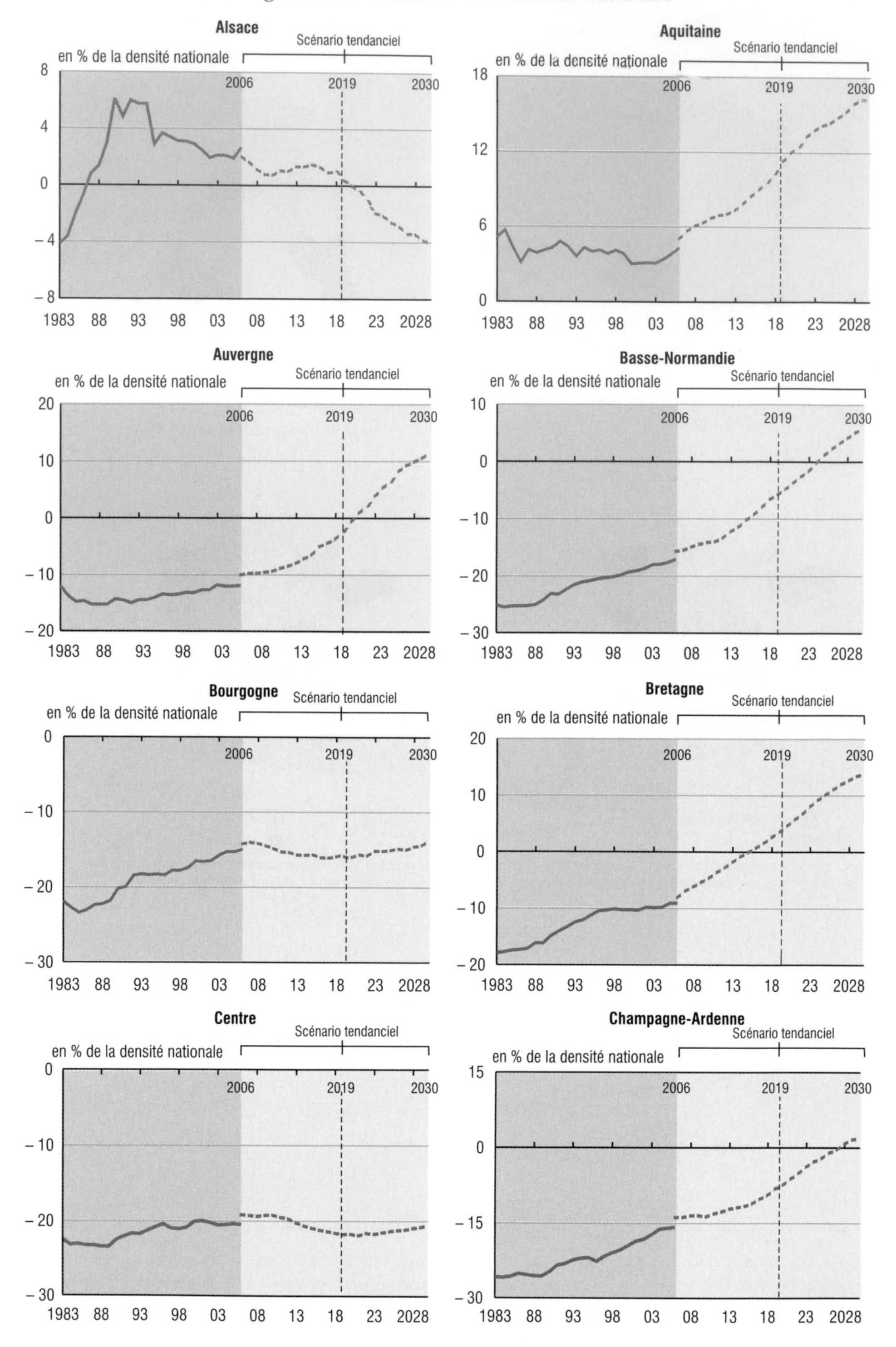

8. Écart entre la densité régionale de médecins et la densité nationale *(suite)*

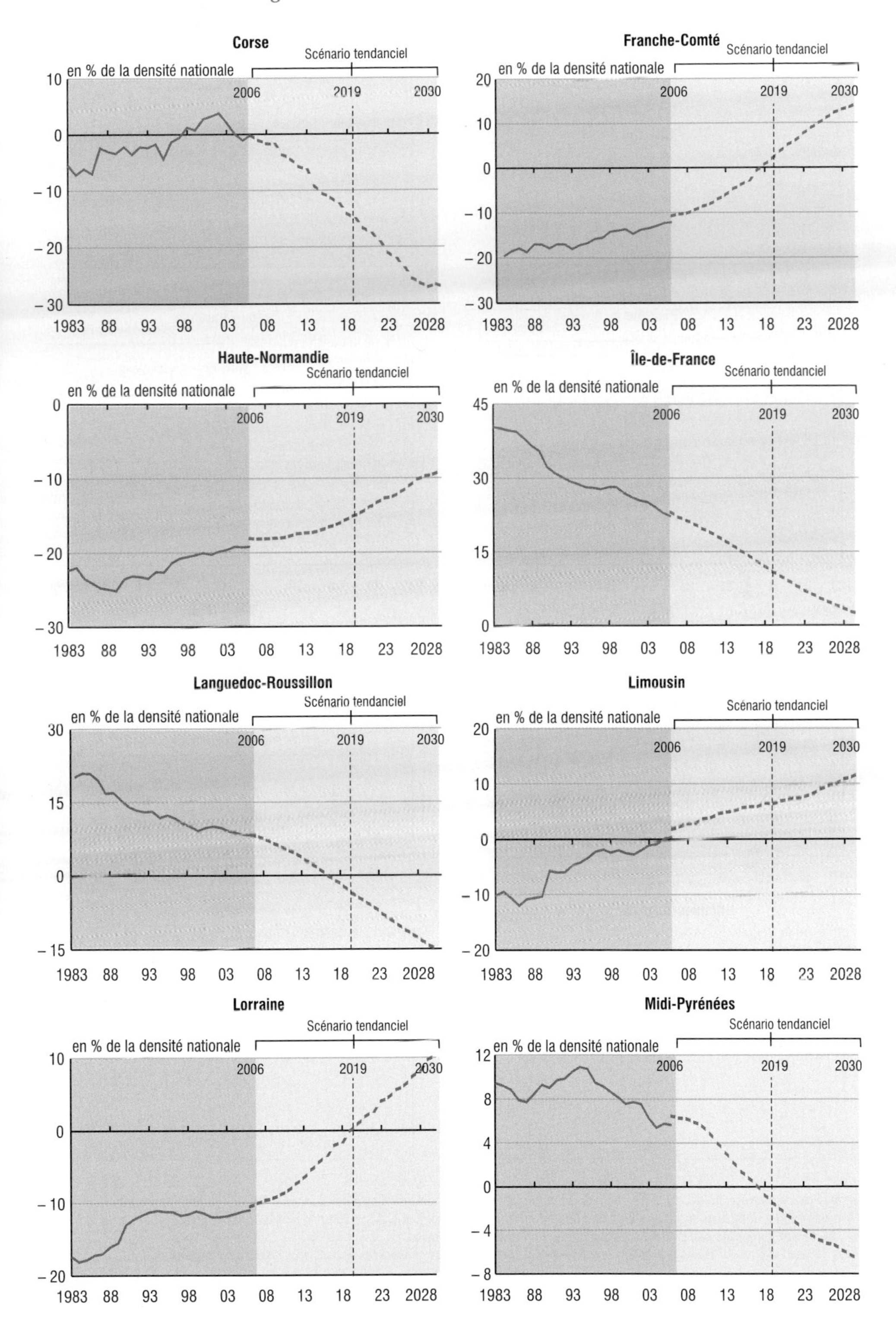

8. Écart entre la densité régionale de médecins et la densité nationale *(suite)*

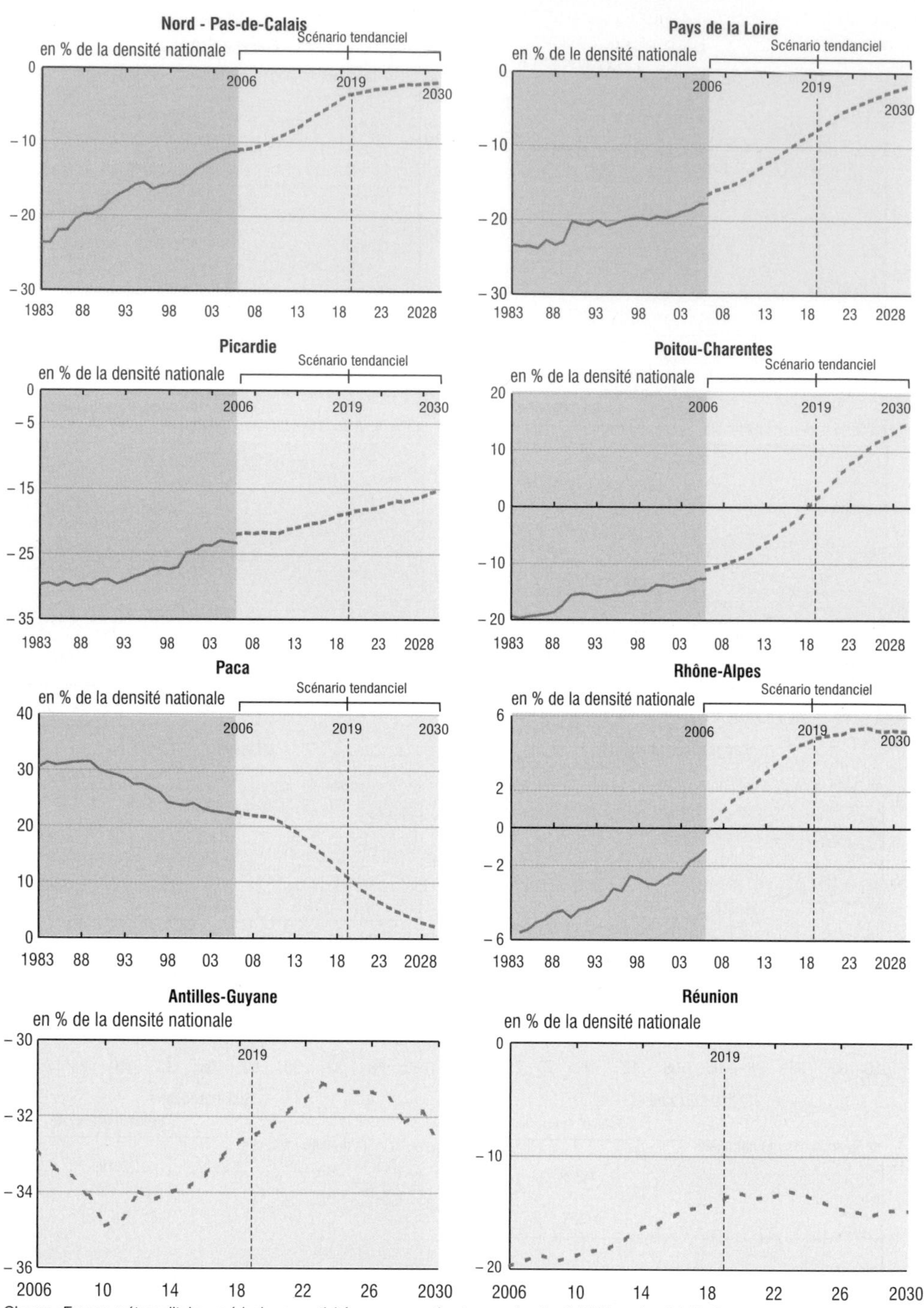

Champ : France métropolitaine, médecins en activité ou en cessation temporaire d'activité (données Adeli) ; France, médecins en activité régulière ou remplaçants, hors médecins en cessation temporaire d'activité (projections selon le scénario tendanciel).

Note : la densité nationale est ici la densité calculée pour l'ensemble France.

Sources : fichier 2006 du Conseil national de l'Ordre des médecins, traitement Drees ; projections de population Insee ; projections Drees.

Sous les hypothèses du scénario tendanciel, les disparités régionales en matière de densité médicale seraient globalement peu atténuées en 2030 par rapport à 2006. Certaines régions seraient donc toujours bien mieux dotées en médecins que d'autres mais ce ne serait plus les mêmes. Ainsi, Île-de-France et PACA ne seraient plus les régions aux densités les plus élevées. Toutefois, ce renversement de situation n'interviendrait que dans la deuxième moitié de la période de projection : au cours des dix prochaines années, la tendance à la réduction des écarts observée depuis une vingtaine d'années se prolongerait. L'écart moyen des densités régionales à la densité nationale continuerait à décroître, pour atteindre un minimum de 12 % en 2019 (contre 15 % en 2006), avant d'augmenter à nouveau à partir de 2022, jusqu'à 14 % en 2030.

Réduire les disparités régionales en matière de densité médicale n'est pas un objectif en soi, puisque les besoins de soins peuvent différer selon les régions en fonction notamment de la structure par âge et de l'état de santé de leur population. Cependant, s'il paraît opportun de réduire ces écarts, modifier la répartition régionale des postes proposés en première année d'internat est un levier pour atteindre ce but. Certaines variantes examinent l'impact sur les disparités régionales d'un pilotage plus prospectif de la répartition des postes aux ECN tenant compte notamment de l'évolution des populations régionales, c'est-à-dire, indirectement, de la demande de soins adressée aux professionnels.

Un pilotage plus prospectif de la répartition des postes aux ECN permettrait de réduire davantage les disparités régionales

Des variantes permettent de rendre compte de l'impact potentiel d'une modification à intervalles réguliers de la répartition régionale des postes ouverts dans chaque discipline en première année d'internat, à l'issue des ECN. Pour chaque discipline, la proportion des postes ouverts dans la région est supposée inversement proportionnelle à l'écart entre la densité régionale et la densité nationale de médecins de la discipline.

Compte tenu de la durée du troisième cycle (de 3 à 5 ans selon les spécialités), un ajustement de la répartition des postes ouverts en première année de troisième cycle ne peut produire d'effet qu'à moyen terme. Pour être efficace, une modification de la répartition des postes ouverts aux ECN doit donc viser à atténuer non pas les disparités actuelles, mais celles qui pourraient être observées à l'avenir.

Ces variantes simulent l'effet d'une modification de la répartition des postes ouverts aux ECN déterminée en fonction des écarts entre les densités régionales et la densité nationale projetées pour les années à venir. En réalisant plusieurs ajustements successifs et itératifs (2007, 2012 et 2017) en fonction des densités réestimées à chaque itération, on limiterait un peu plus à chaque étape le creusement de ces écarts *(figure 6)*. En 2030, les disparités seraient moins marquées avec cette variante que d'après le scénario tendanciel, et nettement moindres que celles observées en 2006 : l'écart moyen à la densité nationale représenterait 12 % de la densité nationale en 2030, contre 13,8 % d'après le scénario tendanciel, tandis qu'il représentait encore 15 % de la densité nationale en début de période. Ce gain, relativement faible, s'explique tant par le poids faible des entrées sur l'effectif total des médecins que par la durée longue des études de médecine impliquant que toute décision n'impacte qu'avec retard les effectifs. ■

Pour en savoir plus

Attal-Toubert K., Vanderschelden M., « La démographie médicale à l'horizon 2030 : de nouvelles projections nationales et régionales détaillées », *Dossier Solidarité et Santé* n° 12, Drees, novembre 2009.

Vanderschelden M., « Les affectations des étudiants en médecine à l'issue des épreuves classantes nationales en 2008 », *Études et Résultats* n° 676, Drees, décembre 2009.

Dynamiques régionales, dynamiques urbaines

*Patrick Redor**

La période 1999-2006 a été marquée par d'assez fortes disparités des dynamiques régionales métropolitaines en termes de population ou d'activité économique. Les produits intérieurs bruts (PIB) des régions de l'ouest et du sud, moins pénalisées par le poids des secteurs industriels en déclin, ont progressé plus vite que sur le reste du territoire.
Les dynamiques des pôles des aires urbaines de plus de 100 000 habitants, évaluées de façon indirecte à l'aide d'une batterie très large d'indicateurs, répercutent, en les accentuant, ces disparités régionales. Les profils urbains les plus dynamiques se concentrent sur un groupe d'une dizaine de villes, parmi lesquelles les capitales régionales de la plupart des régions où se conjuguent les croissances fortes du PIB et de la population.

La période 1999-2006 est marquée par d'assez fortes disparités des tendances régionales. Elles sont bien mises en évidence en particulier pour la démographie, mais aussi pour l'activité économique mesurée par les produits intérieurs bruts (PIB) régionaux. Ces évolutions dispersées n'ont pas joué dans le sens d'un rattrapage des « petites » régions vis-à-vis des plus « grandes » : les écarts se sont au contraire accentués, quoique très légèrement. Dans l'un ou l'autre cas, population ou PIB, le poids des cinq plus « grandes » régions a légèrement progressé, alors que celui des cinq plus « petites » diminuait *(figure 1)*.

1. Évolution du poids des cinq plus petites et plus grandes régions en termes de PIB et population

	PIB	Population
Poids des cinq plus grandes régions (en %)		
en 1999	56	48
en 2006	56	49
Poids des cinq plus petites régions (en %)		
en 1999	7	8
en 2006	7	8
Rapport des cinq plus grandes au cinq plus petites		
en 1999	8	6
en 2006	9	6

Champ : France métropolitaine.
Source : Insee, comptes régionaux base 2000, recensements de la population 1999 et 2006.

Assez fortes disparités des tendances régionales entre 1999 et 2006

Dynamiques de population et dynamiques économiques sont étroitement liées ; les régions dont le PIB a augmenté le plus vite sont également celles où la population a augmenté le plus rapidement entre 1999 et 2006 *(figure 2)*. Ces régions se regroupent sur un arc littoral ouest-sud *(figure 3)*, littoral en un sens très large, puisque, démarrant et continuant vers le sud à partir de la Bretagne, il faut ensuite le faire remonter à partir des régions méditerranéennes pour y englober Rhône-Alpes.

La décomposition des variations de PIB (obtenue grâce à une analyse *shift and share, voir encadré*) montre que les régions les plus en retrait par rapport à la moyenne nationale (au Nord et à l'Est, plus un vaste ensemble autour de l'Île-de-France) sont en quasi-totalité des

* Patrick Redor, Insee.

régions pénalisées à la fois par des effets géographiques et structurels négatifs (ces effets structurels négatifs s'expliquant essentiellement par le poids de secteurs industriels en déclin). *A contrario*, les régions les plus dynamiques (au Sud) bénéficient tout à la fois de la croissance générale des services et de facteurs géographiques positifs. Certaines régions (Ouest et Rhône-Alpes) figurent également parmi celles dont le PIB progresse plus vite que la moyenne nationale, grâce seulement à leurs avantages spécifiques. L'Île-de-France, dont le PIB a évolué à peu près exactement comme la moyenne nationale, occupe une place à part : l'effet structurel, positif en raison du poids des services, est quasiment compensé par l'effet géographique.

2. Croissance du PIB et de la population des régions métropolitaines entre 1999 et 2006

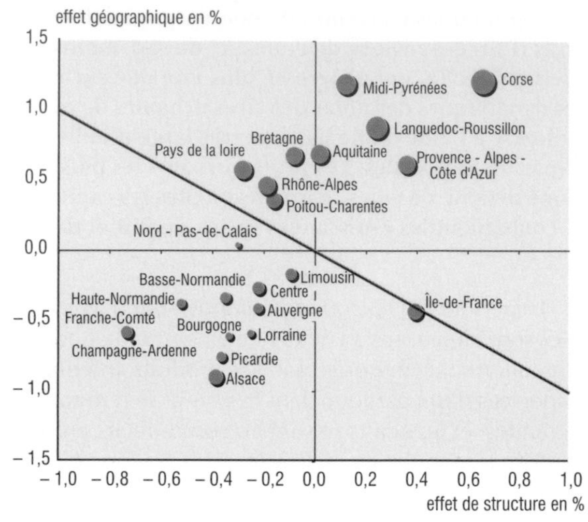

Champ : France métropolitaine.

Lecture : la taille des disques qui représentent les régions est proportionnelle à la croissance de la population. Le taux de croissance du PIB des régions situées au-dessus de la droite en rouge est supérieur à la moyenne nationale, et inversement pour celles situées sous la courbe. La variation du PIB est décomposée entre un effet structurel (en abscisse) et un effet géographique (en ordonnée) ; les régions situées à la gauche (inversement à droite) de l'axe des ordonnées sont celles pour lesquelles l'effet de structure est négatif (inversement positif) ; même chose concernant l'effet géographique selon la position des régions en-dessus ou en-dessous de l'axe des abscisses.

Source : Insee, comptes régionaux base 2000, recensements de la population 1999 et 2006.

3. Évolution des PIB régionaux entre 1999 et 2006

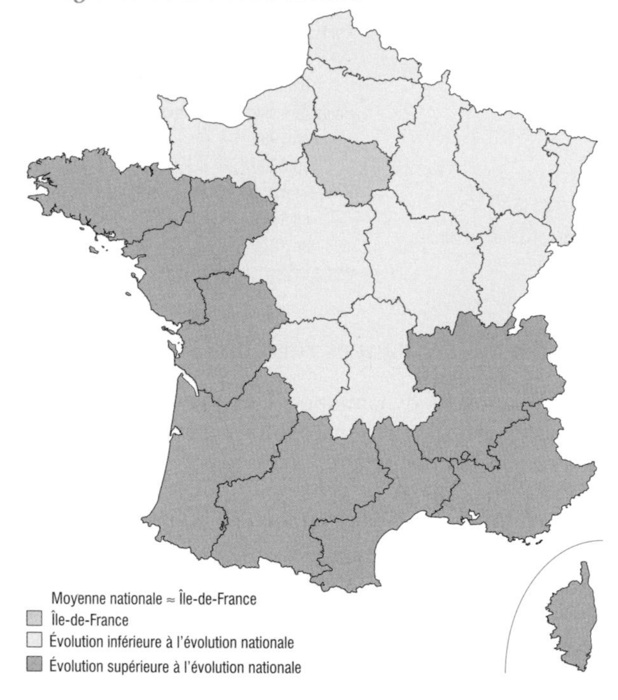

Source : Insee.

Les tendances régionales de ces dernières années, caractérisées par la forte corrélation des évolutions de PIB et de population, font ainsi apparaître des disparités assez nettes. *A fortiori*, on devrait retrouver des disparités aussi tranchées, sinon plus, en déplaçant l'analyse des dynamiques de croissance à un échelon infra régional, précisément au niveau des villes, lieux de concentration à la fois de la population, de l'emploi et des fonctions de commandement économique, administratif et politique. La question est alors de savoir si ces hétérogénéités urbaines, locales, recoupent ou non les hétérogénéités régionales.

La question du recoupement entre disparités régionales et disparités urbaines

L'organisation et le fonctionnement de l'armature urbaine jouent un rôle essentiel dans les disparités entre régions. Pour ne prendre qu'un exemple, même s'il est extrême, les dynamiques à l'œuvre en Île-de-France sont indissociables du rôle et de l'influence exercés par Paris, aussi bien à l'intérieur de la région qu'à l'échelon national.

Les villes n'ont cependant pas toutes la même importance et n'occupent pas la même place au sein du maillage qu'elles tissent entre elles à travers le territoire. En s'en tenant à la définition couramment acceptée des villes comme agglomérations ou unités urbaines *(voir Définitions)*, on englobe dans les villes aussi bien des bourgs-centres ruraux de quelques milliers d'habitants que les plus grands centres urbains dépassant le million de résidents. Si l'on veut pouvoir parler des disparités urbaines pour les rapprocher des disparités de croissance au niveau régional, il faut le faire pour des villes dont l'influence ou le poids sont suffisamment élevés.

Une manière de définir les villes « influentes » est de s'appuyer sur leur taille, en sélectionnant toutes celles qui dépassent un certain seuil de population. Pour éviter un choix trop arbitraire, on a cherché à construire ce seuil en partant d'une application simple et empirique de la loi dite « rang taille ».

Cette loi relie la taille de chaque ville à son rang, rang défini par ordre décroissant de taille[1]. On peut, à partir de l'analyse de la courbe reliant la taille au rang, décrire le degré d'organisation d'un système de villes. En particulier, les inflexions de cette courbe peuvent être interprétées comme des indications sur les ruptures hiérarchiques entre les villes.

L'analyse de la courbe de rang-taille dans le cas des unités urbaines métropolitaines met en évidence deux points d'inflexion : l'un, situé autour d'un seuil de 10 000 habitants, trop faible pour la pertinence de cette étude car conduisant à une sélection trop large et trop hétérogène ; l'autre, à 300 000 habitants, apparaissant *a contrario* comme trop élevé (source : recensement de la population 2006). On a été ainsi conduit à partir plutôt des aires urbaines *(voir Définitions)*. Pour celles-ci, le point d'inflexion se situe beaucoup plus haut, autour de 100 000 habitants. En définitive, la sélection s'est donc arrêtée aux pôles urbains des aires urbaines de plus de 100 000 habitants[2], ce qui représente 82 villes. Ce choix revient à peu près à celui des unités urbaines de plus de 50 000 habitants.

Une information riche sur les potentiels et dynamiques de développement au niveau urbain

Même si, en passant sous l'échelon régional, on perd les indicateurs mesurant la production économique, l'information mobilisable reste très riche. Les indicateurs utilisés sur les unités urbaines pour les besoins de cette étude ont été rassemblés à partir des principales sources disponibles au niveau local :

1. Par la formule : log(*population*) = a x log(*rang*) + b.

2. À l'exception d'Ajaccio, dont l'aire urbaine fait moins de 100 000 habitants, mais intégrée afin de faire figurer la Corse dans l'analyse.

– la source *Revenus fiscaux localisés* de l'Insee, qui fournit une information sur les revenus déclarés pour le calcul de l'impôt sur les revenus. Cette source, disponible depuis 2001, permet de calculer des évolutions sur la période 2002-2007 ;

– les *recensements de la population* de 1999 et 2006, qui offrent l'accès à un éventail très large d'informations pour caractériser l'emploi et la population active au lieu de résidence. On s'est en particulier intéressé à des indicateurs permettant d'étalonner le potentiel des villes en termes d'attraction et de développement : parts dans l'emploi ou la population des cadres ou des diplômés de l'enseignement supérieur, poids dans l'emploi des secteurs de l'industrie ou des services aux entreprises, variations de l'emploi *(encadré)* et de la population. La notion particulière de « cadres des fonctions métropolitaines », qui focalise sur les emplois supérieurs du tertiaire, a été également intégrée à l'étude ;

– la source *Connaissance locale de l'appareil productif* (Clap, *encadré*), qui fournit une information annuelle localisée sur les effectifs salariés et les rémunérations brutes versées. Pour les besoins de l'étude, ont été calculés à partir de cette source un indicateur de la spécificité des activités économiques (indice de Krugman, *encadré*), une estimation de la productivité du travail (rapport des rémunérations aux effectifs en équivalents-temps plein) et des mesures d'évolution des effectifs et des masses salariales (entre 2004 et 2007, les deux années les plus extrêmes exploitables dans Clap au moment de l'étude).

Les « tendances évolutives » des grandes villes recoupent celles des régions

Sur trois exemples d'indicateurs d'évolutions, construits soit sur la population *(figure 4)*, les rémunérations brutes versées *(figure 5)* ou les revenus déclarés *(figure 6)*, le recoupement entre les disparités urbaines et les disparités régionales évoquées plus haut apparaît nettement. De fait, pour chacun de ces indicateurs, les agglomérations dont les évolutions appartiennent à la tranche la plus élevée se concentrent dans les régions de l'arc « littoral » ouest-sud. Inversement, cette répartition n'obéit pas une règle absolue s'agissant des villes moins dynamiques, réparties plus uniformément sur l'ensemble du territoire.

La corrélation forte entre dynamisme régional et dynamisme urbain, pour les villes ciblées par l'étude, n'a rien non plus de surprenant étant donné le poids de ces 82 unités urbaines. Pour la population ou les revenus déclarés, la part des villes dans le total métropolitain se situe autour de 50 % *(figure 7)*. La concentration de l'activité dépasse comme on peut s'y attendre celle de la population ; notamment, les rémunérations brutes versées atteignent les deux tiers de l'activité du total national.

Il est clair aussi que l'agglomération parisienne joue un rôle prépondérant dans cette répartition. Si l'on exclut à la fois Paris et la région Île-de-France des comparaisons, les écarts mesurés sur les ratios se resserrent, le poids des 81 villes restantes par rapport à leurs territoires régionaux faiblit, mais tout en conservant la marque des phénomènes de concentration, notamment économique.

Quatre grandes classes de villes en fonction de leurs dynamiques

Tous les indicateurs urbains réunis pour l'étude *(encadré)*, pris ensemble, fonctionnent en définitive comme la mesure globale d'une dynamique de type « métropolitain », tirée par les activités à forte valeur ajoutée, et associant les croissances de l'emploi, des qualifications et des revenus.

Une classification réalisée à partir de ces indicateurs a ainsi permis de répartir les 82 villes de l'étude, selon leur dynamisme relatif, en quatre groupes principaux différents.

La classe 1, celles des villes les plus dynamiques, se démarque par des valeurs plus élevées pour la part dans l'emploi des cadres, et particulièrement des cadres des fonctions métropolitaines, et des services aux entreprises. Les variations des revenus déclarés moyens, de la population, et de l'emploi, sont aussi plus souvent plus élevées dans la classe 1 que dans le reste des villes observées.

Encadré

Méthodologie

L'analyse *shift and share*

L'analyse *shift and share* est une méthode d'estimation utilisée pour décomposer la variation d'un indicateur (emploi, PIB, etc.) entre ce qui est explicable par la structure de l'activité dans un territoire (en référence à la structure moyenne sur l'ensemble des territoires), et ce qui relève des avantages ou désavantages spécifiques et propres à ce territoire, indépendamment de sa structure d'activité. Une région peut ainsi être spécialisée sur des activités peu dynamiques au plan national (effet structurel négatif), mais voir malgré tout son PIB varier plus vite que la moyenne nationale, grâce à des facteurs indépendants de la structure d'activités (effet géographique positif).

Les évolutions d'emploi dans le recensement de la population

Les modifications apportées au questionnement entre les deux recensements de la population de 1999 et 2006 introduisent une majoration des évolutions par rapport aux sources basées sur des statistiques administratives. Le biais, fortement corrélé avec la structure de la population par âge, entache d'incertitude ou d'imprécision les comparaisons entre territoires (quoiqu'une restriction à la population des 25-54 ans permette d'en limiter les effets). Mais il nous a semblé pour cette analyse que l'information brute sur les évolutions de l'emploi pouvait être utilisée, dans la mesure où l'indicateur est moins utilisé pour lui même que dans ses corrélations avec d'autres indicateurs.

Connaissance locale de l'appareil productif (Clap)

Clap est une source Insee dont l'usage est pour l'instant limité à des analyses structurelles, les variations de champ entre deux années ne permettant pas de garantir une exacte comparabilité des données. Pour les besoins particulier de l'étude présentée ici, il a paru intéressant cependant de tester l'utilisation de Clap en évolution, quoique la période de référence couverte soit courte. La même remarque vaut ici comme précédemment pour les évolutions d'emploi tirées des recensements de population : c'est l'usage particulier de ces calculs d'évolution dans le cadre de cette étude, non pas pour eux-mêmes mais pour en extraire des corrélations avec d'autres indicateurs qui en légitime cet usage exceptionnel.

Indice de Krugman

Cet indice est la somme des écarts en valeur absolue entre la structure par secteur d'activités de la zone et celle du reste du territoire de référence. Il représente ainsi la différence entre la structure d'activités de la zone étudiée et celle des autres zones de référence.

Indicateurs urbains retenus pour la classification

– Indice de Krugman (2007) ;
– Part dans l'emploi des cadres des fonctions métropolitaines (2006) ;
– Part dans l'emploi des cadres, chefs d'entreprises et professions intellectuelles supérieures (2006) ;
– Part des des cadres, chefs d'entreprises et professions intellectuelles supérieures dans la population des 15-64 ans (2006) ;
– Part des diplômés du supérieur dans la population des 15-64 ans (2006) ;
– Part des emplois des services aux entreprises (2006) ;
– Part des emplois industriels (2006) ;
– Rémunération brute moyenne versée en équivalents- temps plein (2007) ;
– Revenu déclaré par unité de consommation (2007) ;
– Variation de la part dans l'emploi des cadres des fonctions métropolitaines (1999-2006) ;
– Variation de la part dans l'emploi des cadres, chefs d'entreprises et professions intellectuelles supérieures (1999-2006) ;
– Variation de la part des cadres, chefs d'entreprises et professions intellectuelles supérieures dans la population des 15-64 ans (1999-2006) ;
– Variation de la part des diplômés du supérieur dans la population des 15-64 ans (1999-2006) ;
– Variation de la part des emplois de services aux entreprises (1999-2006) ;
– Variation de la part des emplois industriels (1999-2006) ;
– Variation de la population (1999-2006) ;
– Variation de la rémunération brute moyenne versée en équivalents-temps plein (2004-2007) ;
– Variation de l'emploi total (1999-2006) ;
– Variation des effectifs salariés en équivalents-temps plein (2004-2007) ;
– Variation des rémunérations brutes versées (2004-2007) ;
– Variation du revenu déclaré (2002-2007) ;
– Variation du revenu déclaré par unité de consommation (2002-2007).

4. Taux de croissance annuel moyen de la population sur 1999-2006 et population 2006

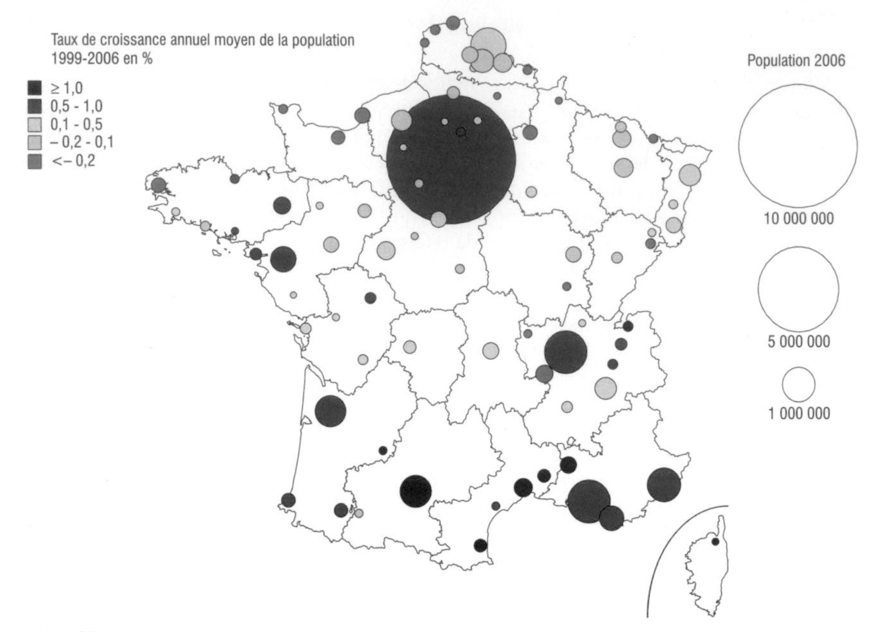

Source : Insee, RP.

5. Taux de croissance annuel moyen des rémunérations brutes versées sur 2004-2007 et rémunérations brutes versées en 2007

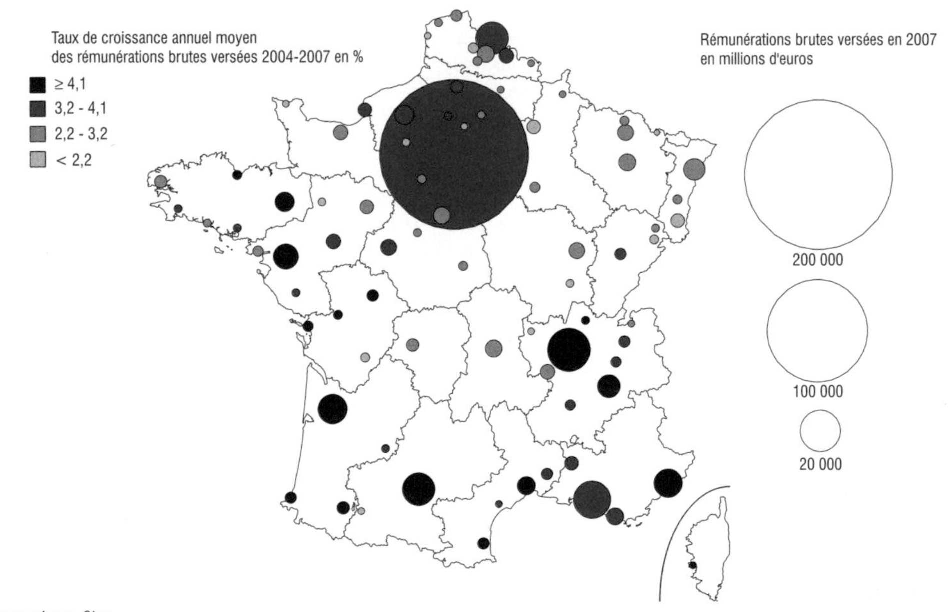

Sources : Insee, Clap.

Les classes 2 et 3 apparaissent comme des groupes médians, très proches des moyennes des indicateurs. Elles se différencient principalement sur le taux de population diplômée, la part de l'emploi dans les services aux entreprises, la variation du taux d'emploi de cadres, souvent plus élevés dans la classe 2 que dans la classe 3.

La classe 4 représente la classe des villes les moins dynamiques. Par rapport à la moyenne, elle occupe une position symétrique de celle de la classe 1. Les valeurs des indicateurs y sont faibles principalement pour l'emploi des cadres, le revenu déclaré moyen, le taux de diplômés dans la population et l'évolution de l'emploi total. Cette classe regroupe aussi, à quelques

6. Taux de croissance annuel moyen des revenus déclarés sur 2002-2007 et revenus déclarés en 2007

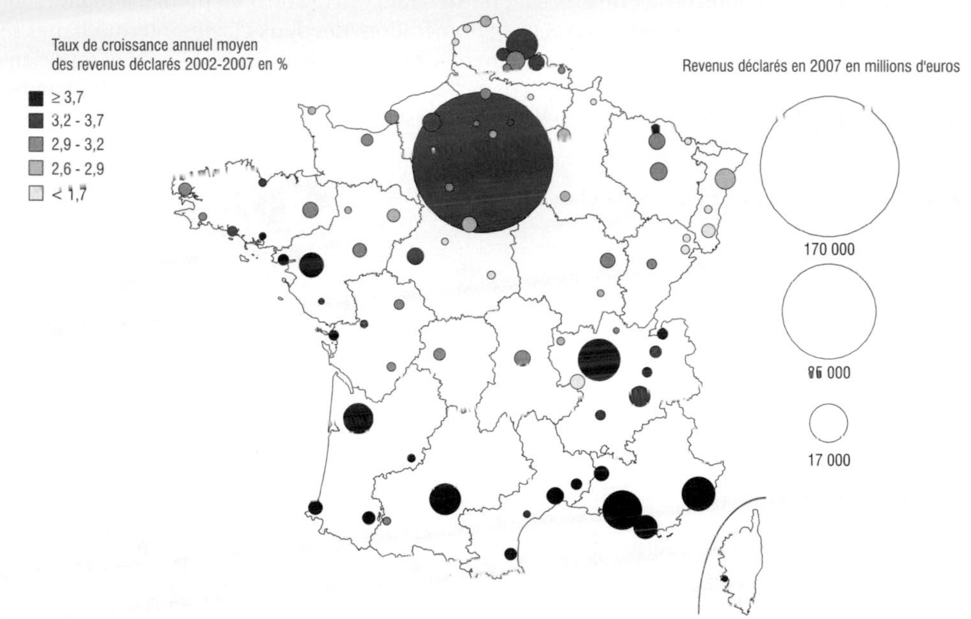

Sources : Insee, DGFiP, HFL..

7. Comparaison de quelques indicateurs entre les villes sélectionnées pour l'étude et l'ensemble du territoire métropolitain

	Revenus déclarés moyen par habitant	Rémunérations brutes versées en équivalents-temps plein	Population en 2006	Effectifs salariés au 31/12/2007
Champ : ensemble du territoire métropolitain (82 unités urbaines)				
Villes sélectionnées pour l'étude (en euros)	22 154	33 007	///	///
France métropolitaine (en euros)	20 714	30 568	///	///
Poids des villes dans la métropole (en %)	51	67	48	62
Champ : ensemble du territoire métropolitain hors Île-de-France (81 unités urbaines)				
Villes sélectionnées pour l'étude (en euros)	20 124	29 732	///	///
France métropolitaine hors Île-de-France (en euros)	19 353	28 116	///	///
Poids des villes dans la métropole hors Île-de-France (en %)	40	55	39	52

Champ : France métropolitaine.
Sources : Insee, Clap et recensement de la population 2006 - Insee-DGFiP, revenus fiscaux localisés des ménages.

exceptions près, les villes dont l'évolution de population entre les deux derniers recensements de population est négative. Enfin, cette classe est caractérisée par de fortes baisses du taux d'emploi industriel, et corrélativement par des indices de spécificité élevés.

La classe 1 regroupe les agglomérations parmi les plus peuplées. On y retrouve Paris et de grandes capitales régionales (Nantes, Rennes, Montpellier, Lyon, Bordeaux, Toulouse). Les trois autres classes sont plus disparates, quoique la classe 4 concentre plutôt des villes de petite taille, villes qu'on qualifierait autrement d'« intermédiaires » par rapport à celles qui les précèdent en population.

Géographiquement parlant, les villes de la classe 4 se concentrent sur une large portion du territoire national englobant le Nord, l'Est et le Bassin parisien *(figure 8)*. Les villes de la classe 1 se répartissent en revanche exclusivement sur les régions de l'arc littoral décrit plus haut (en faisant exception de la Corse) et sur l'Île-de-France, à raison d'un point par région sauf pour Rhône-Alpes qui en possède deux. Les agglomérations des deux classes intermédiaires se distribuent quant à elles à peu près uniformément sur l'ensemble du pays. Elles sont représentées dans chaque région, sachant que c'est dans l'une ou l'autre de ces classes que les capitales régionales des régions autres que celles de la classe 1 sont affectées.

8. Cartographie des résultats de la classification

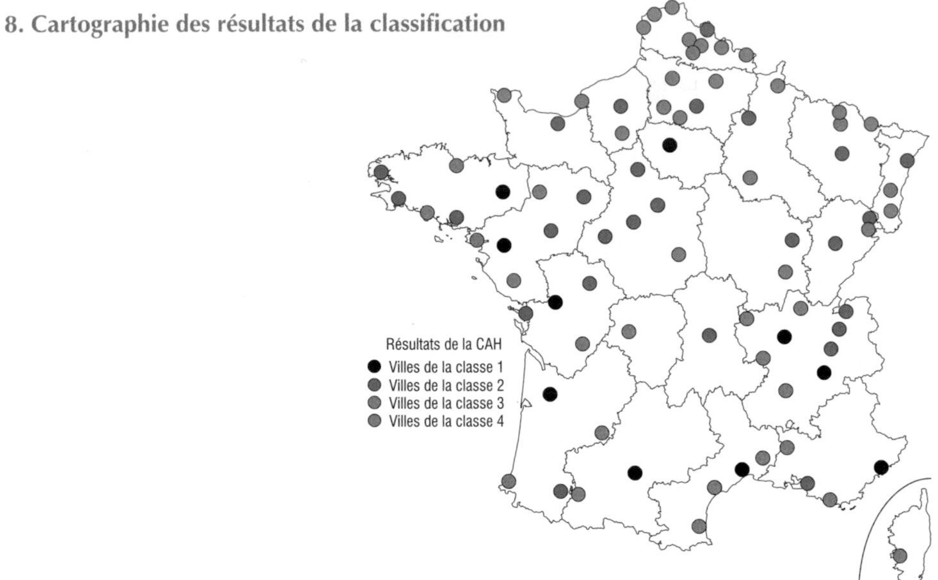

Source : Insee.

Les potentiels et les dynamiques de croissance se concentrent sur un nombre restreint de villes

On peut ainsi conclure que la hiérarchie des dynamiques urbaines et celle des régions se recoupent, quoiqu'en même temps les tendances régionales dissimulent une grande variabilité dans les situations et les évolutions urbaines. On serait tenté, au constat du lien entre les régions et les villes les plus dynamiques, de conclure que le dynamisme des régions s'alimente à celui d'une ville dominante, la capitale régionale le plus souvent. La réalité est plus complexe : les cas des régions du nord et de l'est semblent aussi montrer que ce sont les faiblesses structurelles régionales, révélées au niveau des villes « intermédiaires », qui peuvent apparaître comme un frein à la croissance et au développement de la ou des villes principales de la région. La question est donc sans doute moins de déterminer dans quel sens jouent les interactions entre villes et régions, que de pointer le fait que les villes « intermédiaires » constituent un enjeu important des dynamiques régionales, car elles concentrent encore beaucoup de spécialisations défavorables, mais ne possèdent pas toujours les ressources, les qualifications, la taille nécessaire, le « potentiel », en particulier d'innovation, pour changer la donne sans l'apport d'impulsions externes. ■

Définitions

Unité urbaine

La notion d'unité urbaine repose sur la continuité de l'habitat : est considérée comme telle un ensemble d'une ou plusieurs communes présentant une continuité du tissu bâti (pas de coupure de plus de 200 mètres entre deux constructions) et comptant au moins 2 000 habitants. La condition est que chaque commune de l'unité urbaine possède plus de la moitié de sa population dans cette zone bâtie.

Les unités urbaines sont redéfinies à l'occasion de chaque recensement de la population. Elles peuvent s'étendre sur plusieurs départements.

Si la zone bâtie se situe sur une seule commune, on parlera de ville isolée. Dans le cas contraire, on a une agglomération multi-communale.

Aire urbaine

Une aire urbaine est un ensemble de communes, d'un seul tenant et sans enclave, constitué par un pôle urbain, et par des communes rurales ou unités urbaines (couronne périurbaine) dont au moins 40 % de la population résidente ayant un emploi travaille dans le pôle ou dans des communes attirés par celui-ci.

Le pôle urbain est une unité urbaine offrant au moins 5000 emplois et qui n'est pas située dans la couronne périurbaine d'un autre pôle urbain.

La couronne périurbaine recouvre l'ensemble des communes de l'aire urbaine à l'exclusion de son pôle urbain.

Pour en savoir plus

Aerts A.-T., Chirazi S., « Les évolutions de revenus déclarés 2002-2007 : des évolutions contrastées selon les territoires », *Insee Première* à paraître.

Béoutis A., Casset-Hervio H., Leprevost E., « Les produits intérieurs bruts régionaux en 2003 - Forte concentration spatiale et dynamismes contrastés », *Insee Références* La France et ses régions, édition 2006.

Desplanques G., Royer J.-F., « Enquêtes annuelles de recensement : premiers résultats de la collecte 2004 - 62 millions d'habitants en France au 1er janvier 2004 », *Insee Première* n° 1000, janvier 2005.

Morel B., Redor P., « Enquêtes annuelles de recensement 2004 et 2005, La croissance démographique s'étend toujours plus loin des villes », *Insee Première* n° 1058, janvier 2006.

Redor P., « Les régions françaises : entre diversités et similitudes », *Insee Références* La France et ses régions, édition 2006.

Panorama des régions françaises

1.1 Alsace

À la frontière de l'Allemagne et de la Suisse, l'Alsace appartient, par sa géographie et pour une part importante de son économie, à l'espace rhénan. Si elle est la plus petite des régions françaises avec ses deux départements, le Bas-Rhin et le Haut-Rhin, c'est aussi l'une des plus densément peuplées, comptant plus d'1,8 million d'habitants soit 219 habitants par km², presque deux fois plus que dans l'ensemble de la France métropolitaine.

Le phénomène de périurbanisation s'y poursuit au même rythme depuis plus de quinze ans et concerne les deux départements. Les communes périurbaines du Bas-Rhin et du Haut-Rhin connaissent respectivement une croissance de leur population deux et trois fois supérieure à celle des pôles urbains (ville-centre ou banlieue).

Dynamisme démographique et moindre croissance des emplois

Durant plusieurs décennies, apport naturel et apport migratoire ont constamment été positifs, mais le premier a toujours davantage contribué à la croissance démographique de la région. Sur la période 1999-2006 il demeure l'élément moteur et place l'Alsace au 4e rang des régions françaises les plus dynamiques en terme d'excédent naturel mais, fait nouveau, le solde migratoire avec les autres régions devient déficitaire, comme dans tout le nord-est.

En raison de la relative jeunesse de sa population et de la progression de l'activité des femmes, plus soutenue qu'au plan national, l'Alsace affiche un taux d'activité supérieur à 74 %. Cependant si la population active a augmenté plus vite que dans le reste de la France, la population en emploi a, quant à elle, progressé moins vite.

Au début des années 2000, le ralentissement économique et la contraction de l'activité en Alsace ont affecté la situation sur le marché du travail. La région connaît depuis une moindre progression de l'emploi comparé au niveau national, et même une diminution tout récemment. À la fin de l'année 2008, les réductions d'emplois sont marquées dans l'industrie où la quasi-totalité des secteurs affiche une baisse. La construction enregistre également un recul de ses emplois. L'emploi salarié frontalier, qui concerne près de 63 000 frontaliers alsaciens travaillant en Suisse ou en Allemagne, connaît également un repli.

Dans ce contexte, le taux de chômage, jusqu'alors le plus faible des régions françaises, a augmenté dès 2002-2003, avec une croissance beaucoup plus accentuée qu'au niveau national jusqu'à fin 2005. Depuis, si le taux régional demeure toujours inférieur au taux national, l'écart s'est sensiblement réduit.

Des activités industrielles diversifiées

Si le secteur tertiaire marchand est le principal contributeur à sa croissance, l'Alsace demeure néanmoins la deuxième région la plus industrialisée de France, derrière la Franche-Comté et devant la Picardie.

Les activités industrielles sont diversifiées avec notamment l'automobile, l'agroalimentaire, la mécanique et la chimie. Les entreprises sont réparties sur tout le territoire, avec quelques grands pôles : Mulhouse, Colmar et le triangle Strasbourg - Haguenau - Molsheim qui concentrent plus du quart de l'emploi industriel de la région.

Avec l'Allemagne comme principal partenaire commercial, l'Alsace est la quatrième région exportatrice française. Les entreprises à capitaux étrangers restent toujours très présentes dans le secteur industriel employant plus de 40 % des salariés pour 25 % au niveau national.

L'Alsace investit dans une politique de développement régional en renforçant son dispositif en faveur de l'innovation avec la mise en place des *clusters*. Suite à l'appel à projets lancée par l'État en 2005, la région est engagée dans trois pôles de compétitivité labellisés : véhicules du futur, fibres naturelles Grand Est et innovations thérapeutiques, ce dernier figurant au nombre des neuf pôles à vocation mondiale. ■

1. Repères

Population au 01/01/2009 - Estimation (milliers)	1 847,0
Part dans la population française (%)	2,9
Densité de population (hab./km²)	223,1
Taux de variation annuel moyen de la pop. depuis 1999 (%)	0,6
Emplois au lieu de travail au 31/12/2008 (milliers)	771,1
Taux de chômage au dernier trimestre 2009 (%)	8,8
Produit intérieur brut 2008 (milliards d'euros)	52,4
Part dans le PIB France (%)	2,7
Revenu disponible brut 2006 (euros/habitant)	18 422
Revenu médian par unité de consommation 2007 (euros/uc)	18 835
Taux de pauvreté (%)	10,7
Allocataires du RMI au 31/12/2008 (milliers)	24,9
Nombre de zones urbaines sensibles (ZUS)	19
Part de la population régionale en ZUS (%)	7,1

Source : Insee.

2. Zonage en aires urbaines et en aires d'emploi de l'espace rural (ZAUER)

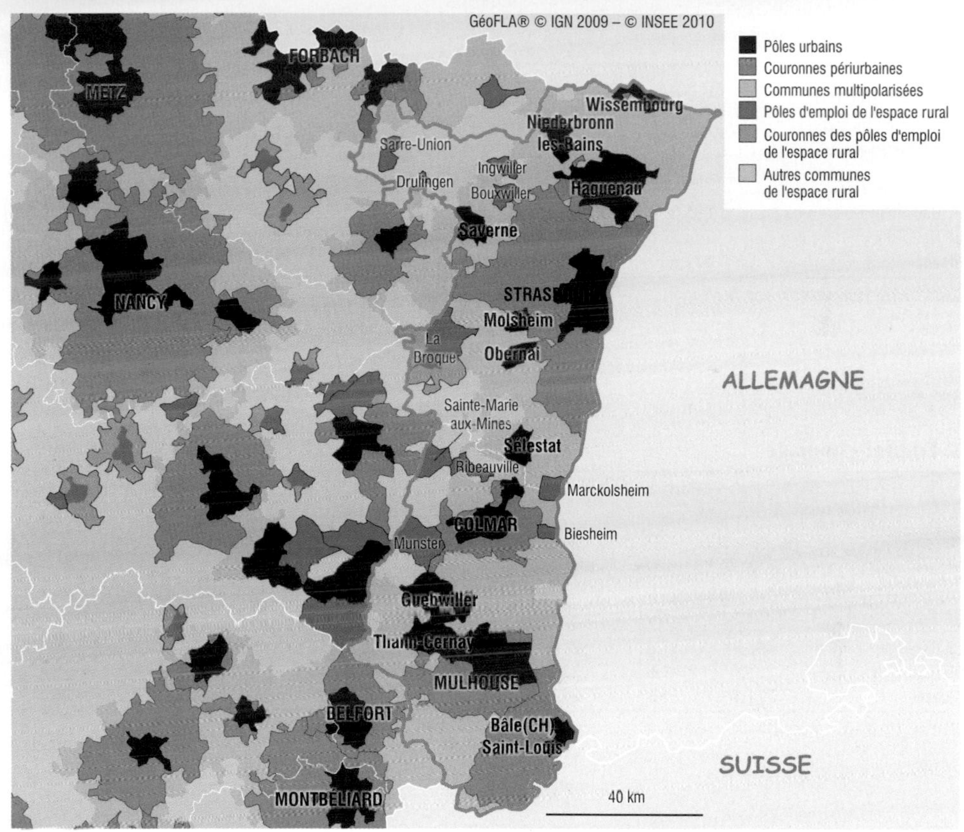

3. Les trois plus grandes agglomérations

	Effectifs	Part dans la population régionale (%)	Évolution annuelle moyenne 1999-2006 (%)
Population en 2006			
Strasbourg[1]	440 264	24,3	0,4
Mulhouse	238 637	13,1	0,3
Colmar	88 199	4,9	0,2

	Effectifs	Part dans l'emploi régional (%)	Variation entre 1999 et 2006 de la part dans l'emploi régional (%)
Emploi en 2006			
Strasbourg[1]	232 936	31,3	– 0,2
Mulhouse	107 755	14,5	– 0,5
Colmar	51 440	6,9	0,0

1. Partie française
Source : Insee - RP 2006.

1.1 Alsace

4. La valeur ajoutée brute régionale en 2008

	Part des branches (%)		Part dans la branche nationale (%)	
	en 2000	en 2008	en 2000	en 2008
Agriculture	2,4	2,0	2,4	2,7
Industrie	24,4	19,4	3,9	3,8
Construction	5,6	6,8	3,1	2,7
Services principalement marchands	47,7	50,1	2,6	2,4
Services administratifs	19,9	21,6	2,7	2,7
Ensemble	**100,0**	**100,0**	**2,9**	**2,7**

Source : Insee - Comptes régionaux en base 2000.

5. Population

Départements	Population au 01/01/2008 (milliers)	Taux d'évolution annuel moyen 1999-2008 (%)			Part des moins de 25 ans (%)	Part des plus de 65 ans (%)	Projection de population au 01/01/2030 (milliers)
		total	dû au solde naturel	dû au solde apparent des entrées-sorties			
67 Bas-Rhin	1 091,0	0,7	0,5	0,2	31,4	14,2	1 247
68 Haut-Rhin	746,5	0,6	0,4	0,2	30,6	14,9	818
Alsace	**1 837,5**	**0,7**	**0,5**	**0,2**	**31,1**	**14,5**	**2 065**

Source : Insee - Estimations de population.

6. Emploi-chômage

Départements	Emploi au 31 décembre 2008				Variation annuelle moyenne de l'emploi 99-08 (%)	Chômage au 31 décembre 2009		
	Effectifs au lieu de travail (milliers)	dont primaire (%)	dont secondaire (%)	dont tertiaire (%)		Taux de chômage au 4e trim. 2009 (%)	Demandeurs d'emploi (Pôle Emploi) Cat. A de moins de 25 ans (%)	Demandeurs d'emploi (Pôle Emploi) Cat. A, B, C depuis plus d'un an (%)
67 Bas-Rhin	483,2	1,3	24,9	73,8	0,11	8,6	19,8	30,2
68 Haut-Rhin	287,8	1,8	28,4	69,7	– 0,07	9,2	21,1	29,8
Alsace	**771,1**	**1,5**	**26,2**	**72,3**	**0,04**	**8,8**	**20,3**	**30,1**

Sources : Insee - Estimations d'emploi et taux de chômage localisés, Pôle Emploi - DEFM.

7. Le logement des ménages

Départements	Part des ménages (%)		Nombre moyen de		Part des ménages comptant (%)			
	propriétaires de leur résidence principale	habitant une maison	pièces par logement	pièces par personne	une personne seule	deux personnes	3 ou 4 personnes	5 personnes ou plus
67 Bas-Rhin	56,3	48,6	4,1	1,7	30,7	32,4	30,3	6,7
68 Haut-Rhin	60,3	54,2	4,3	1,8	29,4	33,2	30,6	6,8
Alsace	**57,9**	**50,9**	**4,2**	**1,8**	**30,2**	**32,7**	**30,4**	**6,7**

Source : Insee - RP 2006.

8. Revenus fiscaux des ménages en 2007

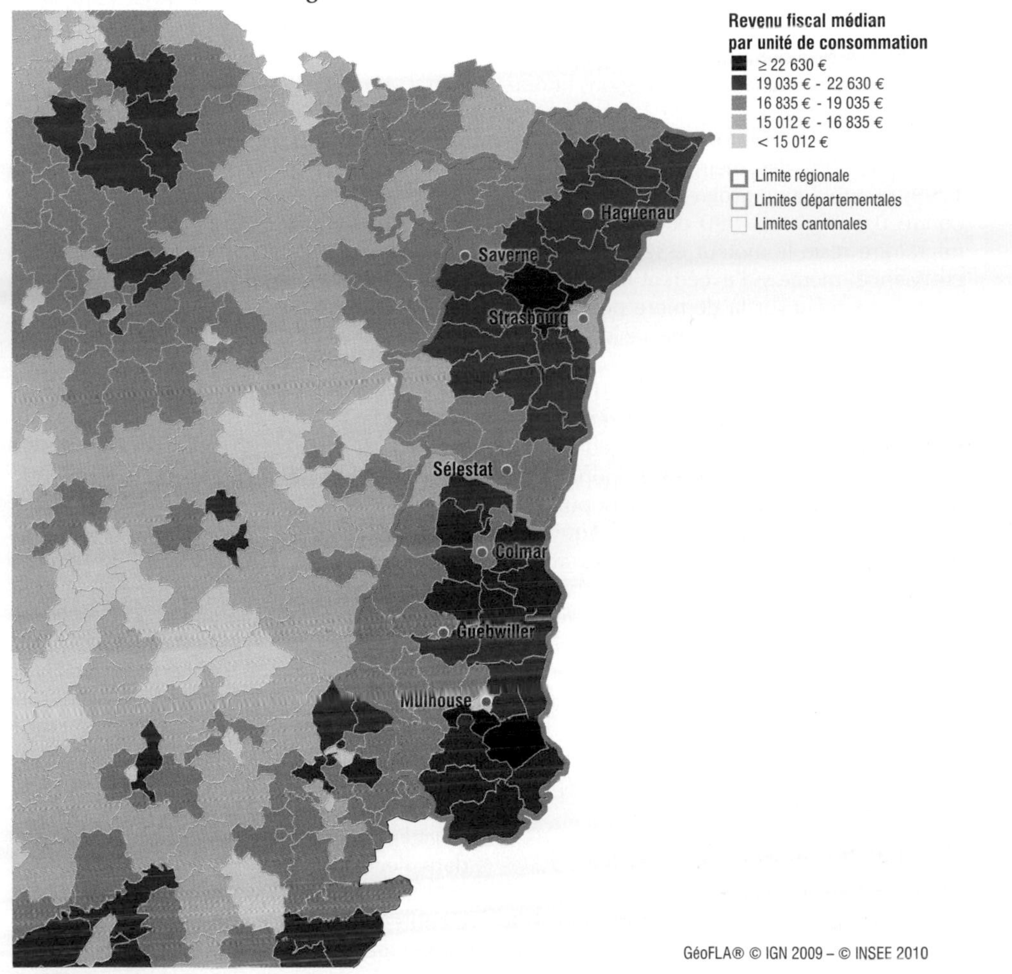

Source : Insee-DGI, Revenus fiscaux des ménages.

9. Les dix principaux secteurs d'activité au 31 décembre 2008[1]

en %

Secteur d'activité[2]	Poids du secteur dans l'emploi salarié		Taux de variation annuel moyen de l'emploi salarié 2003-2008		Poids des effectifs salariés des 10 plus grands établissements[3]	
	Région	France	Région	France	Région	Moyenne France
Commerce ; réparation d'automobiles et de motocycles	13,9	12,6	0,4	0,4	8,5	4,3
Activités scientif. et techn. ; services adm. et de soutien	10,0	11,7	– 0,1	1,4	11,8	7,2
Fabrication d'autres produits industriels	8,5	7,0	– 3,3	– 2,7	13,4	11,2
Construction	6,4	6,2	1,4	3,1	6,5	4,7
Autres activités de services	5,1	5,8	3,0	2,2	11,8	9,3
Transports et entreposage	5,0	5,7	– 1,1	0,1	24,0	17,5
Fabrication d'equipements electriques, electroniques, informatiques ; fabrication de machines	4,7	2,1	– 1,0	– 1,5	38,3	27,9
Hébergement et restauration	3,9	3,7	1,0	1,6	4,9	4,7
Fabric. denrées alim., boissons et prod. à base tabac	3,2	2,3	– 2,1	– 1,2	20,9	18,1
Activités financières et d'assurance	2,9	3,4	– 0,3	1,3	22,4	16,4

1. Hors secteurs principalement non marchands. - 2. Les secteurs d'activité sont décrits en A17, nomenclature agrégée associée à la NAF révision 2. - 3. Au 31.12.2007, hors Défense et intérim.
Source : Insee - Estimations d'emploi localisé, Clap.

1.2 Aquitaine

L'attractivité de l'Aquitaine, vaste région de 41 000 km^2 (7,6 % de l'Hexagone), ne se dément pas. Son dynamisme démographique s'accélère, à l'instar des autres régions littorales du sud et de l'ouest de la métropole. Début 2008, 3,17 millions d'habitants y résident, soit 5 % des métropolitains. Depuis 1999, sa population progresse de 1 % par an contre 0,4 % entre 1990 et 1999. L'apport migratoire reste le moteur essentiel de cette croissance, même si l'excédent naturel s'accroît légèrement sur la dernière période. En 2006, 10 % des habitants ne résidaient pas cinq ans plus tôt en Aquitaine. Ces arrivants viennent le plus souvent de l'Île-de-France et des régions voisines Midi-Pyrénées et Poitou-Charentes. Ils sont plutôt jeunes, les deux tiers ont moins de 40 ans. La population reste néanmoins plus âgée que la population nationale. En 2006, un quart des Aquitains ont au moins 60 ans et un sur dix a atteint 75 ans.

Tous les territoires, qu'ils soient urbains ou ruraux, bénéficient de l'essor démographique, les espaces périurbains en profitant le plus. En complément de l'attractivité du littoral, deux dynamiques nouvelles sont particulièrement apparentes : le retour à la croissance des villes-centres et des espaces ruraux.

Des activités plutôt présentielles

Début 2008, l'Aquitaine totalise 1,2 million d'emplois, en progression moyenne de 1,3 % par an depuis 1999. Une hausse qui ne se poursuit pas en 2008 en raison de la crise économique. Neuf emplois sur dix sont salariés et trois sur quatre se situent dans le tertiaire.

Les activités présentielles, mises en œuvre localement pour la satisfaction de la population résidente ou de passage, dominent dans l'économie régionale. L'Aquitaine s'inscrit dans les cinq premières régions de France métropolitaine pour la part de l'économie présentielle derrière la Corse, le Languedoc-Roussillon, le Limousin et Provence - Alpes - Côte-d'Azur.

L'industrie n'est pas pour autant absente et offre 13 % des emplois. Des industries, de pointe ou traditionnelles, ont nombre de leurs entreprises associées à des centres de recherche et de formation au sein de pôles de compétitivité. Quatre pôles sont labellisés : *Aerospace Valley*, pôle interrégional (avec Midi-Pyrénées), à vocation mondiale, créé autour du secteur aéronautique et spatial ; *Route des lasers* émergeant de la filière optique/laser ; *Xylofutur* de la filière bois-papier et *Prod'innov*, associant l'agroalimentaire et la pharmacie-santé. La construction est bien représentée avec 8 % de l'emploi.

Une vocation agricole et touristique

L'agriculture occupe 6 % des emplois. Avec 44 % du territoire en superficies boisées, la région possède une vocation forestière et développe une filière bois importante, perturbée par des tempêtes successives. Avec ses vignobles, du Médoc au Bergeracois, elle produit et exporte des vins de qualité renommés. Sa vocation agricole s'affirme aussi avec les cultures céréalières, légumières et fruitières (maïs, maïs doux, fraises, kiwis, prunes d'ente, etc.). La filière « gras » (production de canards gras et d'oies grasses) représente à elle seule la moitié de la production française. La pêche et l'ostréiculture complètent ce secteur.

Mer, montagne, agritourisme, tourisme fluvial ou d'affaires jouent un rôle important dans l'économie : 5 % des emplois salariés sont générés par la fréquentation touristique. Depuis 2007, Bordeaux est classée au patrimoine mondial de l'Unesco.

Conséquences de la crise financière et économique, depuis début 2008, le chômage repart à la hausse. Au 2e trimestre 2009, le taux localisé régional atteint 8,7 %. Depuis 2006, le taux de chômage régional est légèrement inférieur au taux national.

En 2008, le produit intérieur brut (PIB) s'élève à 87,7 milliards d'euros, soit 4,6 % du PIB national. Il classe l'Aquitaine au 6e rang des régions. Rapporté au nombre d'emplois, il la situe au 5e rang. Depuis 1990, il progresse de 2,1 % en moyenne par an contre 1,8 % pour la métropole. La région représente 8,6 % de la valeur ajoutée agricole nationale et occupe le 2e rang derrière Champagne-Ardenne. ■

1. Repères

Population au 01/01/2009 - Estimation (milliers)	3 200,0	Part dans le PIB France (%)	4,5
Part dans la population française (%)	5,0	Revenu disponible brut 2006 (euros/habitant)	18 514
Densité de population (hab./km²)	77,5	Revenu médian par unité de consommation 2007 (euros/uc)	17 322
Taux de variation annuel moyen de la pop. depuis 1999 (%)	1,0	Taux de pauvreté (%)	13,1
Emplois au lieu de travail au 31/12/2008 (milliers)	1 288,4	Allocataires du RMI au 31/12/2008 (milliers)	48,1
Taux de chômage au dernier trimestre 2009 (%)	9,3	Nombre de zones urbaines sensibles (ZUS)	24
Produit intérieur brut 2008 (milliards d'euros)	87,7	Part de la population régionale en ZUS (%)	4,5

Source : Insee.

2. Zonage en aires urbaines et en aires d'emploi de l'espace rural (ZAUER)

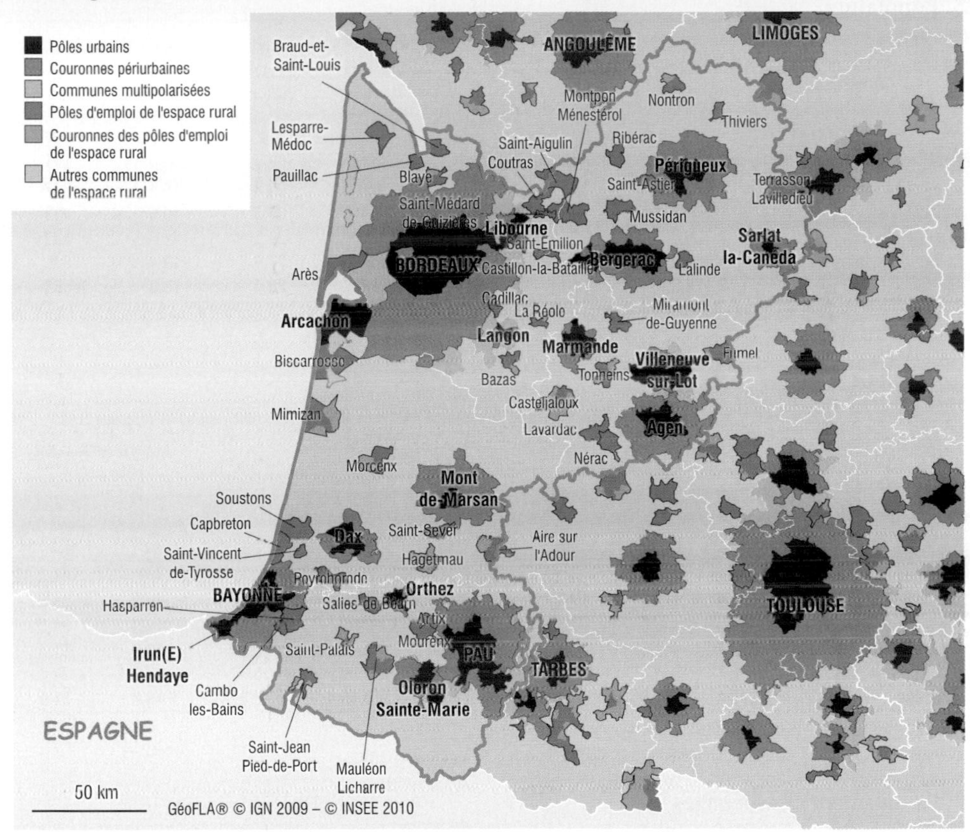

3. Les trois plus grandes agglomérations

	Effectifs	Part dans la population régionale (%)	Évolution annuelle moyenne 1999-2006 (%)
Population en 2006			
Bordeaux	803 115	25,7	0,9
Pau	193 991	6,2	1,0
Bayonne	189 836	6,1	0,8

	Effectifs	Part dans l'emploi régional (%)	Variation entre 1999 et 2006 de la part dans l'emploi régional (%)
Emploi en 2006			
Bordeaux	400 365	31,7	0,9
Pau	91 042	7,2	0,1
Bayonne	84 194	6,7	0,2

Source : Insee - RP 2006.

4. La valeur ajoutée brute régionale en 2008

	Part des branches (%)		Part dans la branche nationale (%)	
	en 2000	en 2008	en 2000	en 2008
Agriculture	6,0	3,8	9,2	8,5
Industrie	14,9	13,0	3,6	4,2
Construction	6,0	8,3	5,1	5,6
Services principalement marchands	49,4	51,2	4,0	4,1
Services administratifs	23,7	23,8	4,8	5,0
Ensemble	**100,0**	**100,0**	**4,3**	**4,5**

Source : Insee - Comptes régionaux en base 2000.

5. Population

Départements	Population au 01/01/2008 (milliers)	Taux d'évolution annuel moyen 1999-2008 (%)			Part des moins de 25 ans (%)	Part des plus de 65 ans (%)	Projection de population au 01/01/2030 (milliers)
		total	dû au solde naturel	dû au solde apparent des entrées-sorties			
24 Dordogne	408,5	0,6	– 0,3	0,9	24,6	22,9	421
33 Gironde	1 422,5	1,1	0,3	0,8	30,8	15,4	1 667
40 Landes	371,5	1,4	0,0	1,4	26,5	19,5	438
47 Lot-et-Garonne	326,0	0,7	– 0,1	0,8	26,5	21,3	332
64 Pyrénées-Atlantiques	647,0	0,8	0,0	0,8	27,5	19,4	705
Aquitaine	**3 175,5**	**1,0**	**0,1**	**0,9**	**28,4**	**18,3**	**3 563**

Source : Insee - Estimations de population.

6. Emploi-chômage

Départements	Emploi au 31 décembre 2008				Variation annuelle moyenne de l'emploi 99-08 (%)	Chômage au 31 décembre 2009		
	Effectifs au lieu de travail (milliers)	dont primaire (%)	dont secondaire (%)	dont tertiaire (%)		Taux de chômage au 4e trim. 2009 (%)	Demandeurs d'emploi (Pôle Emploi)	
							Cat. A de moins de 25 ans (%)	Cat. A, B, C depuis plus d'un an (%)
24 Dordogne	146,2	6,5	23,2	70,3	– 0,20	9,8	19,0	31,4
33 Gironde	616,1	3,5	17,2	79,3	– 0,05	9,5	19,3	31,6
40 Landes	140,6	6,0	23,9	70,1	– 0,07	9,0	17,9	30,8
47 Lot-et-Garonne	122,2	7,5	20,9	71,6	– 0,29	9,9	19,9	31,8
64 Pyrénées-Atlantiques	263,3	4,2	21,4	74,3	– 0,09	8,4	17,3	33,4
Aquitaine	**1 288,4**	**4,6**	**19,8**	**75,6**	**– 0,10**	**9,3**	**18,8**	**31,9**

Sources : Insee - Estimations d'emploi et taux de chômage localisés, Pôle Emploi - DEFM.

7. Le logement des ménages

Départements	Part des ménages (%)		Nombre moyen de		Part des ménages comptant (%)			
	propriétaires de leur résidence principale	habitant une maison	pièces par logement	pièces par personne	une personne seule	deux personnes	3 ou 4 personnes	5 personnes ou plus
24 Dordogne	67,5	83,3	4,4	2,0	31,6	38,4	25,6	4,4
33 Gironde	55,8	64,5	4,0	1,8	34,4	32,9	27,6	5,1
40 Landes	64,5	78,6	4,5	2,0	29,9	36,3	28,7	5,0
47 Lot-et-Garonne	63,8	80,7	4,4	1,9	31,8	36,9	26,2	5,2
64 Pyrénées-Atlantiques	60,8	56,2	4,3	1,9	34,1	33,4	27,4	5,1
Aquitaine	**60,2**	**68,5**	**4,2**	**1,9**	**33,2**	**34,5**	**27,3**	**5,0**

Source : Insee - RP 2006.

8. Revenus fiscaux des ménages en 2007

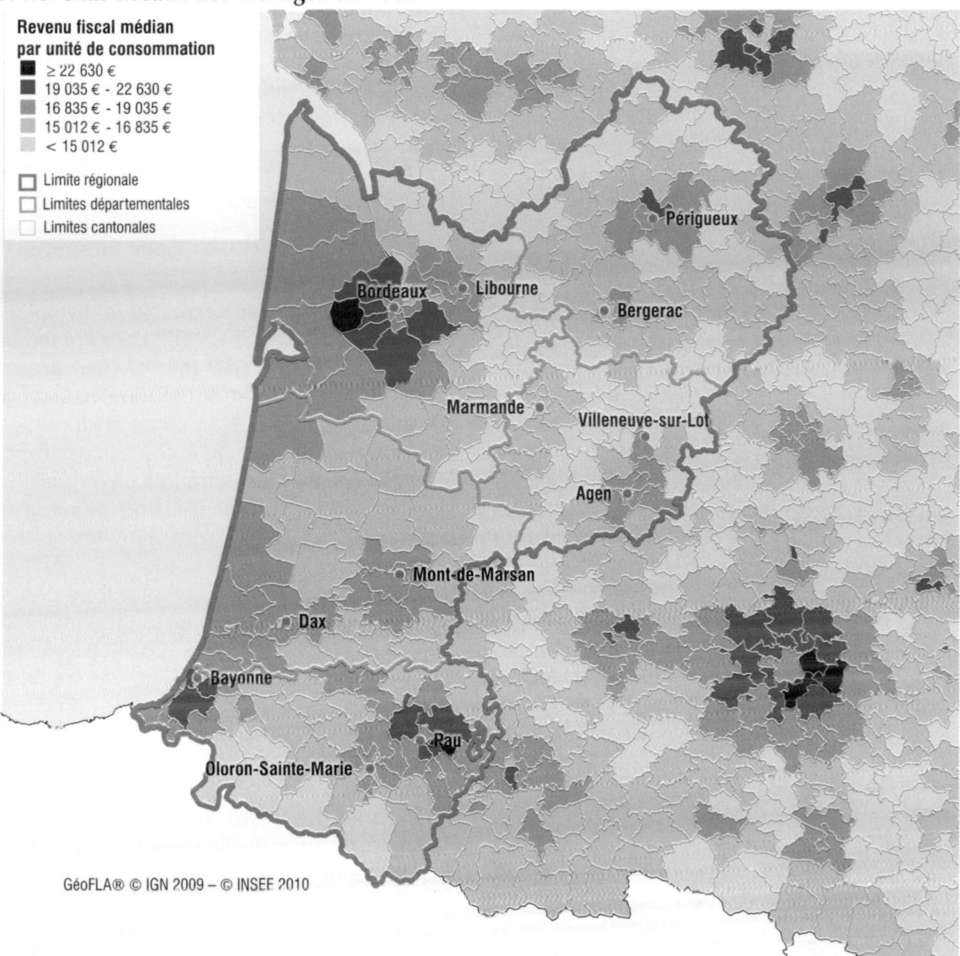

Source : Insee-DGI, Revenus fiscaux des ménages.

9. Les dix principaux secteurs d'activité au 31 décembre 2008[1]

en %

Secteur d'activité[2]	Poids du secteur dans l'emploi salarié		Taux de variation annuel moyen de l'emploi salarié 2003-2008		Poids des effectifs salariés des 10 plus grands établissements[3]	
	Région	France	Région	France	Région	Moyenne France
Commerce ; réparation d'automobiles et de motocycles	13,6	12,6	0,7	0,4	3,0	4,3
Activités scientif. et techn. ; services adm. et de soutien	10,4	11,7	2,1	1,4	10,9	7,2
Construction	6,8	6,2	3,4	3,1	2,8	4,7
Fabrication d'autres produits industriels	6,1	7,0	– 1,8	– 2,7	9,8	11,2
Autres activités de services	5,9	5,8	2,4	2,2	7,4	9,3
Transports et entreposage	5,2	5,7	– 0,6	0,1	17,7	17,5
Hébergement et restauration	3,6	3,7	2,8	1,6	3,8	4,7
Activités financières et d'assurance	2,8	3,4	1,2	1,3	14,2	16,4
Fabric. denrées alim., boissons et prod. à base tabac	2,6	2,3	– 0,6	– 1,2	16,2	18,1
Information et communication	1,8	2,9	2,1	1,6	19,7	14,0

1. Hors secteurs principalement non marchands. - 2. Les secteurs d'activité sont décrits en A17, nomenclature agrégée associée à la NAF révision 2. - 3. Au 31.12.2007, hors Défense et intérim.
Source : Insee - Estimations d'emploi localisé, Clap.

1.3 Auvergne

L'Auvergne occupe une position centrale au cœur de la France et de l'espace européen. Rattachée historiquement au Massif central, l'Auvergne est la région française où les habitants vivent à l'altitude la plus haute (490 m en moyenne). Longtemps marquée par son caractère montagneux, l'Auvergne a néanmoins toujours été une terre d'échanges avec les régions voisines notamment Rhône-Alpes, mais aussi avec l'Île-de-France. L'Auvergne s'étend sur 26 000 km² (5 % du territoire métropolitain). Au 1er janvier 2006, sa population est de 1,34 million d'habitants. Avec une densité de 51 habitants au km², inférieure de plus de la moitié à celle de la France métropolitaine, la région s'inscrit en Europe dans une vaste diagonale, s'étendant du Portugal au Luxembourg, caractérisée par une faible densité de population. L'espace urbain occupe une place de plus en plus importante : près de sept Auvergnats sur dix y vivent. Au sein de ce territoire, Clermont-Ferrand, la métropole régionale, se trouve au centre d'un vaste espace urbain allant de Vichy à Issoire regroupant 590 000 habitants en 2006, soit 44 % de la population régionale.

Le renouveau attractif alimente la croissance démographique

Après une baisse continue pendant vingt ans, la population auvergnate augmente à nouveau. Ainsi, entre 1999 et 2006, la région a gagné 27 000 habitants. Cette progression significative (+ 0,3 % par an) reste néanmoins inférieure de moitié à celle constatée en France métropolitaine. C'est l'excédent migratoire qui est responsable du renouveau démographique de l'Auvergne : entre 2001 et 2006, 91 000 habitants sont arrivés en Auvergne tandis que 76 000 personnes ont quitté la région.

L'Auvergne reste toutefois marquée par une faible natalité et un net vieillissement de sa population. Le taux de fécondité auvergnat (1,84 enfant par femme en 2006) est toujours inférieur à la moyenne française (1,99). De plus, le vieillissement de la population est plus accentué en Auvergne. L'âge médian de la population auvergnate (42 ans) est plus élevé que l'âge médian français (38 ans), ce qui place l'Auvergne au troisième rang des régions les plus âgées. Ce vieillissement se traduira notamment par une contraction de la population active auvergnate. En 2006, la région compte 605 000 actifs ; à l'horizon 2020, la population active devrait diminuer de 9 %.

Une économie industrialisée en manque de services

Fin 2007, l'Auvergne offre 530 000 emplois. Entre début 1990 et fin 2007, l'emploi total a progressé de plus de 0,4 % par an en moyenne, sous l'effet d'une forte hausse de l'emploi salarié (+ 0,9 %). Cette évolution est toutefois plus limitée qu'au niveau métropolitain. Deux tiers des emplois auvergnats se situent dans le secteur tertiaire. Bien qu'en constante progression, ces activités restent sous-représentées par rapport au niveau métropolitain (69 % de l'emploi total contre 75 %). L'agriculture, activité traditionnelle de la région, emploie encore 32 000 personnes (6 % de l'emploi total). Terre de tradition industrielle, l'Auvergne emploie dans ce secteur un salarié sur cinq, plaçant la région au septième rang français. L'industrie auvergnate emploie ainsi 92 000 salariés. L'industrie des biens intermédiaires est à l'origine de plus de la moitié de la valeur ajoutée industrielle régionale, grâce à la chimie-caoutchouc-plastique, représentée notamment par *Michelin* qui emploie 12 000 salariés en Auvergne, ainsi qu'à la métallurgie et transformation des métaux avec 15 000 salariés. Les industries agricoles et alimentaires constituent le troisième pôle de l'industrie (14 000 salariés).

Depuis la mi-2008, l'évolution favorable de l'emploi s'est atténuée sous l'effet de la conjoncture économique morose. L'emploi salarié marchand est en repli depuis le deuxième trimestre 2008 dans tous les secteurs d'activité de la région. Le taux de chômage en Auvergne reste inférieur à la moyenne nationale mais a progressé sensiblement, passant de 6,6 % au deuxième trimestre 2008 à 8,4 % au deuxième trimestre 2009. ■

1. Repères

Population au 01/01/2009 - Estimation (milliers)	1 343,0	Part dans le PIB France (%)	1,8
Part dans la population française (%)	2,1	Revenu disponible brut 2006 (euros/habitant)	18 800
Densité de population (hab./km²)	51,6	Revenu médian par unité de consommation 2007 (euros/uc)	16 497
Taux de variation annuel moyen de la pop. depuis 1999 (%)	0,3	Taux de pauvreté (%)	14,1
Emplois au lieu de travail au 31/12/2008 (milliers)	529,7	Allocataires du RMI au 31/12/2008 (milliers)	18,1
Taux de chômage au dernier trimestre 2009 (%)	8,7	Nombre de zones urbaines sensibles (ZUS)	17
Produit intérieur brut 2008 (milliards d'euros)	34,4	Part de la population régionale en ZUS (%)	4,9

Source : Insee.

2. Zonage en aires urbaines et en aires d'emploi de l'espace rural (ZAUER)

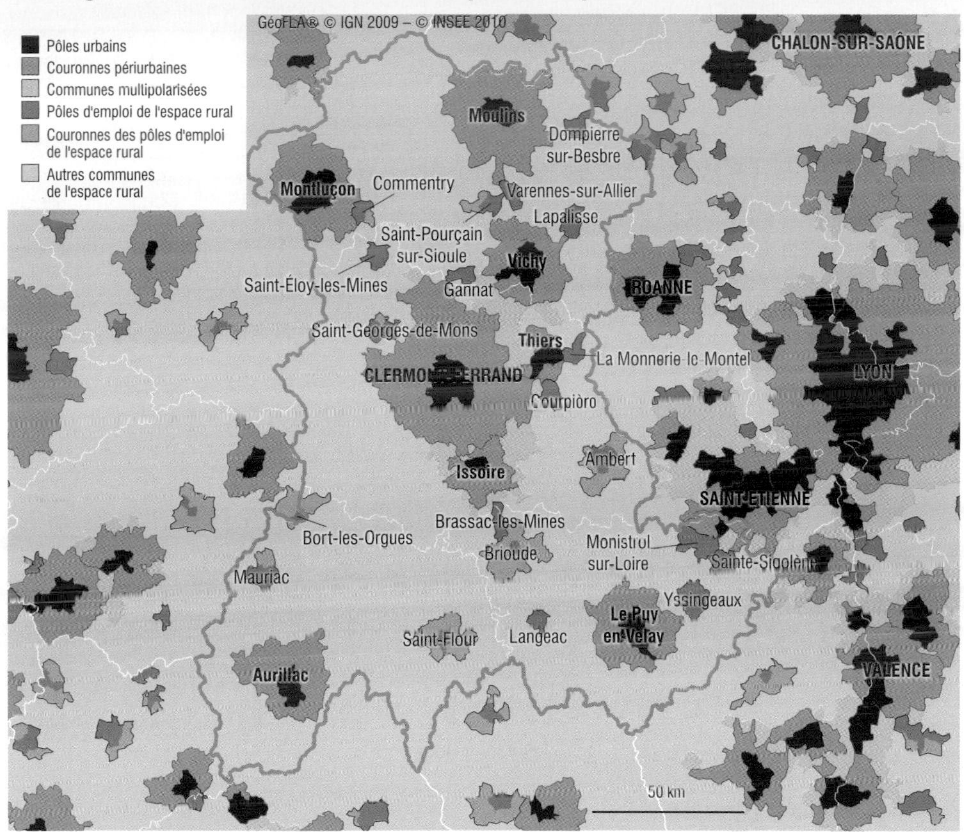

3. Les trois plus grandes agglomérations

	Effectifs	Part dans la population régionale (%)	Évolution annuelle moyenne 1999-2006 (%)
Population en 2006			
Clermont-Ferrand	260 658	19,5	0,1
Vichy	60 890	4,6	0,0
Montluçon	59 785	4,5	– 0,3

	Effectifs	Part dans l'emploi régional (%)	Variation entre 1999 et 2006 de la part dans l'emploi régional (%)
Emploi en 2006			
Clermont-Ferrand	149 445	27,8	0,8
Montluçon	28 565	5,3	0,1
Vichy	26 296	4,9	– 0,1

Source : Insee - RP 2006.

4. La valeur ajoutée brute régionale en 2008

	Part des branches (%)		Part dans la branche nationale (%)	
	en 2000	en 2008	en 2000	en 2008
Agriculture	4,0	2,7	2,6	2,4
Industrie	23,1	16,9	2,4	2,2
Construction	5,8	7,7	2,0	2,0
Services principalement marchands	43,7	47,4	1,5	1,5
Services administratifs	23,4	25,2	2,0	2,1
Ensemble	**100,0**	**100,0**	**1,8**	**1,8**

Source : Insee - Comptes régionaux en base 2000.

5. Population

Départements	Population au 01/01/2008 (milliers)	Taux d'évolution annuel moyen 1999-2008 (%)			Part des moins de 25 ans (%)	Part des plus de 65 ans (%)	Projection de population au 01/01/2030 (milliers)
		total	dû au solde naturel	dû au solde apparent des entrées-sorties			
03 Allier	342,5	– 0,1	– 0,3	0,2	25,4	22,0	312
15 Cantal	148,5	– 0,2	– 0,3	0,1	24,0	22,7	134
43 Haute-Loire	221,5	0,6	0,0	0,6	27,9	19,1	238
63 Puy-de-Dôme	629,0	0,4	0,1	0,3	29,1	16,9	646
Auvergne	**1 341,5**	**0,3**	**0,0**	**0,3**	**27,4**	**19,2**	**1 330**

Source : Insee - Estimations de population.

6. Emploi-chômage

Départements	Emploi au 31 décembre 2008				Variation annuelle moyenne de l'emploi 99-08 (%)	Chômage au 31 décembre 2009		
	Effectifs au lieu de travail (milliers)	dont primaire (%)	dont secondaire (%)	dont tertiaire (%)		Taux de chômage au 4e trim. 2009 (%)	Demandeurs d'emploi (Pôle Emploi) Cat. A de moins de 25 ans (%)	Demandeurs d'emploi (Pôle Emploi) Cat. A, B, C depuis plus d'un an (%)
03 Allier	128,9	5,4	24,8	69,7	– 0,21	9,8	20,2	40,8
15 Cantal	58,3	12,0	20,2	67,8	– 0,31	6,0	20,8	34,5
43 Haute-Loire	78,8	6,9	30,3	62,8	– 0,17	8,0	19,5	37,6
63 Puy-de-Dôme	263,7	3,0	24,6	72,4	– 0,18	8,9	19,5	38,0
Auvergne	**529,7**	**5,2**	**25,0**	**69,8**	**1,11**	**8,7**	**19,8**	**38,4**

Sources : Insee - Estimations d'emploi et taux de chômage localisés, Pôle Emploi - DEFM.

7. Le logement des ménages

Départements	Part des ménages (%)		Nombre moyen de		Part des ménages comptant (%)			
	propriétaires de leur résidence principale	habitant une maison	pièces par logement	personnes par ménage	une personne seule	deux personnes	3 ou 4 personnes	5 personnes ou plus
03 Allier	62,3	71,9	4,1	1,9	36,4	35,8	23,7	4,1
15 Cantal	67,1	72,4	4,3	2,0	33,2	36,2	26,6	4,0
43 Haute-Loire	68,1	74,3	4,3	1,9	31,8	34,3	28,0	5,9
63 Puy-de-Dôme	60,7	62,5	4,1	1,9	36,2	33,2	26,1	4,5
Auvergne	**63,0**	**67,9**	**4,1**	**1,9**	**35,2**	**34,4**	**25,8**	**4,5**

Source : Insee - RP 2006.

8. Revenus fiscaux des ménages en 2007

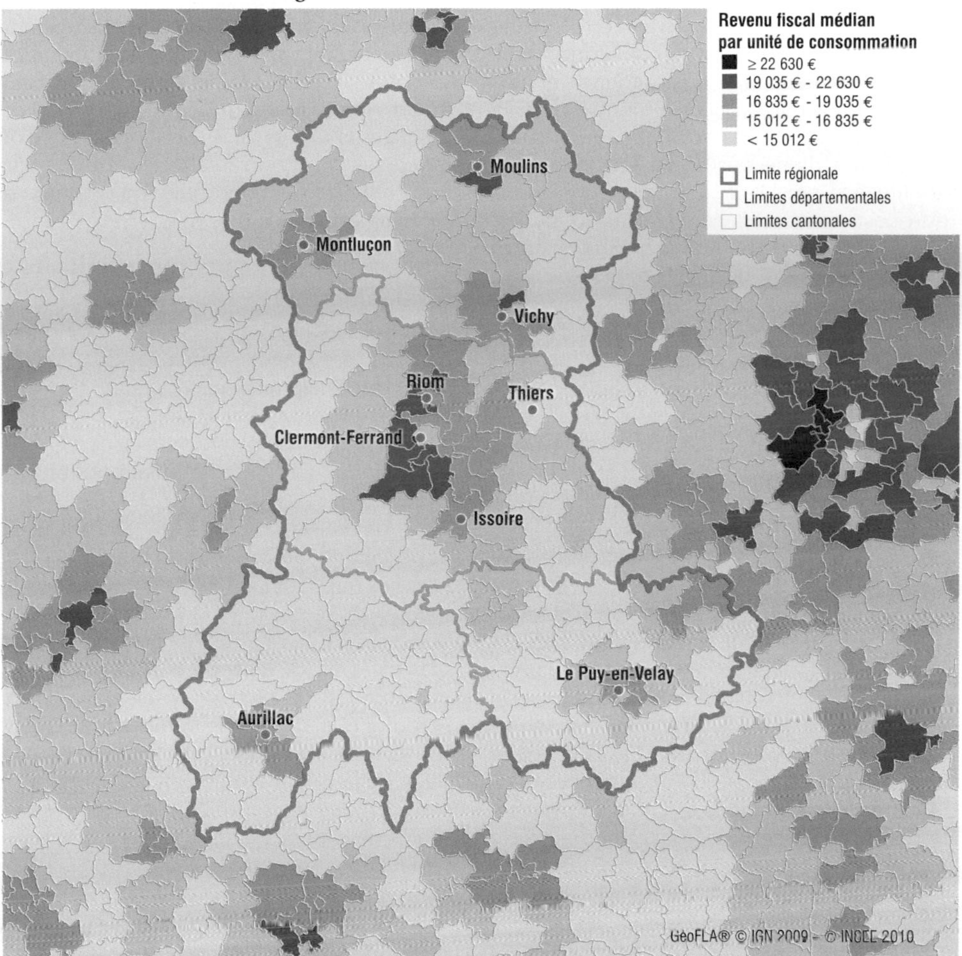

Source : Insee-DGI, Revenus fiscaux des ménages.

9. Les dix principaux secteurs d'activité au 31 décembre 2008[1]

en %

Secteur d'activité[2]	Poids du secteur dans l'emploi salarié%)		Taux de variation annuel moyen de l'emploi salarié 2003-2008		Poids des effectifs salariés des 10 plus grands établissements[3]	
	Région	France	Région	France	Région	Moyenne France
Fabrication d'autres produits industriels	12,6	7,0	– 2,3	– 2,7	24,8	11,2
Commerce ; réparation d'automobiles et de motocycles	12,0	12,6	– 0,1	0,4	6,5	4,3
Activités scientif. et techn. ; services adm. et de soutien	7,9	11,7	– 0,2	1,4	20,3	7,2
Construction	6,8	6,2	2,9	3,1	5,4	4,7
Autres activités de services	5,6	5,8	1,4	2,2	8,1	9,3
Transports et entreposage	4,9	5,7	– 1,5	0,1	19,7	17,5
Hébergement et restauration	3,0	3,7	1,4	1,6	5,4	4,7
Fabric. denrées alim., boissons et prod. à base tabac	3,0	2,3	– 1,9	– 1,2	24,8	18,1
Activités financières et d'assurance	2,4	3,4	0,2	1,3	21,0	16,4
Indus. extract., énergie, eau, gest. déchets, dépollution	1,7	1,5	1,1	0,2	29,4	21,2

1. Hors secteurs principalement non marchands. - 2. Les secteurs d'activité sont décrits en A17, nomenclature agrégée associée à la NAF révision 2. - 3. Au 31.12.2007, hors Défense et intérim.

Source : Insee - Estimations d'emploi localisé, Clap.

1.4 Bourgogne

La Bourgogne est, par sa superficie, une région de taille moyenne, qui couvre 6 % du territoire national. Au carrefour de grands axes de transit autoroutiers et ferroviaires, la région occupe une situation privilégiée, bénéficiant d'une très bonne desserte pour les liaisons nord-sud ; les communications est-ouest sont cependant plus difficiles. Dijon, capitale de la Bourgogne et les autres grandes villes se trouvent à la périphérie de la région, favorisant ainsi les liens avec les régions voisines.

Les dynamismes démographique et économique se concentrent aux deux extrémités de l'espace régional : dans la vallée de l'Yonne et le long de l'axe Dijon-vallée de la Saône.

Une population plutôt âgée et une croissance démographique qui demeure modeste

Avec 1,63 million d'habitants au 1er janvier 2006, soit 2,7 % de la population de la France métropolitaine, la région est relativement peu peuplée ; la densité de population est 52 habitants au km² soit deux fois moins qu'en moyenne nationale. La Bourgogne contraste ainsi avec ses deux grandes régions voisines, l'Île-de-France et Rhône-Alpes.

La croissance démographique reste modeste, la région a gagné 2 600 habitants supplémentaires par an entre 1999 et 2006. Les mouvements migratoires tendant à s'équilibrer sur la période, avec des arrivées à peine plus nombreuses que les départs, l'augmentation de la population repose sur les excédents naturels. Même si la part des jeunes migrants augmente, la population bourguignonne demeure plus âgée que la moyenne nationale, un bourguignon sur cinq est âgé de plus de 65 ans.

Le caractère rural de la région est assez marqué, puisqu'un tiers des Bourguignons vivent dans des communes appartenant à l'espace rural. L'espace rural hors pôle d'emploi gagne des habitants, à l'inverse des pôles d'emplois ruraux où le déclin démographique persiste. Dans l'espace urbain, les évolutions démographiques opposent les villes-centres, Dijon excepté, qui perdent des habitants et les communes périurbaines qui confirment leur attractivité.

Entre 1999 et 2006, le nombre de logement croît nettement plus vite que la population. L'évolution des comportements sociaux induit une diminution de la taille des ménages. Près de 8 % des logements sont inoccupés, la région se classe ainsi parmi les trois régions de métropole où le taux de vacance est le plus élevé.

Une région au caractère agricole et rural marqué

La Bourgogne est la seconde région la plus agricole de France, après la Champagne-Ardenne. L'agriculture concentre 5 % des emplois et de la valeur ajoutée. Ses principaux atouts sont la production de céréales, de vins à renommée internationale et l'élevage charolais.

Le poids économique de l'industrie est important. Il repose sur quatre principales activités que sont la métallurgie et la transformation des métaux, les industries agricoles et alimentaires, la chimie, le caoutchouc et les plastiques et les industries des équipements mécaniques.

Moins tertiaire que de nombreuses régions, les services contribuent tout de même pour 70 % de la valeur ajoutée et des emplois. Les services aux entreprises sont relativement moins développés dans la région, tandis que l'éducation, la santé, l'action sociale et l'administration ont un poids plus fort.

Deux pôles de compétitivité sont présents en Bourgogne : un pôle de compétitivité lié à la filière énergie-mécanique-chaudronnerie le Pôle *Nucléaire Bourgogne*, et un pôle de compétitivité lié à la filière agriculture-agroalimentaire autour des notions de goût, nutrition, santé, *Vitagora*.

Fin 2008, le taux de chômage de la région reste l'un des plus faibles du pays. Le vieillissement de la population active, la relative faiblesse du secteur marchand et la propension des jeunes actifs à quitter la région expliquent en partie ce résultat.

Renommée pour ses richesses gastronomiques, architecturales et ses paysages, la Bourgogne attire des touristes français et étrangers. Mais il ne s'agit pour l'essentiel que d'un tourisme de passage. Les touristes restent en moyenne 1,4 jour dans les hôtels et 2,5 jours dans les campings bourguignons. ■

1. Repères

Population au 01/01/2009 - Estimation (milliers)	1 637,0
Part dans la population française (%)	2,5
Densité de population (hab./km²)	51,8
Taux de variation annuel moyen de la pop. depuis 1999 (%)	0,2
Emplois au lieu de travail au 31/12/2008 (milliers)	649,7
Taux de chômage au dernier trimestre 2009 (%)	8,8
Produit intérieur brut 2008 (milliards d'euros)	43,1
Part dans le PIB France (%)	2,2
Revenu disponible brut 2006 (euros/habitant)	18 579
Revenu médian par unité de consommation 2007 (euros/uc)	17 035
Taux de pauvreté (%)	12,3
Allocataires du RMI au 31/12/2008 (milliers)	19,8
Nombre de zones urbaines sensibles (ZUS)	22
Part de la population régionale en ZUS (%)	4,8

Source : Insee.

2. Zonage en aires urbaines et en aires d'emploi de l'espace rural (ZAUER)

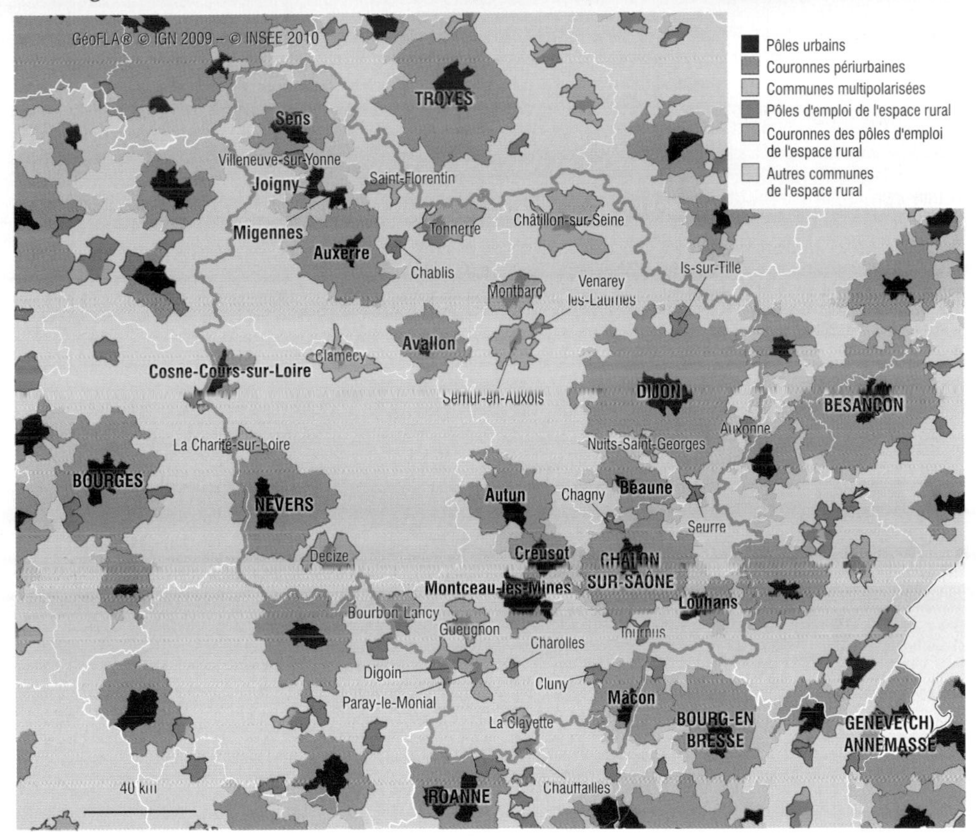

3. Les trois plus grandes agglomérations

	Effectifs	Part dans la population régionale (%)	Évolution annuelle moyenne 1999-2006 (%)
Population en 2006			
Dijon	238 088	14,6	0,1
Chalon-sur-Saône	73 732	4,5	– 0,3
Nevers	54 830	3,4	– 0,7

	Effectifs	Part dans l'emploi régional (%)	Variation entre 1999 et 2006 de la part dans l'emploi régional (%)
Emploi en 2006			
Dijon	134 295	20,3	1,0
Chalon-sur-Saône	44 231	6,7	– 0,3
Nevers	31 320	4,7	– 0,2

Source : Insee - RP 2006.

4. La valeur ajoutée brute régionale en 2008

	Part des branches (%)		Part dans la branche nationale (%)	
	en 2000	en 2008	en 2000	en 2008
Agriculture	7,0	4,9	5,8	5,4
Industrie	20,2	17,1	2,7	2,7
Construction	5,7	7,7	2,6	2,6
Services principalement marchands	44,6	46,7	2,0	1,8
Services administratifs	22,4	23,6	2,5	2,4
Ensemble	**100,0**	**100,0**	**2,4**	**2,2**

Source : Insee - Comptes régionaux en base 2000.

5. Population

Départements	Population au 01/01/2008 (milliers)	Taux d'évolution annuel moyen 1999-2008 (%)			Part des moins de 25 ans (%)	Part des plus de 65 ans (%)	Projection de population au 01/01/2030 (milliers)
		total	dû au solde naturel	dû au solde apparent des entrées-sorties			
21 Côte-d'Or	520,5	0,3	0,3	0,0	31,4	15,8	530
58 Nièvre	221,0	– 0,2	– 0,3	0,1	25,1	22,8	203
71 Saône-et-Loire	552,5	0,1	0,0	0,1	27,3	20,0	510
89 Yonne	342,0	0,3	0,0	0,3	28,5	19,0	375
Bourgogne	**1 636,0**	**0,2**	**0,0**	**0,2**	**28,6**	**18,8**	**1 618**

Source : Insee - Estimations de population.

6. Emploi-chômage

Départements	Emploi au 31 décembre 2008				Variation annuelle moyenne de l'emploi 99-08 (%)	Chômage au 31 décembre 2008		
	Effectifs au lieu de travail (milliers)	dont primaire (%)	dont secondaire (%)	dont tertiaire (%)		Taux de chômage au 4e trim. 2009 (%)	Demandeurs d'emploi (Pôle Emploi)	
							Cat. A de moins de 25 ans (%)	Cat. A, B, C depuis plus d'un an (%)
21 Côte-d'Or	237,0	3,6	20,9	75,5	0,06	7,9	22,2	32,7
58 Nièvre	80,2	5,7	23,0	71,3	– 0,21	9,3	20,6	34,3
71 Saône-et-Loire	214,6	4,8	27,3	67,9	– 0,15	9,1	20,4	34,5
89 Yonne	126,5	5,0	25,3	69,7	– 0,30	9,5	22,1	34,0
Bourgogne	**649,7**	**4,6**	**24,4**	**71,0**	**– 0,26**	**8,8**	**21,4**	**33,8**

Sources : Insee - Estimations d'emploi et taux de chômage localisés, Pôle Emploi - DEFM.

7. Le logement des ménages

Départements	Part des ménages (%)		Nombre moyen de		Part des ménages comptant (%)			
	propriétaires de leur résidence principale	habitant une maison	pièces par logement	pièces par personne	une personne seule	deux personnes	3 ou 4 personnes	5 personnes ou plus
21 Côte-d'Or	60,3	53,8	4,0	1,8	35,1	33,3	25,8	5,8
58 Nièvre	65,5	74,5	4,1	1,9	36,0	36,7	23,0	4,2
71 Saône-et-Loire	61,4	67,2	4,2	1,9	33,3	36,3	25,1	5,3
89 Yonne	67,0	75,9	4,2	1,8	31,9	35,8	26,2	6,1
Bourgogne	**62,8**	**65,8**	**4,1**	**1,9**	**34,0**	**35,3**	**25,3**	**5,5**

Source : Insee - RP 2006.

8. Revenus fiscaux des ménages en 2007

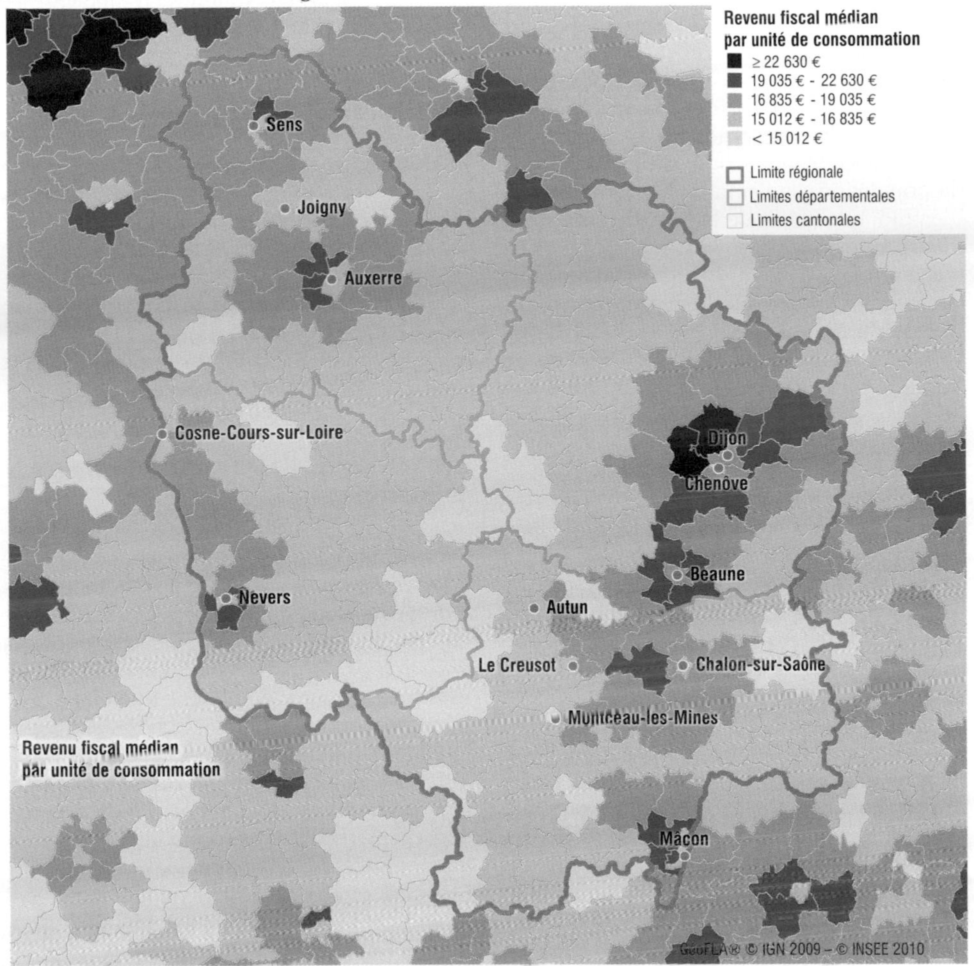

Source : Insee-DGI, Revenus fiscaux des ménages.

9. Les dix principaux secteurs d'activité au 31 décembre 2008[1]

en %

Secteur d'activité[2]	Poids du secteur dans l'emploi salarié		Taux de variation annuel moyen de l'emploi salarié 2003-2008		Poids des effectifs salariés des 10 plus grands établissements[3]	
	Région	France	Région	France	Région	Moyenne France
Commerce ; réparation d'automobiles et de motocycles	13,1	12,6	0,1	0,4	6,4	4,3
Fabrication d'autres produits industriels	10,1	7,0	– 3,5	– 2,7	14,4	11,2
Activités scientif. et techn. ; services adm. et de soutien	8,0	11,7	0,6	1,4	8,7	7,2
Construction	6,4	6,2	2,6	3,1	4,2	4,7
Transports et entreposage	5,7	5,7	– 0,7	0,1	22,6	17,5
Autres activités de services	5,2	5,8	2,0	2,2	9,3	9,3
Hébergement et restauration	3,1	3,7	0,1	1,6	5,6	4,7
Fabrication d'equipements electriques, electroniques, informatiques ; fabrication de machines	3,1	2,1	– 2,1	– 1,5	25,2	27,9
Fabric. denrées alim., boissons et prod. à base tabac	2,6	2,3	– 2,0	– 1,2	22,8	18,1
Activités financières et d'assurance	2,3	3,4	0,1	1,3	16,7	16,4

1. Hors secteurs principalement non marchands. - 2. Les secteurs d'activité sont décrits en A17, nomenclature agrégée associée à la NAF révision 2. - 3. Au 31.12.2007, hors Défense et intérim.

Source : Insee - Estimations d'emploi localisé, Clap.

1.5 Bretagne

Située au carrefour de l'Arc Atlantique européen, la Bretagne regroupe quatre départements et 2 700 km de côtes. L'ossature du territoire breton se compose d'un ensemble de nombreuses villes moyennes et deux grandes agglomérations, Rennes et Brest, qui concentrent une part importante de la population, de l'emploi, en particulier de l'emploi qualifié, et de l'enseignement supérieur. À l'exception de la capitale régionale, cette armature urbaine forme une chaîne serrée, étirée tout au long du littoral. Le centre du territoire régional est quant à lui constitué d'une vaste zone, à dominante rurale, ponctuée seulement de quelques petites villes.

254 000 habitants de plus entre 1999 et 2006 grâce aux migrations

La population bretonne s'élève au 1er janvier 2006 à 3,095 millions d'habitants ; elle a augmenté en moyenne de 0,9 % par an depuis 1999, soit deux fois plus qu'entre 1990 et 1999. Cette accélération est due surtout à l'accroissement de l'excédent des arrivées sur les départs : de 8 000 entre 1990 et 1999, cet excédent est passé par an en moyenne à 20 700 entre 1999 et 2006. Cette accélération profite davantage aux départements de l'Ille-et-Vilaine et du Morbihan, dont les populations progressent à des rythmes nettement supérieurs à ceux du Finistère et des Côtes-d'Armor. L'Ille-et-Vilaine se distingue des trois autres départements bretons par un solde naturel élevé ; il contribue pour moitié à la hausse de sa population.

Au total en sept ans, 254 400 personnes sont venues s'installer en Bretagne. Les jeunes arrivants habitent plus généralement les villes-centres, les actifs d'âge moyen les zones périurbaines. Le littoral breton séduit toujours. Les retraités privilégient les côtes morbihannaises. Les migrations bénéficient aussi, dans les zones rurales, aux petits pôles d'emploi et aux communes situées à leur proximité.

Les nouveaux Bretons sont plus jeunes que l'ensemble de la population. Ceux qui travaillent occupent principalement des emplois qualifiés, mais aussi d'employés. Le chômage touche plus les arrivantes que les arrivants. Quand ils sont nés en Bretagne, les nouveaux habitants privilégient plutôt leur département de naissance.

Au 31 décembre 2008, la Bretagne compte 1,29 million d'emplois, soit 4,9 % de l'emploi métropolitain. Le secteur tertiaire regroupe 73 % de l'emploi, soit 5 points de plus qu'en 1999. Forte jusqu'en 2002, la croissance de l'emploi s'est ensuite ralentie. Le taux de chômage s'établit à 8,2 % début 2009, contre 9,6 % pour la métropole. L'emploi est très dynamique en Ille-et-Vilaine et, à un degré moindre, dans le Morbihan ; il progresse nettement moins rapidement dans les Côtes-d'Armor et le Finistère.

Une économie où prédominent les secteurs agricoles et agroalimentaires et le tourisme

L'agriculture et les industries agroalimentaires sont présentes sur l'ensemble du territoire régional. Ces secteurs sont d'importants pourvoyeurs d'emploi en Bretagne. Ils rassemblent 8,6 % des emplois salariés privés de la région. Dans une moindre mesure, d'autres secteurs emploient aussi une part plus importante de salariés que France entière, notamment la pêche et l'aquaculture. La construction navale se concentre autour de Brest et Lorient, l'industrie des technologies de l'information et de la communication à Lannion.

L'économie régionale bénéficie également d'une forte implantation des activités touristiques. En 2008, la Bretagne est ainsi la septième région pour la fréquentation des hôtels et la cinquième pour la fréquentation des campings.

En 2004, 70 % des salariés bretons travaillent hors de leur commune de résidence. La moitié d'entre eux parcourt plus de quatorze kilomètres pour se rendre à son travail. Cette mobilité a nettement augmenté depuis 1999. Les emplois sont de plus en plus concentrés dans les pôles. Les actifs en revanche résident de plus en plus loin de leur lieu de travail. Les aires d'attractions des principaux pôles se sont donc agrandies. En Bretagne, ce sont les ouvriers qui travaillent le plus souvent hors de leur commune de résidence, mais les cadres et les professions intermédiaires mobiles effectuent des trajets plus longs. ■

1. Repères

Population au 01/01/2009 - Estimation (milliers)	3 163,0	Part dans le PIB France (%)	4,3
Part dans la population française (%)	4,9	Revenu disponible brut 2006 (euros/habitant)	17 934
Densité de population (hab./km²)	116,3	Revenu médian par unité de consommation 2007 (euros/uc)	17 248
Taux de variation annuel moyen de la pop. depuis 1999 (%)	0,9	Taux de pauvreté (%)	11,2
Emplois au lieu de travail au 31/12/2008 (milliers)	1 291,0	Allocataires du RMI au 31/12/2008 (milliers)	32,9
Taux de chômage au dernier trimestre 2009 (%)	8,2	Nombre de zones urbaines sensibles (ZUS)	20
Produit intérieur brut 2008 (milliards d'euros)	83,6	Part de la population régionale en ZUS (%)	2,8

Source : Insee.

2. Zonage en aires urbaines et en aires d'emploi de l'espace rural (ZAUER)

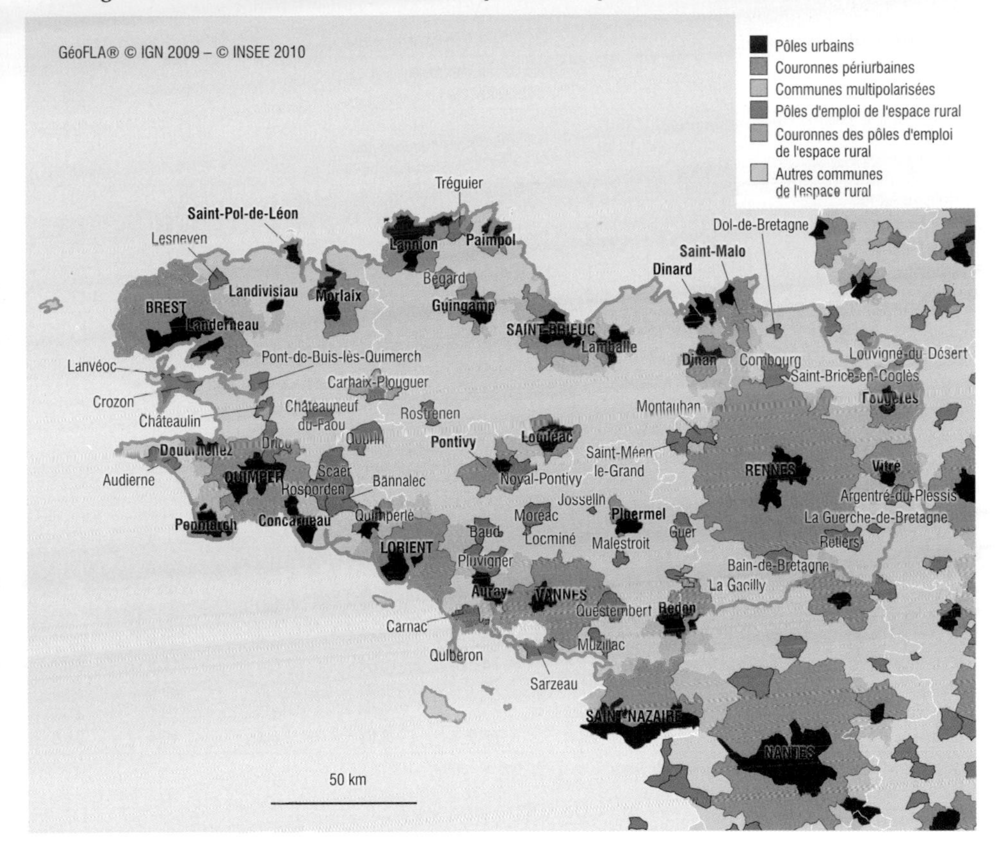

3. Les trois plus grandes agglomérations

	Effectifs	Part dans la population régionale (%)	Évolution annuelle moyenne 1999-2006 (%)
Population en 2006			
Rennes	282 550	9,1	0,5
Brest	206 393	6,7	– 0,3
Lorient	116 765	3,8	0,1

	Effectifs	Part dans l'emploi régional (%)	Variation entre 1999 et 2006 de la part dans l'emploi régional (%)
Emploi en 2006			
Rennes	192 843	15,3	0,7
Brest	103 873	8,2	– 0,4
Lorient	55 044	4,4	– 0,1

Source : Insee - RP 2006.

4. La valeur ajoutée brute régionale en 2008

	Part des branches (%)		Part dans la branche nationale (%)	
	en 2000	en 2008	en 2000	en 2008
Agriculture	5,4	3,3	8,0	7,0
Industrie	15,9	13,4	3,7	4,2
Construction	6,9	8,9	5,6	5,7
Services principalement marchands	46,7	49,6	3,7	3,8
Services administratifs	25,1	24,8	4,9	4,9
Ensemble	**100,0**	**100,0**	**4,2**	**4,3**

Source : Insee - Comptes régionaux en base 2000.

5. Population

Départements	Population au 01/01/2008 (milliers)	Taux d'évolution annuel moyen 1999-2008 (%)			Part des moins de 25 ans (%)	Part des plus de 65 ans (%)	Projection de population au 01/01/2030 (milliers)
		total	dû au solde naturel	dû au solde apparent des entrées-sorties			
22 Côtes-d'Armor	579,0	0,7	0,0	0,7	27,7	20,4	605
29 Finistère	888,5	0,5	0,1	0,4	29,4	18,3	918
35 Ille-et-Vilaine	965,5	1,2	0,6	0,6	33,5	14,4	1 164
56 Morbihan	708,0	1,1	0,1	1,0	28,8	18,5	784
Bretagne	**3 141,0**	**0,9**	**0,2**	**0,7**	**30,2**	**17,5**	**3 471**

Source : Insee - Estimations de population.

6. Emploi-chômage

Départements	Emploi au 31 décembre 2008				Variation annuelle moyenne de l'emploi 99-08 (%)	Chômage au 31 décembre 2009		
	Effectifs au lieu de travail (milliers)	dont primaire (%)	dont secondaire (%)	dont tertiaire (%)		Taux de chômage au 4e trim. 2009 (%)	Demandeurs d'emploi (Pôle Emploi) Cat. A de moins de 25 ans (%)	Demandeurs d'emploi (Pôle Emploi) Cat. A, B, C depuis plus d'un an (%)
22 Côtes-d'Armor	217,3	7,5	22,8	69,7	– 0,20	7,8	19,8	32,7
29 Finistère	356,9	5,2	20,8	74,0	– 0,03	8,7	18,8	31,4
35 Ille-et-Vilaine	442,0	3,2	21,7	75,1	0,08	7,5	20,0	29,8
56 Morbihan	274,9	4,4	25,1	70,5	0,05	8,7	19,2	31,0
Bretagne	**1 291,0**	**4,7**	**22,4**	**72,9**	**– 0,01**	**8,2**	**19,4**	**31,0**

Sources : Insee - Estimations d'emploi et taux de chômage localisés, Pôle Emploi - DEFM.

7. Le logement des ménages

Départements	Part des ménages (%)		Nombre moyen de		Part des ménages comptant (%)			
	propriétaires de leur résidence principale	habitant une maison	pièces par logement	pièces par personne	une personne seule	deux personnes	3 ou 4 personnes	5 personnes ou plus
22 Côtes-d'Armor	70,0	81,9	4,4	2,0	34,0	35,6	24,7	5,8
29 Finistère	69,2	72,3	4,5	2,0	36,5	32,5	25,3	5,8
35 Ille-et-Vilaine	59,0	61,8	4,1	1,8	34,0	32,2	27,0	6,8
56 Morbihan	67,6	74,6	4,3	1,9	33,9	34,3	25,8	6,0
Bretagne	**66,0**	**71,5**	**4,3**	**1,9**	**34,7**	**33,4**	**25,8**	**6,1**

Source : Insee - RP 2006.

8. Revenus fiscaux des ménages en 2007

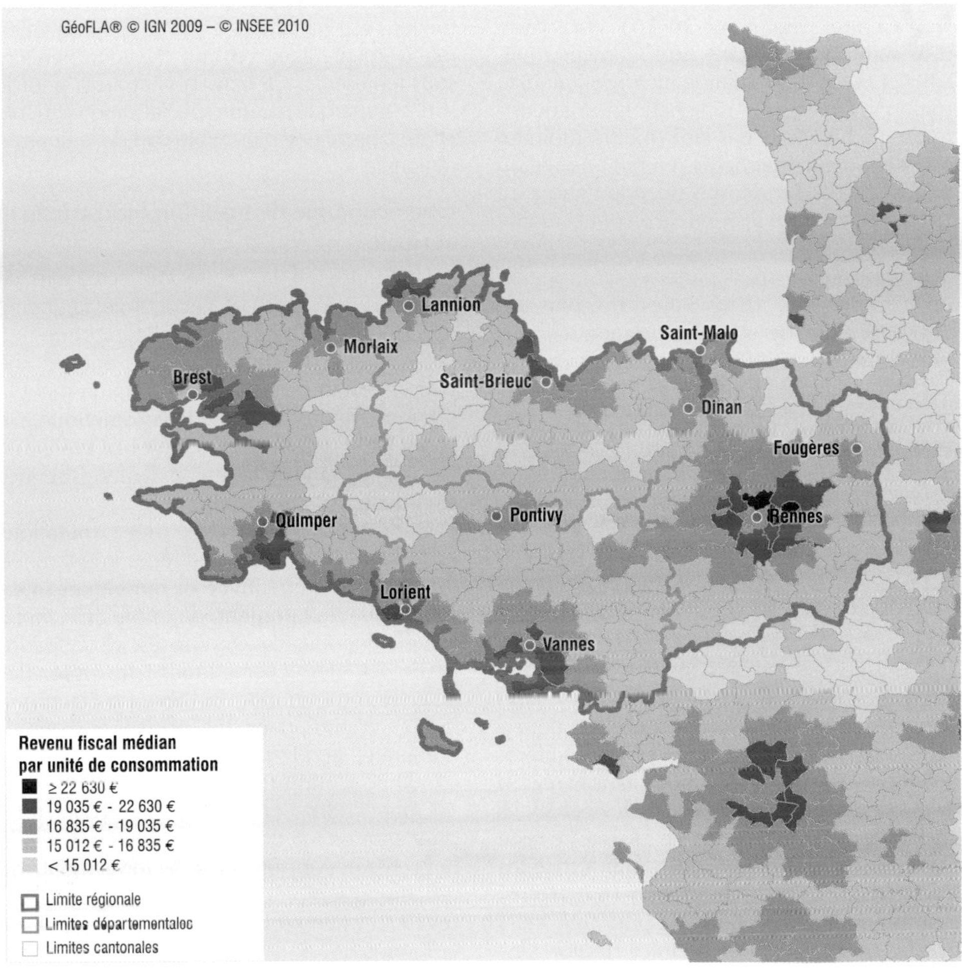

Source : Insee-DGI, Revenus fiscaux des ménages.

9. Les dix principaux secteurs d'activité au 31 décembre 2008[1]

en %

Secteur d'activité[2]	Poids du secteur dans l'emploi salarié		Taux de variation annuel moyen de l'emploi salarié 2003-2008		Poids des effectifs salariés des 10 plus grands établissements[3]	
	Région	France	Région	France	Région	Moyenne France
Commerce ; réparation d'automobiles et de motocycles	12,9	12,6	1,1	0,4	3,5	4,3
Activités scientif. et techn. ; services adm. et de soutien	9,3	11,7	1,9	1,4	5,8	7,2
Construction	6,9	6,2	3,6	3,1	2,9	4,7
Fabric. denrées alim., boissons et prod. à base tabac	6,0	2,3	– 1,2	– 1,2	14,0	18,1
Fabrication d'autres produits industriels	5,6	7,0	– 1,1	– 2,7	13,4	11,2
Autres activités de services	5,3	5,8	2,2	2,2	6,8	9,3
Transports et entreposage	5,0	5,7	0,3	0,1	15,6	17,5
Hébergement et restauration	3,2	3,7	1,9	1,6	4,5	4,7
Activités financières et d'assurance	2,7	3,4	1,7	1,3	19,1	16,4
Information et communication	2,3	2,9	5,0	1,6	26,6	14,0

1. Hors secteurs principalement non marchands. - 2. Les secteurs d'activité sont décrits en A17, nomenclature agrégée associée à la NAF révision 2. - 3. Au 31.12.2007, hors Défense et intérim.

Source : Insee - Estimations d'emploi localisé, Clap.

1.6 Centre

Quatrième région par sa superficie, le Centre s'étend sur 39 151 km². Avec 2,52 millions d'habitants au 1er janvier 2006, soit 4,1 % de la population métropolitaine, la région se situe au 10e rang national. Sa densité de 64 habitants par km², moitié moindre que celle de la métropole, en fait une région peu peuplée. La densité de population est plus forte sur l'axe ligérien où vivent la moitié des habitants.

Composée de six départements, la région ne compte que deux villes de plus de 100 000 habitants : Tours se place 24e des plus grandes villes de France, devant la capitale régionale Orléans, au 31e rang. Les autres préfectures de département, Bourges, Blois, Châteauroux et Chartres, comptent entre 40 000 et 70 000 habitants.

Les flux migratoires dominés par les échanges avec l'Île-de-France

De 1999 à 2006, la population régionale augmente de 3,3 %. Sous l'effet d'une reprise de la natalité et d'une baisse de la mortalité, l'accroissement naturel se consolide, sauf dans les départements du sud de la région (Cher et Indre) où le solde naturel est déficitaire. Les flux migratoires sont particulièrement élevés, autant les entrées dans la région que les sorties, et dominés par les échanges avec l'Île-de-France. Le solde migratoire reste favorable à la région. Il est positif à tous les âges excepté pour les jeunes de 18 à 24 ans, nombreux à quitter la région pour finir leurs études ou accéder à un premier emploi.

L'accroissement de population est plus important en zone périurbaine, alors que la démographie continue de ralentir dans les pôles urbains et marque le pas dans l'espace rural.

En 2007, le produit intérieur brut (PIB) de la région Centre s'élève à 66,3 milliards d'euros. Il progresse relativement peu depuis une dizaine d'années. La région se classe au 10e rang pour son PIB par habitant, alors qu'elle était au 7e rang en 2000.

La partie nord de la région, contiguë à l'Île-de-France, bénéficie de l'influence économique de cette dernière, avec laquelle elle entretient de nombreux flux migratoires pendulaires. Son économie, traditionnellement spécialisée dans les activités agricoles et industrielles, est handicapée par une population relativement âgée et un secteur tertiaire sous-représenté. Ce constat vaut aussi pour le sud, très marqué par une spécialisation agricole et qui dégage une plus faible part de la richesse régionale.

Une économie de tradition industrielle et agricole

Le Centre est la 1re région céréalière de France et d'Europe, et l'économie régionale reste fortement marquée par l'agriculture.

De même, l'industrie génère encore une part importante du PIB (19 %), notamment la pharmacie, la chimie, la cosmétique, le caoutchouc-plastique, l'automobile et l'armement. Elle permet à la région d'enregistrer des excédents commerciaux.

Dans la perspective des mutations nécessaires, la région s'est récemment dotée de pôles de compétitivité de renommée internationale, notamment le pôle *Cosmetic Valley* fédérant les entreprises de la parfumerie et des cosmétiques, le pôle des Sciences et Systèmes de l'Énergie Électrique (S2E2) orienté dans les nouvelles sources d'énergie, et Elastopôle spécialisé dans le caoutchouc industriel et les pneumatiques.

Entre 1998 et 2007, l'emploi total progresse de 6,5 %, grâce au dynamisme de la construction et au développement du tertiaire, réservoir de sept emplois sur dix. En revanche, l'emploi recule dans l'agriculture et l'industrie.

L'économie régionale est relativement peu pénalisée par le chômage, dont le taux s'établit à 6,5 % en 2008 et situe la région au 4e rang national. Ce bon résultat est lié à la proximité d'emplois franciliens, à la structure économique du Centre composée de secteurs « employeurs » comme ceux de l'industrie, et à la faible attractivité résidentielle d'actifs.

Le revenu disponible des ménages est plus élevé dans la région qu'en France de province. En effet, le Centre se classe 6e avec un revenu disponible médian de 2 000 euros, devant les autres régions du pourtour de l'Île-de-France. Par ailleurs, les ménages les plus modestes disposent de revenus moins faibles qu'en province. ■

1. Repères

Population au 01/01/2009 - Estimation (milliers)	2 544,0	Part dans le PIB France (%)	3,5
Part dans la population française (%)	4,0	Revenu disponible brut 2006 (euros/habitant)	18 645
Densité de population (hab./km²)	65,0	Revenu médian par unité de consommation 2007 (euros/uc)	17 603
Taux de variation annuel moyen de la pop. depuis 1999 (%)	0,4	Taux de pauvreté (%)	11,6
Emplois au lieu de travail au 31/12/2008 (milliers)	1 002,8	Allocataires du RMI au 31/12/2008 (milliers)	32,7
Taux de chômage au dernier trimestre 2009 (%)	8,8	Nombre de zones urbaines sensibles (ZUS)	30
Produit intérieur brut 2008 (milliards d'euros)	67,5	Part de la population régionale en ZUS (%)	4,6

Source : Insee.

2. Zonage en aires urbaines et en aires d'emploi de l'espace rural (ZAUER)

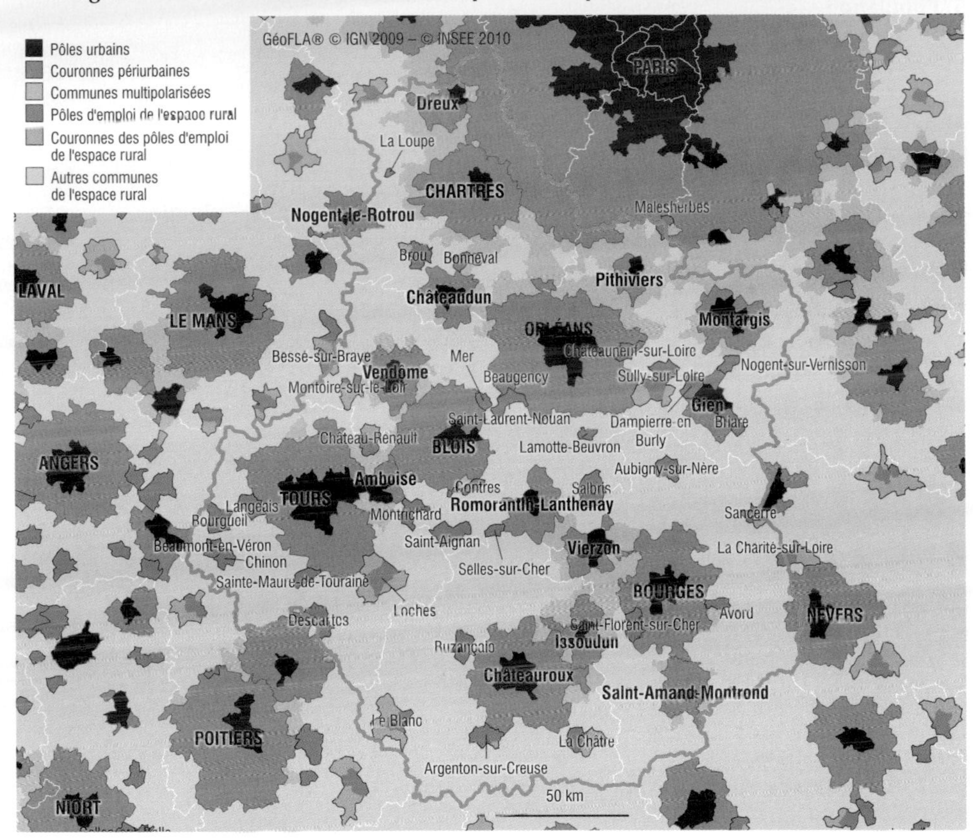

3. Les trois plus grandes agglomérations

	Effectifs	Part dans la population régionale (%)	Évolution annuelle moyenne 1999-2006 (%)
Population en 2006			
Tours	306 973	12,2	0,5
Orléans	269 284	10,7	0,3
Bourges	90 356	3,6	– 0,2

	Effectifs	Part dans l'emploi régional (%)	Variation entre 1999 et 2006 de la part dans l'emploi régional (%)
Emploi en 2006			
Tours	153 707	15,3	0,9
Orléans	145 973	14,5	0,5
Bourges	49 953	5,0	– 0,1

Source : Insee - RP 2006.

4. La valeur ajoutée brute régionale en 2008

	Part des branches (%)		Part dans la branche nationale (%)	
	en 2000	en 2008	en 2000	en 2008
Agriculture	4,4	4,1	5,6	7,0
Industrie	22,3	17,9	4,5	4,5
Construction	6,0	7,6	4,2	3,9
Services principalement marchands	45,4	47,9	3,1	3,0
Services administratifs	21,9	22,6	3,7	3,6
Ensemble	**100,0**	**100,0**	**3,6**	**3,5**

Source : Insee - Comptes régionaux en base 2000.

5. Population

Départements	Population au 01/01/2008 (milliers)	Taux d'évolution annuel moyen 1999-2008 (%)			Part des moins de 25 ans (%)	Part des plus de 65 ans (%)	Projection de population au 01/01/2030 (milliers)
		total	dû au solde naturel	dû au solde apparent des entrées-sorties			
18 Cher	314,5	0,0	– 0,1	0,1	27,1	19,6	294
28 Eure-et-Loir	424,0	0,4	0,4	0,0	31,1	15,7	440
36 Indre	232,5	0,1	– 0,3	0,4	25,4	22,1	220
37 Indre-et-Loire	585,5	0,6	0,3	0,3	31,0	16,8	624
41 Loir-et-Cher	327,5	0,4	0,1	0,3	27,9	19,9	341
45 Loiret	651,0	0,6	0,5	0,1	31,5	15,6	735
Centre	**2 535,0**	**0,4**	**0,2**	**0,2**	**29,7**	**17,5**	**2 654**

Source : Insee - Estimations de population.

6. Emploi-chômage

Départements	Emploi au 31 décembre 2008					Chômage au 31 décembre 2009		
	Effectifs au lieu de travail (milliers)	dont primaire (%)	dont secondaire (%)	dont tertiaire (%)	Variation annuelle moyenne de l'emploi 99-08 (%)	Taux de chômage au 4e trim. 2009 (%)	Demandeurs d'emploi (Pôle Emploi) Cat. A de moins de 25 ans (%)	Demandeurs d'emploi (Pôle Emploi) Cat. A, B, C depuis plus d'un an (%)
18 Cher	117,6	4,5	25,1	70,4	– 0,27	9,5	20,4	35,1
28 Eure-et-Loir	149,1	3,2	28,0	68,8	– 0,23	9,1	21,3	35,6
36 Indre	89,8	5,7	25,8	68,5	– 0,29	8,5	20,9	37,8
37 Indre-et-Loire	240,6	2,8	22,7	74,5	– 0,09	8,5	21,7	32,6
41 Loir-et-Cher	124,0	4,7	27,5	67,9	– 0,27	8,5	19,4	36,7
45 Loiret	281,7	2,2	25,0	72,8	– 0,11	8,8	20,4	34,2
Centre	**1 002,8**	**3,4**	**25,3**	**71,4**	**– 0,18**	**8,8**	**20,8**	**34,8**

Sources : Insee - Estimations d'emploi et taux de chômage localisés, Pôle Emploi - DEFM.

7. Le logement des ménages

Départements	Part des ménages (%)		Nombre moyen de		Part des ménages comptant (%)			
	propriétaires de leur résidence principale	habitant une maison	pièces par logement	pièces par personne	une personne seule	deux personnes	3 ou 4 personnes	5 personnes ou plus
18 Cher	64,5	77,3	4,2	1,9	33,5	36,3	25,1	5,0
28 Eure-et-Loir	65,2	73,1	4,3	1,8	28,4	34,3	29,7	7,6
36 Indre	66,0	80,1	4,2	1,9	34,4	36,8	24,5	4,4
37 Indre-et-Loire	58,1	62,7	4,0	1,8	34,7	34,1	25,9	5,3
41 Loir-et-Cher	67,0	78,5	4,2	1,9	31,3	37,2	26,1	5,4
45 Loiret	61,3	67,5	4,1	1,8	31,5	34,1	27,7	6,7
Centre	**62,8**	**71,2**	**4,1**	**1,8**	**32,3**	**35,1**	**26,7**	**5,9**

Source : Insee - RP 2006.

8. Revenus fiscaux des ménages en 2007

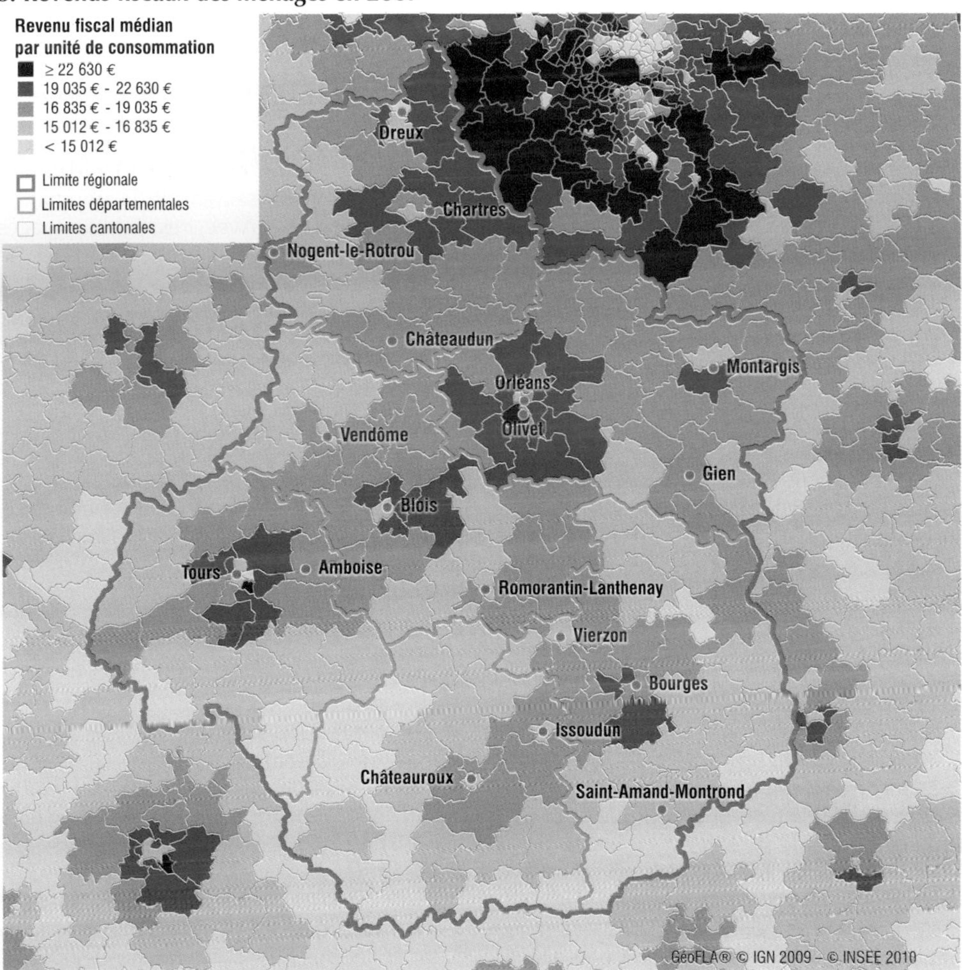

Source : Insee-DGI, Revenus fiscaux des ménages.

9. Les dix principaux secteurs d'activité au 31 décembre 2008[1]

en %

Secteur d'activité[2]	Poids du secteur dans l'emploi salarié		Taux de variation annuel moyen de l'emploi salarié 2003-2008		Poids des effectifs salariés des 10 plus grands établissements[3]	
	Région	France	Région	France	Région	Moyenne France
Commerce ; réparation d'automobiles et de motocycles	12,2	12,6	0,0	0,4	4,0	4,3
Activités scientif. et techn. ; services adm. et de soutien	10,0	11,7	0,9	1,4	8,3	7,2
Fabrication d'autres produits industriels	10,0	7,0	– 2,2	– 2,7	10,1	11,2
Construction	6,9	6,2	2,6	3,1	4,4	4,7
Transports et entreposage	5,8	5,7	– 0,3	0,1	16,2	17,5
Autres activités de services	5,1	5,8	2,1	2,2	5,6	9,3
Fabrication d'equipements electriques, electroniques, informatiques ; fabrication de machines	3,3	2,1	– 2,1	– 1,5	25,9	27,9
Hébergement et restauration	3,0	3,7	1,2	1,6	5,3	4,7
Activités financières et d'assurance	3,0	3,4	0,6	1,3	18,2	16,4
Fabric. denrées alim., boissons et prod. à base tabac	2,2	2,3	– 1,2	– 1,2	20,0	18,1

1. Hors secteurs principalement non marchands. - 2. Les secteurs d'activité sont décrits en A17, nomenclature agrégée associée à la NAF révision 2. - 3. Au 31.12.2007, hors Défense et intérim.
Source : Insee - Estimations d'emploi localisé, Clap

1.7 Champagne-Ardenne

Au 1er janvier 2006, 1,34 million d'habitants résident dans les 1 949 communes de Champagne-Ardenne. Après avoir atteint son niveau le plus important en 1990, la population champardennaise diminue depuis : l'excédent des naissances sur les décès ne compense pas le déficit des arrivées sur les départs. Depuis le dernier recensement de 1999, la région perd chaque année en moyenne 480 habitants. La baisse de population ralentit très légèrement par rapport à la période 1990-1999 au cours de laquelle la perte moyenne s'élevait à 630 habitants chaque année. En 2006, la Champagne-Ardenne ne représente plus que 2,2 % de la population métropolitaine contre 2,6 % en 1962. Toutefois, en nombre d'habitants comme en densité de population, la Champagne-Ardenne se maintient au 18e rang des régions métropolitaines. Avec 52 habitants au km², à peine la moitié de la moyenne nationale, la densité de population de la Champagne-Ardenne devance celles de la Bourgogne, de l'Auvergne et du Limousin.

Les migrations contribuent à la baisse et au vieillissement de la population

Chaque année, sur la période 1999-2006, pendant que la région perd près d'un habitant sur mille, elle gagne neuf résidences principales pour mille présentes. La baisse de la taille moyenne des ménages, favorisée par les phénomènes de décohabitation et le vieillissement de la population, concourt à ce résultat. Au 1er janvier 2006, la Champagne-Ardenne compte 648 200 logements, soit 34 300 logements de plus qu'en 1999. Entre 1999 et 2006, la progression du nombre de logements a été plus importante qu'au cours des années 1990, tout en restant de moindre ampleur qu'au niveau national.

La Champagne-Ardenne peine davantage à retenir ses propres habitants qu'à attirer de nouvelles populations. Entre 2001 et 2006, la région a accueilli 76 200 nouveaux habitants alors que 104 600 l'ont quittée. Elle fait partie des régions de France métropolitaine, toutes situées au nord du pays, où les arrivées de nouveaux résidents sur le territoire ne compensent pas les départs. En perdant chaque année 4,5 habitants pour 1 000 présents, la Champagne-Ardenne est la deuxième région la plus déficitaire de France, après l'Île-de-France. Les migrations interrégionales très déficitaires pour les plus jeunes et au contraire quasi inexistantes pour les plus de 75 ans, contribuent largement à accélérer le vieillissement de la population champardennaise. Avec des habitants âgés en moyenne de 39,4 ans en 2006, la Champagne-Ardenne est désormais légèrement plus âgée que le niveau national.

L'agriculture et l'agroalimentaire, moteurs de l'économie régionale

Fin 2007, 528 000 Champardennais occupent un emploi dont 10 % un emploi non salarié. Malgré la baisse de l'emploi industriel, la Champagne-Ardenne demeure une région très industrialisée. L'industrie représente 18,8 % de l'emploi total alors que la moyenne métropolitaine s'élève à 15,4 %. Avec ses 34 700 emplois, l'agriculture maintient sa part dans l'emploi total à 7 % contre 3 % pour la France métropolitaine. L'importance et la nature des productions agricoles (viticulture notamment) ont favorisé l'implantation d'industries agroalimentaires. À ce titre, la Champagne-Ardenne associée à la Picardie accueille le pôle de compétitivité à vocation mondiale «industries et agro-ressources».

Néanmoins, avec 359 000 emplois, le secteur tertiaire constitue le premier employeur régional. Il représente 68 % de l'emploi total en Champagne-Ardenne, contre 75 % au niveau national La moindre présence du secteur tertiaire pénalise la création d'entreprise et d'emplois dans la région. Les évolutions démographiques moins favorables peuvent également être à l'origine d'un moindre développement du secteur des services. Le taux de chômage de Champagne-Ardenne se situe structurellement au-dessus du taux national. En raison des difficultés du secteur industriel et du moindre niveau de formation des jeunes champardennais, la part des hommes âgés de moins de 25 ans, parmi les demandeurs d'emploi inscrits à pôle emploi, est plus élevée qu'au niveau national. ■

1. Repères

Population au 01/01/2009 - Estimation (milliers)	1 336,0	Part dans le PIB France (%)	1,9
Part dans la population française (%)	2,1	Revenu disponible brut 2006 (euros/habitant)	17 603
Densité de population (hab./km²)	52,2	Revenu médian par unité de consommation 2007 (euros/uc)	16 607
Taux de variation annuel moyen de la pop. depuis 1999 (%)	-0,1	Taux de pauvreté (%)	14,5
Emplois au lieu de travail au 31/12/2008 (milliers)	536,4	Allocataires du RMI au 31/12/2008 (milliers)	21,2
Taux de chômage au dernier trimestre 2009 (%)	10,0	Nombre de zones urbaines sensibles (ZUS)	31
Produit intérieur brut 2008 (milliards d'euros)	37,1	Part de la population régionale en ZUS (%)	9,8

Source : Insee.

2. Zonage en aires urbaines et en aires d'emploi de l'espace rural (ZAUER)

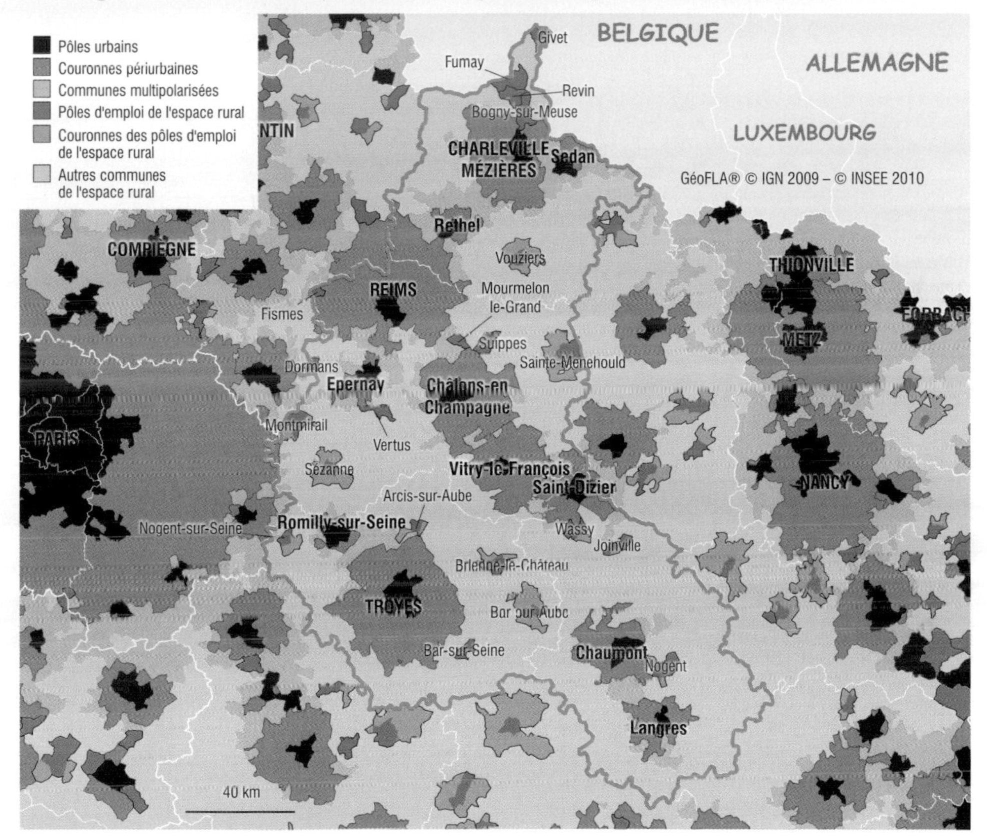

3. Les trois plus grandes agglomérations

	Effectifs	Part dans la population régionale (%)	Évolution annuelle moyenne 1999-2006 (%)
Population en 2006			
Reims	212 022	15,8	– 0,2
Troyes	131 039	9,8	0,2
Charleville-Mézières	61 881	4,6	– 0,9

	Effectifs	Part dans l'emploi régional (%)	Variation entre 1999 et 2006 de la part dans l'emploi régional (%)
Emploi en 2006			
Reims	108 590	19,9	1,0
Troyes	66 473	12,2	0,5
Charleville-Mézières	35 808	6,6	0,0

Source : Insee - RP 2006.

1.7 Champagne-Ardenne

4. La valeur ajoutée brute régionale en 2008

	Part des branches (%)		Part dans la branche nationale (%)	
	en 2000	en 2008	en 2000	en 2008
Agriculture	0,2	0,2	1,9	2,2
Industrie	13,0	9,6	20,8	19,7
Construction	3,5	4,2	19,5	17,7
Services principalement marchands	66,9	70,4	36,0	35,6
Services administratifs	16,5	15,7	22,1	20,7
Ensemble	**100,0**	**100,0**	**28,5**	**28,3**

Source : Insee - Comptes régionaux en base 2000.

5. Population

Départements	Population au 01/01/2008 (milliers)	Taux d'évolution annuel moyen 1999-2008 (%)			Part des moins de 25 ans (%)	Part des plus de 65 ans (%)	Projection de population au 01/01/2030 (milliers)
		total	dû au solde naturel	dû au solde apparent des entrées-sorties			
08 Ardennes	284,0	– 0,2	0,3	– 0,5	30,9	16,0	257
10 Aube	302,0	0,4	0,2	0,2	30,4	16,7	304
51 Marne	566,0	0,0	0,4	– 0,4	32,5	14,5	548
52 Haute-Marne	186,5	– 0,5	0,1	– 0,6	28,7	18,5	152
Champagne-Ardenne	**1 338,5**	**0,0**	**0,3**	**– 0,3**	**31,2**	**15,9**	**1 261**

Source : Insee - Estimations de population.

6. Emploi-chômage

Départements	Emploi au 31 décembre 2008				Variation annuelle moyenne de l'emploi 99-08 (%)	Chômage au 31 décembre 2009		
	Effectifs au lieu de travail (milliers)	dont primaire (%)	dont secondaire (%)	dont tertiaire (%)		Taux de chômage au 4e trim. 2009 (%)	Demandeurs d'emploi (Pôle Emploi)	
							Cat. A de moins de 25 ans (%)	Cat. A, B, C depuis plus d'un an (%)
08 Ardennes	97,2	4,4	30,1	65,5	– 0,29	12,5	22,1	39,6
10 Aube	117,5	5,8	26,3	67,9	– 0,12	9,9	19,9	31,0
51 Marne	249,0	6,6	21,0	72,4	– 0,13	8,9	21,9	32,9
52 Haute-Marne	72,8	4,7	27,9	67,4	– 0,49	9,9	22,4	34,1
Champagne-Ardenne	536,4	5,7	24,8	69,5	– 0,21	10,0	21,6	34,2

Sources : Insee - Estimations d'emploi et taux de chômage localisés, Pôle Emploi - DEFM..

7. Le logement des ménages

Départements	Part des ménages (%)		Nombre moyen de		Part des ménages comptant (%)			
	propriétaires de leur résidence principale	habitant une maison	pièces par logement	pièces par personne	une personne seule	deux personnes	3 ou 4 personnes	5 personnes ou plus
08 Ardennes	58,7	69,4	4,4	1,9	30,9	33,6	28,3	7,3
10 Aube	57,9	65,4	4,1	1,8	33,5	34,1	26,3	6,1
51 Marne	50,3	55,6	4,2	1,8	34,1	32,7	27,0	6,2
52 Haute-Marne	63,0	72,7	4,4	1,9	33,0	34,9	26,0	6,0
Champagne-Ardenne	**55,6**	**63,1**	**4,3**	**1,9**	**33,1**	**33,5**	**27,0**	**6,4**

Source : Insee - RP 2006.

8. Revenus fiscaux des ménages en 2007

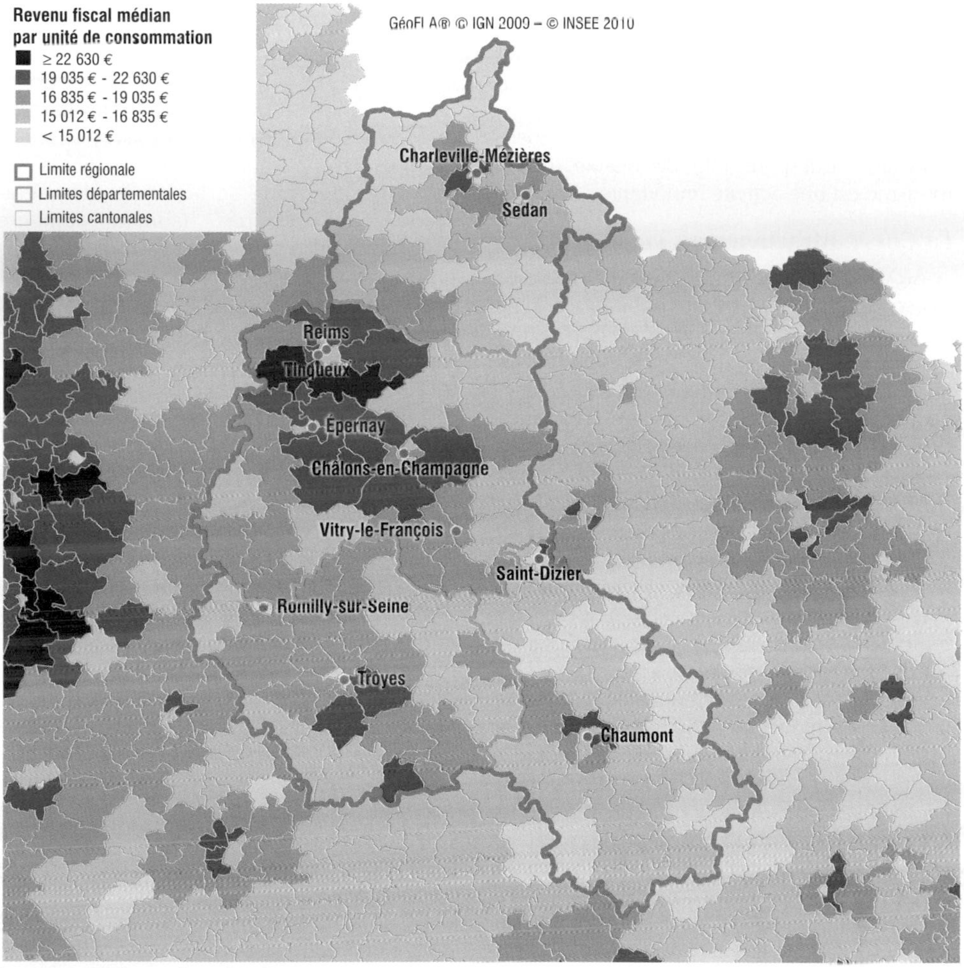
Revenu fiscal médian
par unité de consommation
≥ 22 630 €
19 035 € - 22 630 €
16 835 € - 19 035 €
15 012 € - 16 835 €
< 15 012 €
Limite régionale
Limites départementales
Limites cantonales
GéoFLA® © IGN 2009 – © INSEE 2010
Charleville-Mézières
Sedan
Reims
Tinqueux
Épernay
Châlons-en-Champagne
Vitry-le-François
Saint-Dizier
Romilly-sur-Seine
Troyes
Chaumont

Source : Insee-DGI, Revenus fiscaux des ménages.

9. Les dix principaux secteurs d'activité au 31 décembre 2008[1]

en %

Secteur d'activité[2]	Poids du secteur dans l'emploi salarié		Taux de variation annuel moyen de l'emploi salarié 2003-2008		Poids des effectifs salariés des 10 plus grands établissements[3]	
	Région	France	Région	France	Région	Moyenne France
Commerce ; réparation d'automobiles et de motocycles	12,3	12,6	– 0,3	0,4	7,3	4,3
Fabrication d'autres produits industriels	11,7	7,0	– 3,1	– 2,7	15,0	11,2
Activités scientif. et techn. ; services adm. et de soutien	8,1	11,7	– 0,7	1,4	11,7	7,2
Construction	6,1	6,2	2,2	3,1	5,8	4,7
Transports et entreposage	5,5	5,7	– 1,1	0,1	17,7	17,5
Autres activités de services	4,7	5,8	1,4	2,2	8,4	9,3
Fabric. denrées alim., boissons et prod. à base tabac	3,6	2,3	– 1,0	– 1,2	25,7	18,1
Hébergement et restauration	2,8	3,7	0,9	1,6	6,5	4,7
Activités financières et d'assurance	2,4	3,4	0,0	1,3	21,4	16,4
Fabrication d'equipements electriques, electroniques, informatiques ; fabrication de machines	2,0	2,1	– 2,4	– 1,5	37,5	27,9

1. Hors secteurs principalement non marchands. - 2. Les secteurs d'activité sont décrits en A17, nomenclature agrégée associée à la NAF révision 2. - 3. Au 31.12.2007, hors Défense et intérim.
Source : Insee - Estimations d'emploi localisé, Clap

1.8 Corse

Véritable « montagne dans la mer », la Corse est située au cœur du golfe de Gênes. Insularité et relief montagneux lui confèrent un certain isolement, atténué par sept ports et quatre aéroports internationaux. Cette géographie particulière constitue cependant un atout pour l'Île de Beauté, où le tourisme est une activité importante.

La Corse attractive mais vieillissante

Au 1er janvier 2006, la population de la Corse atteint 294 118 habitants. Avec 34 habitants au km², la densité de population demeure la plus faible de France métropolitaine. L'île figure parmi les régions françaises ayant connu la plus forte croissance démographique depuis 1999 (1,8 % par an contre 0,7 % au niveau national). Cette évolution provient exclusivement des flux migratoires. À l'exception des jeunes de 20 à 29 ans, qui quittent la région pour poursuivre leurs études ou rechercher un premier emploi, le solde migratoire est positif à toutes les tranches d'âge. En revanche, le solde naturel est quasiment nul en Corse depuis trente ans, principalement en raison d'une fécondité plus faible qu'en moyenne nationale.

Comme partout ailleurs sur le continent, la population corse a vieilli depuis 1999, mais le vieillissement démographique y est plus important qu'au niveau national. Désormais, un habitant sur quatre a plus de 60 ans contre un sur cinq en France métropolitaine. La présence des retraités s'est ainsi renforcée dans la région. Mais la population active a également progressé. Malgré cette hausse, la proportion d'actifs en Corse reste en deçà du taux national. En lien avec le paysage économique, les actifs insulaires se distinguent par le poids de non salariés plus important qu'en moyenne nationale, reflétant ainsi la prédominance de chefs d'entreprise individuelle. Ils se caractérisent également par la prépondérance des employés et, à l'inverse, la faible présence de cadres.

La construction et le tourisme dynamisent l'économie

Avec une progression moyenne du Produit intérieur brut (PIB) de 3,1 % par an, la croissance économique a été la plus rapide de toutes les régions métropolitaines sur ces dix dernières années. Dans un contexte de forte croissance démographique, le PIB par habitant demeure néanmoins plus faible que la moyenne des régions françaises de province. La croissance économique a vivement stimulé l'emploi, qui a augmenté au cours des dernières années plus rapidement que dans toute autre région.

En 2008 toutefois, l'économie insulaire n'a pas échappé à la dégradation conjoncturelle. L'activité a nettement ralenti en cours d'année. Cependant, contrairement à la plupart des régions continentales, l'économie corse n'est pas entrée en récession. Essentiellement tertiaire, elle est en effet moins sensible aux fluctuations de la conjoncture internationale. Ainsi, l'emploi, en recul au niveau national, a poursuivi sa croissance en Corse, mais plus modestement. Dans ce contexte, le chômage est en hausse depuis fin 2008, mais son évolution est plus faible qu'au niveau national. L'économie insulaire a pu compter en 2008 sur la vigueur de la construction et sur les résultats favorables du tourisme, ses deux moteurs traditionnels.

La construction pèse plus en Corse que dans toute autre région française. Elle représente 11 % de la valeur ajoutée totale. Les activités liées au tourisme, quant à elles, contribuent largement à la prépondérance du secteur tertiaire. De plus, les services administrés sont surreprésentés. À l'inverse, le tissu industriel est très réduit et reste concentré dans la transformation des produits agroalimentaires. Le poids de l'industrie n'est que de 6 % de la valeur ajoutée, soit 2 fois moins que la moyenne nationale. ■

1. Repères

Population au 01/01/2009 - Estimation (milliers)	307,0
Part dans la population française (%)	0,5
Densité de population (hab./km²)	35,4
Taux de variation annuel moyen de la pop. depuis 1999 (%)	1,7
Emplois au lieu de travail au 31/12/2008 (milliers)	100,7
Taux de chômage au dernier trimestre 2009 (%)	9,4
Produit intérieur brut 2008 (milliards d'euros)	7,3

Part dans le PIB France (%)	0,4
Revenu disponible brut 2006 (euros/habitant)	16 899
Revenu médian par unité de consommation 2007 (euros/uc)	15 606
Taux de pauvreté (%)	20,4
Allocataires du RMI au 31/12/2008 (milliers)	4,9
Nombre de zones urbaines sensibles (ZUS)	5
Part de la population régionale en ZUS (%)	10,2

Source : Insee.

2. Zonage en aires urbaines et en aires d'emploi de l'espace rural (ZAUER)

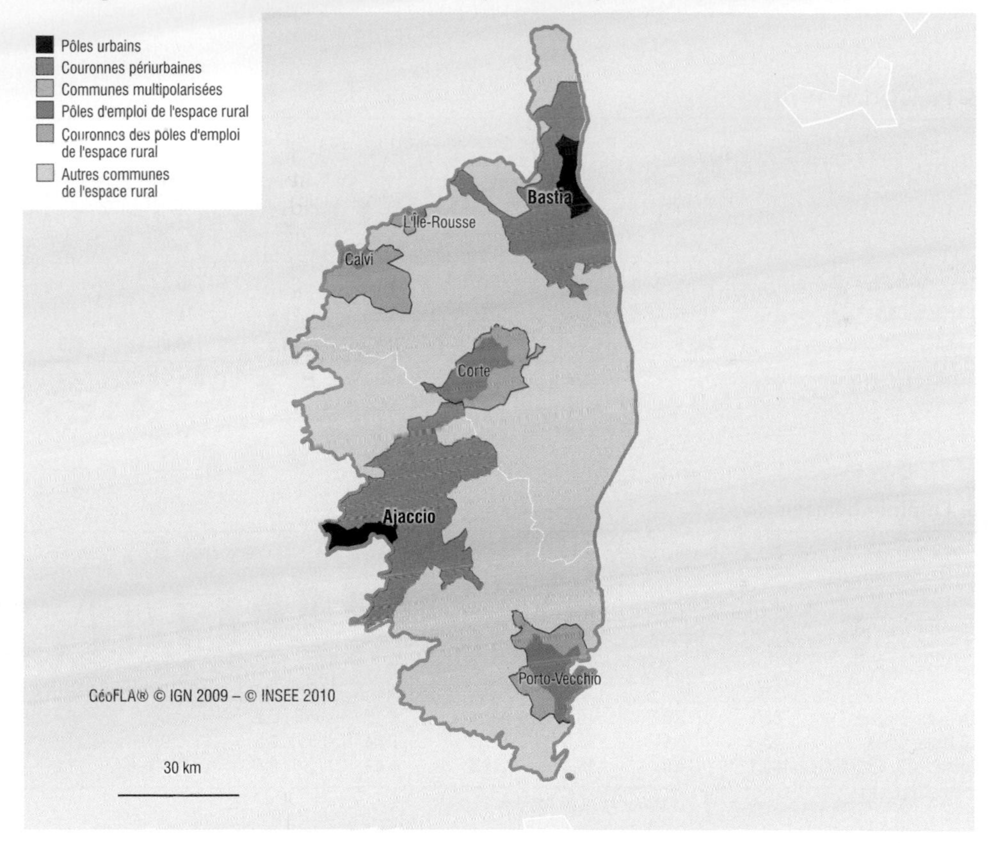

3. Les trois plus grandes agglomérations

	Effectifs	Part dans la population régionale (%)	Évolution annuelle moyenne 1999-2006 (%)
Population en 2006			
Ajaccio	63 723	21,7	2,7
Bastia	61 927	21,1	2,0
Borgo	10 660	3,6	2,8

	Effectifs	Part dans l'emploi régional (%)	Variation entre 1999 et 2006 de la part dans l'emploi régional (%)
Emploi en 2006			
Ajaccio	31 811	28,7	0,9
Bastia	27 578	24,9	0,6
Borgo	5 433	4,9	0,3

Source : Insee - RP 2006.

4. La valeur ajoutée brute régionale en 2008

	Part des branches (%)		Part dans la branche nationale (%)	
	en 2000	en 2008	en 2000	en 2008
Agriculture	2,7	1,5	0,3	0,3
Industrie	6,4	5,9	0,1	0,2
Construction	6,6	11,1	0,4	0,6
Services principalement marchands	51,2	52,5	0,3	0,4
Services administratifs	33,1	28,9	0,5	0,5
Ensemble	**100,0**	**100,0**	**0,3**	**0,4**

Source : Insee - Comptes régionaux en base 2000.

5. Population

Départements	Population au 01/01/2008	Taux d'évolution annuel moyen 1999-2008 (%)			Part des moins de 25 ans	Part des plus de 65 ans	Projection de population au 01/01/2030
		total	dû au solde naturel	dû au solde apparent des entrées-sorties			
	(milliers)				(%)	(%)	(milliers)
2A Corse-du-Sud	141,5	2,0	0,0	2,0	26,1	19,4	...
2B Haute-Corse	161,5	1,5	0,0	1,5	26,8	18,6	...
Corse	**303,0**	**1,7**	**0,0**	**1,7**	**26,5**	**19,0**	**308**

Source : Insee - Estimations de population.

6. Emploi-chômage

Départements	Emploi au 31 décembre 2008				Variation annuelle moyenne de l'emploi 99-08	Chômage au 31 décembre 2009		
	Effectifs au lieu de travail	dont primaire	dont secondaire	dont tertiaire		Taux de chômage au 4e trim. 2009	Demandeurs d'emploi (Pôle Emploi)	
							de moins de 25 ans (%)	depuis plus d'un an (%)
	(milliers)	(%)	(%)	(%)	(%)	(%)		
2A Corse-du-Sud	52,1	2,5	16,4	81,1	0,15	9,2	20,3	16,8
2B Haute-Corse	48,6	5,6	16,5	77,9	0,04	9,5	19,1	17,7
Corse	**100,7**	**4,0**	**16,4**	**79,6**	**0,09**	**9,4**	**19,7**	**17,2**

Sources : Insee - Estimations d'emploi et taux de chômage localisés, Pôle Emploi - DEFM.

7. Le logement des ménages

Départements	Part des ménages (%)		Nombre moyen de		Part des ménages comptant (%)			
	propriétaires de leur résidence principale	habitant une maison	pièces par logement	pièces par personne	une personne seule	deux personnes	3 ou 4 personne	5 personnes ou plus
2A Corse-du-Sud	55,4	43,4	3,8	1,6	28,3	34,7	31,5	5,5
2B Haute-Corse	54,6	49,0	3,9	1,7	30,2	33,2	31,0	5,6
Corse	**55,0**	**46,4**	**3,8**	**1,6**	**29,3**	**33,9**	**31,2**	**5,6**

Source : Insee - RP 2006.

8. Revenus fiscaux des ménages en 2007

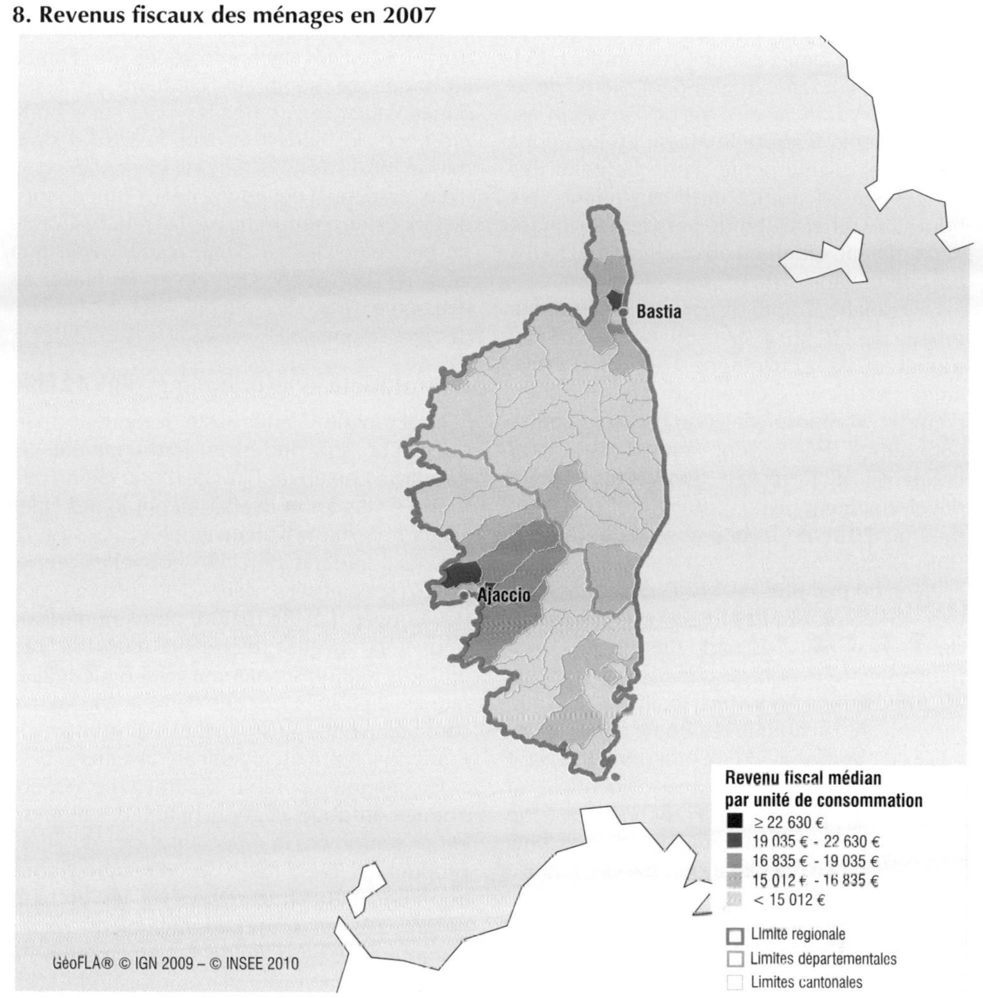

Source : Insee-DGI, Revenus fiscaux des ménages.

9. Les dix principaux secteurs d'activité au 31 décembre 2008[1]

en %

Secteur d'activité[2]	Poids du secteur dans l'emploi salarié		Taux de variation annuel moyen de l'emploi salarié 2003-2008		Poids des effectifs salariés des 10 plus grands établissements[3]	
	Région	France	Région	France	Région	Moyenne France
Commerce ; réparation d'automobiles et de motocycles	15,2	12,6	1,2	0,4	12,5	4,3
Construction	10,9	6,2	6,1	3,1	6,9	4,7
Activités scientif. et techn. ; services adm. et de soutien	7,8	11,7	3,2	1,4	14,2	7,2
Transports et entreposage	6,6	5,7	1,8	0,1	31,4	17,5
Autres activités de services	5,7	5,8	3,7	2,2	19,2	9,3
Hébergement et restauration	4,8	3,7	2,2	1,6	7,7	4,7
Fabric. denrées alim., boissons et prod. à base tabac	2,1	2,3	0,6	– 1,2	16,9	18,1
Activités financières et d'assurance	2,1	3,4	3,6	1,3	24,2	16,4
Fabrication d'autres produits industriels	1,8	7,0	2,2	– 2,7	20,1	11,2
Indus. extract., énergie, eau, gest. déchets, dépollution	1,6	1,5	– 0,8	0,2	52,7	21,2

1. Hors secteurs principalement non marchands. - 2. Les secteurs d'activité sont décrits en A17, nomenclature agrégée associée à la NAF révision 2. - 3. Au 31.12.2007, hors Défense et intérim.
Source : Insee - Estimations d'emploi localisé, Clap

1.9 Franche-Comté

Située au cœur de l'Europe élargie, la Franche-Comté, est une région de 1,151 million d'habitants, regroupant 1,8 % de la population française. L'est de la région est montagneux. Il abrite le massif du Jura pour l'essentiel et une petite partie de celui des Vosges sur sa pointe nord. En allant vers l'ouest, le relief s'atténue par étages formant deux plateaux menant aux vallées du Doubs puis de la Saône.

La Franche-Comté dispose d'une frontière longue de 230 km avec la Suisse. Son réseau routier est assez développé. Des routes nationales maillent l'ensemble du territoire comtois composé de nombreuses petites communes (95 % ont moins de 2 000 habitants). Son réseau ferré est en plein développement avec l'ouverture programmée en 2011 de la branche est de la LGV Rhin-Rhône.

Avec un peu plus de 117 000 habitants, la capitale comtoise, Besançon, est la 30e ville de France. Mis à part Belfort (50 900 habitants), la région ne compte pas d'autres agglomérations pouvant pallier la taille modeste de la capitale régionale et permettre à la Franche-Comté d'être plus attractive, tant sur le plan économique que résidentiel. Au jeu des migrations, la Franche-Comté ne gagne pas d'habitants, mais n'en perd plus non plus. La population franc-comtoise augmente grâce à son excédent naturel.

Une région très orientée vers les secteurs de l'industrie

Sur le plan économique, le secteur industriel produit le cinquième du Produit intérieur brut (PIB) régional. La Franche-Comté compte sur son sol quelques grands fleurons de l'industrie française comme *Peugeot SA* et *Alstom*. La présence de ces établissements et sa spécialisation industrielle lui valent de bénéficier de trois pôles de compétitivité (microtechniques, véhicules du futur et plasturgie), dont deux sont partagés avec des régions voisines. Le taux de survie des entreprises de la région, cinq ans après leur création, est plus élevé que la moyenne française, et son taux de chômage, jusqu'à l'arrivée de la crise, était inférieur depuis plus de vingt ans au taux national. Sur le plan de la formation, la Franche-Comté compte une des trois universités technologiques de France ainsi que de nombreux étudiants en école d'ingénieurs, en synergie avec une forte présence de l'industrie dans le tissu économique local.

En matière d'environnement, l'importance de l'industrie n'empêche pas la Franche-Comté de présenter l'image d'une région verte. Son taux de boisement de 44 % la place au deuxième rang des régions métropolitaines, derrière l'Aquitaine.

Une attractivité économique plutôt faible

La Franche-Comté reste fortement marquée par son industrie traditionnelle, et renvoie à l'extérieur l'image d'une région peu tournée vers les nouvelles technologies et les secteurs à haute valeur ajoutée. Par conséquent, l'implantation de nouvelles entreprises spécialisées dans des secteurs peu développés dans la région, pouvant offrir de nouveaux postes d'encadrement et des emplois tertiaires supérieurs, est difficile. Les jeunes diplômés entrant dans la vie active sont souvent plus enclins à quitter la Franche-Comté qu'à venir s'y installer.

Ce manque durable d'attractivité économique contribue à figer la nature des emplois et à renforcer la spécialisation du tissu productif. De fait, la Franche-Comté continue d'être une région où les emplois tertiaires sont proportionnellement moins nombreux (67 %) qu'en France métropolitaine (75 %) au profit des emplois industriels (23 % contre 15 % au niveau national) même si son économie continue de se tertiariser très largement. Ainsi, entre 1997 et 2007, les emplois tertiaires ont progressé de 19 %, essentiellement au détriment des emplois industriels (– 15 %).

Cette spécialisation fragilise l'emploi dans la mesure où les difficultés actuelles de l'industrie affectent l'ensemble de l'économie régionale Cette sensibilité aux aléas économiques résulte à la fois du poids plus important de l'industrie et de la concentration de l'activité dans une poignée de secteurs, en particulier, celui de l'automobile qui regroupe plus d'un quart de l'emploi industriel salarié régional. ■

1. Repères

Population au 01/01/2009 - Estimation (milliers)	1 168,0	Part dans le PIB France (%)	1,5
Part dans la population française (%)	1,8	Revenu disponible brut 2006 (euros/habitant)	17 924
Densité de population (hab./km²)	72,1	Revenu médian par unité de consommation 2007 (euros/uc)	17 084
Taux de variation annuel moyen de la pop. depuis 1999 (%)	0,4	Taux de pauvreté (%)	12,5
Emplois au lieu de travail au 31/12/2008 (milliers)	447,4	Allocataires du RMI au 31/12/2008 (milliers)	14,3
Taux de chômage au dernier trimestre 2009 (%)	10,0	Nombre de zones urbaines sensibles (ZUS)	23
Produit intérieur brut 2008 (milliards d'euros)	29,0	Part de la population régionale en ZUS (%)	6,8

Source : Insee.

2. Zonage en aires urbaines et en aires d'emploi de l'espace rural (ZAUER)

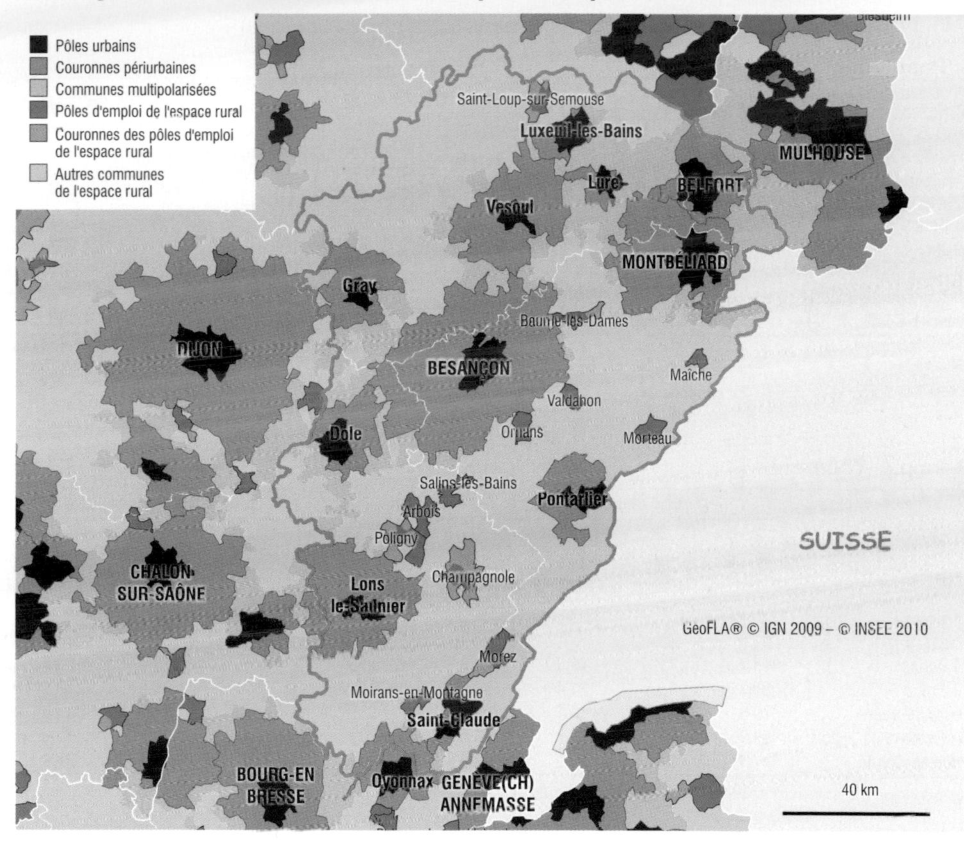

3. Les trois plus grandes agglomérations

	Effectifs	Part dans la population régionale (%)	Évolution annuelle moyenne 1999-2006 (%)
Population en 2006			
Besançon	134 952	11,7	0,1
Montbéliard	109 118	9,5	– 0,5
Belfort	82 633	7,2	0,2

	Effectifs	Part dans l'emploi régional (%)	Variation entre 1999 et 2006 de la part dans l'emploi régional (%)
Emploi en 2006			
Besançon	80 436	17,5	0,7
Montbéliard	60 796	13,2	– 0,8
Belfort	38 204	8,3	– 0,4

Source : Insee - RP 2006.

4. La valeur ajoutée brute régionale en 2008

	Part des branches (%)		Part dans la branche nationale (%)	
	en 2000	en 2008	en 2000	en 2008
Agriculture	3,2	2,9	1,8	2,2
Industrie	28,8	20,5	2,7	2,2
Construction	5,4	7,4	1,7	1,7
Services principalement marchands	40,3	45,0	1,2	1,2
Services administratifs	22,4	24,2	1,7	1,7
Ensemble	**100,0**	**100,0**	**1,6**	**1,5**

Source : Insee - Comptes régionaux en base 2000.

5. Population

Départements	Population au 01/01/2008 (milliers)	Taux d'évolution annuel moyen 1999-2008 (%)			Part des moins de 25 ans (%)	Part des plus de 65 ans (%)	Projection de population au 01/01/2030 (milliers)
		total	dû au solde naturel	dû au solde apparent des entrées-sorties			
25 Doubs	522,5	0,5	0,5	0,0	32,5	14,8	544
39 Jura	259,5	0,4	0,2	0,2	29,2	18,1	260
70 Haute-Saône	238,0	0,4	0,2	0,2	29,3	17,0	241
90 Territoire-de-Belfort	143,0	0,4	0,5	– 0,1	31,8	14,6	144
Franche-Comté	**1 163,0**	**0,4**	**0,4**	**0,0**	**31,0**	**16,0**	**1 189**

Source : Insee - Estimations de population.

6. Emploi-chômage

Départements	Emploi au 31 décembre 2008				Variation annuelle moyenne de l'emploi 99-08 (%)	Chômage au 31 décembre 2009		
	Effectifs au lieu de travail (milliers)	dont primaire (%)	dont secondaire (%)	dont tertiaire (%)		Taux de chômage au 4e trim. 2009 (%)	Demandeurs d'emploi (Pôle Emploi) Cat. A de moins de 25 ans (%)	Demandeurs d'emploi (Pôle Emploi) Cat. A, B, C depuis plus d'un an (%)
25 Doubs	215,7	2,2	29,0	68,8	– 0,23	10,4	19,3	33,7
39 Jura	95,2	4,1	31,4	64,5	– 0,32	8,9	19,5	32,6
70 Haute-Saône	79,6	4,8	30,1	65,2	– 0,19	9,7	21,5	35,3
90 Territoire-de-Belfort	56,9	0,7	25,7	73,7	0,04	10,8	19,6	35,1
Franche-Comté	**447,4**	**2,9**	**29,3**	**67,9**	**– 0,21**	**10,0**	**19,8**	**34,0**

Sources : Insee - Estimations d'emploi et taux de chômage localisés, Pôle Emploi - DEFM.

7. Le logement des ménages

Départements	Part des ménages (%)		Nombre moyen de		Part des ménages comptant (%)			
	propriétaires de leur résidence principale	habitant une maison	pièces par logement	pièces par personne	une personne seule	deux personnes	3 ou 4 personnes	5 personnes ou plus
25 Doubs	57,2	51,4	4,2	1,8	34,1	32,5	26,8	6,7
39 Jura	63,6	64,4	4,4	1,9	33,0	34,5	26,4	6,1
70 Haute-Saône	67,2	75,3	4,6	2,0	29,9	35,3	28,1	6,7
90 Territoire-de-Belfort	52,1	47,0	4,1	1,8	34,2	32,5	26,7	6,6
Franche-Comté	**60,0**	**58,6**	**4,3**	**1,9**	**33,0**	**33,5**	**26,9**	**6,6**

Source : Insee - RP 2006.

8. Revenus fiscaux des ménages en 2007

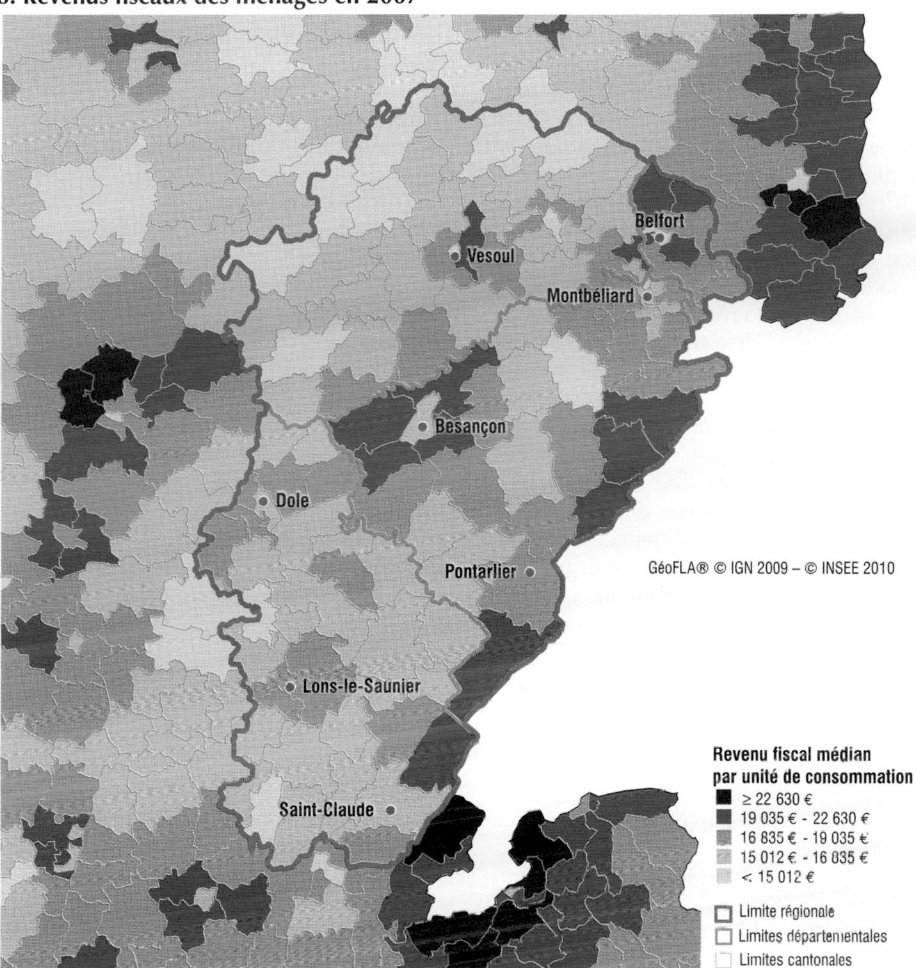

Source : Insee-DGI, Revenus fiscaux des ménages.

9. Les dix principaux secteurs d'activité au 31 décembre 2008[1]

en %

Secteur d'activité[2]	Poids du secteur dans l'emploi salarié		Taux de variation annuel moyen de l'emploi salarié 2003-2008		Poids des effectifs salariés des 10 plus grands établissements[3]	
	Région	France	Région	France	Région	Moyenne France
Fabrication d'autres produits industriels	11,6	7,0	– 2,6	– 2,7	11,7	11,2
Commerce ; réparation d'automobiles et de motocycles	11,4	12,6	0,3	0,4	6,8	4,3
Activités scientif. et techn. ; services adm. et de soutien	7,9	11,7	– 1,0	1,4	13,9	7,2
Construction	6,0	6,2	2,4	3,1	4,8	4,7
Fabrication de matériels de transport	5,7	1,6	– 3,6	– 1,8	85,9	68,6
Autres activités de services	5,1	5,8	1,1	2,2	10,6	9,3
Transports et entreposage	4,5	5,7	– 1,2	0,1	16,9	17,5
Fabrication d'equipements electriques, electroniques, informatiques ; fabrication de machines	3,2	2,1	– 3,3	– 1,5	38,5	27,9
Fabric. denrées alim., boissons et prod. à base tabac	2,6	2,3	– 1,2	– 1,2	24,0	18,1
Hébergement et restauration	2,5	3,7	0,3	1,6	6,4	4,7

1. Hors secteurs principalement non marchands. - 2. Les secteurs d'activité sont décrits en A17, nomenclature agrégée associée à la NAF révision 2. - 3. Au 31.12.2007, hors Défense et intérim.

Source : Insee - Estimations d'emploi localisé, Clap.

1.10 Île-de-France

L'Île-de-France partage avec d'autres grandes métropoles internationales certaines caractéristiques démographiques : forte natalité, déficit des échanges migratoires avec d'autres régions et grande attractivité pour les étrangers. Début 2007, la région compte 11,6 millions d'habitants et regroupe 18,5 % de la population métropolitaine. Depuis le recensement de 1999, la population francilienne a augmenté de 0,7 % par an. Cette croissance provient uniquement du dynamisme naturel de la région, lié à la jeunesse de la population. L'excédent des naissances sur les décès, d'environ 100 000 par an, correspond à une croissance démographique de 0,9 % par an. L'augmentation de la population est cependant limitée par le déficit des échanges migratoires de l'Île-de-France avec les autres régions. L'arrivée de jeunes et le départ des plus âgés contribuent cependant à entretenir la jeunesse relative de la population francilienne : un habitant sur quatre a moins de 20 ans et un sur six, seulement, 60 ans ou plus. Cette part des plus âgés est la plus faible de France métropolitaine. La proportion de familles monoparentales et de personnes seules est plus élevée qu'en province. Moins de la moitié des ménages (48,5 %) est propriétaire de son logement contre 57 % pour l'ensemble de la France métropolitaine.

Une des régions les plus attractives de l'Union européenne

Deuxième plate-forme aéroportuaire d'Europe et deuxième plate-forme fluviale d'Europe, dotée d'infrastructures ferroviaires à grande vitesse qui la relient aux grandes capitales européennes, l'Île-de France est située au carrefour des échanges européens et mondiaux. Elle est la première région économique française et l'une des premières au niveau européen. L'Île-de-France contribue pour 28,7 % au Produit intérieur brut métropolitain en 2007, grâce en particulier à la présence de nombreuses entreprises multinationales et une forte densité de sièges sociaux : un tiers des 500 plus grands groupes mondiaux possèdent un siège en Île-de-France. La région compte 7 des 71 pôles de compétitivité labellisés en France, dont 3 des 7 pôles mondiaux. Fortement attractive, l'Île-de-France est la deuxième région en Europe et la première en France en matière d'accueil des investissements étrangers. Elle est la première destination touristique au monde et l'une des capitales mondiales des salons et congrès professionnels.

Parmi les premiers bassins d'emploi européens, la région offre environ 5,6 millions d'emplois, salariés pour 94 % d'entre eux. Sa main-d'œuvre est hautement qualifiée : elle comprend 36 % des cadres et près de 37 % du personnel de la recherche publique de la France métropolitaine. Les services marchands sont surreprésentés dans la région, notamment les activités marchandes de conseil et d'assistance, les activités financières et immobilières, ainsi que celle de recherche-développement et les activités culturelles. L'Île-de-France reste la première région industrielle malgré la diminution persistante du nombre d'emplois dans l'industrie.

Des revenus plus élevés en moyenne que dans les autres régions

Après plus de 10 ans d'évolution de l'emploi moins favorable qu'en province, l'emploi francilien a fortement augmenté entre 2004 et 2007. La croissance de l'emploi a été de 1,2 % en moyenne par an contre seulement 0,9 % en province. Le taux de chômage reste plus bas qu'en province, malgré une augmentation sensible depuis la fin 2008.

En Île-de-France, le revenu disponible par habitant est nettement supérieur à celui des autres régions mais les inégalités de niveau de vie sont plus prononcées qu'en province. L'ampleur des disparités s'explique avant tout par la présence de ménages à très hauts revenus. Les revenus fiscaux sont nettement plus élevés à l'ouest et les disparités de revenus sont d'autant plus marquées qu'on se rapproche du centre de l'agglomération parisienne. Un Francilien sur neuf vit dans une zone urbaine sensible (ZUS). L'Île-de-France compte par ailleurs 26 zones franches urbaines (ZFU) parmi les 100 de la métropole. ■

1. Repères

Population au 01/01/2009 - Estimation (milliers)	11 746,0	Part dans le PIB France (%)	28,3
Part dans la population française (%)	18,3	Revenu disponible brut 2006 (euros/habitant)	22 187
Densité de population (hab./km²)	977,8	Revenu médian par unité de consommation 2007 (euros/uc)	20 575
Taux de variation annuel moyen de la pop. depuis 1999 (%)	0,7	Taux de pauvreté (%)	12,2
Emplois au lieu de travail au 31/12/2008 (milliers)	5 942,7	Allocataires du RMI au 31/12/2008 (milliers)	204,0
Taux de chômage au dernier trimestre 2009 (%)	8,4	Nombre de zones urbaines sensibles (ZUS)	157
Produit intérieur brut 2008 (milliards d'euros)	552,7	Part de la population régionale en ZUS (%)	11,0

Source : Insee.

2. Zonage en aires urbaines et en aires d'emploi de l'espace rural (ZAUER)

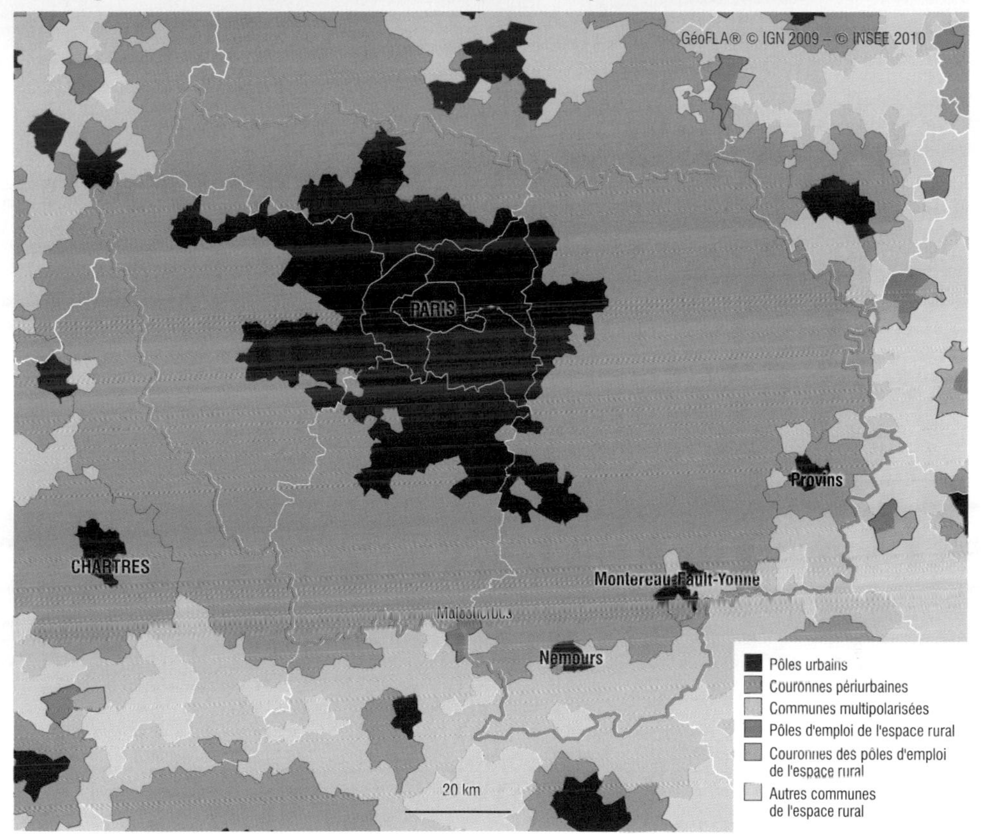

3. Les trois plus grandes agglomérations

	Effectifs	Part dans la population régionale (%)	Évolution annuelle moyenne 1999-2006 (%)
Population en 2006			
Paris	10 142 983	88,0	0,7
Meaux	69 012	0,6	0,2
Fontainebleau	37 259	0,3	0,2

	Effectifs	Part dans l'emploi régional (%)	Variation entre 1999 et 2006 de la part dans l'emploi régional (%)
Emploi en 2006			
Paris	5 101 148	92,5	– 0,1
Meaux	27 311	0,5	0,0
Fontainebleau	15 406	0,3	0,0

Source : Insee - RP 2006.

4. La valeur ajoutée brute régionale en 2008

	Part des branches (%)		Part dans la branche nationale (%)	
	en 2000	en 2008	en 2000	en 2008
Agriculture	0,2	0,2	1,9	2,2
Industrie	13,0	9,6	20,8	19,7
Construction	3,5	4,2	19,5	17,7
Services principalement marchands	66,9	70,4	36,0	35,6
Services administratifs	16,5	15,7	22,1	20,7
Ensemble	**100,0**	**100,0**	**28,5**	**28,3**

Source : Insee - Comptes régionaux en base 2000.

5. Population

Départements	Population au 01/01/2008 (milliers)	Taux d'évolution annuel moyen 1999-2008 (%)			Part des moins de 25 ans (%)	Part des plus de 65 ans (%)	Projection de population au 01/01/2030 (milliers)
		total	dû au solde naturel	dû au solde apparent des entrées-sorties			
75 Paris	2 199,5	0,4	0,7	– 0,3	28,1	13,2	2 079
77 Seine-et-Marne	1 301,5	1,0	0,8	0,2	35,1	10,5	1 564
78 Yvelines	1 409,0	0,4	0,8	– 0,4	33,7	12,1	1 455
91 Essonne	1 209,5	0,7	0,9	– 0,2	34,1	11,7	1 309
92 Hauts-de-Seine	1 557,5	1,0	1,0	0,0	31,7	12,6	1 751
93 Seine-Saint-Denis	1 517,0	1,0	1,2	– 0,2	36,1	10,1	1 605
94 Val-de-Marne	1 311,5	0,7	0,9	– 0,2	32,8	12,3	1 367
95 Val-d'Oise	1 167,0	0,6	1,0	– 0,4	35,8	10,4	1 279
Ile-de-France	**11 672,5**	**0,7**	**0,9**	**– 0,2**	**33,0**	**11,8**	**12 409**

Source : Insee - Estimations de population.

6. Emploi-chômage

Départements	Emploi au 31 décembre 2008				Variation annuelle moyenne de l'emploi 99-08 (%)	Chômage au 31 décembre 2009		
	Effectifs au lieu de travail (milliers)	dont primaire (%)	dont secondaire (%)	dont tertiaire (%)		Taux de chômage au 4e trim. 2009 (%)	Demandeurs d'emploi (Pôle Emploi) Cat. A de moins de 25 ans (%)	Demandeurs d'emploi (Pôle Emploi) Cat. A, B, C depuis plus d'un an (%)
75 Paris	1 858,4	0,1	6,3	93,6	– 0,02	9,1	8,3	40,7
77 Seine-et-Marne	466,3	1,0	19,1	79,9	0,00	7,4	20,5	29,2
78 Yvelines	585,0	0,4	22,2	77,4	0,00	6,9	16,7	30,1
91 Essonne	466,6	0,4	17,8	81,8	0,05	6,8	18,3	27,4
92 Hauts-de-Seine	1 030,2	0,0	14,5	85,5	– 0,13	7,7	11,6	32,8
93 Seine-Saint-Denis	570,0	0,0	16,9	83,1	– 0,01	11,4	15,3	32,4
94 Val-de-Marne	540,7	0,1	14,5	85,4	– 0,01	8,2	15,4	31,1
95 Val-d'Oise	425,5	0,3	16,3	83,4	0,11	9,2	17,8	32,0
Ile-de-France	**5 942,7**	**0,2**	**13,7**	**86,1**	**– 0,02**	**8,4**	**14,5**	**33,3**

Sources : Insee - Estimations d'emploi et taux de chômage localisés, Pôle Emploi - DEFM.

7. Le logement des ménages

Départements	Part des ménages (%)		Nombre moyen de		Part des ménages comptant (%)			
	propriétaires de leur résidence principale	habitant une maison	pièces par logement	pièces par personne	une personne seule	deux personnes	3 ou 4 personnes	5 personnes ou plus
75 Paris	32,8	0,9	2,6	1,4	51,5	27,0	17,4	4
77 Seine-et-Marne	63,1	61,3	4,1	1,6	25,1	30,3	34,9	10
78 Yvelines	58,9	44,0	4,0	1,6	27,4	30,8	32,5	9
91 Essonne	60,6	50,2	4,0	1,6	26,9	30,8	33,5	9
92 Hauts-de-Seine	41,3	12,7	3,1	1,4	38,9	28,5	26,0	7
93 Seine-Saint-Denis	40,9	26,7	3,3	1,3	30,8	27,0	30,6	12
94 Val-de-Marne	45,8	24,1	3,3	1,4	34,3	29,1	29,0	8
95 Val-d'Oise	57,9	47,6	3,9	1,5	26,0	28,6	34,2	11
Ile-de-France	**47,2**	**27,9**	**3,4**	**1,4**	**35,4**	**28,7**	**27,9**	**8**

Source : Insee - RP 2006.

8. Revenus fiscaux des ménages en 2007

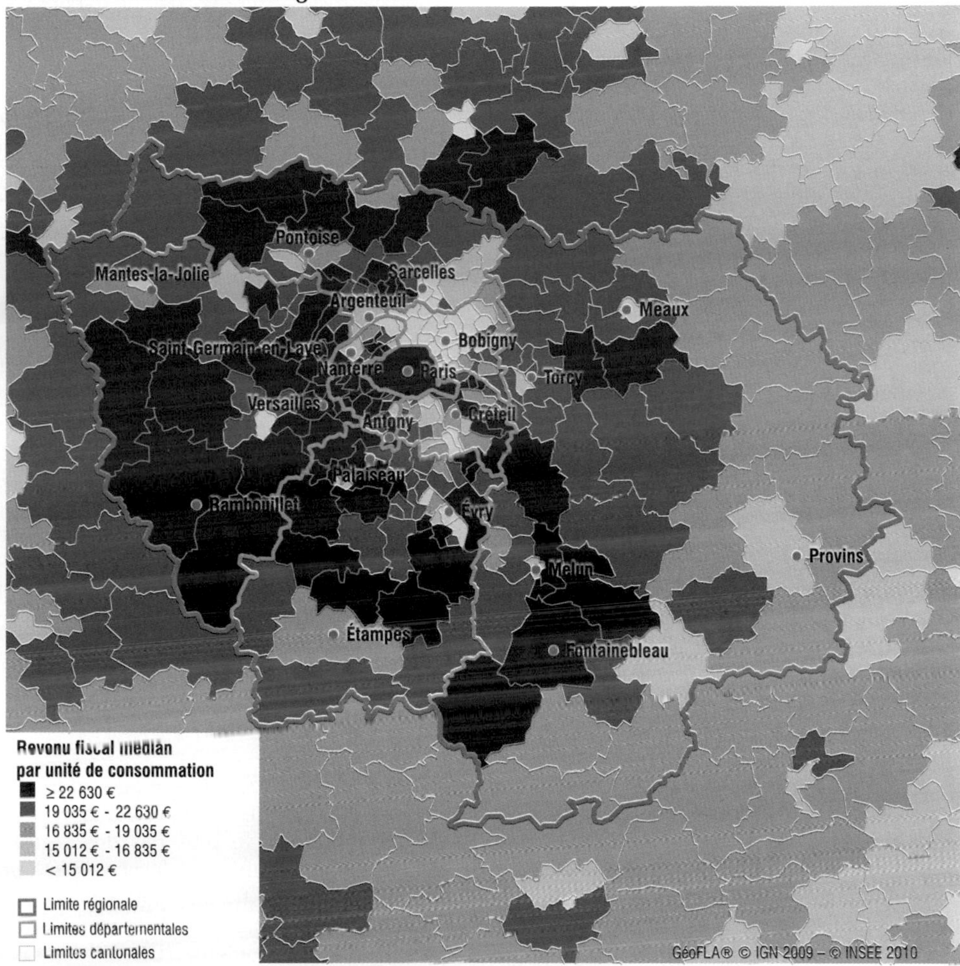

Source : Insee-DGI, Revenus fiscaux des ménages.

9. Les dix principaux secteurs d'activité au 31 décembre 2008[1]

en %

Secteur d'activité[2]	Poids du secteur dans l'emploi salarié		Taux de variation annuel moyen de l'emploi salarié 2003-2008		Poids des effectifs salariés des 10 plus grands établissements[3]	
	Région	France	Région	France	Région	Moyenne France
Activités scientif. et techn. ; services adm. et de soutien	16,8	11,7	1,1	1,4	3,6	7,2
Commerce ; réparation d'automobiles et de motocycles	12,2	12,6	– 0,1	0,4	2,6	4,3
Transports et entreposage	6,6	5,7	0,8	0,1	20,5	17,5
Information et communication	6,6	2,9	1,5	1,6	6,8	14,0
Autres activités de services	6,3	5,8	2,3	2,2	11,6	9,3
Activités financières et d'assurance	5,7	3,4	1,2	1,3	13,6	16,4
Hébergement et restauration	4,7	3,7	1,4	1,6	3,8	4,7
Construction	4,7	6,2	2,3	3,1	4,5	4,7
Fabrication d'autres produits industriels	3,6	7,0	– 4,0	– 2,7	6,6	11,2
Fabrication d'equipements electriques, electroniques, informatiques ; fabrication de machines	1,6	2,1	– 1,5	– 1,5	18,7	27,9

1. Hors secteurs principalement non marchands. - 2. Les secteurs d'activité sont décrits en A17, nomenclature agrégée associée à la NAF révision 2. - 3. Au 31.12.2007, hors Défense et intérim.

Source : Insee - Estimations d'emploi localisé, Clap.

1.11 Languedoc-Roussillon

La croissance démographique du Languedoc-Roussillon est la plus forte de France, après la Corse. Depuis 1999, la région gagne plus de 33 000 habitants chaque année. Le dynamisme démographique est particulièrement sensible sur le littoral et dans les zones sous influence des principales agglomérations, Montpellier, Nîmes et Perpignan.

La forte croissance démographique résulte, pour l'essentiel, de l'attractivité du Languedoc-Roussillon. Les flux migratoires contribuent par ailleurs à ralentir le vieillissement de la population. Les nouveaux arrivants sont moins âgés que les résidents. Même si la population régionale est plus âgée que la moyenne nationale, le solde naturel demeure positif et explique un dixième de l'accroissement de la population.

L'attractivité de la région dynamise la population et l'emploi

L'afflux de population dynamise l'emploi et renforce la vocation résidentielle de l'économie régionale. Le Languedoc-Roussillon se situe au deuxième rang des régions françaises pour la croissance de l'emploi entre 2000 et 2007 (près de 2 % par an contre moins de 1 % pour l'ensemble des régions métropolitaines). La construction, les services aux particuliers, les services publics, les activités associatives et, dans une moindre mesure, le commerce, constituent des piliers spécifiques, et toujours moteurs, de l'emploi régional. Ces secteurs subissent cependant assez fortement les effets de la crise économique actuelle.

Les fortes évolutions annuelles de la population ou de l'emploi ne doivent pas occulter les importants mouvements saisonniers. En effet, l'attractivité touristique s'ajoute à l'attractivité résidentielle. Le Languedoc-Roussillon est à ce titre la deuxième région pour la part des résidences secondaires dans le parc de logements et la première région pour le nombre d'emplacements de camping. Les deux dernières saisons touristiques ont été stables en Languedoc-Roussillon alors que la tendance nationale est à la baisse. La clientèle française a soutenu l'activité alors que la fréquentation étrangère était en recul.

L'appel à la main-d'œuvre saisonnière est également important dans le secteur agricole pour la récolte des fruits et légumes et les vendanges. Le Languedoc-Roussillon possède toujours le premier vignoble français en surface, mais le nombre d'emplois dans l'agriculture diminue notamment en raison de la crise viticole.

Le dynamisme économique de la région se traduit également par le plus fort taux de créations d'entreprises des régions françaises de métropole même s'il s'agit pour l'essentiel de toutes petites unités. Les entreprises continuent à se concentrer dans l'économie résidentielle. Elles tendent aussi à se diversifier dans des secteurs industriels à forte valeur ajoutée comme l'agroalimentaire ou les services associés aux entreprises (conseil-assistance, recherche). L'appareil productif régional demeure fragile. En effet, le taux de survie des entreprises régionales est un des plus faibles de France.

Le déficit structurel des emplois pénalise le PIB

Malgré un certain rattrapage dans les années 2000, le Produit intérieur brut (PIB) par habitant reste le plus bas des régions françaises. Cette faiblesse n'est pas liée à un manque de productivité, mais à un déficit structurel du nombre d'emplois par rapport à la population résidente. Les faibles taux d'activité des personnes en âge de travailler, le chômage massif et la part plus importante qu'ailleurs des bénéficiaires de minima sociaux illustrent ce déficit d'emplois.

La région bénéficie massivement de transferts sociaux car elle est fortement affectée par les phénomènes de pauvreté-précarité. Près d'un Languedocien sur cinq vit dans un ménage en dessous du seuil de pauvreté. Le taux d'allocataires du Revenu minimum d'insertion (RMI) et la part des foyers fiscaux non imposés figurent parmi les plus élevés des régions françaises. ■

1. Repères

Population au 01/01/2009 - Estimation (milliers)	2 616,0
Part dans la population française (%)	4,1
Densité de population (hab./km²)	95,6
Taux de variation annuel moyen de la pop. depuis 1999 (%)	1,3
Emplois au lieu de travail au 31/12/2008 (milliers)	947,0
Taux de chômage au dernier trimestre 2009 (%)	13,3
Produit intérieur brut 2008 (milliards d'euros)	61,9
Part dans le PIB France (%)	3,2
Revenu disponible brut 2006 (euros/habitant)	17 195
Revenu médian par unité de consommation 2007 (euros/uc)	15 700
Taux de pauvreté (%)	18,7
Allocataires du RMI au 31/12/2008 (milliers)	74,4
Nombre de zones urbaines sensibles (ZUS)	28
Part de la population régionale en ZUS (%)	5,4

Source : Insee.

2. Zonage en aires urbaines et en aires d'emploi de l'espace rural (ZAUER)

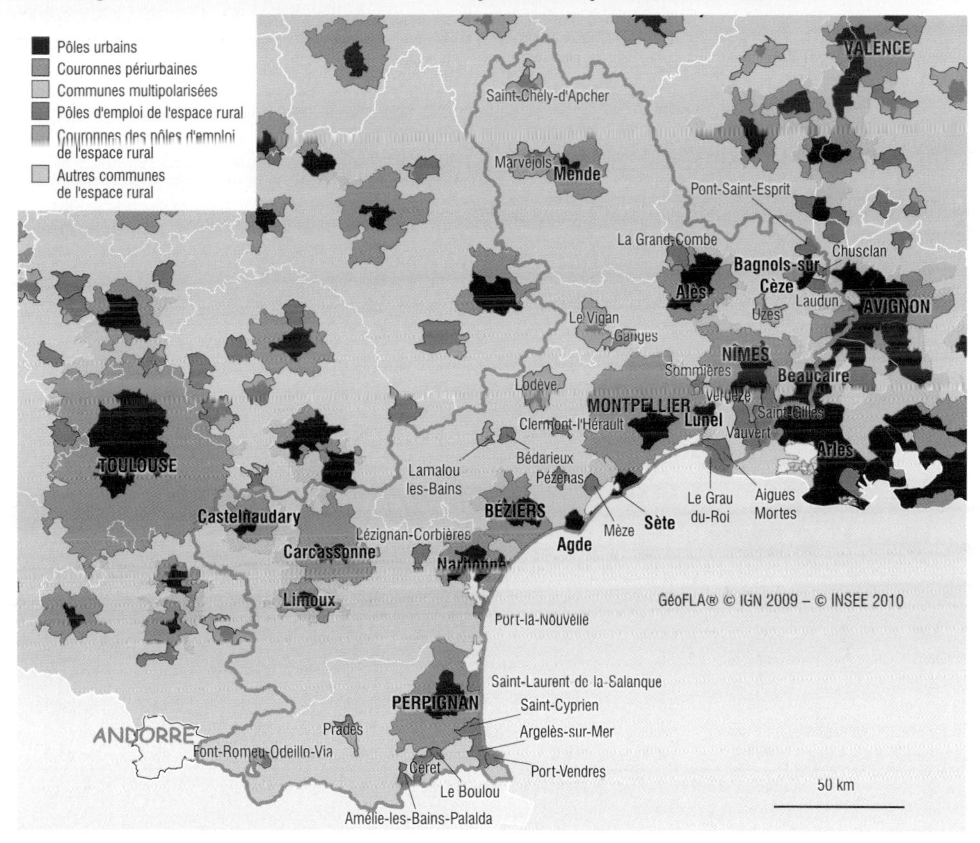

3. Les trois plus grandes agglomérations

	Effectifs	Part dans la population régionale (%)	Évolution annuelle moyenne 1999-2006 (%)
Population en 2006			
Montpellier	318 223	12,6	1,4
Perpignan	178 501	7,0	1,3
Nîmes	161 565	6,4	1,2

	Effectifs	Part dans l'emploi régional (%)	Variation entre 1999 et 2006 de la part dans l'emploi régional (%)
Emploi en 2006			
Montpellier	164 099	18,3	0,7
Perpignan	80 700	9,0	0,0
Nîmes	78 944	8,8	0,0

Source : Insee - RP 2006.

4. La valeur ajoutée brute régionale en 2008

	Part des branches (%)		Part dans la branche nationale (%)	
	en 2000	en 2008	en 2000	en 2008
Agriculture	4,8	3,0	5,0	4,7
Industrie	11,0	9,2	1,8	2,1
Construction	5,8	8,2	3,4	3,9
Services principalement marchands	52,2	53,5	2,9	3,0
Services administratifs	26,1	26,0	3,7	3,8
Ensemble	**100,0**	**100,0**	**3,0**	**3,2**

Source : Insee - Comptes régionaux en base 2000.

5. Population

Départements	Population au 01/01/2008 (milliers)	Taux d'évolution annuel moyen 1999-2008 (%)			Part des moins de 25 ans (%)	Part des plus de 65 ans (%)	Projection de population au 01/01/2030 (milliers)
		total	dû au solde naturel	dû au solde apparent des entrées-sorties			
11 Aude	349,5	1,4	– 0,1	1,5	27,3	20,2	419
30 Gard	696,5	1,3	0,2	1,1	29,6	17,2	861
34 Hérault	1 023,0	1,5	0,3	1,2	30,7	17,0	1 391
48 Lozère	77,0	0,5	– 0,2	0,7	26,0	20,3	85
66 Pyrénées-Orientales	441,5	1,3	– 0,1	1,4	27,6	20,7	546
Languedoc-Roussillon	**2 587,5**	**1,4**	**0,1**	**1,3**	**29,3**	**18,2**	**3 302**

Source : Insee - Estimations de population.

6. Emploi-chômage

Départements	Emploi au 31 décembre 2008				Variation annuelle moyenne de l'emploi 99-08 (%)	Chômage au 31 décembre 2009		
	Effectifs au lieu de travail (milliers)	dont primaire (%)	dont secondaire (%)	dont tertiaire (%)		Taux de chômage au 4e trim. 2009 (%)	Demandeurs d'emploi (Pôle Emploi) Cat. A de moins de 25 ans (%)	Demandeurs d'emploi (Pôle Emploi) Cat. A, B, C depuis plus d'un an (%)
11 Aude	123,5	6,8	15,6	77,6	0,03	12,7	19,4	32,5
30 Gard	237,8	3,7	20,1	76,2	0,02	13,6	19,7	32,5
34 Hérault	403,8	2,6	14,5	82,9	0,16	13,7	18,8	31,8
48 Lozère	30,5	10,7	17,0	72,2	– 0,24	5,3	19,2	28,1
66 Pyrénées-Orientales	151,4	3,8	15,3	80,9	– 0,01	13,8	20,4	26,3
Languedoc-Roussillon	**947,0**	**3,9**	**16,3**	**79,9**	**0,07**	**13,3**	**19,4**	**31,1**

Sources : Insee - Estimations d'emploi et taux de chômage localisés, Pôle Emploi - DEFM.

7. Le logement des ménages

Départements	Part des ménages (%)		Nombre moyen de		Part des ménages comptant (%)			
	propriétaires de leur résidence principale	habitant une maison	pièces par logement	pièces par personne	une personne seule	deux personnes	3 ou 4 personnes	5 personnes ou plus
11 Aude	63,4	75,7	4,3	1,9	32,0	36,7	26,3	5,0
30 Gard	58,6	64,1	4,1	1,8	31,8	34,2	28,0	6,0
34 Hérault	55,3	54,6	3,8	1,7	34,6	34,0	26,0	5,4
48 Lozère	63,9	71,9	4,3	2,0	34,0	34,9	26,3	4,8
66 Pyrénées-Orientales	60,7	63,3	4,0	1,8	34,1	35,9	25,0	5,0
Languedoc-Roussillon	**58,4**	**61,9**	**4,0**	**1,8**	**33,4**	**34,8**	**26,4**	**5,4**

Source : Insee - RP 2006.

8. Revenus fiscaux des ménages en 2007

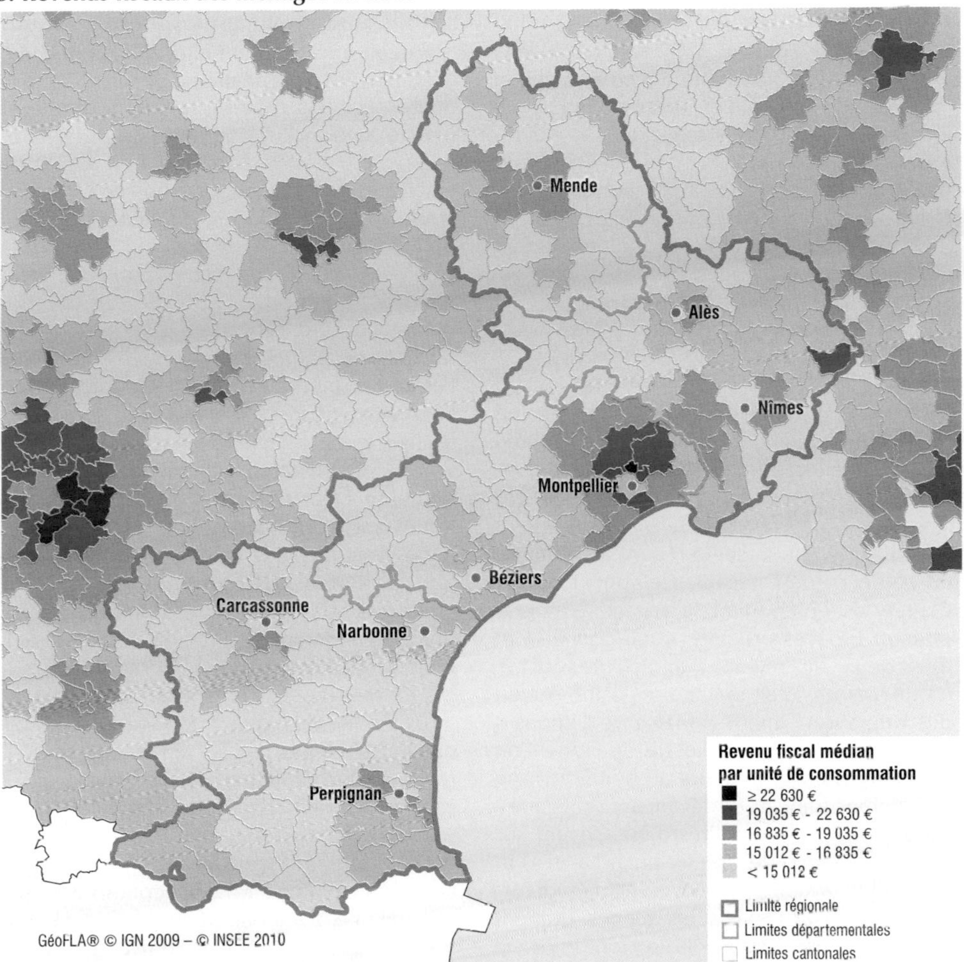

Source : Insee-DGI, Revenus fiscaux des ménages.

9. Les dix principaux secteurs d'activité au 31 décembre 2008[1]

en %

Secteur d'activité[2]	Poids du secteur dans l'emploi salarié		Taux de variation annuel moyen de l'emploi salarié 2003-2008		Poids des effectifs salariés des 10 plus grands établissements[3]	
	Région	France	Région	France	Région	Moyenne France
Commerce ; réparation d'automobiles et de motocycles	14,2	12,6	0,6	0,4	4,6	4,3
Activités scientif. et techn. ; services adm. et de soutien	9,9	11,7	2,3	1,4	14,0	7,2
Construction	7,2	6,2	4,2	3,1	5,0	4,7
Autres activités de services	6,7	5,8	1,8	2,2	9,2	9,3
Transports et entreposage	4,6	5,7	– 0,8	0,1	16,3	17,5
Hébergement et restauration	4,0	3,7	1,8	1,6	3,1	4,7
Fabrication d'autres produits industriels	3,7	7,0	– 1,6	– 2,7	14,1	11,2
Activités financières et d'assurance	2,6	3,4	1,6	1,3	17,5	16,4
Fabric. denrées alim., boissons et prod. à base tabac	1,9	2,3	– 2,5	– 1,2	23,9	18,1
Information et communication	1,7	2,9	– 0,3	1,6	21,1	14,0

1. Hors secteurs principalement non marchands. - 2. Les secteurs d'activité sont décrits en A17, nomenclature agrégée associée à la NAF révision 2. - 3. Au 31.12.2007, hors Défense et intérim.
Source : Insee - Estimations d'emploi localisé, Clap

1.12 Limousin

Avec 17 000 km^2, le Limousin couvre 3 % de l'espace national et compte 733 000 habitants au 1er janvier 2007, soit 1,2 % de la population métropolitaine. Au croisement de deux grands axes routiers de communication, l'autoroute A20 dans le sens nord-sud et l'autoroute A89 dans le sens est-ouest, et avec un raccordement prévu en 2017 au réseau des trains à grande vitesse, il s'intègre dans un large Sud-ouest pluriel. La région présente un déséquilibre entre l'ouest qui rassemble l'essentiel de la population et des activités, et l'est au caractère rural plus marqué.

Un récent regain démographique

Depuis 1999, le Limousin amorce un redressement démographique. En dépit d'une légère amélioration, la fécondité demeure faible. Le déficit des naissances sur les décès s'est réduit mais perdure, le Limousin restant avec l'Auvergne la seule région à connaître un solde naturel négatif. Ce sont donc les migrations qui portent le regain démographique. Espaces urbain et rural connaissent tous deux un regain d'attractivité qui se traduit par un solde migratoire positif. Au jeu des migrations interrégionales, le Limousin bénéficie de l'attractivité de la France de l'ouest et du sud, et figure au huitième rang des régions françaises, devançant Provence - Alpes - Côte d'Azur. Près d'un arrivant sur deux a moins de trente ans. La région accueille davantage d'élèves et d'étudiants que de retraités. Mais les jeunes quittent également en nombre la région, qui est déficitaire dans les migrations de jeunes adultes alors qu'elle est excédentaire sur toutes les autres tranches d'âge.

Le développement de l'espace périurbain, porté par le regain démographique et la construction d'un habitat de plus en plus diffus, ne s'accompagne pas d'un étalement géographique similaire des emplois. Ceux-ci se concentrent toujours dans les villes-centres. Ainsi, le périurbain et l'espace rural renforcent leur vocation résidentielle, et la césure s'accentue entre les territoires où se situe l'emploi et ceux où réside la population.

Quelques secteurs économiques de pointe, une importante sphère publique

L'économie résidentielle, qui répond aux besoins des populations locales, fournit quatre emplois salariés sur dix, comme au niveau national. La sphère productive en revanche, orientée vers les échanges extérieurs au territoire, pèse peu en Limousin. Seuls 30 % des salariés, en effet, dépendent de l'industrie et des services aux entreprises, soit sept points de moins qu'au niveau national. L'industrie régionale, de tradition manufacturière, repose en grande partie sur un tissu de petites et moyennes entreprises. Les composants électriques, le papier carton, l'agroalimentaire et la mécanique constituent les secteurs majeurs, tirés par quelques grands établissements leaders dans leur domaine. Deux pôles de compétitivité ont été initiés autour des céramiques et des technologies micro-ondes, photonique et réseaux sécurisés. Les activités historiques (cuir, chaussure, porcelaine) qui ont apporté une notoriété mondiale à la région, souffrent de la concurrence des pays émergents et de l'évolution des modes de consommation. Elles n'occupent plus que des positions marginales. Le Limousin est, après la Corse, la région métropolitaine où le poids de la sphère publique est le plus élevé (29 % des salariés). La part des emplois relevant du secteur primaire est également deux fois plus forte qu'au plan national. L'économie sociale occupe une place importante dans l'est de la région, particulièrement dans les zones rurales moins bien équipées en services de proximité.

Le niveau du chômage est le plus faible des régions françaises depuis 2002. Le taux s'établit, en moyenne au deuxième trimestre 2009, à 7,7 % des actifs, soit 1,4 point de moins qu'au plan national. Le vieillissement de la population active, l'importance du secteur agricole, le périmètre restreint du secteur concurrentiel et la propension des jeunes actifs à quitter la région contribuent à expliquer ce différentiel, qui tend toutefois à se réduire. ■

1. Repères

Population au 01/01/2009 - Estimation (milliers)	741,0
Part dans la population française (%)	1,2
Densité de population (hab./km²)	43,7
Taux de variation annuel moyen de la pop. depuis 1999 (%)	0,4
Emplois au lieu de travail au 31/12/2008 (milliers)	289,9
Taux de chômage au dernier trimestre 2009 (%)	8,1
Produit intérieur brut 2008 (milliards d'euros)	18,2
Part dans le PIB France (%)	0,9
Revenu disponible brut 2006 (euros/habitant)	18 860
Revenu médian par unité de consommation 2007 (euros/uc)	16 602
Taux de pauvreté (%)	14,7
Allocataires du RMI au 31/12/2008 (milliers)	9,3
Nombre de zones urbaines sensibles (ZUS)	3
Part de la population régionale en ZUS (%)	2,5

Source : Insee.

2. Zonage en aires urbaines et en aires d'emploi de l'espace rural (ZAUER)

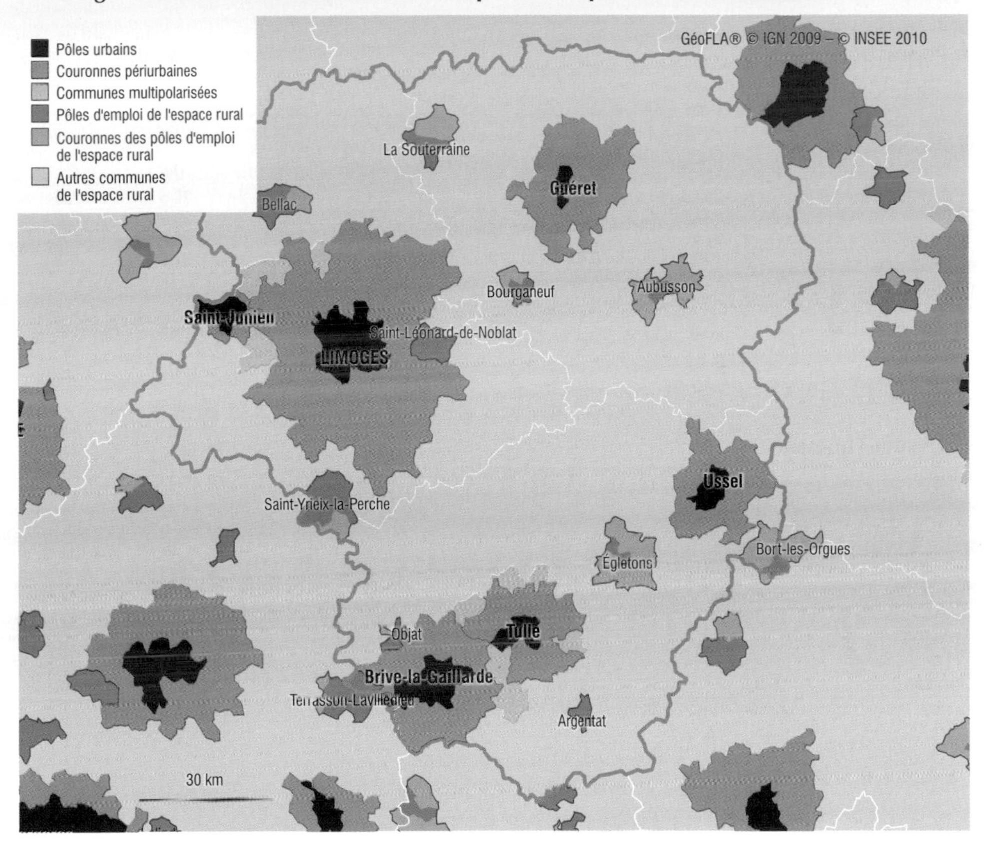

3. Les trois plus grandes agglomérations

	Effectifs	Part dans la population régionale (%)	Évolution annuelle moyenne 1999-2006 (%)
Population en 2006			
Limoges	177 439	24,3	0,3
Brive-la-Gaillarde	67 913	9,3	0,5
Tulle	18 779	2,6	0,2

	Effectifs	Part dans l'emploi régional (%)	Variation entre 1999 et 2006 de la part dans l'emploi régional (%)
Emploi en 2006			
Limoges	96 735	32,8	0,3
Brive-la-Gaillarde	36 932	12,5	0,5
Tulle	13 595	4,6	– 0,1

Source : Insee - RP 2006.

4. La valeur ajoutée brute régionale en 2008

	Part des branches (%)		Part dans la branche nationale (%)	
	en 2000	en 2008	en 2000	en 2008
Agriculture	4,3	3,7	1,5	1,7
Industrie	17,5	13,5	0,9	0,9
Construction	6,2	8,3	1,1	1,2
Services principalement marchands	45,0	45,9	0,8	0,8
Services administratifs	27,0	28,6	1,2	1,2
Ensemble	**100,0**	**100,0**	**1,0**	**0,9**

Source : Insee - Comptes régionaux en base 2000.

5. Population

Départements	Population au 01/01/2008 (milliers)	Taux d'évolution annuel moyen 1999-2008 (%)			Part des moins de 25 ans (%)	Part des plus de 65 ans (%)	Projection de population au 01/01/2030 (milliers)
		total	dû au solde naturel	dû au solde apparent des entrées-sorties			
19 Corrèze	242,5	0,5	– 0,3	0,8	25,0	22,5	235
23 Creuse	123,5	– 0,1	– 0,8	0,7	23,3	25,0	112
87 Haute-Vienne	373,0	0,6	– 0,1	0,7	27,4	20,0	391
Limousin	**739,0**	**0,4**	**– 0,3**	**0,7**	**25,9**	**21,6**	**738**

Source : Insee - Estimations de population.

6. Emploi-chômage

Départements	Emploi au 31 décembre 2008				Variation annuelle moyenne de l'emploi 99-08 (%)	Chômage au 31 décembre 2009		
	Effectifs au lieu de travail (milliers)	dont primaire (%)	dont secondaire (%)	dont tertiaire (%)		Taux de chômage au 4e trim. 2009 (%)	Demandeurs d'emploi (Pôle Emploi) Cat. A de moins de 25 ans (%)	Demandeurs d'emploi (Pôle Emploi) Cat. A, B, C depuis plus d'un an (%)
19 Corrèze	97,8	5,4	23,3	71,3	– 0,32	6,8	20,3	34,2
23 Creuse	43,2	12,1	18,3	69,6	– 0,36	8,2	19,9	39,1
87 Haute-Vienne	148,9	3,5	21,3	75,2	– 0,16	8,8	20,7	35,7
Limousin	**289,9**	**5,5**	**21,5**	**73,0**	**– 0,24**	**8,1**	**20,4**	**35,8**

Sources : Insee - Estimations d'emploi et taux de chômage localisés, Pôle Emploi - DEFM.

7. Le logement des ménages

Départements	Part des ménages (%)		Nombre moyen de		Part des ménages comptant (%)			
	propriétaires de leur résidence principale	habitant une maison	pièces par logement	pièces par personne	une personne seule	deux personnes	3 ou 4 personnes	5 personnes ou plus
19 Corrèze	66,3	75,1	4,2	2,0	34,6	36,5	25,3	3,7
23 Creuse	70,8	82,0	4,5	2,1	36,0	36,8	23,3	3,9
87 Haute-Vienne	60,4	63,5	4,0	1,9	37,0	34,8	24,3	3,8
Limousin	**64,0**	**70,4**	**4,2**	**2,0**	**36,1**	**35,7**	**24,5**	**3,8**

Source : Insee - RP 2006.

8. Revenus fiscaux des ménages en 2007

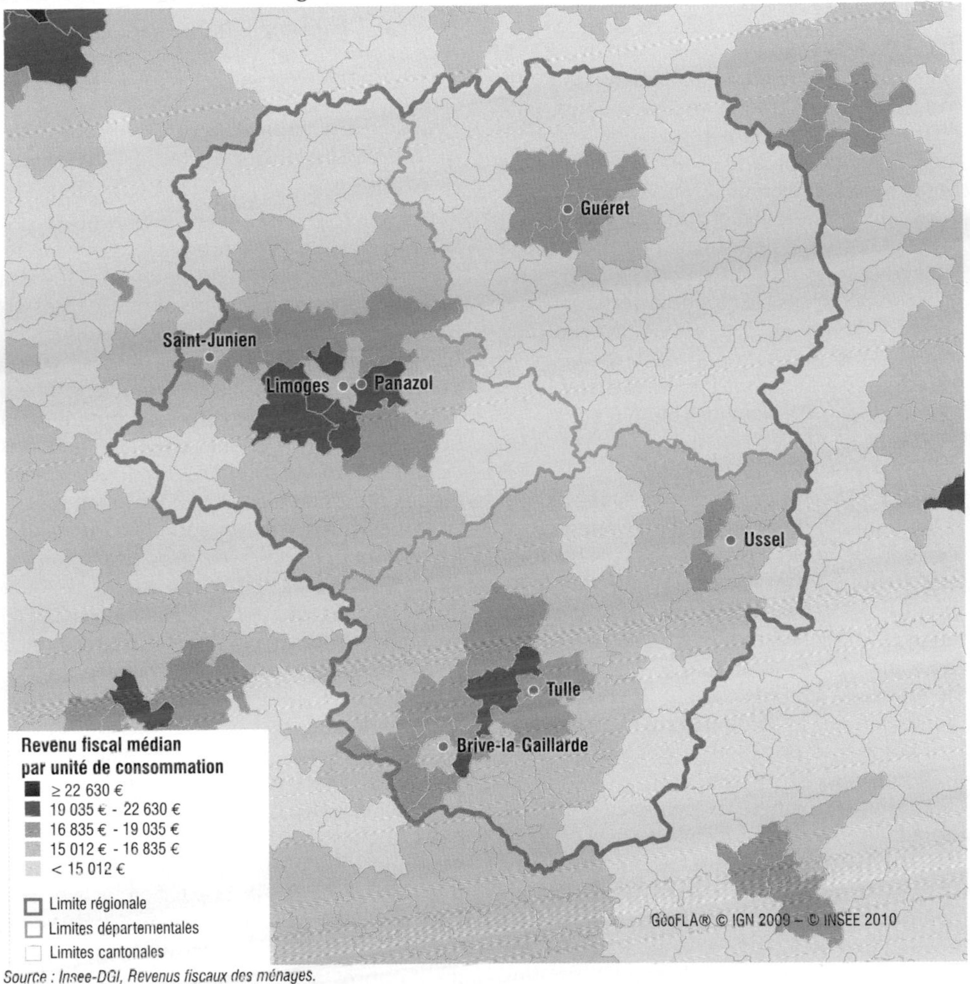

Source : Insee-DGI, Revenus fiscaux des ménages.

9. Les dix principaux secteurs d'activité au 31 décembre 2008[1]

en %

Secteur d'activité[2]	Poids du secteur dans l'emploi salarié		Taux de variation annuel moyen de l'emploi salarié 2003-2008		Poids des effectifs salariés des 10 plus grands établissements[3]	
	Région	France	Région	France	Région	Moyenne France
Commerce ; réparation d'automobiles et de motocycles	12,3	12,6	0,5	0,4	9,2	4,3
Fabrication d'autres produits industriels	8,2	7,0	– 2,8	– 2,7	15,8	11,2
Activités scientif. et techn. ; services adm. et de soutien	7,4	11,7	0,9	1,4	15,2	7,2
Construction	6,6	6,2	2,5	3,1	6,7	4,7
Autres activités de services	6,3	5,8	0,9	2,2	12,7	9,3
Transports et entreposage	5,8	5,7	– 1,5	0,1	32,0	17,5
Hébergement et restauration	2,8	3,7	1,4	1,6	7,8	4,7
Fabric. denrées alim., boissons et prod. à base tabac	2,7	2,3	– 1,8	– 1,2	37,1	18,1
Fabrication d'equipements electriques, electroniques, informatiques ; fabrication de machines	2,4	2,1	– 5,3	– 1,5	71,1	27,9
Activités financières et d'assurance	2,3	3,4	0,2	1,3	27,8	16,4

1. Hors secteurs principalement non marchands. - 2. Les secteurs d'activité sont décrits en A17, nomenclature agrégée associée à la NAF révision 2. - 3. Au 31.12.2007, hors Défense et intérim.

Source : Insee - Estimations d'emploi localisé, Clap.

1.13 Lorraine

Région frontalière de l'est de la France, la Lorraine constitue, avec le Grand-duché du Luxembourg, les länder allemands de Sarre et de Rhénanie-Palatinat et la région wallonne, la « grande région » transfrontalière. Cette situation est un atout important pour la région : plus de 95 000 Lorrains traversent quotidiennement la frontière pour aller travailler, essentiellement au Luxembourg.

La plus grande partie de la population et de l'activité économique régionale est concentrée dans le « sillon lorrain », qui s'étend du massif des Vosges au sud, aux marches du Luxembourg, de la Belgique et de l'Allemagne au nord, et traverse les villes d'Épinal, Nancy, Metz et Thionville.

Renouveau démographique

Au 1er janvier 2006, la Lorraine compte 2,34 millions d'habitants. Après une longue période de stagnation, la région a quelque peu renoué avec la croissance démographique, en gagnant environ 3 700 habitants chaque année depuis 1999. Cette évolution est toutefois très inférieure à celle constatée au niveau national. Elle continue d'être alimentée par le solde naturel excédentaire, qui compense un solde migratoire apparent toujours négatif.

Partout en France, le vieillissement de la population est significatif. En Lorraine, 493 000 personnes de 60 ans ou plus vivent dans la région, contre 366 000 seulement 25 ans plus tôt. La Lorraine est néanmoins une des régions de France métropolitaine où les séniors sont proportionnellement les moins nombreux.

L'industrie occupe aujourd'hui encore une place importante en Lorraine. En 2009, un peu moins de 20 % des salariés lorrains travaillent dans ce secteur, ce qui place la Lorraine au cinquième rang des régions françaises pour le poids de l'industrie dans l'appareil productif local. Pourtant, la Lorraine est aussi une des régions ayant le plus souffert des restructurations successives de ses établissements industriels. Dernière en date après celle de l'usine de pneumatiques *Kléber* à Toul en 2008, la fermeture du site d'*Arcelor-Mittal* à Gandrange en 2009 a porté un coup brutal à la sidérurgie lorraine. Au total, l'industrie lorraine aura ainsi perdu un cinquième de ses emplois salariés entre 2001 et 2009.

Progression plus forte du chômage qu'au niveau national, malgré le travail frontalier

Les services emploient environ 60 % des salariés lorrains, soit une proportion moins importante qu'au niveau national. Plus des trois quarts de ces emplois sont localisés en Meurthe-et-Moselle et en Moselle. En hausse presque continue depuis 2001, l'emploi salarié dans ce secteur a amorcé en 2008 une baisse progressive découlant de la crise économique et financière. Les activités financières et immobilières ont logiquement été les plus affectées par la conjoncture.

En Lorraine, le phénomène frontalier représente une source de dynamisme important. Parmi les 95 000 frontaliers qui résident dans la région, près des trois quarts travaillent au Luxembourg, un sur cinq en Allemagne, principalement en Sarre, et 5 % en Wallonie.

Sur le plan du chômage, la Lorraine s'est longtemps trouvée dans une situation un peu plus favorable que l'ensemble des autres régions françaises, grâce à l'importance du travail frontalier et le départ de nombreux jeunes actifs. Mais depuis 2001, le chômage augmente plus rapidement en Lorraine. À mi-2009, il touche 9,9 % de la population active, soit 0,8 point de plus que le niveau national.

Dans ce contexte de récession, la création d'entreprises présente un bilan global plutôt positif. Près de 8 200 entreprises ont été créées en Lorraine en 2008. Au premier semestre 2009, la création d'entreprises a continué de progresser, stimulée par le nouveau régime de l'auto-entrepreneur. Cette progression a concerné tous les secteurs d'activité, avec une prédominance du secteur du commerce. Mais de nombreuses nouvelles entreprises ont émergé également dans le domaine de l'information et de la communication, ainsi que dans les activités spécialisées, scientifiques et techniques, et les activités de services administratifs et de soutien. ■

1. Repères

Population au 01/01/2009 - Estimation (milliers)	2 342,0
Part dans la population française (%)	3,6
Densité de population (hab./km²)	99,5
Taux de variation annuel moyen de la pop. depuis 1999 (%)	0,1
Emplois au lieu de travail au 31/12/2008 (milliers)	860,3
Taux de chômage au dernier trimestre 2009 (%)	10,3
Produit intérieur brut 2008 (milliards d'euros)	57,5
Part dans le PIB France (%)	2,9
Revenu disponible brut 2006 (euros/habitant)	17 821
Revenu médian par unité de consommation 2007 (euros/uc)	16 743
Taux de pauvreté (%)	13,9
Allocataires du RMI au 31/12/2008 (milliers)	37,6
Nombre de zones urbaines sensibles (ZUS)	38
Part de la population régionale en ZUS (%)	6,2

Source : Insee.

2. Zonage en aires urbaines et en aires d'emploi de l'espace rural (ZAUER)

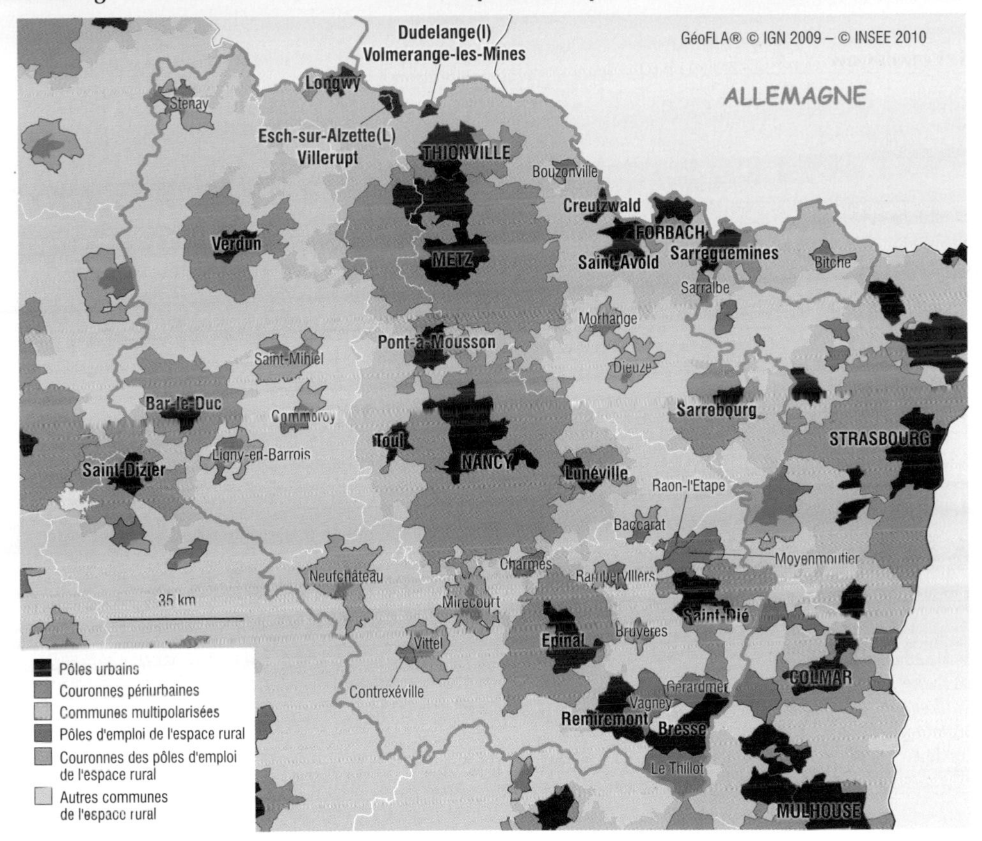

3. Les trois plus grandes agglomérations

	Effectifs	Part dans la population régionale (%)	Évolution annuelle moyenne 1999-2006 (%)
Population en 2006			
Nancy	331 278	14,2	0,0
Metz	322 948	13,8	0,0
Thionville	130 438	5,6	0,0

	Effectifs	Part dans l'emploi régional (%)	Variation entre 1999 et 2006 de la part dans l'emploi régional (%)
Emploi en 2006			
Nancy	159 636	18,4	0,3
Metz	155 850	18,0	0,8
Thionville	50 356	5,8	– 0,1

Source : Insee - RP 2006.

4. La valeur ajoutée brute régionale en 2008

	Part des branches (%)		Part dans la branche nationale (%)	
	en 2000	en 2008	en 2000	en 2008
Agriculture	2,6	1,9	2,9	2,8
Industrie	22,4	17,4	4,0	3,7
Construction	5,6	7,0	3,4	3,1
Services principalement marchands	44,5	47,2	2,6	2,5
Services administratifs	24,9	26,5	3,7	3,6
Ensemble	**100,0**	**100,0**	**3,1**	**2,9**

Source : Insee - Comptes régionaux en base 2000.

5. Population

Départements	Population au 01/01/2008 (milliers)	Taux d'évolution annuel moyen 1999-2008 (%)			Part des moins de 25 ans (%)	Part des plus de 65 ans (%)	Projection de population au 01/01/2030 (milliers)
		total	dû au solde naturel	dû au solde apparent des entrées-sorties			
54 Meurthe-et-Moselle	727,5	0,2	0,3	– 0,1	32,3	15,2	711
55 Meuse	194,0	0,1	0,2	– 0,1	30,4	16,9	182
57 Moselle	1 039,5	0,2	0,3	– 0,1	30,2	15,2	1 017
88 Vosges	380,0	0,0	0,1	– 0,1	29,4	17,6	362
Lorraine	**2 341,0**	**0,1**	**0,3**	**– 0,2**	**30,7**	**15,7**	**2 272**

Source : Insee - Estimations de population.

6. Emploi-chômage

Départements	Emploi au 31 décembre 2008				Variation annuelle moyenne de l'emploi 99-08 (%)	Chômage au 31 décembre 2009		
	Effectifs au lieu de travail (milliers)	dont primaire (%)	dont secondaire (%)	dont tertiaire (%)		Taux de chômage au 4e trim. 2009 (%)	Demandeurs d'emploi (Pôle Emploi) Cat. A de moins de 25 ans (%)	Demandeurs d'emploi (Pôle Emploi) Cat. A, B, C depuis plus d'un an (%)
54 Meurthe-et-Moselle	274,4	1,4	19,4	79,2	– 0,05	9,6	21,5	30,1
55 Meuse	66,5	6,7	24,3	69,0	– 0,27	10,8	22,9	33,3
57 Moselle	373,8	1,3	24,9	73,8	– 0,28	10,5	21,8	28,8
88 Vosges	145,5	3,0	31,8	65,3	– 0,17	10,7	21,3	35,9
Lorraine	**860,3**	**2,0**	**24,3**	**73,7**	**– 0,19**	**10,3**	**21,7**	**30,7**

Sources : Insee - Estimations d'emploi et taux de chômage localisés, Pôle Emploi - DEFM.

7. Le logement des ménages

Départements	Part des ménages (%)		Nombre moyen de		Part des ménages comptant (%)			
	propriétaires de leur résidence principale	habitant une maison	pièces par logement	pièces par personne	une personne seule	deux personnes	3 ou 4 personnes	5 personnes ou plus
54 Meurthe-et-Moselle	57,0	55,4	4,1	1,8	34,6	32,2	26,9	6,3
55 Meuse	64,9	75,2	4,6	2,0	31,5	34,1	27,4	7,0
57 Moselle	58,4	56,3	4,4	1,8	29,2	33,0	30,8	7,0
88 Vosges	61,9	64,8	4,5	2,0	32,2	34,8	26,7	6,3
Lorraine	**59,1**	**59,0**	**4,3**	**1,9**	**31,6**	**33,1**	**28,6**	**6,7**

Source : Insee - RP 2006.

8. Revenus fiscaux des ménages en 2007

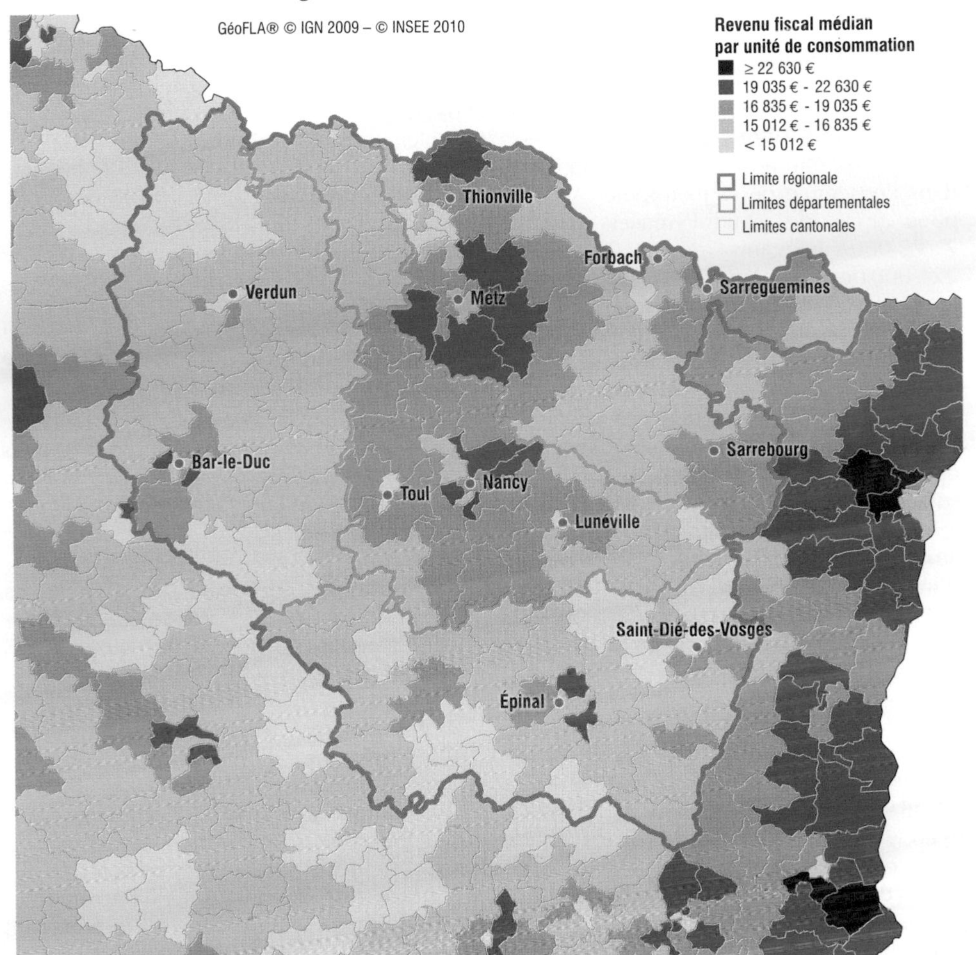

Source : Insee DGI, Revenus fiscaux des ménages.

9. Les dix principaux secteurs d'activité au 31 décembre 2008[1]

en %

Secteur d'activité[2]	Poids du secteur dans l'emploi salarié		Taux de variation annuel moyen de l'emploi salarié 2003-2008		Poids des effectifs salariés des 10 plus grands établissements[3]	
	Région	France	Région	France	Région	Moyenne France
Commerce ; réparation d'automobiles et de motocycles	12,5	12,6	0,3	0,4	4,7	4,3
Fabrication d'autres produits industriels	9,9	7,0	– 3,9	– 2,7	13,7	11,2
Activités scientif. et techn. ; services adm. et de soutien	8,5	11,7	– 0,2	1,4	10,0	7,2
Construction	6,5	6,2	1,9	3,1	4,6	4,7
Transports et entreposage	5,3	5,7	– 1,3	0,1	17,2	17,5
Autres activités de services	5,1	5,8	2,4	2,2	7,2	9,3
Hébergement et restauration	3,1	3,7	1,9	1,6	3,5	4,7
Activités financières et d'assurance	2,4	3,4	1,3	1,3	15,6	16,4
Fabric. denrées alim., boissons et prod. à base tabac	2,4	2,3	– 2,4	– 1,2	22,5	18,1
Fabrication de matériels de transport	2,1	1,6	– 3,2	– 1,8	68,5	68,6

1. Hors secteurs principalement non marchands. - 2. Les secteurs d'activité sont décrits en A17, nomenclature agrégée associée à la NAF révision 2. -3. Au 31.12.2007, hors Défense et intérim.
Source : Insee - Estimations d'emploi localisé, Clap.

1.14 Midi-Pyrénées

Midi-Pyrénées est la plus vaste des régions françaises : elle couvre 8,3 % du territoire national mais n'abrite que 4,5 % de la population métropolitaine.

La population régionale croît à un rythme soutenu : entre 1999 et 2006, elle progresse de 1,2 % par an en moyenne, contre 0,7 % dans l'ensemble de la métropole. Ainsi, la population de Midi-Pyrénées compte 2 777 000 habitants début 2006, soit 224 000 de plus qu'en 1999. L'essentiel de la croissance démographique résulte d'arrivées beaucoup plus nombreuses que les départs. Entre 1999 et 2006, la région a gagné 32 000 personnes par an, dont seulement un peu moins de 3 000 par excédent des naissances sur les décès. La Haute-Garonne, avec près de 1,2 million d'habitants, bénéficie de soldes naturels et surtout migratoires nettement excédentaires. L'attractivité caractérise aussi les autres départements de la région, plus particulièrement l'Ariège et le Tarn-et-Garonne. Ce dernier département et la Haute-Garonne sont les seuls à avoir un solde naturel excédentaire.

Poussée des services aux entreprises de 1999 à 2007

Malgré l'arrivée de nombreux jeunes, la population de Midi-Pyrénées reste plutôt âgée, avec 19 % de plus de 65 ans (contre 17 % en France métropolitaine) et 29 % de moins de 25 ans (contre 31 %). Au sein de la région, seule la population de la Haute-Garonne est globalement plus jeune que la moyenne nationale.

Entre 1999 et 2007, l'emploi salarié augmente plus rapidement en Midi-Pyrénées que dans l'ensemble de la France métropolitaine. Le secteur tertiaire, qui emploie trois salariés sur quatre, continue de soutenir l'économie régionale. Les services aux entreprises, notamment les services de conseil et d'assistance liés à la construction aéronautique et spatiale sont particulièrement dynamiques. Les services aux entreprises occupent en Midi-Pyrénées une place plus importante que dans les autres régions de province : ils représentent près de 15 % des emplois salariés. Soutenu par le dynamisme démographique, la croissance de l'emploi salarié dans la construction est également bien plus forte en Midi-Pyrénées qu'en France métropolitaine. Le poids du secteur est un peu plus élevé que dans l'ensemble du pays.

L'emploi non salarié, qui représente un emploi sur dix en Midi-Pyrénées, a nettement baissé au cours des années 1990 mais s'est stabilisé depuis lors : la baisse dans l'agriculture a été compensée par les hausses dans la construction et les services.

En 2008 et début 2009, une dégradation du marché du travail moins marquée qu'en moyenne en France

En 2008, dans un contexte de contraction de l'activité régionale, le nombre d'emplois salariés des secteurs marchands se maintient en Midi-Pyrénées alors qu'il recule en France métropolitaine.

L'emploi salarié se replie dans le commerce, les services aux entreprises et l'immobilier. Sa croissance se ralentit nettement dans le bâtiment et les services aux particuliers.

Les pertes d'emploi dans l'industrie se poursuivent, mais à un rythme moins soutenu qu'en moyenne nationale. Le dynamisme des biens d'équipement, porté par la construction aéronautique et spatiale, ne compense pas toutefois le recul de l'emploi salarié dans les autres branches industrielles de la région.

Début 2009, l'emploi salarié décroît fortement en Midi-Pyrénées : tous les secteurs sont touchés, celui de la construction étant le plus impacté. Cette baisse est toutefois moins marquée dans la région qu'en moyenne nationale.

La dégradation du marché du travail s'est amplifiée dans la région début 2009 comme au niveau national. Au 2e trimestre, le taux de chômage régional s'établit en moyenne à 9,0 % de la population active, contre 7,4 % un an plus tôt. Ce taux reste très proche du niveau national.

Le nombre de demandeurs d'emploi inscrits au Pôle emploi et immédiatement disponibles (catégories A, B et C) progresse deux fois plus vite en Midi-Pyrénées sur les cinq premiers mois de l'année 2009 que sur les cinq mois précédents. ■

1. Repères

Population au 01/01/2009 - Estimation (milliers)	2 865,0	Part dans le PIB France (%)	4,0
Part dans la population française (%)	4,5	Revenu disponible brut 2006 (euros/habitant)	18 138
Densité de population (hab./km²)	63,2	Revenu médian par unité de consommation 2007 (euros/uc)	17 157
Taux de variation annuel moyen de la pop. depuis 1999 (%)	1,2	Taux de pauvreté (%)	14,1
Emplois au lieu de travail au 31/12/2008 (milliers)	1 186,4	Allocataires du RMI au 31/12/2008 (milliers)	43,7
Taux de chômage au dernier trimestre 2009 (%)	9,5	Nombre de zones urbaines sensibles (ZUS)	14
Produit intérieur brut 2008 (milliards d'euros)	77,9	Part de la population régionale en ZUS (%)	2,2

Source : Insee.

2. Zonage en aires urbaines et en aires d'emploi de l'espace rural (ZAUER)

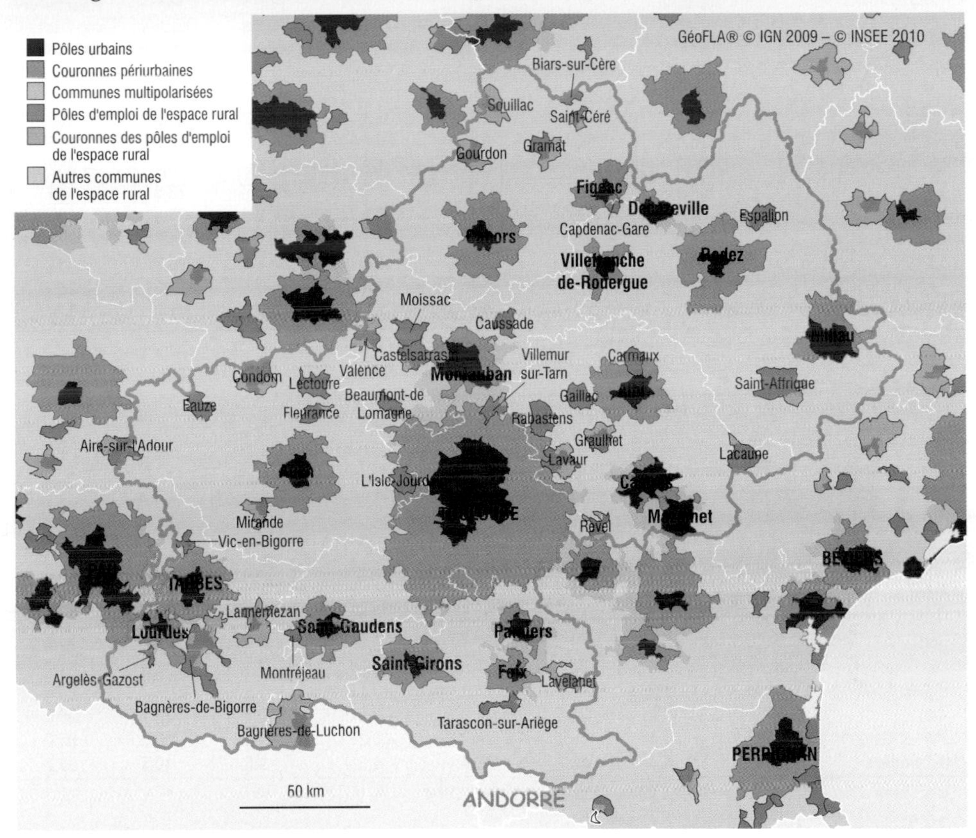

3. Les trois plus grandes agglomérations

	Effectifs	Part dans la population régionale (%)	Évolution annuelle moyenne 1999-2006 (%)
Population en 2006			
Toulouse	850 876	30,6	1,6
Tarbes	77 492	2,8	0,0
Albi	70 431	2,5	0,9

	Effectifs	Part dans l'emploi régional (%)	Variation entre 1999 et 2006 de la part dans l'emploi régional (%)
Population en 2006			
Toulouse	455 273	39,8	2,9
Tarbes	37 226	3,3	– 0,3
Albi	35 821	3,1	– 0,1

Source : Insee RP 2006.

4. La valeur ajoutée brute régionale en 2008

	Part des branches (%)		Part dans la branche nationale (%)	
	en 2000	en 2008	en 2000	en 2008
Agriculture	3,9	2,6	5,2	5,2
Industrie	17,0	12,4	3,6	3,6
Construction	6,3	8,6	4,5	5,1
Services principalement marchands	49,1	51,9	3,5	3,7
Services administratifs	23,6	24,5	4,1	4,6
Ensemble	**100,0**	**100,0**	**3,7**	**4,0**

Source : Insee - Comptes régionaux en base 2000.

5. Population

Départements	Population au 01/01/2008 (milliers)	Taux d'évolution annuel moyen 1999-2008 (%)			Part des moins de 25 ans (%)	Part des plus de 65 ans (%)	Projection de population au 01/01/2030 (milliers)
		total	dû au solde naturel	dû au solde apparent des entrées-sorties			
09 Ariège	150,0	1,0	– 0,3	1,3	26,0	21,3	166
12 Aveyron	275,5	0,5	– 0,2	0,7	25,2	22,8	266
31 Haute-Garonne	1 220,0	1,7	0,5	1,2	32,7	13,4	1 652
32 Gers	184,5	0,8	– 0,3	1,1	24,6	22,8	184
46 Lot	172,0	0,8	– 0,3	1,1	24,1	23,4	185
65 Hautes-Pyrénées	229,0	0,3	– 0,2	0,5	25,7	21,6	228
81 Tarn	372,0	0,9	– 0,1	1,0	27,1	20,7	389
82 Tarn-et-Garonne	234,5	1,4	0,1	1,3	29,0	18,0	259
Midi-Pyrénées	**2 837,5**	**1,2**	**0,1**	**1,1**	**29,0**	**18,0**	**3 329**

Source : Insee - Estimations de population.

6. Emploi-chômage

Départements	Emploi au 31 décembre 2008				Variation annuelle moyenne de l'emploi 99-08 (%)	Chômage au 31 décembre 2009		
	Effectifs au lieu de travail (milliers)	dont primaire (%)	dont secondaire (%)	dont tertiaire (%)		Taux de chômage au 4e trim. 2009 (%)	Demandeurs d'emploi (Pôle Emploi) Cat. A de moins de 25 ans (%)	Demandeurs d'emploi (Pôle Emploi) Cat. A, B, C depuis plus d'un an (%)
09 Ariège	54,3	4,9	25,8	69,3	0,09	11,5	18,3	35,2
12 Aveyron	109,6	10,2	24,0	65,7	– 0,21	6,6	20,5	29,0
31 Haute-Garonne	584,1	1,1	18,7	80,2	0,21	9,5	19,1	33,3
32 Gers	68,5	12,8	19,1	68,1	– 0,34	6,9	18,4	31,9
46 Lot	63,9	8,0	23,3	68,7	– 0,34	9,1	17,9	31,7
65 Hautes-Pyrénées	89,9	4,5	19,3	76,2	– 0,22	10,9	18,2	29,8
81 Tarn	132,2	5,4	22,3	72,3	– 0,04	10,6	20,1	36,0
82 Tarn-et-Garonne	83,9	7,6	19,3	73,2	– 0,27	11,0	19,6	35,0
Midi-Pyrénées	**1 186,4**	**4,4**	**20,3**	**75,4**	**0,01**	**9,5**	**19,1**	**33,2**

Sources : Insee - Estimations d'emploi et taux de chômage localisés, Pôle Emploi - DEFM.

7. Le logement des ménages

Départements	Part des ménages (%)		Nombre moyen de		Part des ménages comptant (%)			
	propriétaires de leur résidence principale	habitant une maison	pièces par logement	pièces par personne	une personne seule	deux personnes	3 ou 4 personnes	5 personnes ou plus
09 Ariège	66,3	80,7	4,5	2,0	32,8	35,7	26,8	4,7
12 Aveyron	69,0	71,2	4,4	2,0	32,7	36,4	26,6	4,3
31 Haute-Garonne	52,3	52,5	3,9	1,8	36,3	31,4	27,3	5,0
32 Gers	68,3	82,5	4,6	2,1	30,6	36,9	27,9	4,7
46 Lot	68,7	80,7	4,3	2,0	33,0	37,7	25,3	4,0
65 Hautes-Pyrénées	64,1	67,0	4,3	2,0	34,0	35,0	26,8	4,2
81 Tarn	66,4	79,1	4,5	2,0	30,5	36,7	27,9	5,0
82 Tarn-et-Garonne	66,5	78,4	4,4	1,9	28,9	35,7	29,4	6,0
Midi-Pyrénées	**60,6**	**66,2**	**4,2**	**1,9**	**33,7**	**34,2**	**27,3**	**4,9**

Source : Insee - RP 2006.

8. Revenus fiscaux des ménages en 2007

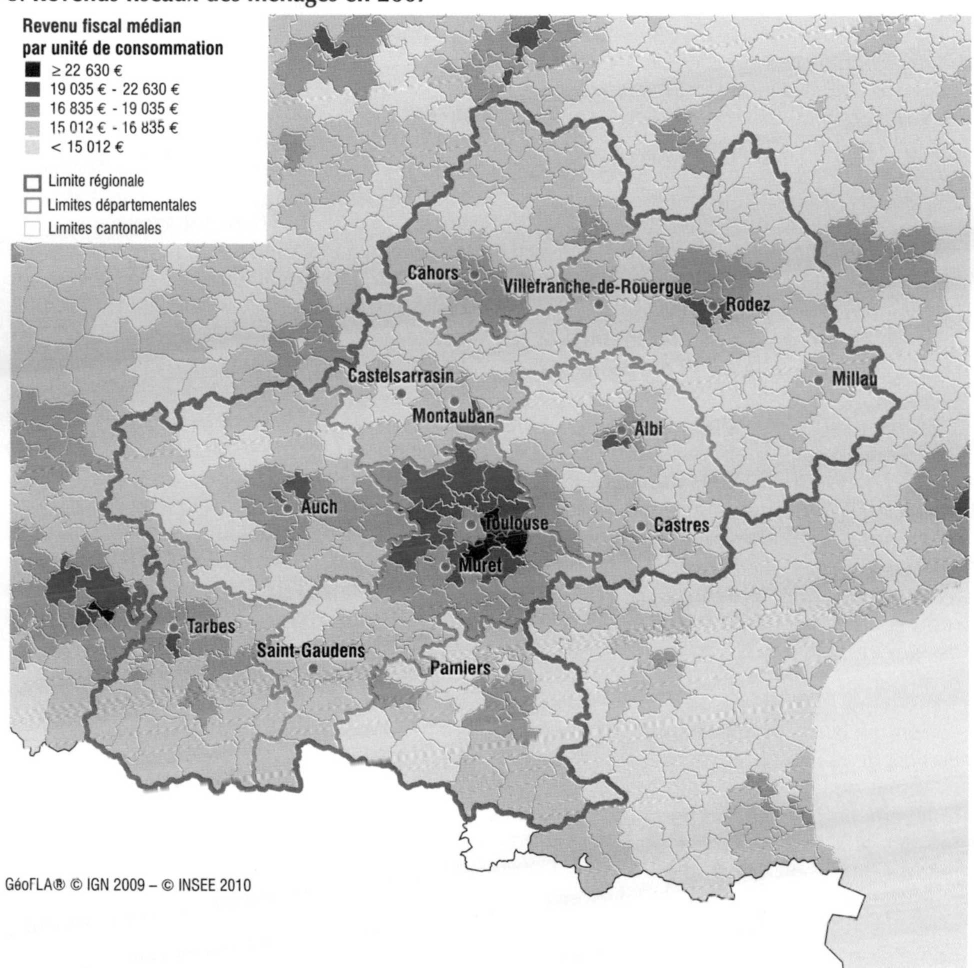

Source : Insee-DGI, Revenus fiscaux des ménages

9. Les dix principaux secteurs d'activité au 31 décembre 2008[1]

en %

Secteur d'activité[2]	Poids du secteur dans l'emploi salarié		Taux de variation annuel moyen de l'emploi salarié 2003-2008		Poids des effectifs salariés des 10 plus grands établissements[3]	
	Région	France	Région	France	Région	Moyenne France
Activités scientif. et techn. ; services adm. et de soutien	12,6	11,7	3,4	1,4	14,1	7,2
Commerce ; réparation d'automobiles et de motocycles	12,2	12,6	0,9	0,4	4,1	4,3
Construction	6,7	6,2	3,9	3,1	5,3	4,7
Autres activités de services	6,4	5,8	2,5	2,2	8,7	9,3
Fabrication d'autres produits industriels	5,4	7,0	– 1,4	– 2,7	8,2	11,2
Transports et entreposage	4,7	5,7	– 1,5	0,1	17,0	17,5
Hébergement et restauration	3,1	3,7	2,3	1,6	3,0	4,7
Information et communication	2,7	2,9	3,2	1,6	21,4	14,0
Activités financières et d'assurance	2,7	3,4	2,4	1,3	16,5	16,4
Fabrication de matériels de transport	2,6	1,6	1,6	– 1,8	84,6	68,6

1. Hors secteurs principalement non marchands. - 2. Les secteurs d'activité sont décrits en A17, nomenclature agrégée associée à la NAF révision 2. - 3. Au 31.12.2007, hors Défense et intérim.
Source : Insee - Estimations d'emploi localisé, Clap.

1.15 Nord - Pas-de-Calais

Au 1er janvier 2008, la population du Nord - Pas-de-Calais s'élève à 4,02 millions d'habitants. Depuis 1999, la région a connu une croissance modeste de sa population, proche de 2 730 habitants par an, grâce à un solde naturel positif qui compense son déficit migratoire.

Comme ailleurs, la population du Nord - Pas-de-Calais vieillit : l'âge moyen atteint 37,1 ans en 2006 contre 35,8 ans en 1999. Elle reste toutefois la plus jeune derrière l'Île-de-France. L'espérance de vie régionale progresse mais ne comble pas l'écart persistant avec celle de la moyenne nationale.

Entre 1999 et 2007 le nombre de personnes par ménage diminue. Les couples sans enfant et les personnes seules deviennent plus fréquents mais dans des proportions moindres que dans les autres régions, excepté la Picardie. Par ailleurs, les couples avec enfant(s) continuent de représenter plus de la moitié des ménages de la région.

Un déficit migratoire peu élevé

Comme la majorité des régions du nord et de l'est de la France, le Nord - Pas-de-Calais est donc déficitaire au plan migratoire. Les mouvements sont en fait peu nombreux par rapport aux flux observés pour les autres régions. Sur une période de 5 ans, 184 000 Nordistes sont partis et 136 000 personnes se sont installées dans la région. Ainsi, la population du Nord - Pas-de-Calais apparaît comme la plus stable de toutes les régions de France : en 2006, près de 97 % des habitants y résidaient déjà 5 ans auparavant.

La principale destination est l'Île-de-France, souvent pour les études ou la recherche d'un emploi. C'est aussi la première région de provenance, devant la Picardie.

Les personnes venant de l'étranger sont peu nombreuses : à peine 20 % des arrivées. Elles viennent autant d'Europe, surtout de Belgique, que d'Afrique, principalement d'Algérie et du Maroc.

Sans surprise, les jeunes (18 à 24 ans) ou juste un peu plus âgés (25 à 39 ans) sont les plus mobiles : ils représentent 31 % de la population mais 62 % des arrivées et 59 % des départs. L'analyse par catégorie sociale confirme la forte mobilité des étudiants et des cadres.

Une région affectée par le chômage et la précarité

En 2007, le Produit intérieur brut (PIB) atteint 96,5 milliards d'euros, plaçant le Nord - Pas-de-Calais au quatrième rang métropolitain. Cependant cette performance est relativisée par le nombre élevé d'habitants : le PIB par habitant n'apparaît ainsi qu'au vingtième rang des régions françaises.

En 2007, 1,46 million de personnes ont un emploi dans la région. De 2001 à 2006, l'emploi a crû faiblement de 0,2 % en moyenne par an, un peu plus dans le Pas-de-Calais (+ 0,4 %) que dans le Nord (+ 0,2 %). Le taux de chômage régional demeure important : au deuxième trimestre 2009, Il atteint 12,8 %, soit 3,3 points de plus que la valeur nationale. Il touche particulièrement les jeunes : début 2008, un quart des chômeurs ont moins de 25 ans (19 % en France métropolitaine). Près d'un tiers sont des demandeurs d'emploi de longue durée (30 % contre 24 %).

La région est fortement concernée par les politiques sociales. Au 31 décembre 2007, 111 000 personnes sont allocataires du RMI, soit 11 % des allocataires métropolitains. En 2006, 10 % de la population vit dans une zone urbaine sensible (ZUS).

Le système de production régionale se tertiarise

Les caractéristiques du système productif régional sont proches de la moyenne nationale : fin 2007, le tertiaire regroupe 75 % des emplois contre 23 % dans le secondaire (industrie et construction) et 2 % dans le primaire (agriculture). De 1990 à 2006, le secondaire a perdu 19 % de ses emplois pendant que le tertiaire progressait de 30 % (contre 15 % et 29 % au niveau national). Créateur de nouvelles activités, le tertiaire bénéficie en outre de l'externalisation progressive de fonctions que les industries exerçaient auparavant.

Au sein du secteur tertiaire le Nord - Pas-de-Calais a la particularité d'accueillir de grandes enseignes de la vente à distance et de la grande distribution. En 2007, l'industrie régionale compte près de 232 000 salariés. Elle est spécialisée dans l'automobile, la métallurgie, l'industrie ferroviaire, les industries des produits minéraux et le textile, et l'industrie agroalimentaire. ■

1. Repères

Population au 01/01/2009 - Estimation (milliers)	4 022,0
Part dans la population française (%)	6,3
Densité de population (hab./km²)	324,0
Taux de variation annuel moyen de la pop. depuis 1999 (%)	0,1
Emplois au lieu de travail au 31/12/2008 (milliers)	1 528,0
Taux de chômage au dernier trimestre 2009 (%)	13,2
Produit intérieur brut 2008 (milliards d'euros)	100,1
Part dans le PIB France (%)	5,1
Revenu disponible brut 2006 (euros/habitant)	15 993
Revenu médian par unité de consommation 2007 (euros/uc)	15 189
Taux de pauvreté (%)	18,5
Allocataires du RMI au 31/12/2008 (milliers)	110,3
Nombre de zones urbaines sensibles (ZUS)	73
Part de la population régionale en ZUS (%)	10,2

Source : Insee.

2. Zonage en aires urbaines et en aires d'emploi de l'espace rural (ZAUER)

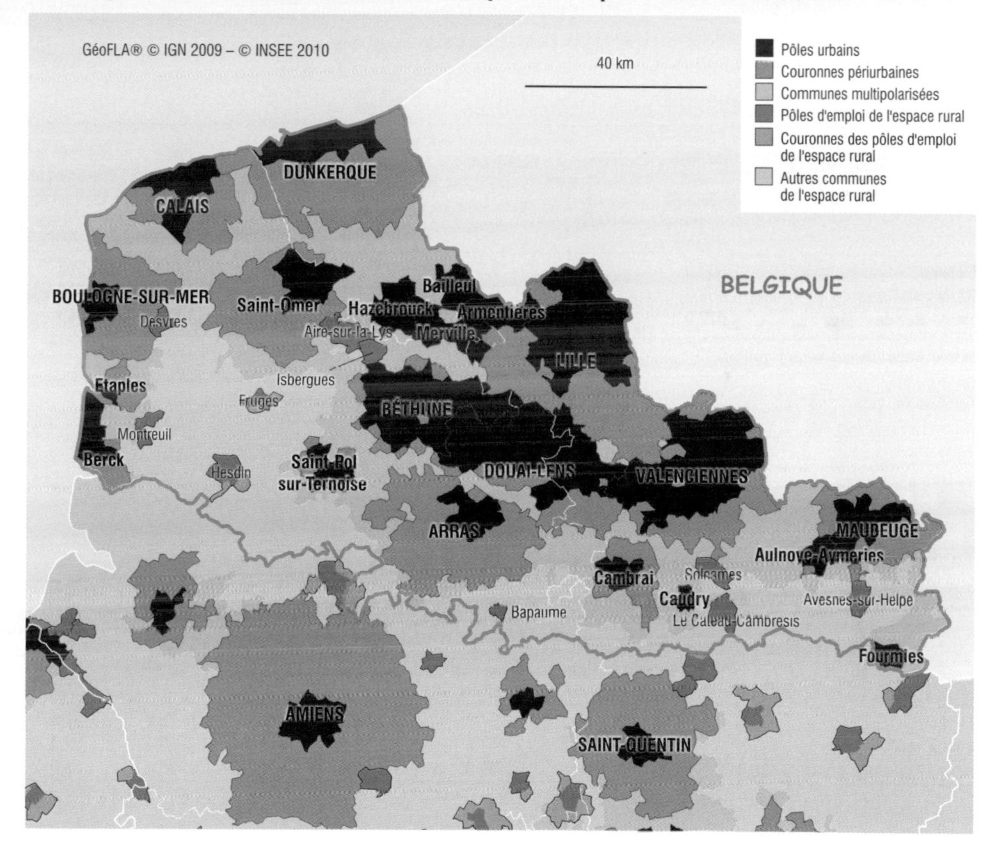

3. Les trois plus grandes agglomérations

	Effectifs	Part dans la population régionale (%)	Évolution annuelle moyenne 1999-2006 (%)
Population en 2006			
Lille[1]	1 016 205	25,3	0,2
Douai-Lens	512 463	12,8	– 0,2
Valenciennes*	355 660	8,9	– 0,1

	Effectifs	Part dans l'emploi régional (%)	Variation entre 1999 et 2006 de la part dans l'emploi régional (%)
Emploi en 2006			
Lille*	465 908	31,8	0,2
Douai-Lens	167 742	11,5	0,3
Valenciennes*	126 851	8,7	0,5

1. Partie française.
Source : Insee - RP 2006.

1.15 Nord - Pas-de-Calais

4. La valeur ajoutée brute régionale en 2008

	Part des branches (%)		Part dans la branche nationale (%)	
	en 2000	en 2008	en 2000	en 2008
Agriculture	2,1	1,3	3,9	3,3
Industrie	23,2	17,8	6,7	6,6
Construction	4,9	6,4	4,9	4,9
Services principalement marchands	45,5	49,5	4,4	4,5
Services administratifs	24,2	25,0	5,9	6,0
Ensemble	**100,0**	**100,0**	**5,1**	**5,1**

Source : Insee - Comptes régionaux en base 2000.

5. Population

Départements	Population au 01/01/2008 (milliers)	Taux d'évolution annuel moyen 1999-2008 (%)			Part des moins de 25 ans (%)	Part des plus de 65 ans (%)	Projection de population au 01/01/2030 (milliers)
		total	dû au solde naturel	dû au solde apparent des entrées-sorties			
59 Nord	2 563,0	0,0	0,6	– 0,6	34,8	13,1	2 593
62 Pas-de-Calais	1 459,0	0,1	0,4	– 0,3	33,3	14,4	1 470
Nord - Pas-de-Calais	**4 022,0**	**0,1**	**0,5**	– 0,4	**34,3**	**13,6**	**4 063**

Source : Insee - Estimations de population.

6. Emploi-chômage

Départements	Emploi au 31 décembre 2008				Variation annuelle moyenne de l'emploi 99-08 (%)	Chômage au 31 décembre 2009		
	Effectifs au lieu de travail (milliers)	dont primaire (%)	dont secondaire (%)	dont tertiaire (%)		Taux de chômage au 4e trim. 2009 (%)	Demandeurs d'emploi (Pôle Emploi) Cat. A de moins de 25 ans (%)	Demandeurs d'emploi (Pôle Emploi) Cat. A, B, C depuis plus d'un an (%)
59 Nord	1 034,5	1,1	21,3	77,6	0,01	13,3	23,9	37,5
62 Pas-de-Calais	493,5	2,4	23,9	73,7	– 0,12	13,0	27,4	39,0
Nord - Pas-de-Calais	**1 528,0**	**1,5**	**22,1**	**76,3**	**– 0,03**	**13,2**	**25,1**	**38,0**

Sources : Insee - Estimations d'emploi et taux de chômage localisés, Pôle Emploi - DEFM.

7. Le logement des ménages

Départements	Part des ménages (%)		Nombre moyen de		Part des ménages comptant (%)			
	propriétaires de leur résidence principale	habitant une maison	pièces par logement	pièces par personne	une personne seule	deux personnes	3 ou 4 personnes	5 personnes ou plus
59 Nord	55,8	69,7	4,4	1,8	30,5	30,8	28,9	9,7
62 Pas-de-Calais	57,2	80,5	4,5	1,8	27,4	32,4	30,6	9,6
Nord - Pas-de-Calais	**56,3**	**73,6**	**4,4**	**1,8**	**29,4**	**31,4**	**29,5**	**9,7**

Source : Insee - RP 2006.

8. Revenus fiscaux des ménages en 2007

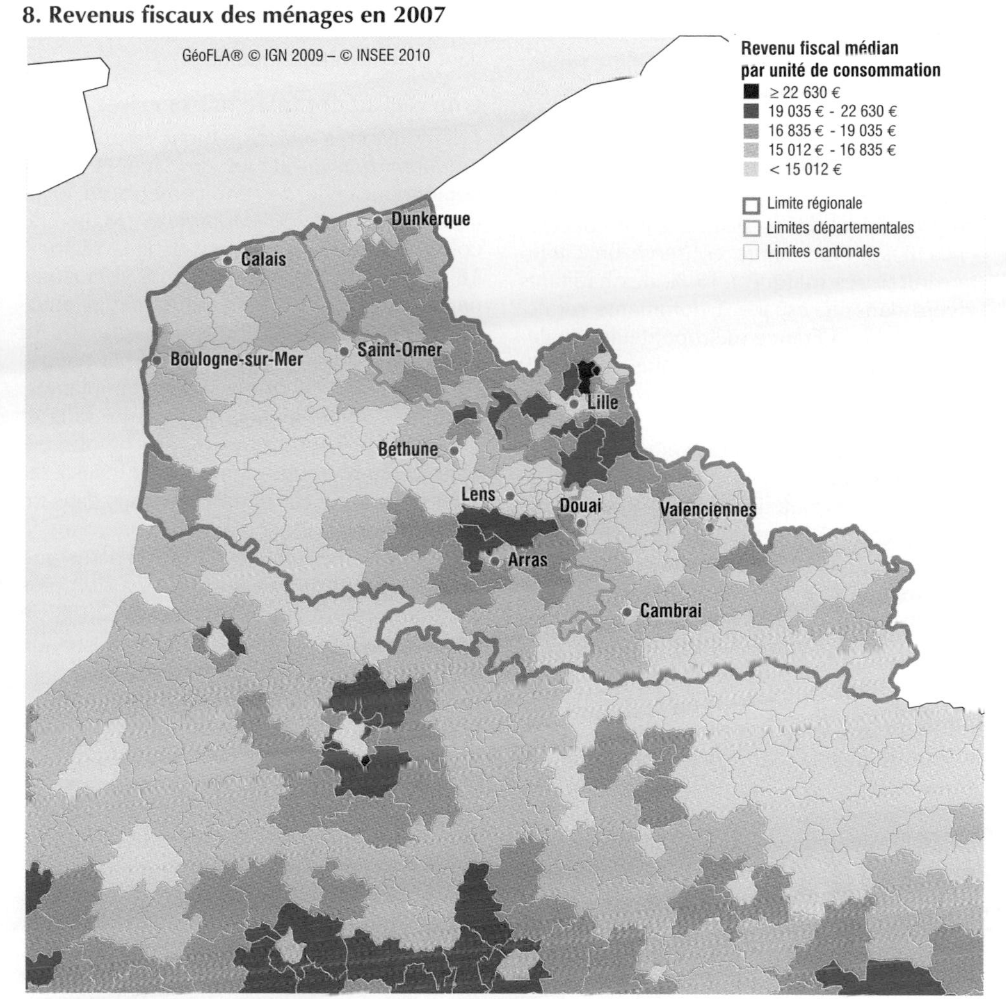

Source : Insee-DGI, Revenus fiscaux des ménages.

9. Les dix principaux secteurs d'activité au 31 décembre 2008[1]

en %

Secteur d'activité[2]	Poids du secteur dans l'emploi salarié		Taux de variation annuel moyen de l'emploi salarié 2003-2008		Poids des effectifs salariés des 10 plus grands établissements[3]	
	Région	France	Région	France	Région	Moyenne France
Commerce ; réparation d'automobiles et de motocycles	13,0	12,6	– 0,2	0,4	6,2	4,3
Activités scientif. et techn. ; services adm. et de soutien	10,8	11,7	1,4	1,4	9,5	7,2
Fabrication d'autres produits industriels	8,6	7,0	– 4,4	– 2,7	14,3	11,2
Construction	6,2	6,2	2,7	3,1	4,3	4,7
Transports et entreposage	5,5	5,7	0,2	0,1	14,0	17,5
Autres activités de services	5,3	5,8	2,0	2,2	7,8	9,3
Hébergement et restauration	2,8	3,7	1,4	1,6	4,3	4,7
Activités financières et d'assurance	2,8	3,4	0,8	1,3	17,1	16,4
Fabric. denrées alim., boissons et prod. à base tabac	2,6	2,3	– 1,7	– 1,2	21,0	18,1
Fabrication de matériels de transport	2,3	1,6	– 1,0	– 1,8	76,5	68,6

1. Hors secteurs principalement non marchands. - 2. Les secteurs d'activité sont décrits en A17, nomenclature agrégée associée à la NAF révision 2. - 3. Au 31.12.2007, hors Défense et intérim.
Source : Insee - Estimations d'emploi localisé, Clap.

1.16 Basse-Normandie

Avec 17 589 km^2, la Basse-Normandie couvre 3,2 % du territoire métropolitain et abrite 2,4 % de la population française. Au 1er janvier 2006, 1,457 million d'habitants y résident, dont 46 % dans le Calvados. Depuis 1999, la population bas-normande croît en moyenne de 0,3 % par an, portée avant tout par l'excédent des naissances sur les décès.

La Basse-Normandie conserve un caractère rural très marqué : 35 % des habitants vivent dans un espace à dominante rurale, pour 18 % en France métropolitaine. Seulement quinze villes comptent plus de 10 000 habitants. La population bas-normande est concentrée au sein de ces villes, notamment Caen et Cherbourg, mais également sur les littoraux. Contrairement à la France métropolitaine, la population des villes-centres décroît entre 1999 et 2006, et reste quasiment stable dans les pourtours des pôles urbains. La croissance de la population sur le littoral se ralentit aussi, après deux décennies de forte augmentation.

On compte, en proportion, plus de seniors – et moins de jeunes – en Basse-Normandie qu'en France métropolitaine. Beaucoup de jeunes quittent la région pour poursuivre des études supérieures ou trouver un premier emploi. La Basse-Normandie accueille en revanche des retraités qui s'installent dans les campagnes les plus proches de l'Île-de-France ou sur le littoral. Ces migrations accentuent le vieillissement de la population.

En 2006, la Basse-Normandie emploie 588 600 personnes, soit 2,3 % de l'emploi métropolitain. Près de neuf actifs ayant un emploi sur dix sont salariés et le secteur tertiaire regroupe 69 % de l'emploi régional (contre 75 % en métropole). La région est très agricole : 6,5 % des emplois relèvent du secteur primaire (3,5 % en métropole). Avec 21 % des emplois industriels, l'agroalimentaire est le premier employeur industriel régional. Orienté principalement sur la transformation du lait et de la viande, le secteur constitue un des atouts majeurs de la Basse-Normandie. À l'image du reste de l'industrie bas-normande, elle produit cependant peu de valeur ajoutée.

Une région ébranlée par la crise

L'industrie a été durement frappée une première fois au début des années 2000, notamment celle des équipements du foyer (démantèlement de *Moulinex*). Mais elle conserve un rôle important dans la région : 18 % des emplois bas-normands sont situés dans ce secteur (15 % en métropole). L'automobile est, avec les industries agricoles et alimentaires, un secteur phare de la région. Peu de grands constructeurs y sont implantés, mais les équipementiers de premier rang et les PME de sous-traitance sont nombreux, apportant un volume important d'investissements. Cette spécialisation régionale dans un secteur industriel en première ligne dans la compétition mondiale explique en partie que la Basse-Normandie a subi la récession plus durement que d'autres régions. En 2008, le Produit intérieur brut (PIB) régional a reculé de – 0,8 %; alors que le PIB français affichait une croissance ralentie mais positive. Le chômage a crû dans la région davantage qu'en France.

La Basse-Normandie comble difficilement son retard dans les activités tertiaires, notamment dans le secteur des services « haut de gamme » aux entreprises (services informatiques, services de conseil et d'assistance, etc.). L'offre locale reste insuffisante pour soutenir le développement des entreprises, notamment dans les parties les plus rurales de la région, là où est massivement implantée l'industrie traditionnelle.

L'importance des emplois agricoles et la faible qualification des emplois industriels expliquent en partie la faiblesse relative des revenus (revenu médian par unité de consommation de 16 400 en 2007 en Basse-Normandie, contre 17 500 en métropole). Le rapport entre haut et bas revenus est également plus faible que la moyenne métropolitaine. Il est plus élevé au sein des villes de la région, lieux de plus forte mixité sociale. ■

1. Repères

Population au 01/01/2009 - Estimation (milliers)	1 467,0	Part dans le PIB France (%)	1,9
Part dans la population française (%)	2,3	Revenu disponible brut 2006 (euros/habitant)	17 907
Densité de population (hab./km²)	83,4	Revenu médian par unité de consommation 2007 (euros/uc)	16 374
Taux de variation annuel moyen de la pop. depuis 1999 (%)	0,3	Taux de pauvreté (%)	13,5
Emplois au lieu de travail au 31/12/2008 (milliers)	582,0	Allocataires du RMI au 31/12/2008 (milliers)	17,7
Taux de chômage au dernier trimestre 2009 (%)	9,1	Nombre de zones urbaines sensibles (ZUS)	12
Produit intérieur brut 2008 (milliards d'euros)	36,3	Part de la population régionale en ZUS (%)	3,5

Source : Insee.

2. Zonage en aires urbaines et en aires d'emploi de l'espace rural (ZAUER)

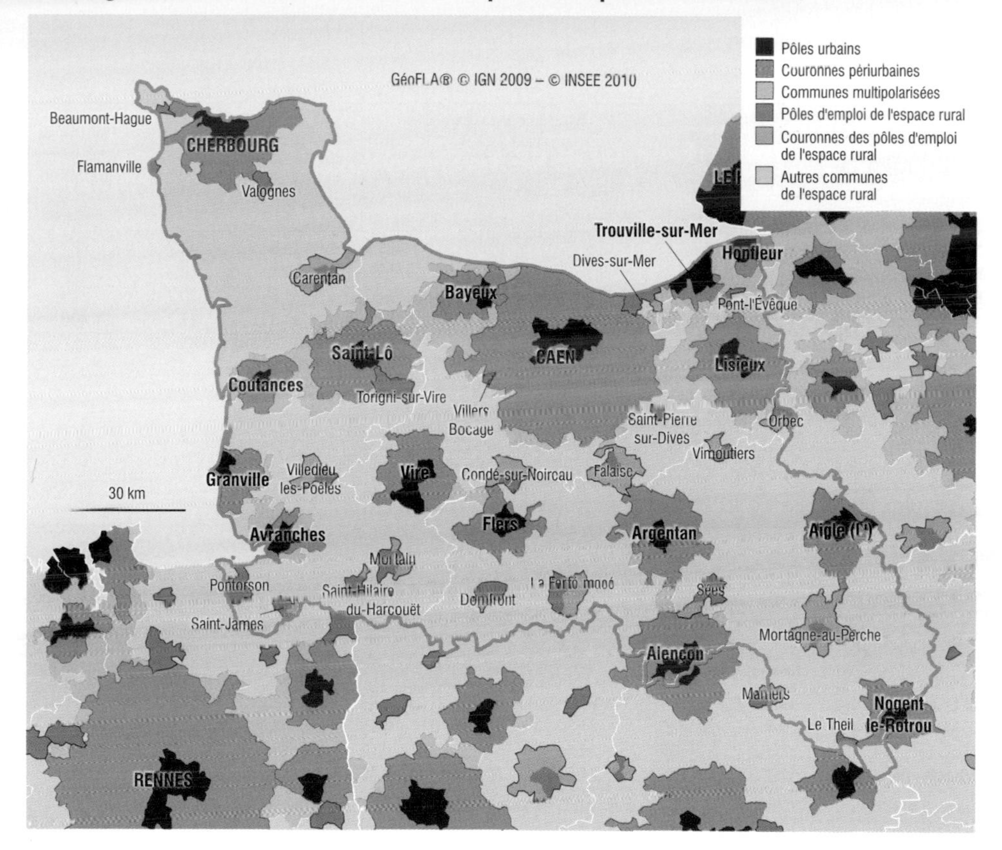

3. Les trois plus grandes agglomérations

	Effectifs	Part dans la population régionale (%)	Évolution annuelle moyenne 1999-2006 (%)
Population en 2006			
Caen	196 322	13,5	– 0,2
Cherbourg-Octeville	86 739	6,0	– 0,5
Alençon	43 546	3,0	– 0,3

	Effectifs	Part dans l'emploi régional (%)	Variation entre 1999 et 2006 de la part dans l'emploi régional (%)
Emploi en 2006			
Caen	122 136	20,8	0,7
Cherbourg-Octeville	39 360	6,7	0,0
Alençon	23 491	4,0	– 0,2

Source : Insee - RP 2006.

4. La valeur ajoutée brute régionale en 2008

	Part des branches (%)		Part dans la branche nationale (%)	
	en 2000	en 2008	en 2000	en 2008
Agriculture	4,9	3,4	3,4	3,2
Industrie	20,6	17,0	2,3	2,3
Construction	6,4	8,5	2,4	2,4
Services principalement marchands	43,9	46,1	1,6	1,5
Services administratifs	24,2	25,0	2,2	2,2
Ensemble	**100,0**	**100,0**	**1,9**	**1,9**

Source : Insee - Comptes régionaux en base 2000.

5. Population

Départements	Population au 01/01/2008 (milliers)	Taux d'évolution annuel moyen 1999-2008 (%)			Part des moins de 25 ans (%)	Part des plus de 65 ans (%)	Projection de population au 01/01/2030 (milliers)
		total	dû au solde naturel	dû au solde apparent des entrées-sorties			
14 Calvados	676,0	0,5	0,4	0,1	31,9	15,7	721
50 Manche	496,0	0,3	0,1	0,2	29,1	19,3	480
61 Orne	292,0	0,0	0,1	– 0,1	28,8	19,7	279
Basse-Normandie	**1 464,0**	**0,3**	**0,3**	**0,0**	**30,3**	**17,7**	**1 480**

Source : Insee - Estimations de population.

6. Emploi-chômage

Départements	Emploi au 31 décembre 2008				Variation annuelle moyenne de l'emploi 99-08 (%)	Chômage au 31 décembre 2009		
	Effectifs au lieu de travail (milliers)	dont primaire (%)	dont secondaire (%)	dont tertiaire (%)		Taux de chômage au 4e trim. 2009 (%)	Demandeurs d'emploi (Pôle Emploi)	
							Cat. A, de moins de 25 ans (%)	Cat. A, B, C depuis plus d'un an (%)
14 Calvados	281,6	3,2	21,3	75,5	– 0,04	9,6	22,6	32,4
50 Manche	188,9	6,3	26,3	67,3	– 0,19	8,3	24,4	32,3
61 Orne	111,5	6,8	29,0	64,2	– 0,42	9,5	23,1	33,7
Basse-Normandie	**582,0**	**4,9**	**24,4**	**70,7**	**– 0,16**	**9,1**	**23,2**	**32,6**

Sources : Insee - Estimations d'emploi et taux de chômage localisés, Pôle Emploi - DEFM.

7. Le logement des ménages

Départements	Part des ménages (%)		Nombre moyen de		Part des ménages comptant (%)			
	propriétaires de leur résidence principale	habitant une maison	pièces par logement	pièces par personne	une personne seule	deux personnes	3 ou 4 personnes	5 personnes ou plus
14 Calvados	55,4	64,3	4,1	1,8	32,5	33,3	27,4	6,8
50 Manche	61,0	78,8	4,3	1,9	31,9	35,4	26,5	6,2
61 Orne	61,9	78,0	4,2	1,9	32,7	35,5	25,5	6,3
Basse-Normandie	**58,6**	**72,0**	**4,2**	**1,8**	**32,3**	**34,4**	**26,7**	**6,5**

Source : Insee - RP 2006.

8. Revenus fiscaux des ménages en 2007

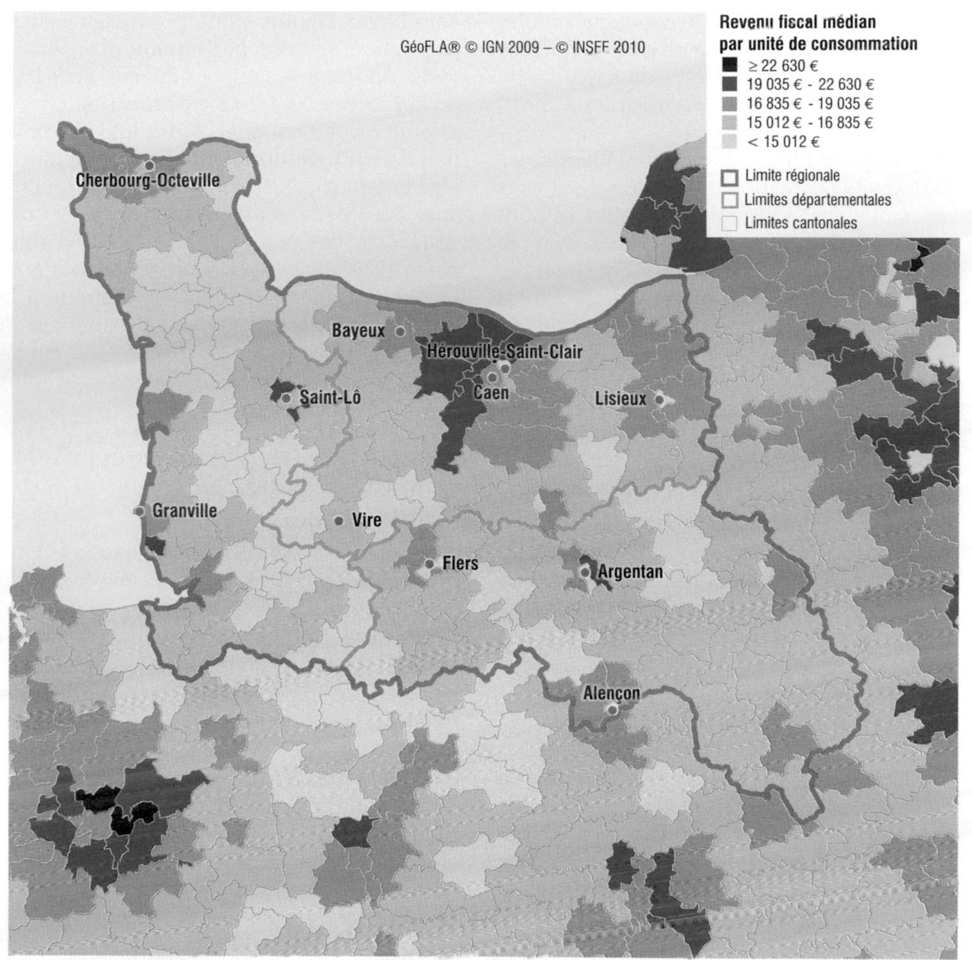

Source : Insee-DGI, Revenus fiscaux des ménages

9. Les dix principaux secteurs d'activité au 31 décembre 2008[1]

en %

Secteur d'activité[2]	Poids du secteur dans l'emploi salarié		Taux de variation annuel moyen de l'emploi salarié 2003-2008		Poids des effectifs salariés des 10 plus grands établissements[3]	
	Région	France	Région	France	Région	Moyenne France
Commerce ; réparation d'automobiles et de motocycles	12,4	12,6	0,4	0,4	6,1	4,3
Activités scientif. et techn. ; services adm. et de soutien	8,2	11,7	0,4	1,4	11,7	7,2
Fabrication d'autres produits industriels	7,8	7,0	– 1,1	– 2,7	16,9	11,2
Construction	7,2	6,2	2,7	3,1	5,5	4,7
Autres activités de services	6,4	5,8	0,8	2,2	11,6	9,3
Transports et entreposage	4,5	5,7	0,3	0,1	17,1	17,5
Fabric. denrées alim., boissons et prod. à base tabac	4,0	2,3	0,3	– 1,2	24,9	18,1
Hébergement et restauration	3,1	3,7	1,5	1,6	5,0	4,7
Fabrication de matériels de transport	2,9	1,6	– 1,9	– 1,8	72,2	68,6
Activités financières et d'assurance	2,5	3,4	0,9	1,3	28,3	16,4

1. Hors secteurs principalement non marchands. - 2. Les secteurs d'activité sont décrits en A17, nomenclature agrégée associée à la NAF révision 2. - 3. Au 31.12.2007, hors Défense et intérim.
Source : Insee - Estimations d'emploi localisé, Clap.

1.17 Haute-Normandie

Située en aval de la Seine, la Haute-Normandie est le débouché naturel du Bassin parisien pour accéder à la mer. Les deux grands ports maritimes du Havre et de Rouen se situent respectivement au 2e et 6e rang national.

Le relief et l'hydrographie ont favorisé au XIXe siècle la création d'industries textiles et de papeteries. Plusieurs raffineries se sont implantées entre Rouen et Le Havre avant la guerre. Un pôle pétrochimique considérable s'est ainsi développé autour de cet axe et réalise un tiers de la production française de produits raffinés en 2004. Dans les années 1960, l'industrie automobile s'est installée, suivie par d'autres industries décentralisées (électronique, pharmacie et parfumerie), développant un important réseau de sous-traitance. Enfin, dans les années 1980, deux centrales nucléaires ont été construites, Paluel et Penly, produisant un dixième de l'électricité française. La Haute-Normandie est donc un lieu privilégié pour les grands groupes industriels dont les sièges sociaux sont souvent localisés en Île -de France.

L'industrie très présente

L'importance de l'activité industrielle va de pair avec une représentation plus forte de l'emploi industriel (un emploi sur 5) par rapport à l'ensemble du territoire (moins d'un emploi sur 6). En corollaire, le tertiaire est moins développé même si les fonctions transports-logistiques portées par l'activité portuaire sont très présentes. Même si elle n'emploie que 2,4 % des actifs de la région, l'agriculture constitue un secteur économique important, couvrant les 3/4 du territoire haut-normand. Elle est plutôt spécialisée dans les grandes cultures, avec en particulier le 1er rang des régions pour la production de lin. L'industrie agroalimentaire est assez peu liée à l'agriculture locale mais plutôt en cohérence avec la vocation portuaire de la région (1re région productrice de chocolat).

La Haute-Normandie est composée de deux départements : l'Eure et la Seine-Maritime. Au 1er janvier 2007, elle compte 1,8 million d'habitants, dont un tiers réside dans l'Eure. Depuis 1999, la croissance de la population se tasse par rapport aux années 1980. À l'instar des régions du nord et de l'est de la France, l'écart de croissance se creuse avec le niveau national. Ainsi, le poids de la population haut-normande en France baisse légèrement à 2,9 %. D'une part, par rapport aux décennies précédentes, le solde des entrées et des sorties reste négatif, d'autre part l'excédent des naissances sur les décès se réduit. Cependant, celui-ci, rapporté à la population, reste légèrement supérieur à celui de la France. La Haute-Normandie demeure ainsi parmi les régions les plus jeunes.

Attractivité d'emploi et de population contrastées entre les deux départements haut-normands

La situation est contrastée entre les deux départements : la Seine-Maritime supporte l'ensemble du déficit migratoire tandis que l'Eure reste un département attractif grâce à sa proximité avec l'Île-de-France. L'Eure demeure un département attractif en termes d'habitat mais moins en termes d'emploi, puisque plus de 25 % des actifs travaillent dans un autre département, contre moins de 7 % pour la Seine-Maritime. L'attractivité touristique de la région est assez limitée, comparée à beaucoup d'autres régions, et correspond essentiellement à des courts séjours.

Entre 1999 et 2006, l'emploi augmente sensiblement : + 0,6 % en moyenne chaque année. Cette progression est cependant moindre qu'en France métropolitaine (+ 1,2 %). Le chômage baisse de 3 points sur cette période et l'écart avec le taux national se réduit à environ 1 point. En 2008, le chômage remonte néanmoins. En Haute-Normandie, les formes d'emploi précaire sont plus répandues, en particulier l'intérim et les contrats aidés, et le niveau des diplômes est légèrement inférieur à la moyenne nationale. Malgré cela, la part des haut-normands vivant sous le seuil de pauvreté reste légèrement inférieure à la moyenne nationale. ■

1. Repères

Population au 01/01/2009 - Estimation (milliers)	1 822,0	Part dans le PIB France (%)	2,6
Part dans la population française (%)	2,8	Revenu disponible brut 2006 (euros/habitant)	17 788
Densité de population (hab./km²)	147,9	Revenu médian par unité de consommation 2007 (euros/uc)	17 234
Taux de variation annuel moyen de la pop. depuis 1999 (%)	0,2	Taux de pauvreté (%)	12,9
Emplois au lieu de travail au 31/12/2008 (milliers)	738,1	Allocataires du RMI au 31/12/2008 (milliers)	30,4
Taux de chômage au dernier trimestre 2009 (%)	10,6	Nombre de zones urbaines sensibles (ZUS)	25
Produit intérieur brut 2008 (milliards d'euros)	50,9	Part de la population régionale en ZUS (%)	6,9

Source : Insee.

2. Zonage en aires urbaines et en aires d'emploi de l'espace rural (ZAUER)

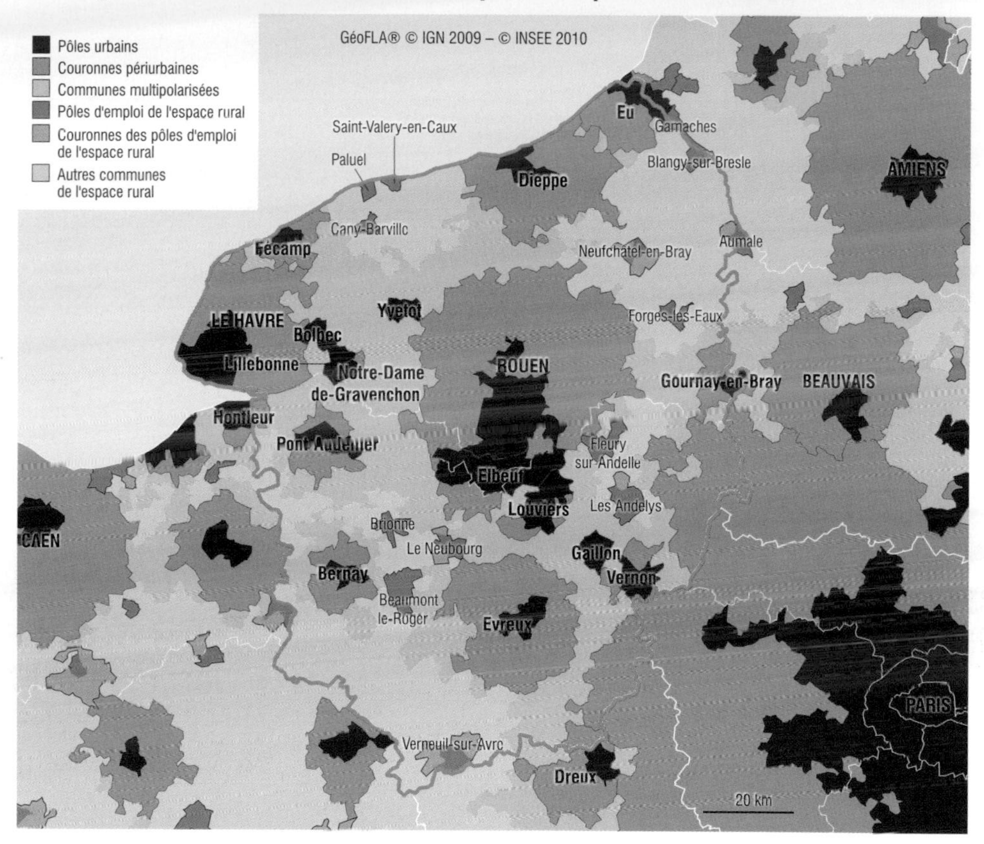

3. Les trois plus grandes agglomérations

	Effectifs	Part dans la population régionale (%)	Évolution annuelle moyenne 1999-2006 (%)
Population en 2006			
Rouen	388 798	21,5	0,0
Le Havre	238 777	13,2	– 0,6
Elbeuf	77 042	4,3	0,3

	Effectifs	Part dans l'emploi régional (%)	Variation entre 1999 et 2006 de la part dans l'emploi régional (%)
Emploi en 2006			
Rouen	191 466	26,9	0,2
Le Havre	101 420	14,2	0,0
Évreux	41 420	5,8	– 0,1

Source : Insee - RP 2006.

1.17 Haute-Normandie

4. La valeur ajoutée brute régionale en 2008

	Part des branches (%)		Part dans la branche nationale (%)	
	en 2000	en 2008	en 2000	en 2008
Agriculture	2,3	1,6	2,2	2,1
Industrie	27,0	20,3	4,1	3,8
Construction	5,4	7,1	2,9	2,8
Services principalement marchands	45,1	48,6	2,3	2,3
Services administratifs	20,1	22,5	2,6	2,7
Ensemble	**100,0**	**100,0**	**2,7**	**2,6**

Source : Insee - Comptes régionaux en base 2000.

5. Population

Départements	Population au 01/01/2008 (milliers)	Taux d'évolution annuel moyen 1999-2008 (%)			Part des moins de 25 ans (%)	Part des plus de 65 ans (%)	Projection de population au 01/01/2030 (milliers)
		total	dû au solde naturel	dû au solde apparent des entrées-sorties			
27 Eure	575,5	0,7	0,5	0,2	32,3	13,9	628
76 Seine-Maritime	1 244,0	0,0	0,4	– 0,4	32,4	15,2	1 224
Haute-Normandie	**1 819,5**	**0,2**	**0,4**	**– 0,2**	**32,4**	**14,8**	**1 852**

Source : Insee - Estimations de population.

6. Emploi-chômage

Départements	Emploi au 31 décembre 2008				Variation annuelle moyenne de l'emploi 99-08 (%)	Chômage au 31 décembre 2009		
	Effectifs au lieu de travail (milliers)	dont primaire (%)	dont secondaire (%)	dont tertiaire (%)		Taux de chômage au 4e trim. 2009 (%)	Demandeurs d'emploi (Pôle Emploi)	
							Cat. A de moins de 25 ans (%)	Cat. A, B, C depuis plus d'un an (%)
27 Eure	213,7	2,5	29,9	67,6	– 0,06	10,2	22,3	37,6
76 Seine-Maritime	524,4	1,6	24,7	73,7	– 0,08	10,8	24,4	35,1
Haute-Normandie	**738,1**	**1,9**	**26,2**	**71,9**	**– 0,07**	**10,6**	**23,7**	**35,9**

Sources : Insee - Estimations d'emploi et taux de chômage localisés, Pôle Emploi - DEFM.

7. Le logement des ménages

Départements	Part des ménages (%)		Nombre moyen de		Part des ménages comptant (%)			
	propriétaires de leur résidence principale	habitant une maison	pièces par logement	pièces par personne	une personne seule	deux personnes	3 ou 4 personnes	5 personnes ou plus
27 Eure	63,5	76,4	4,3	1,8	27,0	34,0	31,3	7,7
76 Seine-Maritime	52,4	56,5	4,0	1,7	32,3	32,9	28,1	6,8
Haute-Normandie	**55,7**	**62,4**	**4,1**	**1,7**	**30,7**	**33,2**	**29,0**	**7,0**

Source : Insee - RP 2006.

8. Revenus fiscaux des ménages en 2007

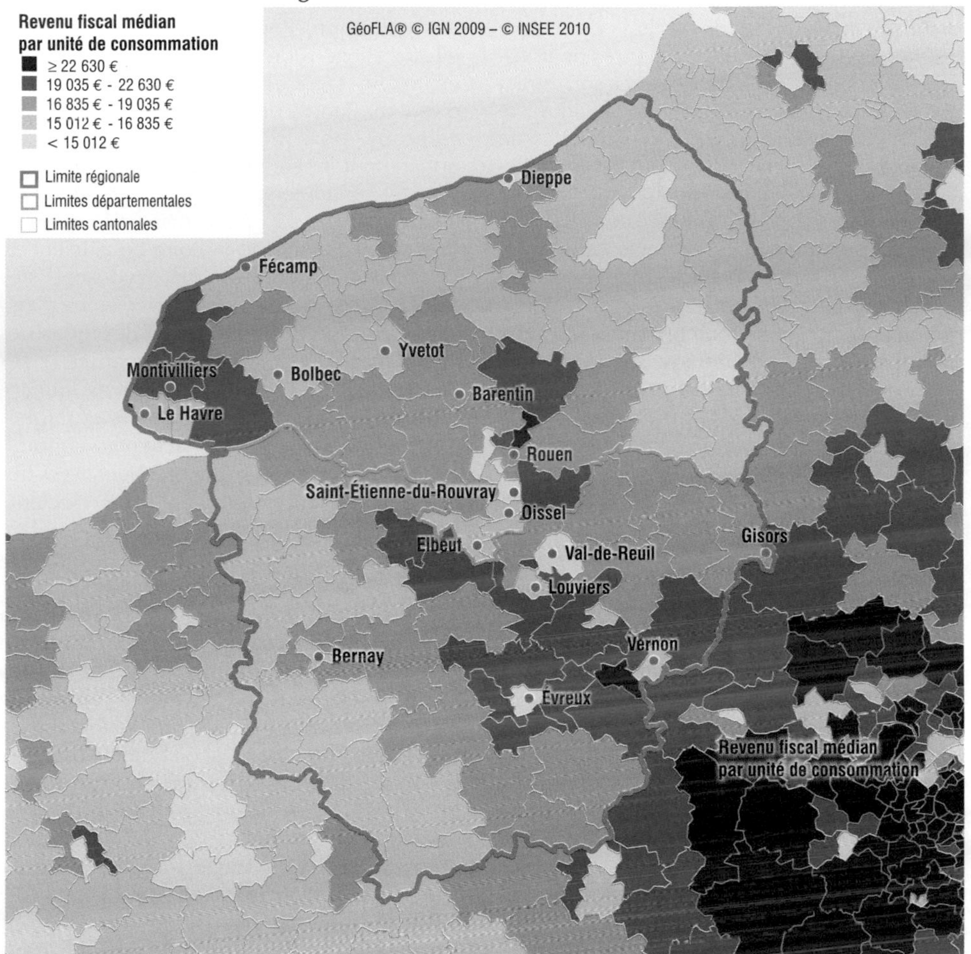

Source : Insee-DGI, Revenus fiscaux des ménages.

9. Les dix principaux secteurs d'activité au 31 décembre 2008[1]

en %

Secteur d'activité[2]	Poids du secteur dans l'emploi salarié		Taux de variation annuel moyen de l'emploi salarié 2003-2008		Poids des effectifs salariés des 10 plus grands établissements[3]	
	Région	France	Région	France	Région	Moyenne France
Commerce ; réparation d'automobiles et de motocycles	11,3	12,6	0,5	0,4	5,9	4,3
Fabrication d'autres produits industriels	10,4	7,0	– 2,3	– 2,7	16,2	11,2
Activités scientif. et techn. ; services adm. et de soutien	10,4	11,7	0,8	1,4	10,0	7,2
Transports et entreposage	7,3	5,7	0,6	0,1	17,9	17,5
Construction	7,1	6,2	3,2	3,1	9,5	4,7
Autres activités de services	5,5	5,8	2,0	2,2	8,8	9,3
Hébergement et restauration	2,7	3,7	1,6	1,6	7,8	4,7
Activités financières et d'assurance	2,6	3,4	1,4	1,3	23,7	16,4
Fabrication d'equipements electriques, electroniques, informatiques ; fabrication de machines	2,6	2,1	– 3,5	– 1,5	30,1	27,9
Fabrication de matériels de transport	2,2	1,6	– 4,6	– 1,8	90,5	68,6

1. Hors secteurs principalement non marchands. - 2. Les secteurs d'activité sont décrits en A17, nomenclature agrégée associée à la NAF révision 2. - 3. Au 31.12.2007, hors Défense et intérim.

Source : Insee - Estimations d'emploi localisé, Clap.

1.18 Pays de la Loire

Bien qu'excentrée du centre économique de l'Europe, la région des Pays de la Loire est desservie par des infrastructures de transport diversifiées, qui contribuent à son attractivité. Sa façade maritime facilite le développement d'activités variées, en matière de tourisme, de pêche, de construction navale ou encore d'échanges liées au port de commerce de Nantes-Saint-Nazaire. Comprenant cinq départements diversifiés, son territoire s'articule autour d'une armature urbaine dynamique constituée d'une métropole de grande taille (Nantes-Saint-Nazaire), de grandes agglomérations (Angers et Le Mans) et de villes moyennes bien réparties sur le territoire et qui constituent autant de bons relais pour l'accès aux services et équipements des populations issues des petites villes et espaces ruraux.

Un dynamisme démographique qui ne repose pas que sur l'attractivité de la région

Les Pays de la Loire comptent 3,5 millions d'habitants au 1er janvier 2008, ce qui situe la région au cinquième rang des régions françaises. Comme dans les autres régions du littoral atlantique et méditerranéen, la croissance démographique est forte depuis le début des années 1990. Ce dynamisme repose autant sur un solde naturel largement positif – la région Pays de la Loire est la plus féconde de France métropolitaine, avec un indicateur conjoncturel de fécondité de 2,13 enfants par femme en 2006 – que sur l'attractivité de la région. Si les migrations restent déficitaires chez les moins de 30 ans, la région attire un nombre croissant et important d'actifs. Sur la période récente, les cadres sont plus nombreux à choisir de venir résider dans les Pays de la Loire qu'à en partir.

Ralentissement économique dans les Pays de la Loire

La région se place en 2008 au cinquième rang des régions françaises pour le niveau du Produit intérieur brut (PIB). La croissance économique a été particulièrement élevée depuis 1990. Si le tissu industriel reste dense et dynamique, l'appareil productif s'est en effet « allégé » de secteurs structurellement en déclin (agriculture, industries de main-d'œuvre), tandis qu'il s'est renforcé dans les créneaux plus riches en valeur ajoutée, notamment les services aux entreprises et les services financiers. Deuxième région pour l'agriculture et la pêche maritime, après la Bretagne, les Pays de la Loire bénéficient de conditions naturelles qui favorisent des productions agricoles diversifiées qui soutiennent le développement des industries agroalimentaires, bien réparties sur l'ensemble du territoire. Les atouts touristiques de la région sont également multiples. Cette grande diversité des activités économiques dans la région se conjugue avec des compétences pointues sur des secteurs porteurs. Les Pays de la Loire accueillent ainsi 9 des 71 pôles nationaux de compétitivité, dont deux à vocation mondiale.

Si les Pays de la Loire ne sont pas une région particulièrement riche en termes de niveau de vie des ménages, la pauvreté et les inégalités y sont en revanche beaucoup moins fortes qu'au niveau national. La croissance de l'emploi a accompagné la forte progression de l'activité économique depuis le début de la décennie 2000, jusqu'au déclenchement de la crise économique à l'été 2008. Deux habitants âgés de 15 à 64 ans sur trois étaient ainsi en emploi en 2006 : c'est le taux le plus élevé des régions françaises. La région se situe également dans le quatuor de tête des régions aux plus faibles taux de chômage. Le ralentissement économique est néanmoins sensible dans bon nombre de secteurs d'activité, plus particulièrement dans l'industrie. L'emploi s'est replié en 2008 et le chômage a augmenté plus fortement dans la région qu'au niveau national. Le taux de chômage a dépassé le seuil des 8 % au deuxième trimestre de 2009, pour la première fois depuis la fin 1999. Les jeunes sont les plus affectés par cette dégradation du marché du travail. ■

1. Repères

Population au 01/01/2009 - Estimation (milliers)	3 538,0	Part dans le PIB France (%)	5,0
Part dans la population française (%)	5,5	Revenu disponible brut 2006 (euros/habitant)	17 962
Densité de population (hab./km²)	110,3	Revenu médian par unité de consommation 2007 (euros/uc)	16 965
Taux de variation annuel moyen de la pop. depuis 1999 (%)	0,9	Taux de pauvreté (%)	11,3
Emplois au lieu de travail au 31/12/2008 (milliers)	1 489,5	Allocataires du RMI au 31/12/2008 (milliers)	38,2
Taux de chômage au dernier trimestre 2009 (%)	8,6	Nombre de zones urbaines sensibles (ZUS)	29
Produit intérieur brut 2008 (milliards d'euros)	97,0	Part de la population régionale en ZUS (%)	4,1

Source : Insee.

2. Zonage en aires urbaines et en aires d'emploi de l'espace rural (ZAUER)

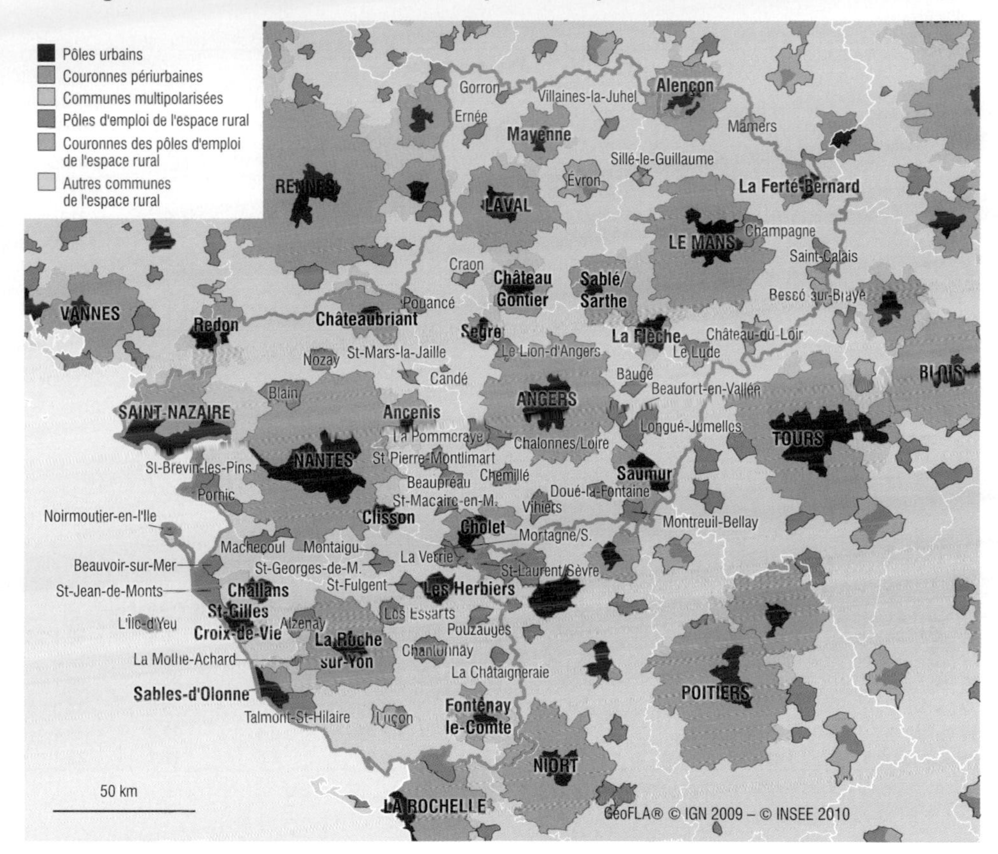

3. Les trois plus grandes agglomérations

	Effectifs	Part dans la population régionale (%)	Évolution annuelle moyenne 1999-2006 (%)
Population en 2006			
Nantes	568 743	16,5	0,6
Angers	227 771	6,6	0,1
Le Mans	192 910	5,6	– 0,1

	Effectifs	Part dans l'emploi régional (%)	Variation entre 1999 et 2006 de la part dans l'emploi régional (%)
Emploi en 2006			
Nantes	299 022	20,6	0,9
Angers	124 125	8,5	– 0,1
Le Mans	107 941	7,4	– 0,3

Source : Insee - RP 2006.

4. La valeur ajoutée brute régionale en 2008

	Part des branches (%)		Part dans la branche nationale (%)	
	en 2000	en 2008	en 2000	en 2008
Agriculture	4,9	2,9	8,3	7,2
Industrie	21,5	17,5	5,9	6,3
Construction	6,5	8,6	6,2	6,4
Services principalement marchands	47,0	50,7	4,3	4,5
Services administratifs	20,1	20,2	4,6	4,7
Ensemble	**100,0**	**100,0**	**4,9**	**5,0**

Source : Insee - Comptes régionaux en base 2000.

5. Population

Départements	Population au 01/01/2008 (milliers)	Taux d'évolution annuel moyen 1999-2008 (%)			Part des moins de 25 ans (%)	Part des plus de 65 ans (%)	Projection de population au 01/01/2030 (milliers)
		total	dû au solde naturel	dû au solde apparent des entrées-sorties			
44 Loire-Atlantique	1 259,0	1,2	0,6	0,6	32,6	14,4	1 477
49 Maine-et-Loire	775,0	0,6	0,5	0,1	33,2	15,5	819
53 Mayenne	302,0	0,6	0,5	0,1	31,0	17,5	326
72 Sarthe	559,5	0,6	0,3	0,3	30,7	17,3	601
85 Vendée	615,0	1,5	0,3	1,2	28,9	18,4	726
Pays de la Loire	**3 510,5**	**1,0**	**0,5**	**0,5**	**31,6**	**16,1**	**3 949**

Source : Insee - Estimations de population.

6. Emploi-chômage

Départements	Emploi au 31 décembre 2008				Variation annuelle moyenne de l'emploi 99-08 (%)	Chômage au 31 décembre 2009		
	Effectifs au lieu de travail (milliers)	dont primaire (%)	dont secondaire (%)	dont tertiaire (%)		Taux de chômage au 4e trim. 2009 (%)	Demandeurs d'emploi (Pôle Emploi)	
							Cat. A de moins de 25 ans (%)	Cat. A, B, C depuis plus d'un an (%)
44 Loire-Atlantique	573,8	2,2	21,1	76,7	0,29	8,6	20,6	32,1
49 Maine-et-Loire	317,7	5,5	26,1	68,4	– 0,07	8,8	23,3	36,6
53 Mayenne	125,4	7,7	30,4	61,9	– 0,26	6,9	23,5	28,7
72 Sarthe	221,7	3,3	27,3	69,4	– 0,22	9,5	23,2	34,3
85 Vendée	250,9	5,2	33,0	61,8	– 0,12	8,4	22,0	31,1
Pays de la Loire	**1 489,5**	**4,0**	**25,9**	**70,1**	**0,02**	**8,6**	**22,1**	**33,1**

Sources : Insee - Estimations d'emploi et taux de chômage localisés, Pôle Emploi - DEFM.

7. Le logement des ménages

Départements	Part des ménages (%)		Nombre moyen de		Part des ménages comptant (%)			
	propriétaires de leur résidence principale	habitant une maison	pièces par logement	pièces par personne	une personne seule	deux personnes	3 ou 4 personnes	5 personnes ou plus
44 Loire-Atlantique	62,5	64,4	4,1	1,8	33,3	32,7	27,1	6,9
49 Maine-et-Loire	58,7	70,0	4,3	1,8	31,9	33,6	26,7	7,7
53 Mayenne	63,7	79,7	4,4	1,9	30,8	35,3	26,1	7,8
72 Sarthe	62,8	74,2	4,2	1,8	31,8	35,1	26,7	6,4
85 Vendée	71,4	87,0	4,4	1,9	28,7	37,5	27,6	6,2
Pays de la Loire	**63,3**	**72,4**	**4,2**	**1,8**	**31,7**	**34,3**	**27,0**	**7,0**

Source : Insee - RP 2006.

8. Revenus fiscaux des ménages en 2007

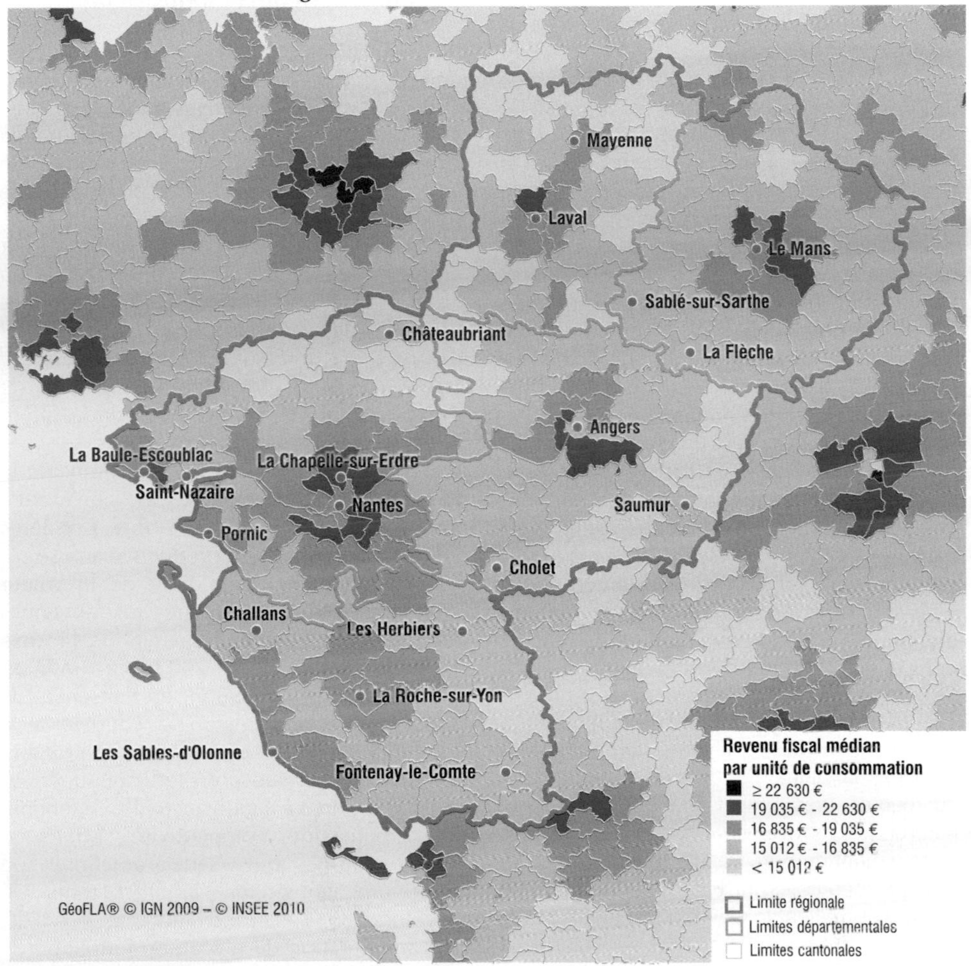

Source : Insee-DGI, Revenus fiscaux des ménages.

9. Les dix principaux secteurs d'activité au 31 décembre 2008[1]

en %

Secteur d'activité[2]	Poids du secteur dans l'emploi salarié		Taux de variation annuel moyen de l'emploi salarié 2003-2008		Poids des effectifs salariés des 10 plus grands établissements[3]	
	Région	France	Région	France	Région	Moyenne France
Commerce ; réparation d'automobiles et de motocycles	12,7	12,6	1,4	0,4	3,1	4,3
Activités scientif. et techn. ; services adm. et de soutien	10,4	11,7	2,3	1,4	4,1	7,2
Fabrication d'autres produits industriels	8,9	7,0	– 1,8	– 2,7	6,8	11,2
Construction	7,2	6,2	3,7	3,1	3,2	4,7
Autres activités de services	5,3	5,8	2,6	2,2	6,9	9,3
Transports et entreposage	5,1	5,7	0,7	0,1	16,0	17,5
Fabric. denrées alim., boissons et prod. à base tabac	4,2	2,3	– 1,2	– 1,2	18,0	18,1
Activités financières et d'assurance	3,2	3,4	2,0	1,3	24,6	16,4
Fabrication d'equipements electriques, electroniques, informatiques ; fabrication de machines	2,9	2,1	– 1,0	– 1,5	20,3	27,9
Hébergement et restauration	2,7	3,7	2,0	1,6	4,1	4,7

1. Hors secteurs principalement non marchands. - 2. Les secteurs d'activité sont décrits en A17, nomenclature agrégée associée à la NAF révision 2. - 3. Au 31.12.2007, hors Défense et intérim.

Source : Insee - Estimations d'emploi localisé, Clap.

1.19 Picardie

La Picardie, industrielle et rurale à la fois, est située entre deux grandes régions urbaines, l'Île-de-France et le Nord-Pas-de-Calais. La proximité de l'île-de-France instaure un clivage nord-sud entre le sud de l'Oise, partie intégrante de l'aire urbaine de Paris, qui bénéficie d'un chômage plus bas et de revenus plus élevés, et le nord-est de la région, plus rural, plus isolé, plus pauvre. Les projets du Canal Seine Nord Europe ou du barreau TGV Creil-Roissy vont améliorer l'accessibilité de la région et sa proximité des grands marchés européens, déjà facilitées par un excellent réseau d'infrastructures autoroutières (A16, A29, A1, etc.) et l'absence d'obstacles géographiques naturels.

La Picardie, dispose d'un maillage de villes petites et moyennes qui structure le territoire, largement marqué par un habitat périurbain. Les déplacements domicile-travail sont parmi les plus nombreux de France, à la fois vers les bassins d'emplois parisien et rémois mais aussi entre ses principaux bassins d'emplois, notamment autour d'Amiens et dans le sud de la région.

Faible croissance démographique

Comme les autres régions du nord de la France, la Picardie voit sa population augmenter uniquement grâce à l'excédent naturel. Les mouvements migratoires, orientés globalement du nord vers le sud de la France, font que, depuis les années 1980, davantage de personnes quittent la région que d'autres ne s'y installent. Entre 1999 et 2006, la Picardie a perdu 5 000 habitants par an en moyenne, en raison d'un déficit migratoire qui tend à s'aggraver. Avec 1,89 million d'habitants au 1er janvier 2006, la Picardie est au 12e rang des 22 régions de métropole. Le rythme d'évolution démographique de la région ne cesse de diminuer depuis 1962 et atteint 0,3 % en moyenne annuelle entre 1999 et 2006, taux deux fois et demi moins élevé que celui de la France. Cette croissance démographique est portée par l'Oise, qui bénéficie d'un fort excédent naturel, compensant le déficit migratoire. De leur côté, la Somme progresse faiblement tandis que l'Aisne reste stable.

Tradition agricole et industrielle

L'agriculture, caractérisée par des exploitations de grande taille à rendements élevés, est l'une des plus productives de France. Elle contribue au tiers de la production nationale de betteraves sucrières et de pommes de terre, et à près du quart de la production de protéagineux.

L'industrie participe pour 19 % à la valeur ajoutée picarde de 2007 contre 14 % en France métropolitaine. Les principales filières sont la chimie plasturgie, le travail des métaux, la mécanique et l'agroalimentaire, avec une présence significative de l'aéronautique et, dans l'Oise, de la filière automobile. Le commerce et les services marchands pèsent pour un peu moins de la moitié de la valeur ajoutée (56 % en France métropolitaine). Au cours des dernières années, cette structure productive a pesé sur la croissance de l'emploi et de la valeur ajoutée, nettement inférieures aux moyennes françaises, et aggravé les effets de la crise économique de 2008-2009. La tradition industrielle de la région et l'absence de grande métropole régionale couplée à la proximité de Paris, Lille et Reims contribuent à freiner la croissance du tertiaire supérieur dans la région. La région accueille cependant deux pôles de compétitivité, I-trans et Agro-ressources, qui visent à améliorer son positionnement dans la recherche, le développement et l'innovation.

L'amélioration du niveau de formation de la population régionale, encore parmi les plus faibles de France, est certainement l'enjeu le plus important des prochaines décennies pour le développement régional. Sans ce rattrapage, la Picardie ne résoudra pas le problème du chômage, structurellement très important. La Picardie retrouve au 2e trimestre 2009 le niveau de chômage de 1999 avec un taux de 10,8 %, soit 1,7 point au-dessus du niveau national. L'Aisne occupe le 2e rang des départements métropolitains avec un taux de 13 % tandis que l'Oise dépasse pour la première fois en 2009 le taux de chômage national. ■

1. Repères

Population au 01/01/2009 - Estimation (milliers)	1 906,0	Part dans le PIB France (%)	2,3
Part dans la population française (%)	3,0	Revenu disponible brut 2006 (euros/habitant)	17 480
Densité de population (hab./km²)	98,2	Revenu médian par unité de consommation 2007 (euros/uc)	16 741
Taux de variation annuel moyen de la pop. depuis 1999 (%)	0,3	Taux de pauvreté (%)	14,3
Emplois au lieu de travail au 31/12/2008 (milliers)	683,5	Allocataires du RMI au 31/12/2008 (milliers)	28,5
Taux de chômage au dernier trimestre 2009 (%)	11,4	Nombre de zones urbaines sensibles (ZUS)	21
Produit intérieur brut 2008 (milliards d'euros)	45,4	Part de la population régionale en ZUS (%)	7,0

Source : Insee.

2. Zonage en aires urbaines et en aires d'emploi de l'espace rural (ZAUER)

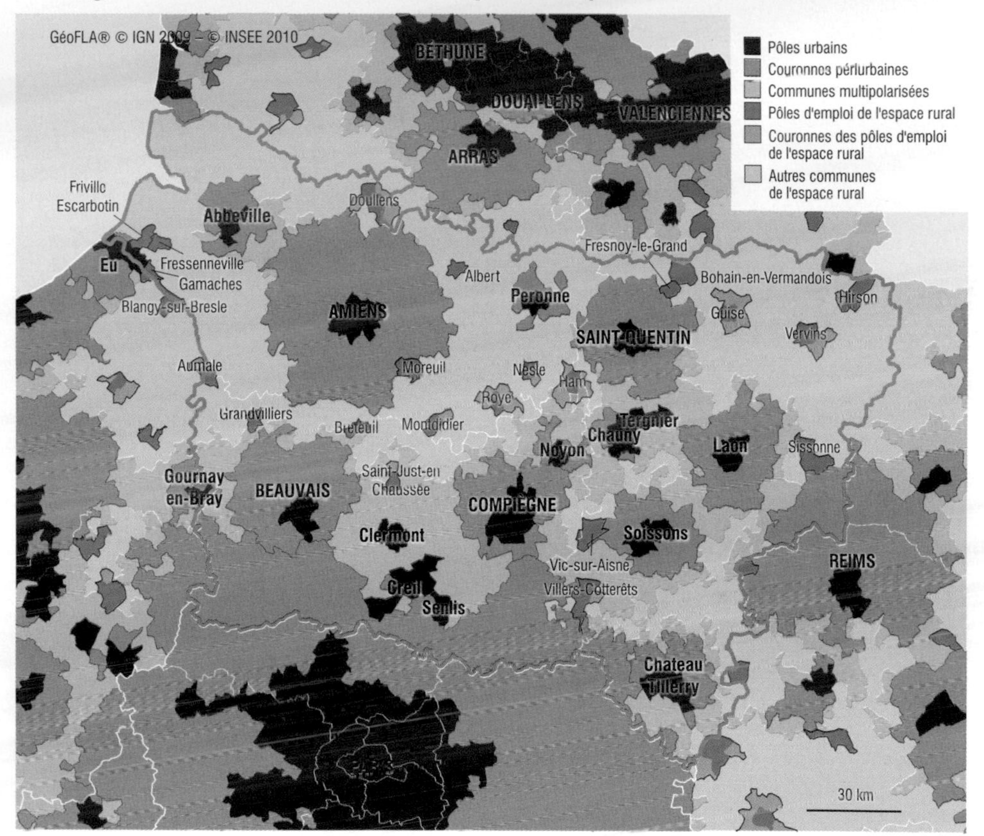

3. Les trois plus grandes agglomérations

	Effectifs	Part dans la population régionale (%)	Évolution annuelle moyenne 1999-2006 (%)
Population en 2006			
Amiens	161 311	8,5	0,0
Creil	101 100	5,3	0,5
Compiègne	71 396	3,8	0,3

	Effectifs	Part dans l'emploi régional (%)	Variation entre 1999 et 2006 de la part dans l'emploi régional (%)
Emploi en 2006			
Amiens	91 989	13,4	0,7
Beauvais	41 380	6,0	0,2
Compiègne	38 960	5,7	0,1

Source : Insee - RP 2006.

4. La valeur ajoutée brute régionale en 2008

	Part des branches (%)		Part dans la branche nationale (%)	
	en 2000	en 2008	en 2000	en 2008
Agriculture	4,9	3,7	4,3	4,3
Industrie	23,7	18,4	3,4	3,1
Construction	5,1	6,9	2,5	2,4
Services principalement marchands	44,3	47,5	2,1	2,0
Services administratifs	21,9	23,5	2,6	2,5
Ensemble	**100,0**	**100,0**	**2,5**	**2,3**

Source : Insee - Comptes régionaux en base 2000.

5. Population

Départements	Population au 01/01/2008 (milliers)	Taux d'évolution annuel moyen 1999-2008 (%)			Part des moins de 25 ans (%)	Part des plus de 65 ans (%)	Projection de population au 01/01/2030 (milliers)
		total	dû au solde naturel	dû au solde apparent des entrées-sorties			
02 Aisne	537,5	0,0	0,3	– 0,3	31,9	15,4	517
60 Oise	799,5	0,5	0,6	– 0,1	33,5	12,3	849
80 Somme	566,5	0,2	0,3	– 0,1	32,1	15,3	563
Picardie	**1 903,5**	**0,3**	**0,4**	**– 0,1**	**32,6**	**14,0**	**1 929**

Source : Insee - Estimations de population.

6. Emploi-chômage

Départements	Emploi au 31 décembre 2008				Variation annuelle moyenne de l'emploi 99-08 (%)	Chômage au 31 décembre 2009		
	Effectifs au lieu de travail (milliers)	dont primaire (%)	dont secondaire (%)	dont tertiaire (%)		Taux de chômage au 4e trim. 2009 (%)	Demandeurs d'emploi (Pôle Emploi)	
							Cat. A de moins de 25 ans (%)	Cat. A, B, C depuis plus d'un an (%)
02 Aisne	180,1	4,2	24,3	71,5	– 0,26	13,6	25,3	39,4
60 Oise	283,3	2,0	26,6	71,4	– 0,10	9,7	24,1	32,6
80 Somme	220,0	3,7	24,2	72,1	– 0,14	12,0	25,7	36,3
Picardie	**683,5**	**3,1**	**25,2**	**71,7**	**– 0,16**	**11,4**	**25,0**	**35,9**

Sources : Insee - Estimations d'emploi et taux de chômage localisés, Pôle Emploi - DEFM.

7. Le logement des ménages

Départements	Part des ménages (%)		Nombre moyen de		Part des ménages comptant (%)			
	propriétaires de leur résidence principale	habitant une maison	pièces par logement	pièces par personne	une personne seule	deux personnes	3 ou 4 personnes	5 personnes ou plus
02 Aisne	62,6	76,6	4,4	1,8	29,1	33,7	29,1	8,0
60 Oise	61,8	67,8	4,2	1,7	26,0	32,3	32,8	9,0
80 Somme	61,9	76,1	4,3	1,8	29,5	33,7	29,3	7,4
Picardie	**62,0**	**72,9**	**4,3**	**1,8**	**28,0**	**33,1**	**30,7**	**8,2**

Source : Insee - RP 2006.

8. Revenus fiscaux des ménages en 2007

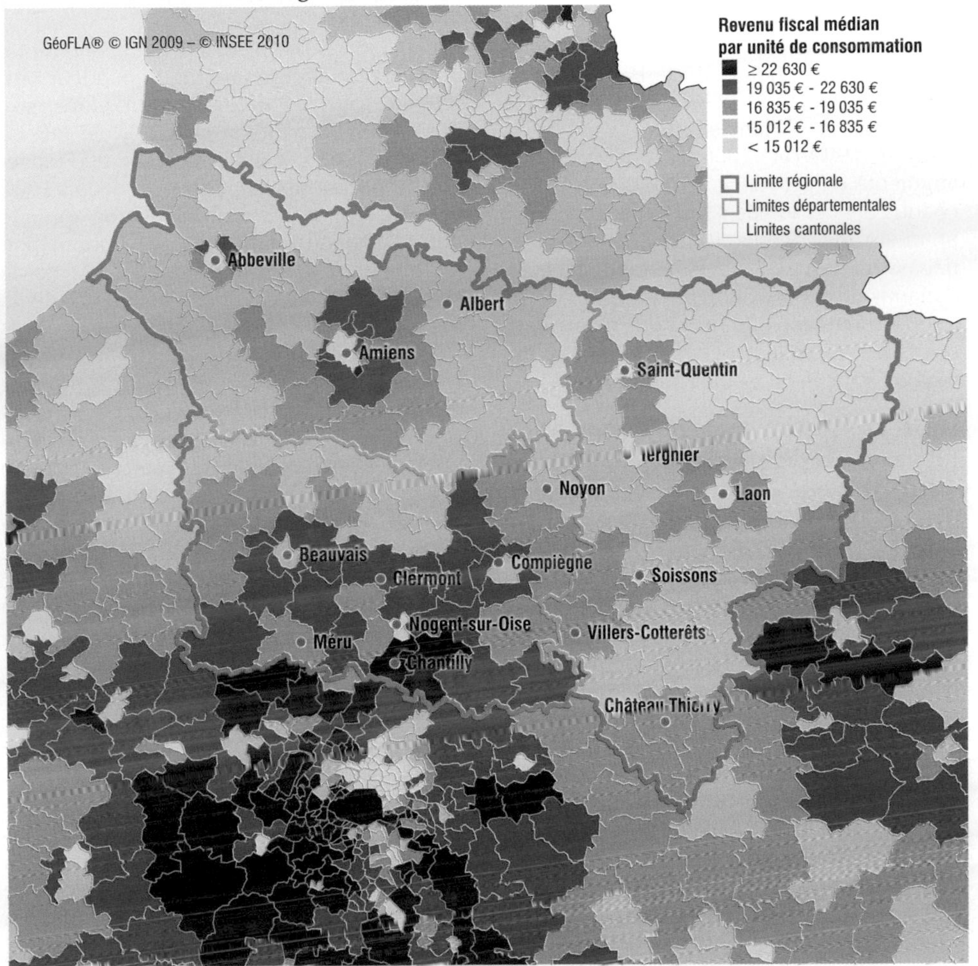

Source : Insee-DGI, Revenus fiscaux des ménages

9. Les dix principaux secteurs d'activité au 31 décembre 2008[1]

en %

Secteur d'activité[2]	Poids du secteur dans l'emploi salarié		Taux de variation annuel moyen de l'emploi salarié 2003-2008		Poids des effectifs salariés des 10 plus grands établissements[3]	
	Région	France	Région	France	Région	Moyenne France
Commerce ; réparation d'automobiles et de motocycles	12,3	12,6	0,3	0,4	7,1	4,3
Fabrication d'autres produits industriels	11,7	7,0	– 4,1	– 2,7	12,8	11,2
Activités scientif. et techn. ; services adm. et de soutien	8,6	11,7	0,1	1,4	9,2	7,2
Construction	6,1	6,2	3,1	3,1	8,0	4,7
Transports et entreposage	6,1	5,7	0,0	0,1	15,8	17,5
Autres activités de services	5,5	5,8	2,3	2,2	12,2	9,3
Fabrication d'equipements electriques, electroniques, informatiques ; fabrication de machines	3,0	2,1	– 1,7	– 1,5	29,2	27,9
Fabric. denrées alim., boissons et prod. à base tabac	2,7	2,3	– 2,0	– 1,2	23,0	18,1
Hébergement et restauration	2,6	3,7	2,5	1,6	8,7	4,7
Activités financières et d'assurance	2,3	3,4	2,8	1,3	19,6	16,4

1. Hors secteurs principalement non marchands. - 2. Les secteurs d'activité sont décrits en A17, nomenclature agrégée associée à la NAF révision 2. - 3. Au 31.12.2007, hors Défense et intérim.

Source : Insee - Estimations d'emploi localisé, Clap.

1.20 Poitou-Charentes

Au carrefour des régions de l'ouest et du sud-ouest, le Poitou-Charentes est une région attractive. Sa capitale régionale, Poitiers, est à 1 heure 30 de Paris grâce au TGV. Sa population s'élève à 1,724 million d'habitants au 1er janvier 2006.

Entre 1999 et 2006, la population a augmenté en moyenne de 12 000 habitants chaque année, soit de + 0,7 % par an. Pour la première fois depuis 40 ans, la croissance dépasse celle de la France métropolitaine. Ce dynamisme démographique, la région le doit à son attractivité, le solde naturel étant quasiment nul. La région occupe le 8e rang des régions françaises les plus attractives.

Forte croissance démographique sur le littoral et à la périphérie des grandes villes

La population s'accroit sur l'ensemble du territoire régional, plus particulièrement sur le littoral et dans les grandes agglomérations. Dans les villes-centres, la croissance plafonne, sauf à Poitiers. La population s'installe plus loin des centres urbains afin de profiter d'un meilleur cadre de vie mais aussi parce que les logements et les terrains y sont moins chers. Ces choix de vie entraînent une amplification des déplacements domicile-travail, les emplois restant largement concentrés dans les pôles urbains.

Si l'attractivité de la région est élevée, elle est disparate selon les territoires. La Charente-Maritime bénéficie de l'attrait du littoral. Son attractivité y est deux fois supérieure à celle de la Vienne et des Deux-Sèvres et trois fois plus élevée qu'en Charente. La région gagne des retraités, mais aussi des actifs de plus de 30 ans.

Outre son attractivité résidentielle, le Poitou-Charentes est également une destination touristique. La Charente-Maritime est une destination estivale très prisée, de même que la Vienne avec le site du *Futuroscope*. Liées à l'activité touristique, les résidences secondaires sont une source d'enrichissement pour l'économie locale. Elles constituent une part importante de la construction neuve. Leur nombre a sensiblement augmenté depuis près de dix ans, et en proportion plus que dans les autres régions métropolitaines.

Poussée des activités immobilières et financières

Dans son ensemble, l'activité économique de la région génère un Produit intérieur brut (PIB) de plus de 40 milliards d'euros, soit 2,3 % du PIB national et 3,3 % du PIB de l'ensemble des régions hors Île-de-France. Ces proportions sont inchangées depuis 2000 et sont à rapprocher du poids démographique de la région. En effet, la population picto-charentaise représente 2,7 % de la population France entière et 3,5 % de la métropole hors Île-de-France. Les services marchands ont pris une place croissante dans l'économie. C'est environ 1 euro sur 2 créé qui émane de ce secteur. En Poitou-Charentes, les activités immobilières et financières engendrent une grosse part de l'activité économique. Elles se sont particulièrement développées depuis 2000. En revanche, le poids économique de l'agriculture et de l'industrie sont en retrait. Dans la région, 90 % des entreprises ont moins de 10 salariés. De plus, les revenus perçus sont plutôt modestes, en lien avec un niveau de qualification plus faible.

Depuis 2008, la crise économique affecte la région. En effet, le dynamisme du secteur de la construction est remis en cause. Les perspectives dans l'industrie régionale s'assombrissent aussi. Les exportations, les investissements et l'emploi se dégradent. En particulier, la construction navale, en forte expansion les années précédentes, peine à exporter. Toutefois, l'industrie du matériel ferroviaire roulant est dynamique à l'exportation. Et, l'industrie agroalimentaire, importante en termes de valeur ajoutée dans la région, n'a pas non plus perdu d'emplois en 2008 et le cognac reste le principal produit exporté.

Les difficultés économiques nuisent à l'emploi et font grimper le chômage. Le Poitou-Charentes se retrouve dans une situation proche de la métropole dans son ensemble. Cependant, de nets contrastes persistent entre le département des Deux-Sèvres où le taux de chômage est le plus faible, et la Charente-Maritime où il est le plus élevé. ■

1. Repères

Population au 01/01/2009 - Estimation (milliers)	1 759,0
Part dans la population française (%)	2,7
Densité de population (hab./km²)	68,2
Taux de variation annuel moyen de la pop. depuis 1999 (%)	0,7
Emplois au lieu de travail au 31/12/2008 (milliers)	689,6
Taux de chômage au dernier trimestre 2009 (%)	9,6
Produit intérieur brut 2008 (milliards d'euros)	44,1
Part dans le PIB France (%)	2,3
Revenu disponible brut 2006 (euros/habitant)	18 095
Revenu médian par unité de consommation 2007 (euros/uc)	16 537
Taux de pauvreté (%)	13,9
Allocataires du RMI au 31/12/2008 (milliers)	26,6
Nombre de zones urbaines sensibles (ZUS)	14
Part de la population régionale en ZUS (%)	3,8

Source : Insee.

2. Zonage en aires urbaines et en aires d'emploi de l'espace rural (ZAUER)

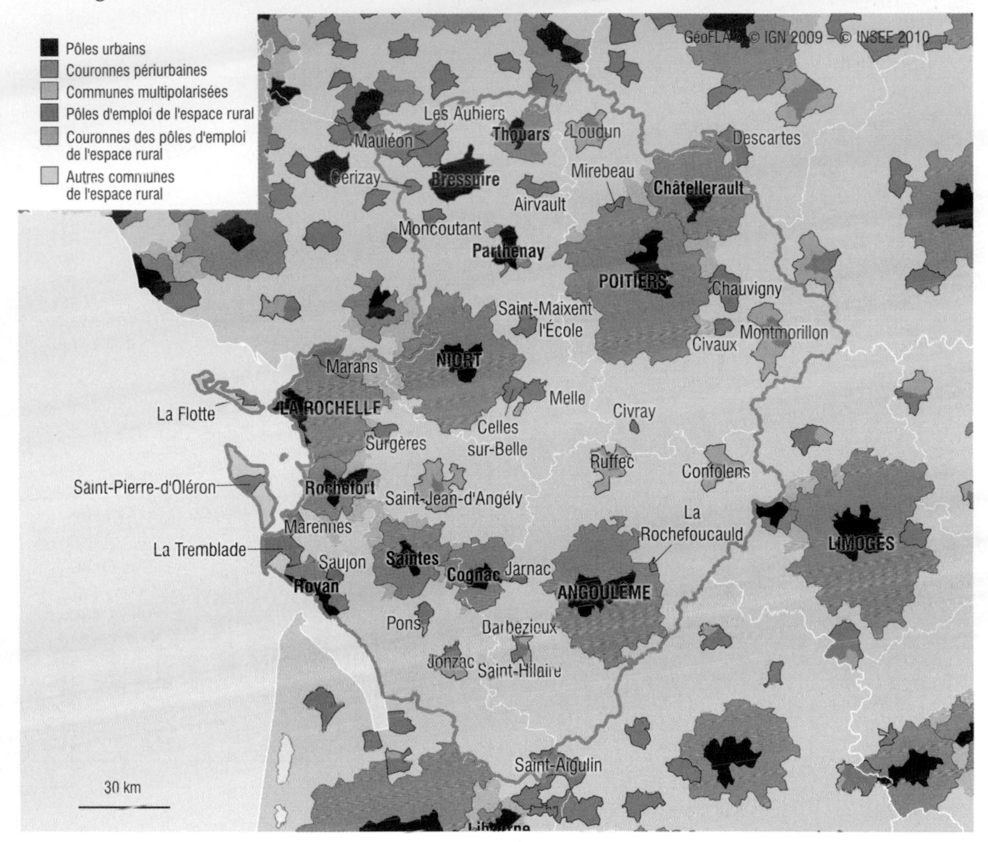

3. Les trois plus grandes agglomérations

	Effectifs	Part dans la population régionale (%)	Évolution annuelle moyenne 1999-2006 (%)
Population en 2006			
Poitiers	126 651	7,3	0,8
La Rochelle	119 703	6,9	0,4
Angoulême	105 020	6,1	0,2

	Effectifs	Part dans l'emploi régional (%)	Variation entre 1999 et 2006 de la part dans l'emploi régional (%)
Emploi en 2006			
Poitiers	79 252	11,5	0,4
La Rochelle	67 068	9,7	0,5
Angoulême	56 899	8,2	– 0,3

Source : Insee - RP 2006.

4. La valeur ajoutée brute régionale en 2008

	Part des branches (%)		Part dans la branche nationale (%)	
	en 2000	en 2008	en 2000	en 2008
Agriculture	5,7	4,5	4,5	5,1
Industrie	17,5	14,3	2,2	2,4
Construction	6,2	8,0	2,7	2,7
Services principalement marchands	46,7	48,9	2,0	2,0
Services administratifs	23,9	24,2	2,5	2,5
Ensemble	**100,0**	**100,0**	**2,2**	**2,3**

Source : Insee - Comptes régionaux en base 2000.

5. Population

Départements	Population au 01/01/2008 (milliers)	Taux d'évolution annuel moyen 1999-2008 (%)			Part des moins de 25 ans (%)	Part des plus de 65 ans (%)	Projection de population au 01/01/2030 (milliers)
		total	dû au solde naturel	dû au solde apparent des entrées-sorties			
16 Charente	350,5	0,3	0,0	0,3	26,7	19,9	333
17 Charente-Maritime	609,5	1,0	– 0,1	1,1	27,0	20,8	697
79 Deux-Sèvres	365,0	0,6	0,1	0,5	28,6	18,9	352
86 Vienne	424,5	0,7	0,2	0,5	31,2	17,3	486
Poitou-Charentes	**1 749,5**	**0,7**	**0,0**	**0,7**	**28,3**	**19,4**	**1 868**

Source : Insee - Estimations de population.

6. Emploi-chômage

Départements	Emploi au 31 décembre 2008				Variation annuelle moyenne de l'emploi 99-08 (%)	Chômage au 31 décembre 2009		
	Effectifs au lieu de travail (milliers)	dont primaire (%)	dont secondaire (%)	dont tertiaire (%)		Taux de chômage au 4e trim. 2009 (%)	Demandeurs d'emploi (Pôle Emploi) Cat. A de moins de 25 ans (%)	Demandeurs d'emploi (Pôle Emploi) Cat. A, B, C depuis plus d'un an (%)
16 Charente	136,4	6,0	27,3	66,7	– 0,34	10,3	20,1	38,6
17 Charente-Maritime	225,5	6,0	19,8	74,1	– 0,06	11,2	20,5	32,5
79 Deux-Sèvres	152,4	5,6	24,2	70,2	– 0,26	7,5	21,7	32,4
86 Vienne	175,4	3,7	21,1	75,3	– 0,13	8,5	22,0	34,5
Poitou-Charentes	**689,6**	**5,3**	**22,6**	**72,1**	**– 0,18**	**9,6**	**21,0**	**34,2**

Sources : Insee - Estimations d'emploi et taux de chômage localisés, Pôle Emploi - DEFM.

7. Le logement des ménages

Départements	Part des ménages (%)		Nombre moyen de		Part des ménages comptant (%)			
	propriétaires de leur résidence principale	habitant une maison	pièces par logement	pièces par personne	une personne seule	deux personnes	3 ou 4 personnes	5 personnes ou plus
16 Charente	65,8	81,6	4,4	2,0	31,7	37,0	26,8	4,5
17 Charente-Maritime	65,5	78,0	4,2	1,9	32,3	38,1	25,0	4,5
79 Deux-Sèvres	67,8	85,3	4,5	2,0	29,8	37,6	27,0	5,5
86 Vienne	60,2	72,4	4,1	1,9	35,5	34,9	24,7	4,8
Poitou-Charentes	**64,7**	**78,8**	**4,3**	**1,9**	**32,5**	**37,0**	**25,7**	**4,8**

Source : Insee - RP 2006.

8. Revenus fiscaux des ménages en 2007

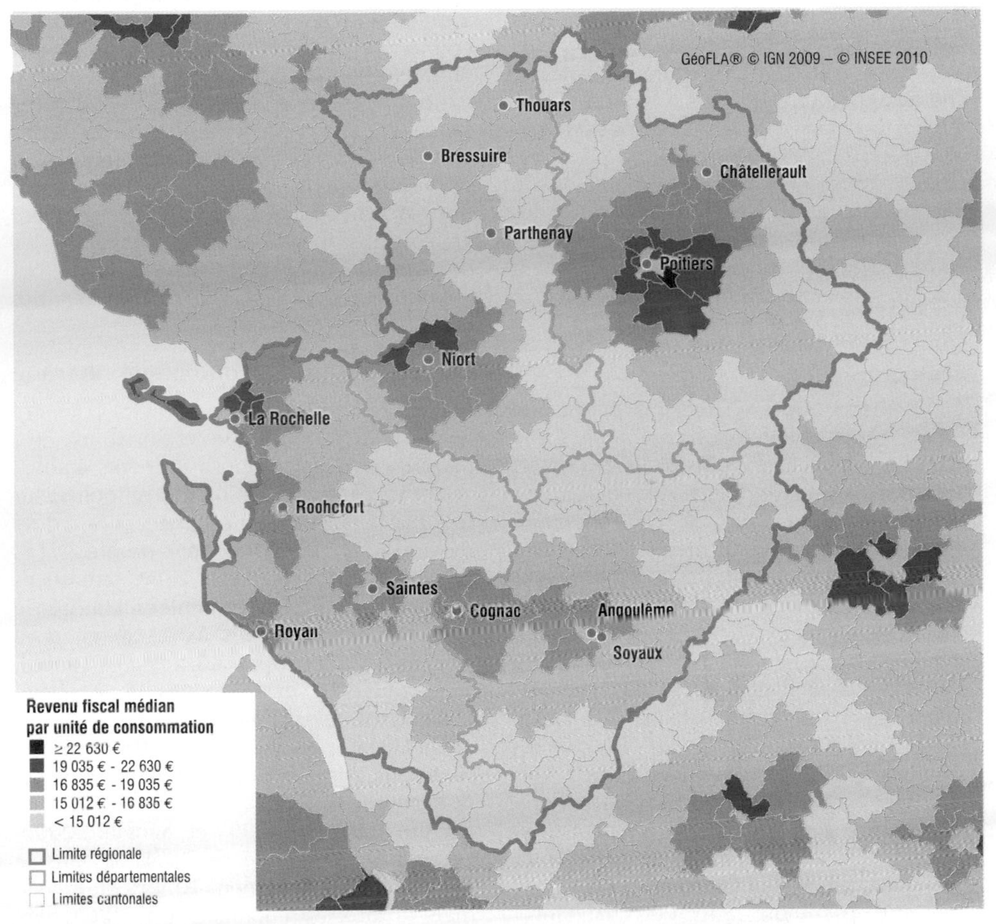

Source : Insee-DGI, Revenus fiscaux des ménages.

9. Les dix principaux secteurs d'activité au 31 décembre 2008[1]

en %

Secteur d'activité[2]	Poids du secteur dans l'emploi salarié		Taux de variation annuel moyen de l'emploi salarié 2003-2008		Poids des effectifs salariés des 10 plus grands établissements[3]	
	Région	France	Région	France	Région	Moyenne France
Commerce ; réparation d'automobiles et de motocycles	12,7	12,6	0,8	0,4	4,9	4,3
Activités scientif. et techn. ; services adm. et de soutien	8,3	11,7	0,8	1,4	12,6	7,2
Fabrication d'autres produits industriels	7,3	7,0	– 2,1	– 2,7	10,7	11,2
Construction	6,9	6,2	2,9	3,1	3,2	4,7
Autres activités de services	6,4	5,8	1,8	2,2	9,1	9,3
Transports et entreposage	4,5	5,7	– 0,7	0,1	12,2	17,5
Activités financières et d'assurance	3,9	3,4	2,0	1,3	32,6	16,4
Hébergement et restauration	3,0	3,7	2,6	1,6	5,9	4,7
Fabric. denrées alim., boissons et prod. à base tabac	2,9	2,3	– 0,3	– 1,2	18,6	18,1
Fabrication d'equipements electriques, electroniques, informatiques ; fabrication de machines	2,5	2,1	– 2,0	– 1,5	33,2	27,9

1. Hors secteurs principalement non marchands. - 2. Les secteurs d'activité sont décrits en A17, nomenclature agrégée associée à la NAF révision 2. - 3. Au 31.12.2007, hors Défense et intérim.

Source : Insee - Estimations d'emploi localisé, Clap.

1.21 Provence - Alpes - Côte d'Azur

Provence - Alpes - Côte d'Azur est la 3e région la plus peuplée de France. Elle compte 4,815 millions d'habitants au 1er janvier 2006. En près d'un demi-siècle, elle a gagné deux millions d'habitants, soit la plus forte croissance des régions françaises. Depuis 1999, elle gagne en moyenne chaque année près de 10 000 habitants du fait de l'excédent des naissances sur les décès, et 13 000 dans ses échanges avec les autres régions. Il s'agit majoritairement d'actifs souvent qualifiés.

Une région très urbaine en croissance démographique

Provence - Alpes - Côte d'Azur est une région géographiquement contrastée : elle juxtapose des reliefs alpins à des plaines et des littoraux urbains. Onze villes de plus de 50 000 habitants forment un continuum urbain dense, du littoral méditerranéen à la vallée du Rhône. Ce littoral rassemble 70 % de la population régionale sur une frange côtière de 25 km de large. La région se situe ainsi juste après l'Île-de-France en termes de métropolisation. Plus de 80 % des habitants vivent dans des pôles urbains (60 % au niveau national). Parmi les dix unités urbaines les plus importantes en France, trois se situent dans la région : Marseille - Aix-en-Provence (1 420 000 habitants), au 2e rang juste devant Lyon ; Nice (940 000 habitants), au 5e rang devant Bordeaux et Toulouse ; Toulon (540 000 habitants), au 9e rang. Le phénomène majeur des 40 dernières années est le dynamisme démographique des banlieues, qui ont beaucoup contribué à la croissance globale de la région. Provence - Alpes - Côte d'Azur est la seule région, avec la Franche-Comté, à ne pas avoir connu d'exode rural sur la période.

À l'horizon 2030, la région pourrait compter près de 5,6 millions d'habitants, soit plus de 700 000 personnes supplémentaires. Elle ferait toujours partie des régions à forte croissance, devancée seulement par Languedoc-Roussillon et Midi-Pyrénées. Cette hausse s'accompagnerait d'un vieillissement significatif de la population et d'une forte demande de logements. En 2030, près d'un habitant sur trois serait âgé de 60 ans ou plus.

La région compte un peu plus de 2 millions d'actifs, dont près de 1,9 en emploi. Le taux d'activité des 15-64 ans est faible (68,6 % contre 71,3 % au niveau national), en raison principalement du plus faible taux d'activité féminine. Au cours des prochaines années, la région sera particulièrement touchée par les cessations d'activité liées au vieillissement des générations du *baby-boom*. D'ici 2020, les départs de fin d'activité concerneront environ 600 000 personnes, soit le tiers des actifs d'aujourd'hui.

Un dynamisme économique marqué jusqu'en 2008

Le tissu économique régional est très majoritairement composé de petits établissements. La région est bien positionnée sur le plan sectoriel et bénéficie d'un dynamisme économique propre. Les activités tertiaires, qui sont créatrices d'emploi, y sont surreprésentées. L'industrie est bien positionnée : les secteurs, dont l'emploi se développe au niveau national, sont souvent surreprésentés (pharmacie, composants électroniques, eau-gaz-électricité). Le taux de création d'entreprises est supérieur à la moyenne nationale mais cet écart tend à se réduire.

Entre janvier 1999 et janvier 2008, l'emploi a augmenté de 19,4 % dans la région, contre seulement 10,9 % en France mais le taux de chômage reste cependant durablement plus élevé dans la région. Chaque année depuis 1999, le taux de croissance régional de l'emploi est supérieur au taux national. La construction, les services et le commerce sont les trois moteurs de cette croissance, l'emploi s'étant maintenu dans l'industrie entre 1999 et 2008.

En 2008, la crise économique a fortement impacté l'économie régionale comme l'économie nationale : les créations d'emploi salarié se sont interrompues dès le 2e trimestre et le chômage a brutalement augmenté au 4e. La dégradation a été forte dans l'industrie et dans la construction où l'emploi salarié a reculé après cinq années de hausse. Dans le tertiaire, la baisse a été plus modérée qu'au niveau national. ■

1. Repères

Population au 01/01/2009 - Estimation (milliers)	4 940,0	Part dans le PIB France (%)	7,3
Part dans la population française (%)	7,7	Revenu disponible brut 2006 (euros/habitant)	18 330
Densité de population (hab./km²)	157,3	Revenu médian par unité de consommation 2007 (euros/uc)	17 243
Taux de variation annuel moyen de la pop. depuis 1999 (%)	0,9	Taux de pauvreté (%)	15,8
Emplois au lieu de travail au 31/12/2008 (milliers)	1 979,6	Allocataires du RMI au 31/12/2008 (milliers)	100,7
Taux de chômage au dernier trimestre 2009 (%)	11,2	Nombre de zones urbaines sensibles (ZUS)	48
Produit intérieur brut 2008 (milliards d'euros)	142,1	Part de la population régionale en ZUS (%)	8,2

Source : Insee.

2. Zonage en aires urbaines et en aires d'emploi de l'espace rural (ZAUER)

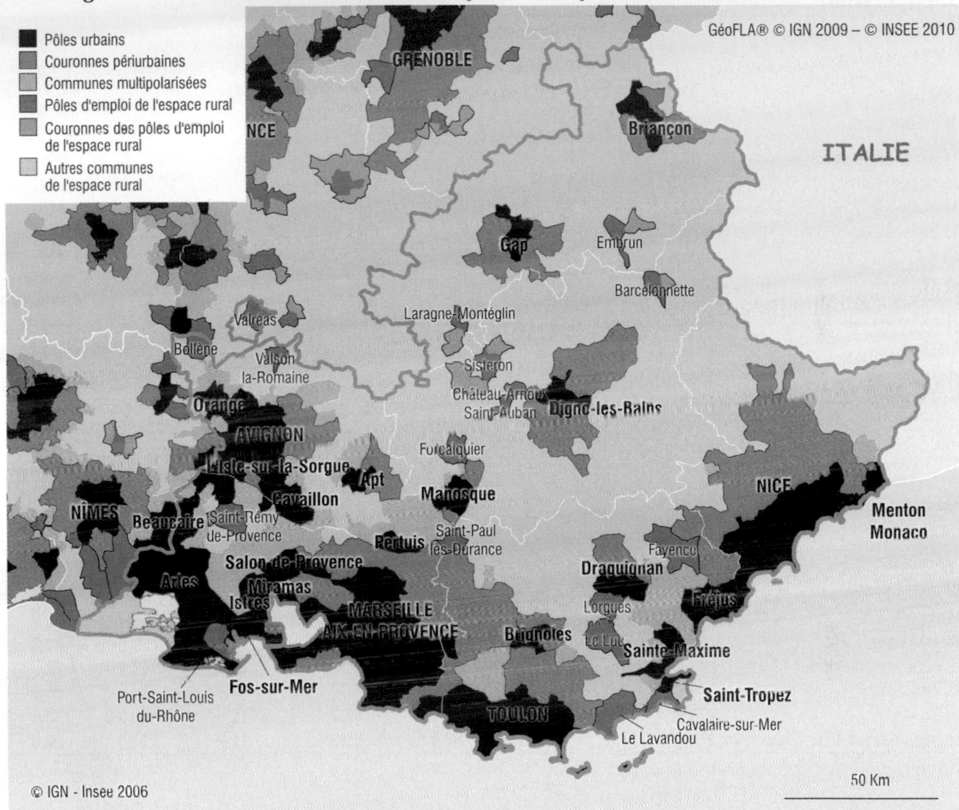

3. Les trois plus grandes agglomérations

	Effectifs	Part dans la population régionale (%)	Évolution annuelle moyenne 1999-2006 (%)
Population en 2006			
Marseille-Aix-en-Provence	1 418 482	29,5	0,7
Nice	940 018	19,5	0,8
Toulon	543 065	11,3	0,6

	Effectifs	Part dans l'emploi régional (%)	Variation entre 1999 et 2006 de la part dans l'emploi rég. (%)
Emploi en 2006			
Marseille-Aix-en-Provence	577 669	31,7	– 0,4
Nice	376 245	20,6	0,0
Toulon	196 943	10,8	0,0

Source : Insee - RP 2006.

4. La valeur ajoutée brute régionale en 2008

	Part des branches (%)		Part dans la branche nationale (%)	
	en 2000	en 2008	en 2000	en 2008
Agriculture	2,4	1,4	5,8	5,2
Industrie	12,3	10,3	4,8	5,5
Construction	5,0	7,0	6,7	7,6
Services principalement marchands	54,7	56,6	7,1	7,4
Services administratifs	25,6	24,7	8,3	8,4
Ensemble	**100,0**	**100,0**	**6,9**	**7,3**

Source : Insee - Comptes régionaux en base 2000.

5. Population

Départements	Population au 01/01/2008 (milliers)	Taux d'évolution annuel moyen 1999-2008 (%)			Part des moins de 25 ans (%)	Part des plus de 65 ans (%)	Projection de population au 01/01/2030 (milliers)
		total	dû au solde naturel	dû au solde apparent des entrées-sorties			
04 Alpes-de-Haute-Provence	157,5	1,4	0,0	1,4	27,3	19,8	191
05 Hautes-Alpes	133,5	1,1	0,2	0,9	27,6	18,1	164
06 Alpes-Maritimes	1 089,5	0,8	0,0	0,8	27,6	20,3	1 246
13 Bouches-du-Rhône	1 973,0	0,8	0,4	0,4	31,3	15,9	2 141
83 Var	1 005,0	1,3	0,1	1,2	27,5	20,2	1 235
84 Vaucluse	542,0	0,9	0,4	0,5	30,4	16,8	635
Provence-Alpes-Côte d'Azur	**4 900,5**	**0,9**	**0,2**	**0,7**	**29,4**	**18,0**	**5 612**

Source : Insee - Estimations de population.

6. Emploi-chômage

Départements	Emploi au 31 décembre 2008				Variation annuelle moyenne de l'emploi 99-08 (%)	Chômage au 31 décembre 2009		
	Effectifs au lieu de travail (milliers)	dont primaire (%)	dont secondaire (%)	dont tertiaire (%)		Taux de chômage au 4e trim. 2009 (%)	Demandeurs d'emploi (Pôle Emploi)	
							Cat. A de moins de 25 ans (%)	Cat. A, B, C depuis plus d'un an (%)
04 Alpes-de-Haute-Provence	55,7	5,2	19,7	75,1	0,08	10,4	18,0	32,3
05 Hautes-Alpes	59,2	4,2	14,0	81,8	0,15	7,6	18,1	29,0
06 Alpes-Maritimes	450,1	0,8	15,2	84,1	0,11	9,8	15,8	24,6
13 Bouches-du-Rhône	834,1	1,0	16,5	82,4	0,19	12,0	17,1	33,5
83 Var	359,6	2,2	14,8	83,0	0,12	11,7	19,0	26,5
84 Vaucluse	220,9	4,4	18,0	77,6	0,02	11,5	19,8	30,6
Provence-Alpes-Côte d'Azur	**1 979,6**	**1,8**	**16,1**	**82,1**	**0,13**	**11,2**	**17,6**	**29,9**

Sources : Insee - Estimations d'emploi et taux de chômage localisés, Pôle Emploi - DEFM.

7. Le logement des ménages

Départements	Part des ménages (%)		Nombre moyen de		Part des ménages comptant (%)			
	propriétaires de leur résidence principale	habitant une maison	pièces par logement	pièces par personne	une personne seule	deux personnes	3 ou 4 personnes	5 personnes ou plus
04 Alpes-de-Haute-Provence	58,3	66,3	4,0	1,8	33,5	35,4	26,1	4,9
05 Hautes-Alpes	58,9	52,1	4,0	1,8	34,0	34,1	27,0	4,9
06 Alpes-Maritimes	54,9	26,6	3,1	1,5	37,2	33,1	24,9	4,8
13 Bouches-du-Rhône	50,7	38,9	3,6	1,6	33,7	31,6	28,2	6,5
83 Var	58,6	50,4	3,7	1,7	32,4	36,0	26,2	5,5
84 Vaucluse	54,8	65,3	4,1	1,8	31,2	33,7	28,3	6,8
Provence-Alpes-Côte d'Azur	**54,2**	**42,5**	**3,6**	**1,6**	**34,0**	**33,3**	**26,9**	**5,8**

Source : Insee - RP 2006.

8. Revenus fiscaux des ménages en 2007

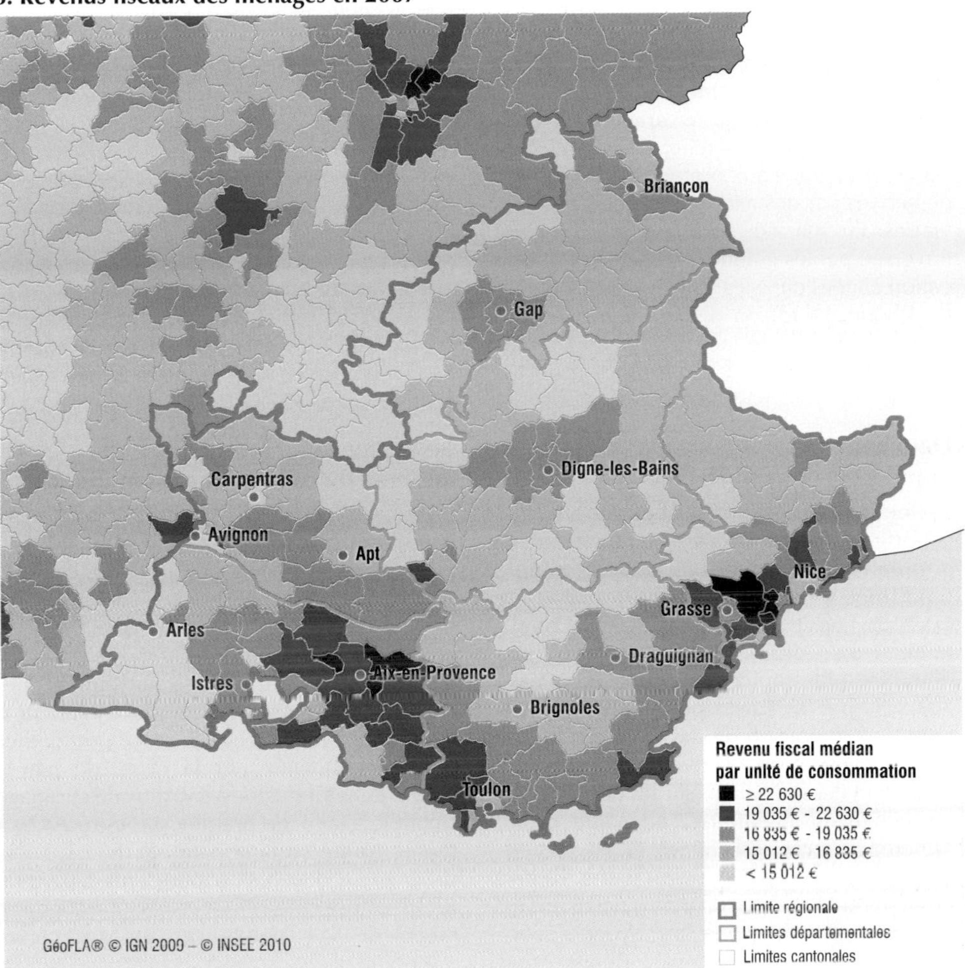

Source : Insee-DGI, Revenus fiscaux des ménages.

9. Les dix principaux secteurs d'activité au 31 décembre 2008[1]

en %

Secteur d'activité[2]	Poids du secteur dans l'emploi salarié		Taux de variation annuel moyen de l'emploi salarié 2003-2008		Poids des effectifs salariés des 10 plus grands établissements[3]	
	Région	France	Région	France	Région	Moyenne France
Commerce ; réparation d'automobiles et de motocycles	13,8	12,6	0,4	0,4	3,1	4,3
Activités scientif. et techn. ; services adm. et de soutien	12,0	11,7	2,1	1,4	6,4	7,2
Construction	6,4	6,2	3,4	3,1	4,1	4,7
Autres activités de services	6,2	5,8	2,2	2,2	6,5	9,3
Transports et entreposage	6,0	5,7	0,7	0,1	15,5	17,5
Hébergement et restauration	5,0	3,7	1,8	1,6	3,8	4,7
Fabrication d'autres produits industriels	4,1	7,0	– 1,5	– 2,7	13,7	11,2
Activités financières et d'assurance	2,7	3,4	1,9	1,3	8,3	16,4
Information et communication	2,0	2,9	1,6	1,6	16,2	14,0
Indus. extract., énergie, eau, gest. déchets, dépollution	1,6	1,5	0,7	0,2	13,5	21,2

1. Hors secteurs principalement non marchands. - 2. Les secteurs d'activité sont décrits en A17, nomenclature agrégée associée à la NAF révision 2. - 3. Au 31.12.2007, hors Défense et intérim.
Source : Insee - Estimations d'emploi localisé, Clap.

1.22 Rhône-Alpes

La région Rhône-Alpes se caractérise par la grande variété de ses espaces naturels. À l'ouest, les contreforts du Massif central forment une zone de moyenne montagne : monts du Forez et du Vivarais, Cévennes. À l'est, les Alpes, au relief imposant, sont accessibles grâce aux profondes vallées bien desservies par des axes autoroutiers et ferroviaires. En son axe nord-sud, la région est traversée par les grandes voies de communication situées dans les vallées de la Saône et du Rhône. La région dispose également de grands lacs dont le lac du Bourget (le plus vaste de France), le lac d'Annecy et le lac Léman.

Deuxième région française par sa population et sa superficie

Deuxième région métropolitaine par sa superficie, Rhône-Alpes l'est aussi par sa population. En 2006, la région compte 6 millions d'habitants et regroupe près de 10 % de la population française métropolitaine. Sa croissance démographique demeure plus rapide que celle du pays : + 0,9 % par an sur la période 1999-2006 contre + 0,7 % pour la France. Elle est soutenue à la fois par la dynamique naturelle (excédent des naissances sur les décès) et par les échanges migratoires, au solde positif (différence entre les entrées et les sorties). Rhône-Alpes reste une région jeune. La part de sa population âgée de moins de 25 ans est un peu plus élevée que la moyenne nationale (32 % contre 31 %). Rhône-Alpes s'organise autour de quatre grands pôles urbains : Lyon, Grenoble, l'agglomération de Genève-Annemasse, qui s'étend de part et d'autre de la frontière franco-suisse, et Saint-Étienne.

Marquée par une tradition industrielle forte, et malgré la perte de 90 000 emplois sur ces vingt dernières années, Rhône-Alpes reste la seconde région industrielle française, derrière l'Île-de-France, avec 450 000 salariés. L'industrie rhônalpine, bien que diversifiée, se caractérise par des spécialisations sectorielles fortes comme les équipements mécaniques, la transformation des métaux, la chimie-caoutchouc-plastique et les industries agroalimentaires. Cette diversité est également une réalité géographique. La région détient le *leadership* national en matière de pôles de compétitivité : elle en compte 15 parmi les 71 projets labellisés en France en 2007 ; trois sont de niveau mondial ou à vocation mondiale. Ces pôles recouvrent des domaines vastes et divers tels que les nanotechnologies (*Minalogic*), la santé et les biotechnologies (*Lyon Biopôle*), l'environnement et la chimie (*Axelera*), le numérique, la physique, l'énergie, les transports du futur etc.

Le secteur tertiaire conforte cependant sa position de plus gros pourvoyeur d'emplois de la région avec 1,4 million de salariés dans les services et 300 000 dans le commerce.

Tourisme et industries de pointe, moteurs du dynamisme économique

Les évolutions du marché du travail enregistrent un retournement important fin 2008 suite aux effets de la crise mondiale. Avant cela, de 1999 à 2007, l'emploi total régional augmentait à un rythme de 1,1 % par an, légèrement supérieur à la moyenne nationale. Le taux de chômage de Rhône-Alpes était, sur cette période, toujours inférieur à celui de la France (entre 1 et 1,5 point). Plus durement touchée par la crise, de par la nature de ses industries, son taux de chômage s'établit, à la fin du premier semestre 2009, à 8,6 % contre un taux national de 9,1 %. Sa progression demeure encore plus rapide en Rhône-Alpes qu'en France avec une augmentation de 2,1 points sur un an (contre 1,8 point).

Deuxième région touristique française, Rhône-Alpes offre un cadre naturel exceptionnel aux contrastes multiples. Ainsi, on y trouve deux parcs nationaux, six parcs naturels régionaux et l'un des plus grands domaines skiables au monde. Pour accueillir cette population touristique importante, la région dispose de près de 2 100 hôtels et 850 campings. Les départements les plus attractifs sont la Savoie et la Haute-Savoie l'hiver, l'Ardèche et la Haute-Savoie l'été. On citera également la place importante prise par le tourisme d'affaires. Forte de sa diversité, Rhône-Alpes est une des rares régions françaises (hors Île-de-France) à connaître un apport économique touristique tout au long de l'année. ■

1. Repères

Population au 01/01/2009 - Estimation (milliers)	6 160,0	Part dans le PIB France (%)	9,6
Part dans la population française (%)	9,6	Revenu disponible brut 2006 (euros/habitant)	18 997
Densité de population (hab./km²)	141,0	Revenu médian par unité de consommation 2007 (euros/uc)	18 143
Taux de variation annuel moyen de la pop. depuis 1999 (%)	0,9	Taux de pauvreté (%)	11,6
Emplois au lieu de travail au 31/12/2008 (milliers)	2 662,3	Allocataires du RMI au 31/12/2008 (milliers)	67,3
Taux de chômage au dernier trimestre 2009 (%)	9,0	Nombre de zones urbaines sensibles (ZUS)	64
Produit intérieur brut 2008 (milliards d'euros)	188,0	Part de la population régionale en ZUS (%)	5,6

Source : Insee.

2. Zonage en aires urbaines et en aires d'emploi de l'espace rural (ZAUER)

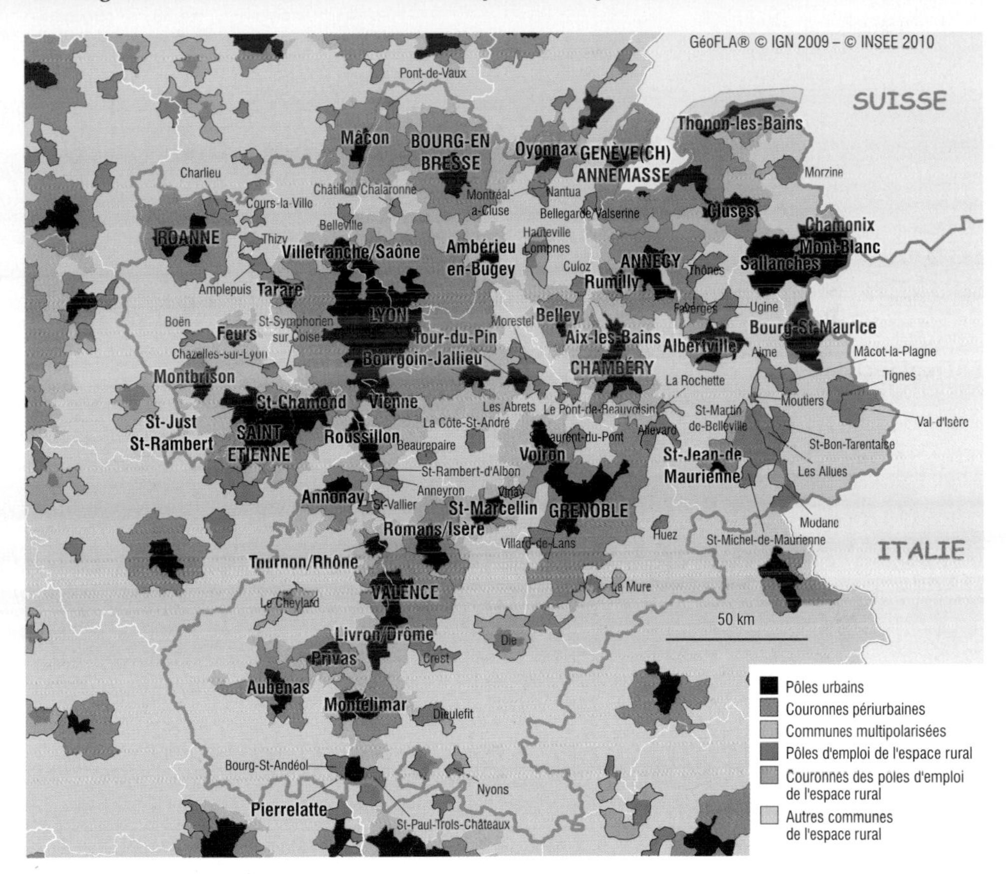

3. Les trois plus grandes agglomérations

	Effectifs	Part dans la population régionale (%)	Évolution annuelle moyenne 1999-2006 (%)
Population en 2006			
Lyon	1 417 461	23,5	0,7
Grenoble	427 659	7,1	0,3
Saint-Étienne	286 399	4,8	– 0,3

	Effectifs	Part dans l'emploi régional (%)	Variation entre 1999 et 2006 de la part dans l'emploi régional (%)
Emploi en 2006			
Lyon	708 032	28,0	0,4
Grenoble	222 425	8,8	0,0
Saint-Étienne	130 034	5,1	– 0,2

Source : Insee - RP 2006.

4. La valeur ajoutée brute régionale en 2008

	Part des branches (%)		Part dans la branche nationale (%)	
	en 2000	en 2008	en 2000	en 2008
Agriculture	1,5	1,1	5,1	5,5
Industrie	23,2	17,8	12,5	12,5
Construction	5,9	7,7	10,9	11,1
Services principalement marchands	50,2	53,9	9,0	9,3
Services administratifs	19,3	19,5	8,6	8,7
Ensemble	**100,0**	**100,0**	**9,5**	**9,6**

Source : Insee - Comptes régionaux en base 2000.

5. Population

Départements	Population au 01/01/2008 (milliers)	Taux d'évolution annuel moyen 1999-2008 (%)			Part des moins de 25 ans (%)	Part des plus de 65 ans (%)	Projection de population au 01/01/2030 (milliers)
		total	dû au solde naturel	dû au solde apparent des entrées-sorties			
01 Ain	580,5	1,4	0,5	0,9	32,0	13,6	727
07 Ardèche	312,0	1,0	0,1	0,9	27,7	19,1	339
26 Drôme	477,5	1,0	0,4	0,6	30,2	16,9	536
38 Isère	1 188,5	0,9	0,6	0,3	33,0	13,9	1 408
42 Loire	741,5	0,2	0,3	– 0,1	30,4	17,9	688
69 Rhône	1 689,0	0,8	0,7	0,1	33,6	14,3	1 879
73 Savoie	409,0	1,0	0,4	0,6	30,5	15,7	483
74 Haute-Savoie	715,0	1,4	0,7	0,7	31,2	12,9	882
Rhône-Alpes	**6 113,0**	**0,9**	**0,5**	**0,4**	**31,9**	**15,0**	**6 942**

Source : Insee - Estimations de population.

6. Emploi-chômage

Départements	Emploi au 31 décembre 2008				Variation annuelle moyenne de l'emploi 99-08 (%)	Chômage au 31 décembre 2009		
	Effectifs au lieu de travail (milliers)	dont primaire (%)	dont secondaire (%)	dont tertiaire (%)		Taux de chômage au 4e trim. 2009 (%)	Demandeurs d'emploi (Pôle Emploi) Cat. A de moins de 25 ans (%)	Demandeurs d'emploi (Pôle Emploi) Cat. A, B, C depuis plus d'un an (%)
01 Ain	206,2	2,7	32,9	64,4	– 0,20	7,8	19,5	28,1
07 Ardèche	105,3	4,6	28,9	66,6	0,13	10,3	18,9	34,3
26 Drôme	202,3	4,1	26,8	69,2	0,00	10,9	18,9	33,0
38 Isère	494,2	1,4	25,6	73,0	0,00	8,8	19,9	27,6
42 Loire	285,3	2,2	27,8	70,0	– 0,18	9,9	19,9	31,5
69 Rhône	884,6	0,9	20,1	79,1	0,24	8,9	17,5	28,8
73 Savoie	196,6	1,7	20,5	77,7	0,16	8,0	18,1	22,6
74 Haute-Savoie	287,8	1,6	26,4	72,0	– 0,06	8,4	15,7	25,4
Rhône-Alpes	**2 662,3**	**1,8**	**24,5**	**73,7**	**0,06**	**9,0**	**18,4**	**28,8**

Sources : Insee - Estimations d'emploi et taux de chômage localisés, Pôle Emploi - DEFM.

7. Le logement des ménages

Départements	Part des ménages (%)		Nombre moyen de		Part des ménages comptant (%)			
	propriétaires de leur résidence principale	habitant une maison	pièces par logement	pièces par personne	une personne seule	deux personnes	3 ou 4 personnes	5 personnes ou plus
01 Ain	61,5	65,0	4,3	1,8	28,4	32,9	31,1	7,7
07 Ardèche	66,0	71,9	4,3	1,9	31,3	35,0	28,0	5,7
26 Drôme	60,5	63,2	4,2	1,8	31,5	34,0	27,9	6,5
38 Isère	59,7	51,0	4,1	1,7	30,3	32,2	30,1	7,4
42 Loire	57,2	49,0	4,0	1,8	33,8	33,1	26,3	6,8
69 Rhône	48,7	30,4	3,7	1,6	36,0	30,6	26,1	7,3
73 Savoie	58,7	48,5	4,0	1,8	33,8	32,5	27,9	5,9
74 Haute-Savoie	60,8	45,8	4,0	1,7	31,6	31,8	30,3	6,3
Rhône-Alpes	**56,9**	**47,5**	**4,0**	**1,7**	**32,7**	**32,2**	**28,2**	**6,9**

Source : Insee - RP 2006.

8. Revenus fiscaux des ménages en 2007

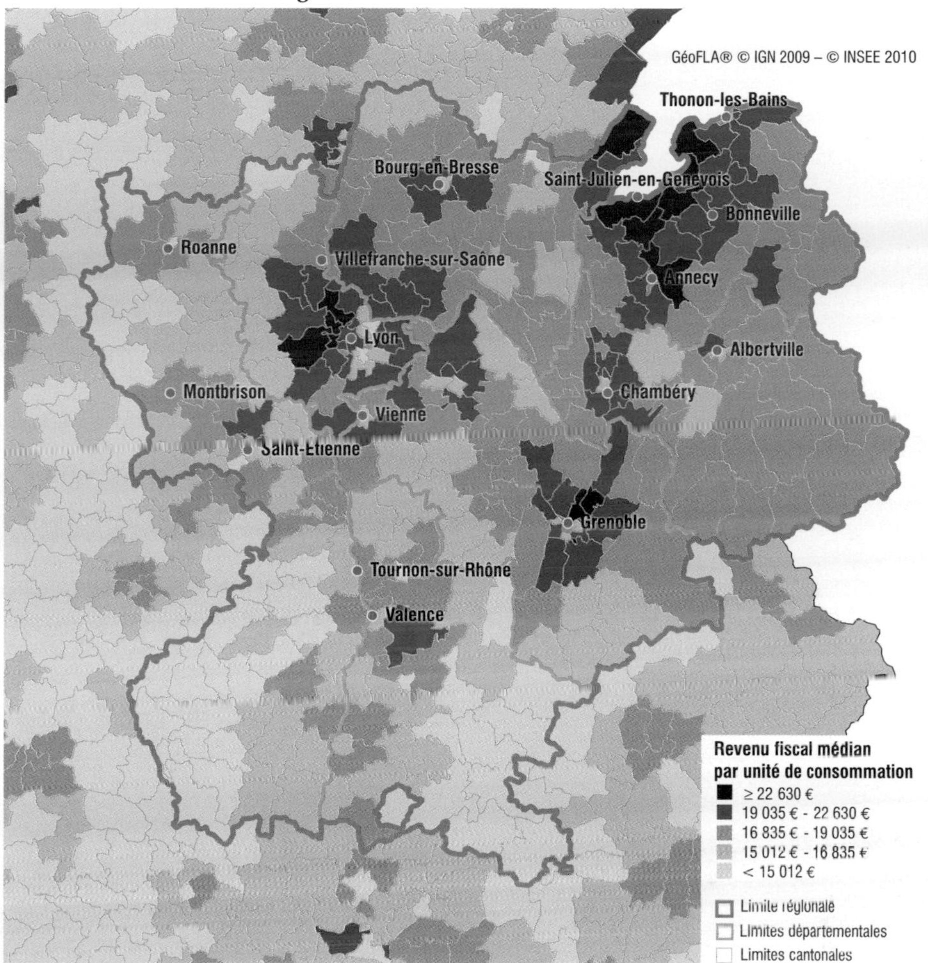

Source : Insee-DGI, Revenus fiscaux des ménages.

9. Les dix principaux secteurs d'activité au 31 décembre 2008[1]

en %

Secteur d'activité[2]	Poids du secteur dans l'emploi salarié		Taux de variation annuel moyen de l'emploi salarié 2003-2008		Poids des effectifs salariés des 10 plus grands établissements[3]	
	Région	France	Région	France	Région	Moyenne France
Commerce ; réparation d'automobiles et de motocycles	12,4	12,6	0,5	0,4	2,2	4,3
Activités scientif. et techn. ; services adm. et de soutien	11,9	11,7	2,0	1,4	6,1	7,2
Fabrication d'autres produits industriels	10,0	7,0	– 2,6	– 2,7	5,6	11,2
Construction	6,4	6,2	3,1	3,1	2,5	4,7
Transports et entreposage	5,6	5,7	– 0,1	0,1	10,3	17,5
Autres activités de services	5,0	5,8	1,8	2,2	4,2	9,3
Hébergement et restauration	4,1	3,7	1,9	1,6	3,3	4,7
Fabrication d'equipements electriques, electroniques, informatiques ; fabrication de machines	3,8	2,1	– 0,6	– 1,5	15,8	27,9
Activités financières et d'assurance	2,8	3,4	1,4	1,3	9,7	16,4
Information et communication	2,4	2,9	2,2	1,6	10,1	14,0

1. Hors secteurs principalement non marchands. - 2. Les secteurs d'activité sont décrits en A17, nomenclature agrégée associée à la NAF révision 2. - 3. Au 31.12.2007, hors Défense et intérim.
Source : Insee - Estimations d'emploi localisé, Clap.

La région Guadeloupe comprend 32 communes depuis qu'en juillet 2007, les îles de Saint-Martin et Saint Barthélemy sont devenues des collectivités d'outre-mer (Com). C'est un archipel d'une superficie de 1 628 km² dont les îles habitées sont la Basse-Terre et la Grande-Terre, reliées entre elles par voie terrestre, et les îles de Marie-Galante, des Saintes et de La Désirade. Situé dans la mer des Caraïbes, son milieu est marqué par des passages de cyclone et une activité tellurique qui ont un caractère récurrent. La population de la Guadeloupe, en géographie 2008, atteint 401 000 habitants au 1er janvier 2006.

La région a gagné 14 000 habitants depuis 1999. C'est le solde naturel qui lui permet de croître. Les mouvements migratoires n'affectent plus l'évolution démographique de la Guadeloupe comme dans les années 1970, période de départs massifs vers la France métropolitaine, ou les années 1990, quand les arrivées étaient nombreuses. En 2006, les départs plus nombreux que les arrivées sont le fait des jeunes migrants.

La population guadeloupéenne vieillit

Dans ce contexte, la population de la Guadeloupe vieillit : la part des moins de 25 ans a baissé de 2 % depuis 1999, celle des 65 ans ou plus a augmenté d'autant. Ce phénomène existe aussi en Martinique mais l'Antillais reste en moyenne plus jeune que le métropolitain même si l'écart se réduit depuis 1999. Un Guadeloupéen sur cinq est retraité ; c'était un sur sept en 1999.

Les Guadeloupéens non diplômés restent nombreux. En 2006, dans la population non scolarisée de 15 ans ou plus, ils sont 43 % à ne détenir aucun diplôme, ni même le certificat d'études primaires. C'est moins qu'en 1999 mais plus du double qu'au niveau national. La part des diplômés de niveau baccalauréat et plus progresse mais reste inférieure de deux à trois points, selon le niveau atteint, à celle des métropolitains. Les femmes sont plus diplômées que les hommes. Les filles ont plus souvent le baccalauréat que les garçons. En 2005, parmi les jeunes en âge de passer le baccalauréat, 73 % des Guadeloupéennes l'ont obtenu contre 50 % des Guadeloupéens, soit un écart de 23 points. Dans la dernière génération, l'échec scolaire des garçons est ainsi directement responsable de la persistance des écarts de formation avec la métropole.

Les moindres niveaux de formation n'améliorent pas la situation du marché de l'emploi. En 2009, le taux de chômage en Guadeloupe est de 23,5 %. Les jeunes sont les plus touchés. La possession d'un diplôme leur permet de se protéger relativement du chômage : le taux de chômage des jeunes est de 41 % s'ils ont un diplôme et de 60 % s'ils n'en ont pas.

Le tertiaire fournit quatre cinquièmes des emplois comme de la valeur ajoutée. L'importance traditionnelle du commerce se confirme en 2006. La part des services dans l'emploi progresse encore, moins qu'en France métropolitaine. L'agriculture perd des emplois. L'industrie, historiquement peu développée, n'offre plus que 6,8 % des emplois : la Guadeloupe est la région française, après la Corse, dont la part des emplois industriels est la plus faible. Au total, entre 1999 et 2006, la structure des emplois par secteur d'activité se rapproche de celle de la France métropolitaine. Le tertiaire a progressé de 2 points, grâce principalement aux services. Par ailleurs, la part des emplois industriels et agricoles recule comme en France métropolitaine, mais de manière moins prononcée. ■

1.23 Guadeloupe

1. Repères

Population au 01/01/2009 - Estimation (milliers)	404	Part dans le PIB France (%)	0,4
Part dans la population française (%)	0,6	Revenu disponible brut 2006 (euros/habitant)	13 653
Densité de population (hab./km²)	248,7	Revenu médian par unité de consommation 2007 (euros/uc)	...
Taux de variation annuel moyen de la pop. depuis 1999 (%)	0,5	Taux de pauvreté (%)	...
Emplois au lieu de travail au 31/12/2008 (milliers)	109,2	Allocataires du RMI au 31/12/2008 (milliers)	29,1
Taux de chômage au deuxième trimestre 2009 (%)	23,5	Nombre de zones urbaines sensibles (ZUS)	7
Produit intérieur brut 2006 - semi-définitif (Mds €)	7,7	Part de la population régionale en ZUS (%)	7,5

Source : Insee.

2. Les trois plus grandes agglomérations

	Effectifs	Part dans la population régionale (%)	Évolution annuelle moyenne 1999-2006 (%)
Population en 2006			
Pointe-à-Pitre-Les Abymes	177 336	44,3	0,5
Basse-Terre	46 319	11,6	0,5
Sainte-Anne	23 073	5,8	1,8

	Effectifs	Part dans l'emploi régional (%)	Variation entre 1999 et 2006 de la part dans l'emploi régional (%)
Emploi en 2006			
Pointe-à-Pitre-Les Abymes	73 464	58,7	1,7
Basse-Terre	17 169	13,7	– 0,2
Le Moule	4 279	3,4	– 0,3

Source : Insee - RP 2006.

3. La valeur ajoutée brute régionale en 2005

	Part des branches (%)		Part dans la branche nationale (%)	
	en 2000	en 2005	en 2000	en 2005
Agriculture	4,1	3,0	0,6	0,6
Industrie	6,5	5,3	0,2	0,2
Construction	8,7	8,5	0,7	0,7
Services principalement marchands	49,4	51,8	0,4	0,4
Services administratifs	31,4	31,5	0,6	0,7
Ensemble	**100,0**	**100,0**	**0,4**	**0,5**

Source : Insee - Comptes régionaux en base 1995.

4. Population

	Population au 01/01/2008 (milliers)	Taux d'évolution annuel moyen 1999-2008 (%)			Part des moins de 25 ans (%)	Part des plus de 65 ans (%)	Projection de population au 01/01/2030 (milliers)
		total	dû au solde naturel	dû au solde apparent des entrées-sorties			
Guadeloupe	**402,5**	**0,5**	**0,9**	**– 0,4**	**35,8**	**12,1**	**548**

Source : Insee - Estimations de population.

5. Emploi-chômage

	Emploi salarié au 31 décembre 2008				Variation annuelle moyenne de l'emploi 99-08 (%)	Taux de chômage au 2e trim. 2009 (%)	Demandeurs d'emploi (Pôle Emploi) au 31 décembre 2009	
	Effectifs au lieu de travail (milliers)	dont primaire (%)	dont secondaire (%)	dont tertiaire (%)			Catégorie A de moins de 25 ans (%)	Catégorie A depuis plus d'un an (%)
Guadeloupe	**101,5**	**1,7**	**12,3**	**85,9**	**– 0,72**	**23,5**	**14,0**	**49,7**

Sources : Insee - Estimations d'emploi, enquête Emploi Dom, Pôle Emploi - DEFM.

6. Le logement des ménages

	Part des ménages (%)		Nombre moyen de		Part des ménages comptant (%)			
	propriétaires de leur résidence principale	habitant une maison	pièces par logement	pièces par personne	une personne seule	deux personnes	3 ou 4 personnes	5 personnes ou plus
Guadeloupe	**61,1**	**76,3**	**3,8**	**1,5**	**28,6**	**26,7**	**34,4**	**10,3**

Source : Insee - RP 2006.

7. Les cadres et professions intellectuelles supérieures en 2006

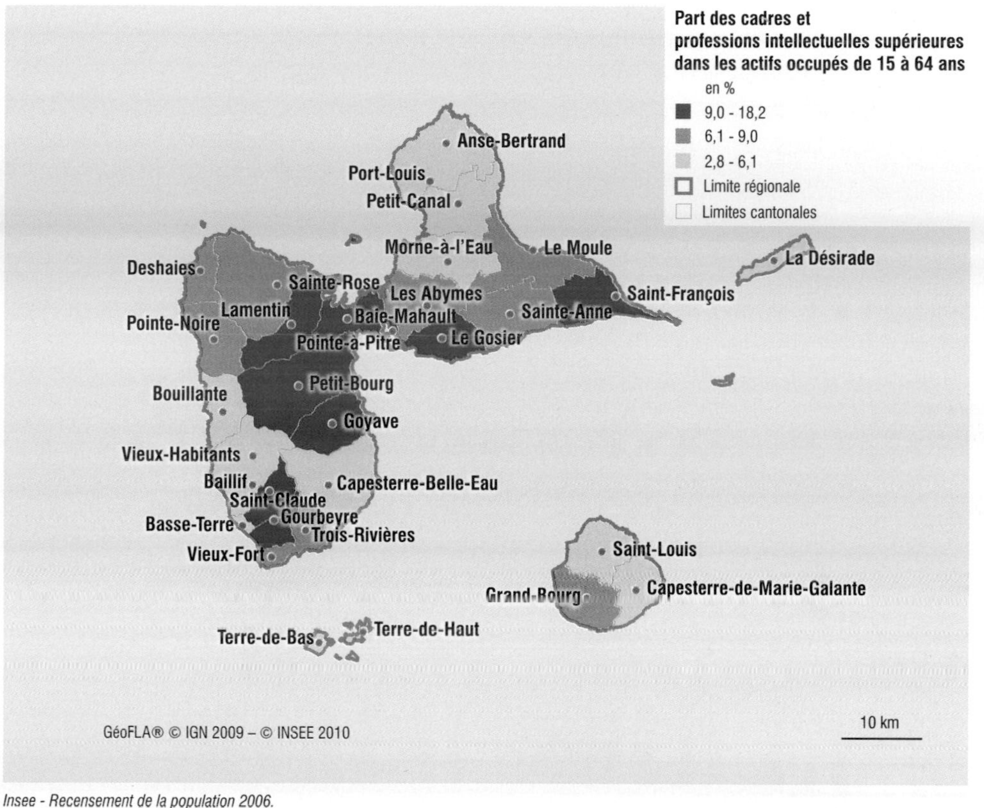

Insee - Recensement de la population 2006.

8. Les dix principaux secteurs d'activité au 31 décembre 2008[1]

en %

Secteur d'activité[2]	Poids du secteur dans l'emploi salarié		Taux de variation annuel moyen de l'emploi salarié 2003-2008		Poids des effectifs salariés des 10 plus grands établissements[3]	
	Région	France	Région	France	Région	Moyenne France
Commerce ; réparation d'automobiles et de motocycles	11,3	12,6	– 4,3	0,4	8,5	4,3
Activités scientif. et techn. ; services adm. et de soutien	9,1	11,7	– 1,0	1,4	12,2	7,2
Autres activités de services	6,3	5,8	– 0,5	2,2	14,7	9,3
Transports et entreposage	4,8	5,7	– 0,9	0,1	26,4	17,5
Construction	4,8	6,2	1,4	3,1	9,9	4,7
Hébergement et restauration	3,5	3,7	– 7,6	1,6	24,0	4,7
Fabrication d'autres produits industriels	3,2	7,0	– 0,2	– 2,7	13,8	11,2
Activités financières et d'assurance	2,7	3,4	1,1	1,3	30,1	16,4
Fabric. denrées alim., boissons et prod. à base tabac	2,2	2,3	1,3	– 1,2	36,8	18,1
Information et communication	1,8	2,9	– 3,3	1,6	53,8	14,0

1. Hors secteurs principalement non marchands. - 2. Les secteurs d'activité sont décrits en A17, nomenclature agrégée associée à la NAF révision 2. - 3. Au 31.12.2007, hors Défense et intérim.

Source : Insee - Estimations d'emploi localisé, Clap.

Entre le Surinam à l'ouest et le Brésil au sud et à l'est, la Guyane s'étend sur 84 000 km^2, ce qui en fait la plus vaste région de France ; mais, avec un peu moins de 206 000 habitants, c'est aussi la moins peuplée. Les neuf dixièmes de la population se concentrent sur la bande côtière qui longe l'océan Atlantique sur 350 km. À l'ouest, le Maroni, et à l'est, l'Oyapock, sont les frontières naturelles de ce territoire inséré dans le plateau des Guyanes. Au sud, la forêt amazonienne rend la pénétration du territoire difficile puisque seulement possible par cours d'eau.

La région a gagné 50 000 habitants, près du quart de sa population, depuis 1999. Le solde naturel explique les deux tiers de cette croissance, la plus forte, en relatif, de toutes les régions françaises. La région se caractérise en effet par un très fort taux de natalité, dont résulte la proportion très élevée de jeunes dans la population : 44 % des Guyanais sont âgés de moins de 20 ans, 4 % seulement de plus de 65 ans.

Le solde positif des entrées-sorties explique le tiers restant de la croissance démographique. Entre 2001 et 2006, les départs vers le reste du territoire français sont plus nombreux que les arrivées. Dans le même temps, ces arrivées sont plus nombreuses que celles en provenance de l'étranger. Il reste que, en 2006, la Guyane est la région française où la part de la population immigrée est la plus forte : 30 % de la population régionale. L'immigration est une composante de l'histoire de la Guyane : les Brésiliens, un quart des immigrés, viennent en Guyane depuis les années 1960, les Haïtiens et Surinamais, 30 % chacun, depuis les années 1980.

La croissance démographique gomme les progrès économiques

La croissance démographique soutenue gomme les progrès de la croissance économique. Le chômage régresse mais reste au-dessus des 20 %. En 2009, en plus des 14 500 chômeurs présents dans la population active, 15 200 inactifs déclaraient souhaiter travailler. En particulier, 7 700 personnes se déclaraient disponibles pour travailler mais n'avaient pas effectué de démarches actives de recherches d'emploi, la plupart du temps parce qu'ils considéraient que leur chance de trouver un travail était quasi nulle. Dans ce contexte, la situation des jeunes guyanais est particulièrement difficile : 31 % des actifs de moins de 30 ans sont au chômage. Ce chiffre atteint 52 % pour les jeunes sans diplôme.

Les niveaux de formation des Guyanais progressent peu. En 2006, ils sont 53 %, dans la population de 15 ans ou plus non scolarisée, à n'avoir pas décroché le certificat d'études primaires. C'est plus du double qu'au niveau national et la situation s'est détériorée depuis 1999. La part des diplômés de niveau baccalauréat ou plus progresse, mais reste inférieure de quatre à cinq points, selon le niveau atteint, à celle des métropolitains. Le taux de réussite au baccalauréat est de 20 points inférieur à celui de la France métropolitaine.

Le tertiaire fournit les quatre cinquièmes des emplois comme de la valeur ajoutée. Les services notamment concentrent 69 % des emplois, soit huit points de plus qu'au niveau national. Leur part dans l'emploi continue à progresser, mais moins qu'en France métropolitaine. Avec 11 % des emplois occupés dans l'industrie, la Guyane est le département d'outre-mer le plus industriel. L'industrie extractive fournit l'essentiel des emplois du secteur, mais les activités du centre spatial guyanais à Kourou sont également un gros contributeur. L'agriculture a reculé à 3,7 % des emplois, à un niveau équivalent à la France métropolitaine (3,5 %). Au final, entre 1999 et 2006, la structure des emplois par secteur d'activité en Guyane s'est rapprochée de celle de la France métropolitaine. ■

1.24 Guyane

1. Repères

Population au 01/01/2009 - Estimation (milliers)	229	Part dans le PIB France (%)	0,1
Part dans la population française (%)	0,4	Revenu disponible brut 2006 (euros/habitant)	9 837
Densité de population (hab./km²)	2,7	Revenu médian par unité de consommation 2007 (euros/uc)	...
Taux de variation annuel moyen de la pop. depuis 1999 (%)	3,9	Taux de pauvreté (%)	...
Emplois au lieu de travail au 31/12/2008 (milliers)	49,3	Allocataires du RMI au 31/12/2008 (milliers)	11,3
Taux de chômage au deuxième trimestre 2009 (%)	20,5	Nombre de zones urbaines sensibles (ZUS)	6
Produit intérieur brut 2006 - semi-définitif (Mds €)	2,6	Part de la population régionale en ZUS (%)	14,2

Source : Insee.

2. Les trois plus grandes agglomérations

	Effectifs	Part dans la population régionale (%)	Évolution annuelle moyenne 1999-2006 (%)
Population en 2006			
Cayenne	75 740	36,8	2,0
St-Laurent-du-Maroni	33 707	16,4	8,4
Matoury	24 583	11,9	4,5

	Effectifs	Part dans l'emploi régional (%)	Variation entre 1999 et 2006 de la part dans l'emploi régional (%)
Emploi en 2006			
Cayenne	29 253	52,0	– 2,1
Kourou	7 496	13,3	– 2,1
St-Laurent-du-Maroni	7 077	12,6	4,4

Source : Insee - RP 2006.

3. La valeur ajoutée brute régionale en 2005

	Part des branches (%)		Part dans la branche nationale (%)	
	en 2000	en 2005	en 2000	en 2005
Agriculture	5,1	4,3	0,2	0,3
Industrie	13,2	10,5	0,1	0,1
Construction	9,1	8,2	0,2	0,2
Services principalement marchands	30,5	40,9	0,1	0,1
Services administratifs	42,1	36,1	0,3	0,3
Ensemble	**100,0**	**100,0**	**0,1**	**0,2**

Source : Insee - Comptes régionaux en base 1995.

4. Population

	Population au 01/01/2008 (milliers)	Taux d'évolution annuel moyen 1999-2008 (%)			Part des moins de 25 ans (%)	Part des plus de 65 ans (%)	Projection de population au 01/01/2030 (milliers)
		total	dû au solde naturel	dû au solde apparent des entrées-sorties			
Guyane	**221,5**	**4,0**	**2,8**	**1,2**	**51,6**	**3,6**	**424**

Source : Insee - Estimations de population.

5. Emploi-chômage

	Emploi salarié au 31 décembre 2008				Variation annuelle moyenne de l'emploi 99-08 (%)	Taux de chômage au 2e trim. 2009 (%)	Demandeurs d'emploi (Pôle Emploi) au 31 décembre 2009	
	Effectifs au lieu de travail (milliers)	dont primaire (%)	dont secondaire (%)	dont tertiaire (%)			Cat. A de moins de 25 ans (%)	Cat. A, B, C depuis plus d'un an (%)
Guyane	**46,1**	**0,8**	**13,7**	**85,5**	**1,58**	**20,5**	**16,1**	**33,2**

Sources : Insee - Estimations d'emploi, enquête Emploi Dom, Pôle Emploi - DEFM.

6. Le logement des ménages

	Part des ménages (%)		Nombre moyen de		Part des ménages comptant (%)			
	propriétaires de leur résidence principale	habitant une maison	pièces par logement	pièces par personne	une personne seule	deux personnes	3 ou 4 personnes	5 personnes ou plus
Guyane	**43,5**	**66,9**	**3,4**	**1,0**	**20,3**	**20,9**	**32,9**	**26,0**

Source : Insee - RP 2006.

7. Les cadres et professions intellectuelles supérieures en 2006

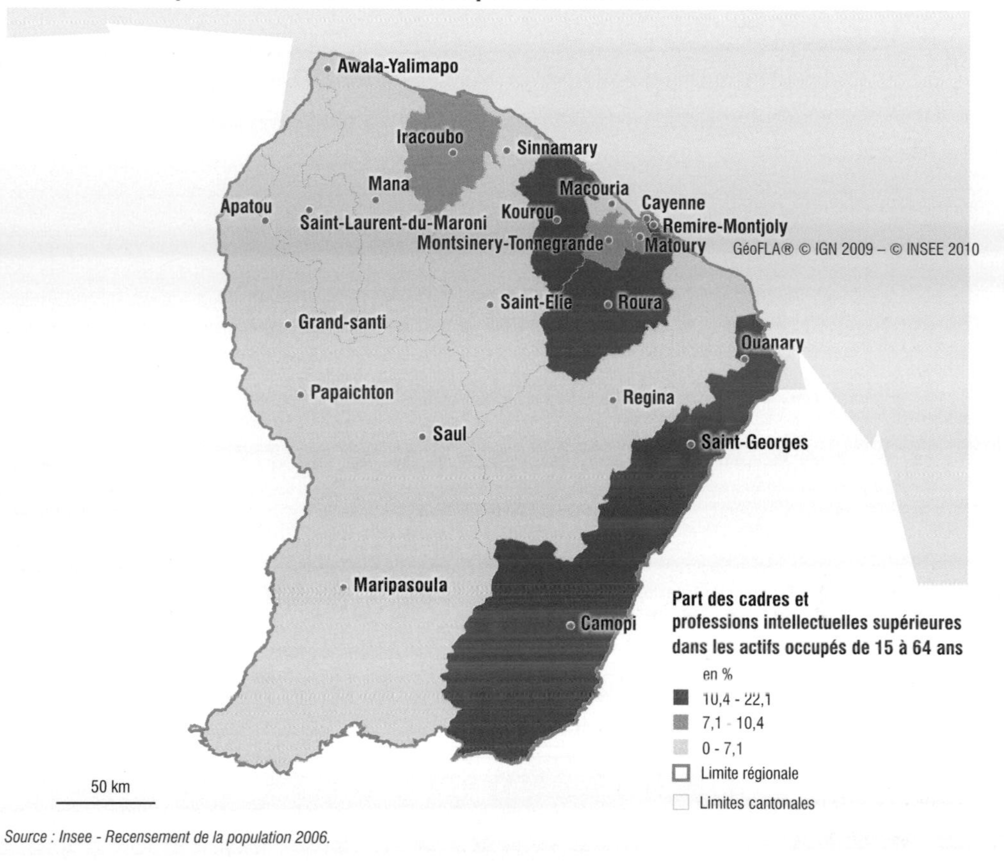

Source : Insee - Recensement de la population 2006.

8. Les dix principaux secteurs d'activité au 31 décembre 2008[1]

en %

Secteur d'activité[2]	Poids du secteur dans l'emploi salarié		Taux de variation annuel moyen de l'emploi salarié 2003-2008		Poids des effectifs salariés des 10 plus grands établissements[3]	
	Région	France	Région	France	Région	Moyenne France
Activités scientif. et techn. ; services adm. et de soutien	8,9	11,7	3,9	1,4	35,3	7,2
Commerce ; réparation d'automobiles et de motocycles	8,6	12,6	3,4	0,4	15,4	4,3
Construction	6,8	6,2	8,4	3,1	22,1	4,7
Transports et entreposage	4,6	5,7	2,7	0,1	36,3	17,5
Autres activités de services	3,7	5,8	0,2	2,2	25,6	9,3
Fabrication d'autres produits industriels	3,3	7,0	7,9	– 2,7	38,5	11,2
Hébergement et restauration	2,2	3,7	0,5	1,6	33,9	4,7
Indus. extract., énergie, eau, gest. déchets, dépollution	2,2	1,5	2,0	0,2	48,3	21,2
Information et communication	1,4	2,9	1,1	1,6	75,0	14,0
Activités financières et d'assurance	1,2	3,4	2,0	1,3	47,0	16,4

1. Hors secteurs principalement non marchands. - 2. Les secteurs d'activité sont décrits en A17, nomenclature agrégée associée à la NAF révision 2. - 3. Au 31.12.2007, hors Défense et intérim.
Source : Insee - Estimations d'emploi localisé, Clap.

Située dans la mer des Caraïbes, entre la Dominique au nord et Sainte-Lucie au sud, la Martinique s'étend sur 1 100 km². La population de la Martinique atteint 397 700 habitants au 1er janvier 2006.

La région a gagné 16 500 habitants depuis 1999, grâce au solde naturel qui reste positif. En 2006, les départs plus nombreux que les arrivées sont le fait des jeunes migrants. Les mouvements migratoires affectent beaucoup moins l'évolution démographique de la Martinique que dans les années 1970, années de fortes vagues de départs vers la France métropolitaine, ou que dans les années 1990, quand les arrivées étaient nombreuses.

Dans ce contexte, la population de la Martinique vieillit. La part des moins de 25 ans a baissé de 1 % depuis 1999, celle des 65 ans ou plus a augmenté de 2 %. Ce phénomène existe aussi en Guadeloupe, mais l'âge moyen en Martinique reste plus jeune qu'en France métropolitaine même si l'écart se réduit depuis 1999. Un Martiniquais sur cinq est retraité ; c'était un sur six en 1999.

Près de 40 % des Martiniquais sont sans diplôme

Les Martiniquais non diplômés restent nombreux. En 2006, ils sont près de 40 %, dans la population de 15 ans ou plus non scolarisée, à n'avoir pas décroché le certificat d'études primaires. C'est moins qu'en 1999 mais près du double qu'au niveau national. La part des diplômés de niveau Bac et plus progresse mais elle reste inférieure de deux à trois points, selon le niveau atteint, à ce qu'elle est dans l'hexagone. La progression des femmes est remarquable, puisque la part de celles qui ont obtenu un diplôme de deuxième ou troisième cycle universitaire est supérieure à celle des hommes.

Les moindres niveaux de formation ne facilitent pas l'insertion sur le marché de l'emploi. En 2009, le taux de chômage en Martinique est de 22 %. Les jeunes sont les plus touchés. La possession d'un diplôme leur permet de se protéger relativement du chômage : le taux de chômage des jeunes est de 36 % s'ils ont un diplôme et de 62 % s'ils n'en ont pas.

Le tertiaire fournit quatre cinquièmes des emplois comme de la valeur ajoutée. Le secteur des services est celui qui procure le plus d'emplois. La part des emplois dans les services croît de 2,5 points en Martinique, soit presque autant qu'en France métropolitaine (2,8 points). Le commerce baisse de 0,5 point. L'agriculture perd des emplois. L'industrie est relativement stable (– 0,5 point) alors qu'elle chute de 2 points en France métropolitaine. Au total, entre 1999 et 2006, la structure des emplois par secteur d'activité se rapproche de celle de la France métropolitaine. ■

1.25 Martinique

1. Repères

Population au 01/01/2009 - Estimation (milliers)	402	Part dans le PIB France (%)	0,4
Part dans la population française (%)	0,6	Revenu disponible brut 2006 (euros/habitant)	13 251
Densité de population (hab./km²)	356,4	Revenu médian par unité de consommation 2008 (euros/uc)	12 462
Taux de variation annuel moyen de la pop. depuis 1999 (%)	0,5	Taux de pauvreté (%)	...
Emplois au lieu de travail au 31/12/2008 (milliers)	135,1	Allocataires du RMI au 31/12/2008 (milliers)	29,5
Taux de chômage au deuxième trimestre 2009 (%)	22,0	Nombre de zones urbaines sensibles (ZUS)	4
Produit intérieur brut 2006 - semi-définitif (Mds €)	7,6	Part de la population régionale en ZUS (%)	6,1

Source : Insee.

2. Les trois plus grandes agglomérations

	Effectifs	Part dans la population régionale (%)	Évolution annuelle moyenne 1999-2006 (%)
Population en 2006			
Fort-de-France	133 281	33,5	– 0,2
Le Lamentin	39 847	10,0	1,7
Le Robert	34 731	8,7	1,3

	Effectifs	Part dans l'emploi régional (%)	Variation entre 1999 et 2006 de la part dans l'emploi régional (%)
Emploi en 2006			
Fort-de-France	55 350	41,5	– 1,4
Le Lamentin	25 996	19,5	2,0
Sainte-Marie	8 271	6,2	– 0,4

Source : Insee - RP 2006.

3. La valeur ajoutée brute régionale en 2005

	Part des branches (%)		Part dans la branche nationale (%)	
	en 2000	en 2005	en 2000	en 2005
Agriculture	3,9	2,5	0,6	0,5
Industrie	7,5	8,1	0,2	0,2
Construction	6,0	6,6	0,5	0,5
Services principalement marchands	49,5	50,5	0,4	0,4
Services administratifs	33,0	32,5	0,6	0,7
Ensemble	**100,0**	**100,0**	**0,4**	**0,4**

Source : Insee - Comptes régionaux en base 1995.

4. Population

	Population au 01/01/2008 (milliers)	Taux d'évolution annuel moyen 1999-2008 (%)			Part des moins de 25 ans (%)	Part des plus de 65 ans (%)	Projection de population au 01/01/2030 (milliers)
		total	dû au solde naturel	dû au solde apparent des entrées-sorties			
Martinique	**399,5**	**0,5**	**0,7**	**– 0,2**	**34,1**	**13,4**	**427**

Source : Insee - Estimations de population.

5. Emploi-chômage

Départements	Emploi salarié au 31 décembre 2008				Variation annuelle moyenne de l'emploi 99-08 (%)	Taux de chômage au 2e trim. 2009 (%)	Demandeurs d'emploi (Pôle Emploi) au 31 décembre 2009	
	Effectifs au lieu de travail (milliers)	dont primaire (%)	dont secondaire (%)	dont tertiaire (%)			Cat. A de moins de 25 ans (%)	Cat. A, B, C depuis plus d'un an (%)
Martinique	**126,5**	**3,3**	**13,6**	**83,1**	**0,32**	**22,0**	**16,1**	**48,3**

Sources : Insee - Estimations d'emploi, enquête Emploi Dom, Pôle Emploi - DEFM.

6. Le logement des ménages

	Part des ménages (%)		Nombre moyen de		Part des ménages comptant (%)			
	propriétaires de leur résidence principale	habitant une maison	pièces par logement	pièces par personne	une personne seule	deux personnes	3 ou 4 personnes	5 personnes ou plus
Martinique	**55,8**	**66,7**	**3,7**	**1,4**	**28,9**	**27,3**	**33,6**	**10,2**

Source : Insee - RP 2006.

7. Revenus fiscaux des ménages en 2008

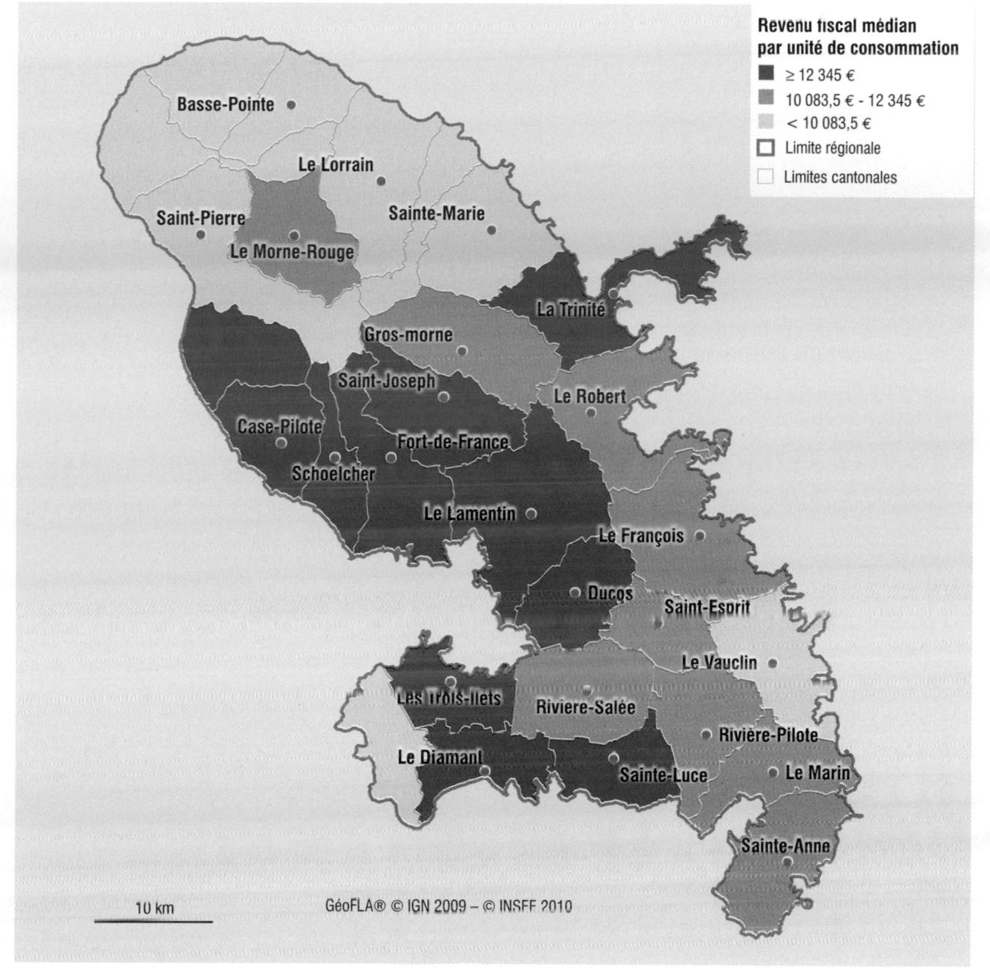

Source : Insee-DGI, Revenus fiscaux des ménages

8. Les dix principaux secteurs d'activité au 31 décembre 2008[1]

en %

Secteur d'activité[2]	Poids du secteur dans l'emploi salarié		Taux de variation annuel moyen de l'emploi salarié 2003-2008		Poids des effectifs salariés des 10 plus grands établissements[3]	
	Région	France	Région	France	Région	Moyenne France
Commerce ; réparation d'automobiles et de motocycles	12,1	12,6	0,4	0,4	11,2	4,3
Activités scientif. et techn. ; services adm. et de soutien	9,6	11,7	3,1	1,4	21,7	7,2
Autres activités de services	8,7	5,8	6,6	2,2	19,3	9,3
Construction	6,3	6,2	8,4	3,1	11,2	4,7
Transports et entreposage	4,5	5,7	1,3	0,1	29,2	17,5
Hébergement et restauration	3,5	3,7	– 2,5	1,6	24,8	4,7
Fabrication d'autres produits industriels	3,1	7,0	2,0	– 2,7	13,8	11,2
Activités financières et d'assurance	2,5	3,4	2,1	1,3	36,3	16,4
Fabric. denrées alim., boissons et prod. à base tabac	2,1	2,3	0,2	– 1,2	27,2	18,1
Information et communication	1,9	2,9	4,9	1,6	54,5	14,0

1. Hors secteurs principalement non marchands. - 2. Les secteurs d'activité sont décrits en A17, nomenclature agrégée associée à la NAF révision 2. - 3. Au 31.12.2007, hors Défense et intérim.
Source : Insee - Estimations d'emploi localisé, Clap.

La Réunion est une île de 2 500 km^2 située au sud-ouest de l'océan Indien, à la hauteur du tropique du Capricorne. Elle est constituée de deux massifs volcaniques accolés dont l'un est toujours en activité. Ses éruptions fréquentes émettent des laves fluides en coulées qui peuvent atteindre le littoral. Les côtes sont généralement rocheuses, ne laissant qu'une quarantaine de kilomètres aux plages, faites de sable blanc en bordure des lagons et de sable noir le long des plaines alluviales.

Le recensement a dénombré 781 962 habitants au 1er janvier 2006, installés pour la plupart sur la bande littorale. La population réunionnaise continue d'augmenter d'environ 10 000 personnes par an en raison de l'excédent des naissances sur les décès. Elle pourrait dépasser le million d'habitants à l'horizon 2030.

Une population très jeune grâce à une fécondité encore élevée

La population réunionnaise est jeune, avec 35 % de moins de vingt ans, sous l'effet d'une fécondité encore élevée. La pyramide des âges régionale se distingue ainsi de la pyramide des âges nationale par une base plus large ; en revanche, elle est plus étroite sur la tranche des 20 à 40 ans, du fait des migrations de jeunes, qui quittent l'île pour poursuivre leurs études ou démarrer leur vie professionnelle.

La situation de l'emploi est difficile dans l'île. Moins de la moitié de la population en âge de travailler occupe effectivement un emploi. Le taux d'activité est faible, tout particulièrement celui des jeunes, des femmes et des seniors, qui ont tendance à se retirer d'un marché du travail excédentaire. Le taux de chômage, au sens du Bureau international du travail (BIT), est de 27,2 % en 2009, en hausse de 2,7 points alors qu'il était à la baisse depuis 2004. Près de 5 000 emplois ont disparu entre le deuxième trimestre de 2008 et celui de 2009. Les pertes d'emploi ont commencé à se manifester au 4e trimestre 2008, particulièrement dans le secteur de la construction et celui des activités associatives.

L'économie réunionnaise est caractérisée par la faiblesse des activités productives orientées vers les marchés extérieurs au territoire local. De plus la taille réduite du marché local et sa perméabilité met la production locale en concurrence avec les importations. Ainsi, les entreprises réunionnaises ne satisfont globalement que la moitié des besoins locaux. Au total, les activités productives ne fournissent que le quart des emplois, ce qui explique à la fois l'étroitesse du marché du travail et la part relativement élevée, par rapport à la France métropolitaine, de la Fonction publique, du commerce et de la construction.

Un secteur de la construction dopé ces dernières années par les grands projets

Le secteur de la construction s'est fortement développé depuis 2002 sous l'effet des investissements en logement des ménages, des constructions des entreprises et des grands projets d'équipement et d'infrastructure. Trois grands projets ont été réalisés ces dernières années : le basculement de l'eau de l'est vers l'ouest, l'extension du port et la route des Tamarins. À leur achèvement le relais n'a pas été pris par de nouveaux projets, et la construction de logements a chuté avec la crise financière et la modification des règles de la défiscalisation.

Le tourisme contribue modérément à l'activité économique de la Réunion, sa valeur ajoutée dépasse toutefois celle de l'agriculture et de la pêche, ou encore celle des industries agroalimentaires. Les visiteurs étaient au nombre de 396 000 en 2008. La moitié d'entre eux venait dans l'île pour rendre visite à des parents ou des amis. Les dépenses des touristes non résidents sur le sol réunionnais ont été supérieures à 300 millions d'euros en 2008.

La protection du milieu naturel est une préoccupation ancienne à la Réunion. Elle a abouti à la création du parc national de la Réunion qui couvre la partie centrale de l'île, soit plus de 100 000 hectares. Par ailleurs une réserve naturelle marine couvre 7 200 hectares, notamment pour la protection des lagons. Le projet Gerri, déclinaison territoriale du Grenelle de l'environnement, vise l'excellence dans le domaine du développement durable et l'autonomie énergétique de l'île à l'horizon 2030. ■

1.26 La Réunion

1. Repères

Population au 01/01/2009 - Estimation (milliers)	817	Part dans le PIB France (%)	0,7
Part dans la population française (%)	1,3	Revenu disponible brut 2006 (euros/habitant)	13 052
Densité de population (hab./km²)	326,3	Revenu médian par unité de consommation 2007 (euros/uc)	9 511
Taux de variation annuel moyen de la pop. depuis 1999 (%)	1,5	Taux de pauvreté (%)	...
Emplois au lieu de travail au 31/12/2008 (milliers)	246,9	Allocataires du RMI au 31/12/2008 (milliers)	66,8
Taux de chômage au deuxième trimestre 2009 (%)	27,2	Nombre de zones urbaines sensibles (ZUS)	15
Produit intérieur brut 2006 - semi-définitif (Mds €)	12,5	Part de la population régionale en ZUS (%)	15,5

Source : Insee.

2. Les trois plus grandes agglomérations

	Effectifs	Part dans la population régionale (%)	Évolution annuelle moyenne 1999-2006 (%)
Population en 2006			
Saint-Denis	168 910	21,6	0,9
Saint-Pierre	144 328	18,5	1,6
Saint-Paul	99 291	12,7	1,8

	Effectifs	Part dans l'emploi régional (%)	Variation entre 1999 et 2006 de la part dans l'emploi régional (%)
Emploi en 2006			
Saint-Denis	68 873	30,9	– 1,2
Saint-Pierre	42 539	19,1	0,2
Saint-Paul	25 174	11,3	0,0

Source : Insee - RP 2006.

3. La valeur ajoutée brute régionale en 2005

	Part des branches (%)		Part dans la branche nationale (%)	
	en 2000	en 2005	en 2000	en 2005
Agriculture	2,6	1,8	0,6	0,6
Industrie	7,6	6,9	0,3	0,3
Construction	6,5	7,6	0,8	1,0
Services principalement marchands	45,4	47,3	0,5	0,6
Services administratifs	38,0	36,4	1,1	1,2
Ensemble	**100,0**	**100,0**	**0,6**	**0,7**

Source : Insee - Comptes régionaux en base 1995.

4. Population

	Population au 01/01/2008 (milliers)	Taux d'évolution annuel moyen 1999-2008 (%)			Part des moins de 25 ans (%)	Part des plus de 65 ans (%)	Projection de population au 01/01/2030 (milliers)
		total	dû au solde naturel	dû au solde apparent des entrées-sorties			
La Réunion	**805,5**	**1,5**	**1,4**	**0,1**	**41,9**	**7,3**	**1 026**

Source : Insee - Estimations de population.

5. Emploi-chômage

	Emploi salarié au 31 décembre 2008				Variation annuelle moyenne de l'emploi 99-08 (%)	Taux de chômage au 2e trim. 2009 (%)	Demandeurs d'emploi (Pôle Emploi) au 31 décembre 2009	
	Effectifs au lieu de travail (milliers)	dont primaire (%)	dont secondaire (%)	dont tertiaire (%)			Cat. A de moins de 25 ans (%)	Cat. A, B, C depuis plus d'un an (%)
La Réunion	**226,7**	**1,2**	**15,9**	**82,9**	**1,88**	**27,2**	**18,5**	**41,0**

Sources : Insee - Estimations d'emploi, enquête Emploi Dom, Pôle Emploi - DEFM.

6. Le logement des ménages

	Part des ménages (%)		Nombre moyen de		Part des ménages comptant (%)			
	propriétaires de leur résidence principale	habitant une maison	pièces par logement	pièces par personne	une personne seule	deux personnes	3 ou 4 personnes	5 personnes ou plus
La Réunion	**54,6**	**73,1**	**3,9**	**1,3**	**20,1**	**24,6**	**39,4**	**15,9**

Source : Insee - RP 2006.

7. Revenus fiscaux des ménages en 2007

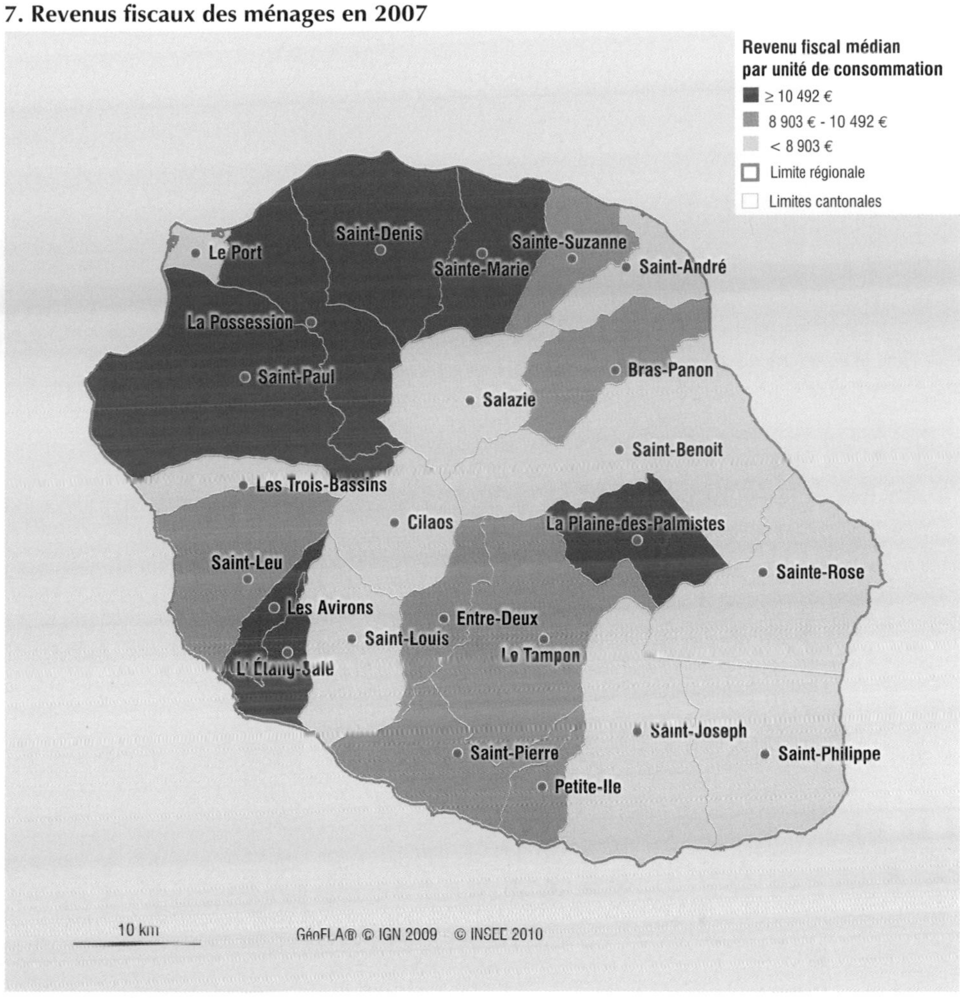

Source : Insee-DGI, Revenus fiscaux des ménages.

8. Les dix principaux secteurs d'activité au 31 décembre 2008[1]

en %

Secteur d'activité[2]	Poids du secteur dans l'emploi salarié		Taux de variation annuel moyen de l'emploi salarié 2003-2008		Poids des effectifs salariés des 10 plus grands établissements[3]	
	Région	France	Région	France	Région	Moyenne France
Commerce ; réparation d'automobiles et de motocycles	13,4	12,6	2,1	0,4	8,4	4,3
Autres activités de services	9,3	5,8	3,0	2,2	27,7	9,3
Construction	8,6	6,2	9,9	3,1	15,4	4,7
Activités scientif. et techn. ; services adm. et de soutien	8,2	11,7	6,5	1,4	14,8	7,2
Transports et entreposage	4,5	5,7	4,6	0,1	22,6	17,5
Fabrication d'autres produits industriels	3,2	7,0	2,5	– 2,7	10,7	11,2
Hébergement et restauration	2,8	3,7	2,9	1,6	20,3	4,7
Fabric. denrées alim., boissons et prod. à base tabac	2,4	2,3	0,7	– 1,2	28,2	18,1
Activités financières et d'assurance	2,2	3,4	4,9	1,3	31,0	16,4
Information et communication	1,4	2,9	0,9	1,6	46,6	14,0

1. Hors secteurs principalement non marchands. - 2. Les secteurs d'activité sont décrits en A17, nomenclature agrégée associée à la NAF révision 2. - 3. Au 31.12.2007, hors Défense et intérim.
Source : Insee - Estimations d'emploi localisé, Clap.

Fiches thématiques

2.1 Territoire

I. Communes et cantons
II. Coopération intercommunale
III. Espace à dominante urbaine
IV. Gestion de l'environnement
V. Qualité de l'air
VI. Ressources et qualité des eaux
VII. Déchets industriels dangereux

Au 1er janvier 2009, la France compte 26 régions, 100 départements, 36 682 communes, 4 036 cantons, pour une population de 64,3 millions d'habitants. Plus d'une commune française sur quatre compte moins de 200 habitants. Ces communes concentrent 2 % de la population. Les communes de 10 000 habitants ou plus représentent 2,5 % des communes et concentrent, quant à elles, près de la moitié de la population.

On compte 2 601 établissements publics de coopération intercommunale (EPCI) à fiscalité propre regroupant plus de 93 % des communes françaises. En 2008, les créations de communautés de communes, de communautés d'agglomération et de communautés urbaines ont repris, permettant d'aller vers une couverture complète du territoire. Les territoires les moins couverts comprennent la région Île-de-France, mais qui rattrape peu à peu son retard, et des zones principalement rurales, peu denses et disposant d'un faible potentiel fiscal. En revanche, les régions Nord-Pas-de-Calais, Bretagne et Pays de la Loire, Limousin, Auvergne et Rhône-Alpes ainsi que les régions du littoral atlantique et méditerranéen se distinguent par une très forte couverture.

Extension ralentie des sols artificialisés

Les changements de l'occupation des sols en France métropolitaine entre 2000 et 2006 suivent les mêmes tendances qu'entre 1990 et 2000, mais à un rythme ralenti. L'Île-de-France, le nord de la France, l'Alsace, le couloir rhodanien et le littoral, zones à forte densité de population permanente ou saisonnière, sont plus artificialisés que le reste du territoire. La progression a lieu principalement aux alentours des grandes villes, le long des réseaux de transports et des vallées. L'accroissement a été de 820 km^2 entre 2000 et 2006, aux dépens de terres agricoles ou d'espaces naturels. L'empiètement des réseaux de communication, routiers et ferroviaires a augmenté de 40 % en dix ans, notamment dans le nord de la France et en Rhône-Alpes.

Forte concentration de déchets dangereux en régions industrielles

Les déchets dangereux représentent 2 % des déchets produits en France. La production de déchets dangereux est très concentrée dans les régions industrielles. Ainsi Rhône-Alpes, Picardie et Haute-Normandie sont à l'origine de 40 % des déchets chimiques métropolitains. Nord - Pas-de-Calais produit à elle seule 24 % des tonnages issus de la métallurgie, la Lorraine 12,5 %. Rhône-Alpes est la première région productrice de déchets issus de la fabrication d'équipements électriques et électroniques. Quant au traitement de l'ensemble des déchets industriels, trois régions concentrent plus de la moitié des quantités traitées au niveau national en 2007 : Île-de-France, Rhône-Alpes et Pays de la Loire. La première et la troisième de ces régions ont des capacités de traitement excédant largement leur production. Les régions qui ont une faible autonomie de traitement sont celles dont le tissu industriel est le moins développé, à l'image du Limousin ou de l'Auvergne à vocation plus rurale. Elles produisent peu de déchets dangereux et les font traiter dans les régions voisines disposant des installations adaptées.

La qualité des rivières s'améliore pour plusieurs polluants, à l'exception des nitrates

Entre 1988 et 2007, la majorité des bassins versants confirme une diminution de la pollution liée aux rejets urbains grâce à l'amélioration des traitements épuratoires. Néanmoins, cette baisse est bien plus marquée sur le littoral méditerranéen qu'atlantique. La tendance est plutôt à la baisse pour les nitrates sur Rhin-Meuse et Loire-Bretagne, au contraire des autres bassins, notamment ceux de Seine-Normandie qui présentent, de plus, des concentrations importantes. Les concentrations restent toutefois largement supérieures à la moyenne nationale en Bretagne et en Vendée. ■

Population des communes de 10 000 habitants ou plus en 2007

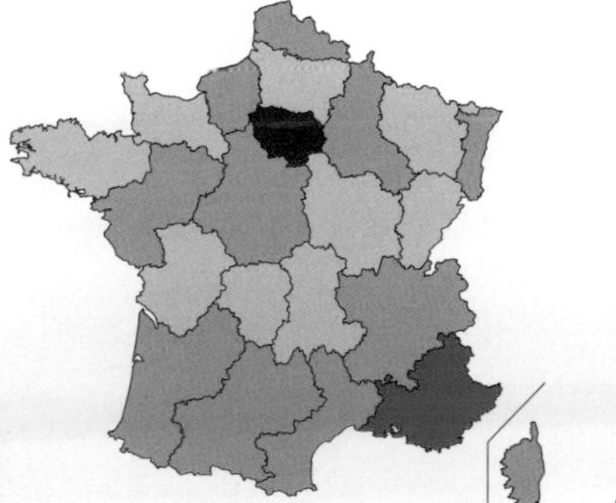

	Nombre de communes au 1.1.2009	Nombre de cantons au1.1.2009	Taille des communes en 2007					
			Moins de 200 habitants		200 à 9 999 habitants		10 000 habitants ou plus	
			(%) de communes	(%) de population	(%) de communes	(%) de population	(%) de communes	(%) de population
Alsace	904	75	5,3	0,4	92,1	57,1	2,5	42,5
Aquitaine	2 296	235	22,1	2,1	76,0	58,5	1,8	39,3
Auvergne	1 310	158	26,3	3,2	72,4	65,4	1,3	31,4
Bourgogne	2 046	174	38,2	5,6	61,1	66,2	0,7	28,3
Bretagne	1 270	201	**2,9**	0,2	**94,6**	68,3	2,5	31,5
Centre	1 842	198	15,4	1,5	82,8	62,9	1,8	35,7
Champagne-Ardenne	1 949	146	49,8	**7,8**	49,5	54,0	0,7	38,2
Corse	360	52	**58,1**	6,3	**41,1**	53,9	0,8	39,8
Franche-Comté	1 785	116	45,0	7,6	54,4	61,6	**0,6**	27,8
Île-de-France	1 281	317	6,1	**0,1**	74,8	**16,2**	**19,1**	**83,7**
Languedoc-Roussillon	1 545	186	32,4	2,0	66,0	58,1	1,6	39,9
Limousin	747	106	28,8	3,8	70,3	62,2	0,9	34,0
Lorraine	2 339	157	40,3	4,4	58,4	64,4	1,3	31,2
Midi-Pyrénées	3 020	293	42,6	5,0	56,3	57,0	1,1	38,0
Nord - Pas-de-Calais	1 547	156	12,7	0,7	82,4	50,7	5,0	48,6
Basse-Normandie	1 812	141	30,2	4,8	69,0	70,1	0,8	25,1
Haute-Normandie	1 420	112	17,8	1,9	80,4	58,1	1,8	40,0
Pays de la Loire	1 502	203	0,5	0,4	90,9	61,0	2,6	38,6
Picardie	2 291	129	32,7	4,8	66,3	64,3	1,0	30,9
Poitou-Charentes	1 462	157	16,1	1,9	83,0	**73,4**	0,8	**24,8**
Provence - Alpes - Côte d'Azur	963	236	24,0	0,5	67,3	27,8	8,7	71,7
Rhône-Alpes	2 879	335	15,0	0,8	82,3	56,4	2,7	42,8
France métropolitaine	**36 570**	**3 883**	**26,7**	**1,8**	**70,9**	**49,6**	**2,4**	**48,6**
dont France de province	*35 289*	*3 566*	*27,4*	*2,2*	*70,8*	*57,3*	*1,8*	*40,4*
Guadeloupe	32	40	0,0	0,0	56,3	23,4	43,8	76,6
Guyane	22	19	9,1	0,1	68,2	24,2	22,7	75,7
Martinique	34	45	0,0	0,0	64,7	25,1	35,3	74,9
La Réunion	24	49	0,0	0,0	29,2	5,3	70,8	94,7
France	**36 682**	**4 036**	**26,6**	**1,8**	**70,9**	**48,6**	**2,5**	**49,6**

Source : Insee, Recensement de la population, code officiel géographique.

Définitions

Commune : la plus petite subdivision administrative française mais c'est aussi la plus ancienne, puisqu'elle a succédé aux villes et paroisses du Moyen Âge. Elle a été instituée en 1789 avant de connaître un début d'autonomie avec la loi du 5 avril 1884, véritable charte communale. Le maire est l'exécutif de la commune qu'il représente et dont il gère le budget. Il est l'employeur du personnel communal et exerce les compétences de proximité (écoles, urbanisme, action sociale, voirie, transports scolaires, ramassage des ordures ménagères, assainissement...). Il est également agent de l'État pour les fonctions d'état civil, d'ordre public, d'organisation des élections et de délivrance de titres réglementaires.

Canton : subdivision territoriale de l'arrondissement. C'est la circonscription électorale dans le cadre de laquelle est élu un conseiller général. Les cantons ont été créés, comme les départements, par la loi du 22 décembre 1789. Dans la plupart des cas, les cantons englobent plusieurs communes. Mais les cantons ne respectent pas toujours les limites communales : les communes les plus peuplées appartiennent à plusieurs cantons. Un canton appartient à un et un seul arrondissement. Si le canton accueille encore, en principe, certains services de l'État (gendarmerie, perception), la loi du 6 février 1992 relative à l'administration territoriale de la République et le décret du 1er juillet 1992 portant charte de la déconcentration l'ignorent totalement.

Population des communautés de communes en 2009

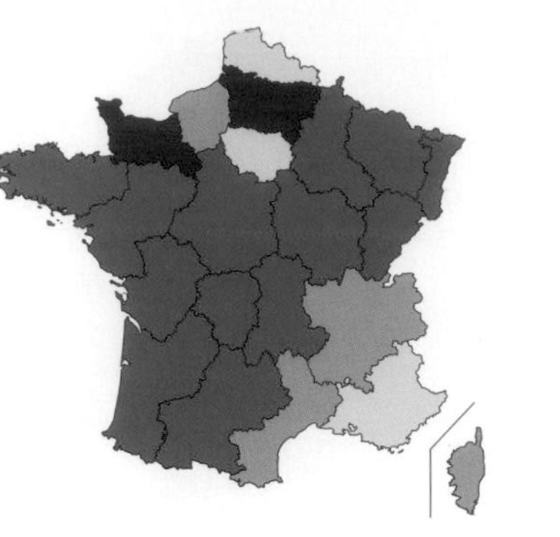

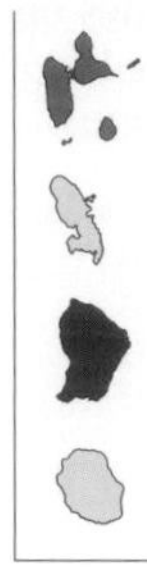

GéoFLA® © IGN 2009 – © INSEE 2010

	Groupements de communes à fiscalité propre (GFP) au 1er janvier 2009							
	Ensemble des GFP		*dont communautés de communes*		*dont communautés d'agglomération*		*dont communautés urbaines*	
	Nombre	Population regroupée	*Nombre*	*Poids dans la population regroupée (%)*	*Nombre*	*Poids dans la population regroupée (%)*	*Nombre*	*Poids dans la population regroupée (%)*
Alsace	75	1 767 984	*72*	*57,9*	*2*	*15,3*	*1*	*26,8*
Aquitaine	184	3 123 756	*176*	*58,9*	*7*	*18,2*	*1*	*22,9*
Auvergne	102	1 341 576	*96*	*55,1*	*6*	*44,9*	*0*	*0,0*
Bourgogne	132	1 603 588	*126*	*60,2*	*5*	*34,0*	*1*	*5,8*
Bretagne	119	3 171 157	*109*	*55,6*	*9*	*37,6*	*1*	*6,8*
Centre	143	2 441 078	*135*	*57,9*	*8*	*42,1*	*0*	*0,0*
Champagne-Ardenne	118	1 263 565	*114*	*62,0*	*4*	*38,0*	*0*	*0,0*
Corse	20	234 187	*18*	*42,6*	*2*	*57,4*	*0*	*0,0*
Franche-Comté	95	1 165 241	*91*	*61,3*	*4*	*38,7*	*0*	*0,0*
Île-de-France	106	5 849 532	*69*	*31,2*	*33*	***65,1***	*0*	*0,0*
Languedoc-Roussillon	133	2 513 077	*124*	*45,5*	*9*	*54,5*	*0*	*0,0*
Limousin	67	743 054	*65*	*63,1*	*2*	*36,9*	*0*	*0,0*
Lorraine	148	2 313 138	*142*	*66,5*	*5*	*22,1*	*1*	*11,4*
Midi-Pyrénées	214	2 667 568	*206*	*56,5*	*7*	*18,7*	*1*	*24,8*
Nord - Pas-de-Calais	92	4 051 460	*78*	*27,0*	*11*	*37,9*	*3*	***35,1***
Basse-Normandie	127	1 472 690	*123*	*73,3*	*2*	*17,1*	*2*	*9,5*
Haute-Normandie	74	1 851 850	*67*	*47,3*	*7*	*52,7*	*0*	*0,0*
Pays de la Loire	132	3 493 878	*124*	*57,2*	*6*	*20,3*	*2*	*22,5*
Picardie	83	1 882 894	*78*	***75,3***	*5*	*24,7*	*0*	*0,0*
Poitou-Charentes	98	1 754 749	*91*	*60,7*	*7*	*39,3*	*0*	*0,0*
Provence - Alpes - Côte d'Azur	96	4 472 833	*80*	*20,5*	*13*	*42,7*	*2*	*34,7*
Rhône-Alpes	227	5 700 870	*213*	*47,6*	*13*	*30,0*	*1*	*22,3*
France métropolitaine	**2 585**	**54 879 725**	***2 397***	***49,2***	***167***	***36,4***	***16***	***13,8***
dont France de province	*2 479*	*49 030 193*	*2 328*	*51,3*	*134*	*33,0*	*16*	*15,5*
Guadeloupe	5	180 625	*4*	*56,5*	*1*	*43,5*	*0*	*0,0*
Guyane	3	178 682	*3*	*100,0*	*0*	*0,0*	*0*	*0,0*
Martinique	3	403 820	*1*	*27,8*	*2*	*72,2*	*0*	*0,0*
La Réunion	5	786 228	*1*	*15,3*	*4*	*84,7*	*0*	*0,0*
France	**2 601**	**56 429 080**	***2 406***	***48,7***	***174***	***37,2***	***16***	***13,5***

Source : DGCL.

Définitions

Communauté d'agglomération : établissement public de coopération intercommunale (EPCI) regroupant plusieurs communes formant, à la date de sa création, un ensemble de plus de 50 000 habitants d'un seul tenant et sans enclave autour d'une ou plusieurs communes centre de plus de 15 000 habitants. Ces communes s'associent au sein d'un espace de solidarité, en vue d'élaborer et conduire ensemble un projet commun de développement urbain et d'aménagement de leur territoire.

Communauté de communes : EPCI regroupant plusieurs communes d'un seul tenant et sans enclave. Elle a pour objet d'associer des communes au sein d'un espace de solidarité en vue de l'élaboration d'un projet commun de développement et d'aménagement de l'espace.

Communauté urbaine : EPCI regroupant plusieurs communes qui s'associent au sein d'un espace de solidarité, pour élaborer et conduire ensemble un projet commun de développement urbain et d'aménagement de leur territoire. Les communautés urbaines créées depuis la loi du 12 juillet 1999 doivent constituer un ensemble d'un seul tenant et sans enclave de plus de 500 000 habitants.

Groupement de communes à fiscalité propre : structure intercommunale dont le financement est assuré par le recours à la fiscalité directe locale. Il s'agit des communautés de communes, des communautés d'agglomération, des communautés urbaines et des syndicats d'agglomération nouvelle.

Population de l'espace à dominante urbaine en 2006

pour 100 habitants
- 91,2 - 100,0
- 83,1 - 91,2
- 69,3 - 83,1
- 61,3 - 69,3
- non disponible

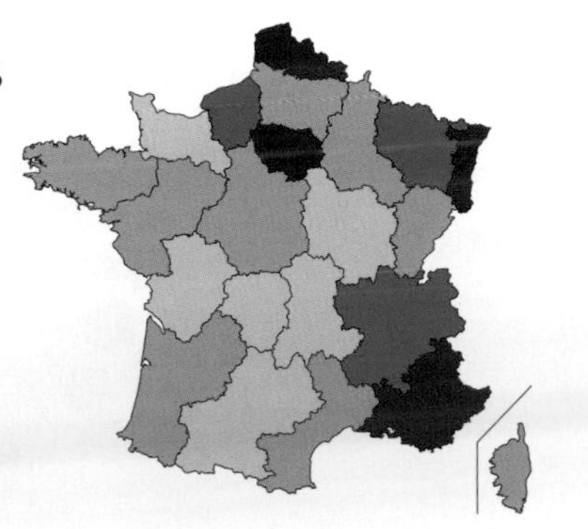

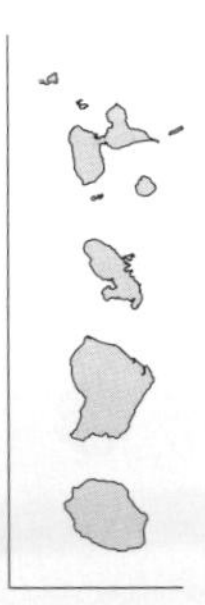

GéoFLA® © IGN 2009 – © INSEE 2010

	Répartition de la superficie en 2006 (%)				Répartition de la population en 2006 (%)			
	Espace à dominante urbaine			Espace à dominante rurale	Espace à dominante urbaine			Espace à dominante rurale
	Pôles urbains	Couronnes périurbaines	Communes multi-polarisées		Pôles urbains	Couronnes périurbaines	Communes multi-polarisées	
Alsace	16,0	26,7	**38,2**	19,0	55,2	18,5	**19,4**	6,8
Aquitaine	9,0	18,5	2,9	69,6	54,2	13,4	2,7	29,7
Auvergne	3,2	18,7	2,9	75,2	39,7	22,7	2,8	34,9
Bourgogne	3,8	22,4	7,4	66,3	40,4	20,8	6,2	32,6
Bretagne	8,5	24,0	8,4	59,1	41,6	24,0	5,7	28,4
Centre	5,0	28,0	10,2	56,8	46,1	21,0	5,4	27,5
Champagne-Ardenne	3,2	25,3	8,1	63,4	47,3	18,7	5,0	29,1
Corse	2,0	18,0	0,0	**80,0**	42,7	18,6	0,0	**38,7**
Franche-Comté	5,3	29,1	12,3	53,2	41,7	24,0	8,5	25,8
Île-de-France	22,8	**69,5**	6,9	0,8	**88,4**	11,2	0,3	0,1
Languedoc-Roussillon	6,1	17,5	5,0	71,4	44,9	21,7	4,0	29,3
Limousin	3,0	19,5	1,9	75,6	40,8	19,5	1,7	38,0
Lorraine	8,9	23,6	20,5	47,0	54,6	14,9	13,7	16,8
Midi-Pyrénées	5,3	17,5	2,4	74,8	48,9	16,5	2,3	32,3
Nord - Pas-de-Calais	**25,9**	29,2	22,5	22,5	75,7	12,3	6,9	5,0
Basse-Normandie	4,6	25,0	7,2	63,2	36,8	24,4	3,7	35,1
Haute-Normandie	9,8	34,2	28,5	27,6	55,9	20,8	12,6	10,6
Pays de la Loire	7,6	26,7	5,5	60,2	45,5	20,4	3,4	30,6
Picardie	5,3	36,3	17,8	40,6	36,6	**27,9**	12,8	22,7
Poitou-Charentes	4,6	24,2	2,7	68,6	36,7	23,0	2,2	38,1
Provence - Alpes - Côte d'Azur	19,4	17,7	7,6	55,4	80,0	7,4	3,9	8,7
Rhône-Alpes	12,2	24,0	12,9	50,9	62,5	16,1	7,2	14,2
France métropolitaine	**8,1**	**24,3**	**8,8**	**58,9**	**60,2**	**16,7**	**5,1**	**18,0**
dont France de province	*8,2*	*24,4*	*9,0*	*58,3*	*60,4*	*16,6*	*5,2*	*17,8*

Note : Les zonages définis ci-dessous et présentés dans le tableau ci-dessus sont basés sur les données du recensement 1999.
Source : Insee, RP 2006.

Définitions

Aire urbaine : ensemble de communes, d'un seul tenant et sans enclave, constitué par un pôle urbain, et par des communes rurales ou unités urbaines (couronne périurbaine) dont au moins 40 % de la population résidente travaille dans le pôle ou dans des communes attirées par celui-ci.

Communes multipolarisées : communes situées hors des aires urbaines (pôle urbain et couronne périurbaine), dont au moins 40 % de la population résidente ayant un emploi travaille dans plusieurs aires urbaines, sans atteindre ce seuil avec une seule d'entre elles, et qui forment avec elles un ensemble d'un seul tenant.

Couronne périurbaine : ensemble des communes de l'aire urbaine à l'exclusion de son pôle urbain.

Espace à dominante rurale : ensemble des communes n'appartenant pas à l'espace à dominante urbaine.

Espace à dominante urbaine : ensemble, d'un seul tenant, de plusieurs aires urbaines et des communes multipolarisées qui s'y rattachent. Dans l'espace urbain multipolaire, les aires urbaines sont soit contiguës, soit reliées entre elles par des communes multipolarisées. Cet espace forme un ensemble connexe. Un espace urbain composé d'une seule aire urbaine est dit monopolaire.

La France compte actuellement 96 espaces urbains. Les aires urbaines n'étant pas définies dans les départements d'outre-mer (Dom), les espaces urbains ne le sont pas non plus.

Pôle urbain, unité urbaine : voir *Glossaire*.

Installations classées « Seveso 2 » à hauts risques en 2007

en nombre d'installations

Valeur maximale : 80

Valeur au tiers : 27

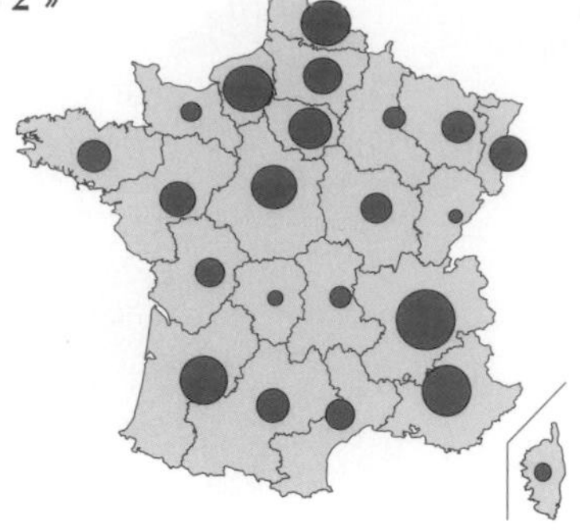

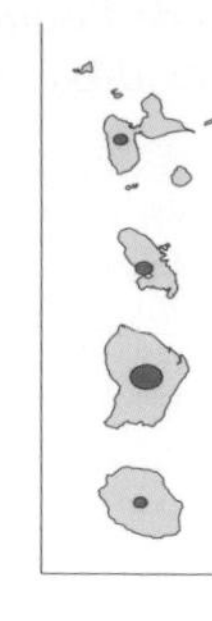

GéoFLA® © IGN 2009 – © INSEE 2010

	Réserves naturelles en 2007[1]		Nombre d'installations classées pour la protection de l'environnement en 2007			Déchets ménagers et assimilés en 2006	
	Nombre	Superficie (milliers d'ha)	Soumises à autorisation (y compris carrières)	Installations classées « Seveso 2 » à seuil haut	Installations classées « Seveso 2 » à seuil bas	Quantité totale (kilotonnes)	*dont incinérées avec récupération d'énergie (%)*
Alsace	8	4,0	1 187	28	18	778	*65,1*
Aquitaine	11	3,1	2 716	51	35	1 242	*35,5*
Auvergne	5	4,3	1 356	10	13	508	*9,0*
Bourgogne	4	1,3	1 488	20	24	575	*21,2*
Bretagne	7	2,0	9 261	22	16	856	*62,3*
Centre	4	1,5	2 103	42	29	1 013	*44,9*
Champagne-Ardenne	6	2,6	1 368	10	23	527	*47,2*
Corse	6	84,0	126	7	0	145	***0,0***
Franche-Comté	7	2,8	1 046	4	14	467	*51,8*
Île-de-France	3	1,0	4 462	37	53	4 761	***65,9***
Languedoc-Roussillon	15	16,3	1 506	20	10	887	*43,7*
Limousin	2	0,4	619	5	3	323	*52,8*
Lorraine	7	2,1	1 545	22	26	843	*35,6*
Midi-Pyrénées	1	2,3	2 105	25	13	1 067	*33,2*
Nord - Pas-de-Calais	3	0,9	2 497	46	31	1 435	*37,4*
Basse-Normandie	8	6,2	1 625	8	7	527	*15,3*
Haute-Normandie	2	5,7	1 297	47	28	829	*60,2*
Pays de la Loire	4	5,2	4 638	26	27	1 564	*32,1*
Picardie	5	3,7	1 665	29	33	888	*16,7*
Poitou-Charentes	6	9,3	1 938	18	36	703	*18,7*
Provence - Alpes - Côte d'Azur	11	25,1	1 622	57	26	2 453	*26,1*
Rhône-Alpes	26	63,3	4 275	80	57	2 001	*53,1*
France métropolitaine	**146**	**247,1**	**50 445**	**614**	**522**	**24 391**	***43,2***
dont France de province	*143*	*246,1*	*45 983*	*577*	*469*	*19 630*	*37,7*
Guadeloupe	4	9,0	113	2	2	24	*20,7*
Guyane	6	300,0	110	11	6	62	*0,0*
Martinique	2	0,4	116	3	4	149	*68,4*
La Réunion	3	7,2	269	2	4	312	*0,0*
France	**161**	**563,7**	**51 053**	**632**	**538**	**24 939**	***42,7***

1. Certaines réserves naturelles s'étendent sur plusieurs régions.

Sources : SOeS ; MNHN ; Ademe.

Définitions

Installations classées pour la protection de l'environnement (ICPE) : le code de l'environnement soumet « les usines, ateliers, dépôts, chantiers, carrières, et d'une manière générale, les installations exploitées ou détenues par toute personne physique ou morale, publique ou privée, qui peuvent présenter des dangers ou des inconvénients soit pour la commodité du voisinage, soit pour la santé, la sécurité ou la salubrité publique, soit pour l'agriculture, soit pour la protection de la nature ou de l'environnement, soit pour la conservation des sites et des monuments » à des procédures d'autorisation ou de déclaration suivant la gravité des dangers ou des nuisances que peut présenter leur exploitation.

Réserve Naturelle (RN) : les réserves naturelles sont des territoires classés lorsque la conservation de la faune, de la flore, du sol, des eaux, de gisements de minéraux et de fouilles et, en général, du milieu naturel présente une importance particulière ou qu'il convient de les soustraire à toute intervention artificielle susceptible de les dégrader. Le classement peut intégrer une partie du domaine public maritime et les eaux territoriales françaises.

Déchets ménagers et assimilés (DMA), établissements SEVESO, traitement des déchets : voir *Glossaire*.

Dépassement du seuil de protection de la santé humaine par l'ozone en 2008

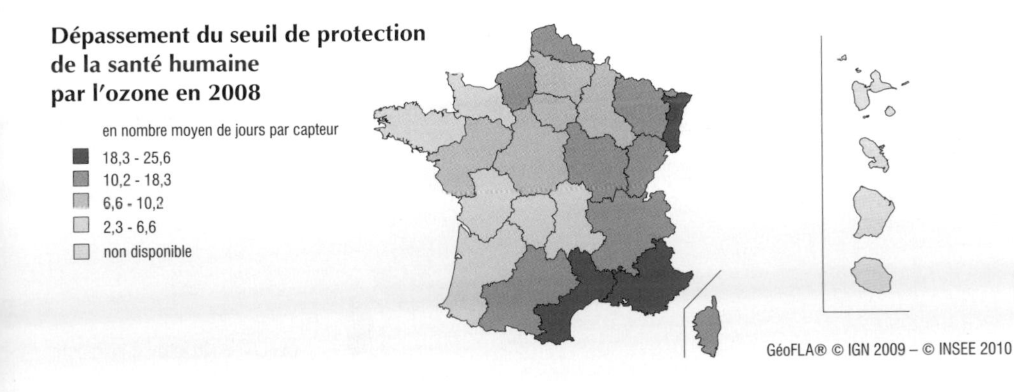

	Pollution de l'air en zone urbaine en 2008								
	Ozone			Dioxyde de soufre (SO_2)			Dioxyde d'azote (NO_2)		
	Nombre de capteurs	Concentration moyenne annuelle (microg/m³)	Nombre moyen de jours avec dépassement [1] par capteur	Nombre de capteurs	Concentration moyenne annuelle (microg/m³)	Nombre moyen de jours avec dépassement [2] par capteur	Nombre de capteurs	Concentration moyenne annuelle (microg/m³)	Nombre moyen d'heures avec dépassement [3] par capteur
Alsace	9	43,6	18,3	6	2,6	0,0	11	29,0	0,2
Aquitaine	15	49,1	3,8	8	2,3	0,0	12	17,0	0,3
Auvergne	14	50,6	4,5	1	2,8	0,0	12	21,0	0,0
Bourgogne	13	45,0	10,2	3	2,0	0,0	13	23,0	0,0
Bretagne	12	53,3	4,1	7	0,7	0,0	12	15,0	0,0
Centre	20	50,0	6,6	3	0,5	0,0	17	16,0	0,0
Champagne-Ardenne	10	43,9	8,7	7	1,0	0,0	10	21,0	0,0
Corse	4	**66,2**	10,5	1	2,3	0,0	5	13,0	0,0
Franche-Comté	12	46,5	11,1	3	2,3	0,0	10	23,0	0,0
Île-de-France	19	40,2	7,6	8	3,0	0,0	31	**33,0**	0,0
Languedoc-Roussillon	9	60,6	**25,6**	3	2,4	0,0	6	21,0	0,0
Limousin	6	47,0	2,3	5	0,8	0,0	6	17,0	0,2
Lorraine	23	44,7	12,6	14	2,6	0,0	27	21,0	0,6
Midi-Pyrénées	13	51,3	10,6	4	0,8	0,0	10	19,0	0,0
Nord - Pas-de-Calais	29	44,6	11,0	**22**	3,1	0,0	33	24,0	0,3
Basse-Normandie	6	49,1	2,3	3	0,9	0,0	6	21,0	0,0
Haute-Normandie	10	50,6	10,8	14	**6,7**	0,4	7	25,0	0,1
Pays de la Loire	14	53,1	6,9	5	0,7	0,0	11	19,0	0,0
Picardie	10	45,4	9,1	1	1,3	0,0	7	21,0	0,0
Poitou-Charentes	12	48,5	2,9	5	0,7	0,0	12	18,0	0,3
Provence - Alpes - Côte d'Azur	24	54,7	22,0	16	6,4	0,1	18	30,0	1,2
Rhône-Alpes	**41**	41,4	12,1	19	3,3	0,0	**40**	26,0	0,1
France métropolitaine	**325**	**1 079,2**	**213,5**	**158**	**49,2**	**0,6**	**316**	**473,0**	**3,4**
dont France de province	*306*	...	...	*150*	...	...	*285*	...	...

1. Dépassement du seuil de protection de la santé humaine (120 microg/m³ en moyenne sur 8 heures consécutives).
2. Dépassement du seuil de protection de la santé humaine (125 microg/m³ en moyenne journalière).
3. Dépassement du seuil de protection de la santé humaine (200 microg/m³ en moyenne horaire).
Champ : en zone urbaine.
Sources : SOeS ; Ademe ; AASQA.

Définitions

Pollution de l'air : caractérisée par la présence dans l'atmosphère de gaz ou de particules qui engendrent une modification susceptible d'avoir des conséquences néfastes sur la santé ou sur l'environnement. Les émissions de gaz et particules sont d'origine naturelle (éruptions volcaniques, décomposition de matières organiques, incendie de forêts) ou humaine (industrie, transport, agriculture, chauffage résidentiel...). Dans l'atmosphère, ces substances subissent diverses modifications sous l'effet des conditions météorologiques (vent, gradients de température...). Il en résulte d'autres polluants et une géographie de la pollution différente des émissions d'origine. On appelle polluants « primaires » les polluants émis directement par les sources : monoxyde d'azote, dioxyde de soufre, monoxyde de carbone, poussières, métaux lourds, composés organiques volatils. À ceux-ci s'ajoutent des polluants « secondaires » issus de transformations physico-chimiques des gaz sous l'effet des conditions météorologiques particulières : ozone, dioxyde d'azote... Les concentrations des polluants présents dans l'air sont suivies par des appareils de mesure et d'analyse.

Base de données sur la qualité de l'air (BDQA), dioxyde de soufre, dispositif de surveillance de la qualité de l'air (DNSQA), oxydes d'azote, ozone : voir *Glossaire*.

Communes vulnérables à la pollution par les nitrates en 2007

en % de la superficie
- 93,7 - 100,0
- 78,4 - 93,7
- 28,4 - 78,4
- 0,0 - 28,4
- non disponible

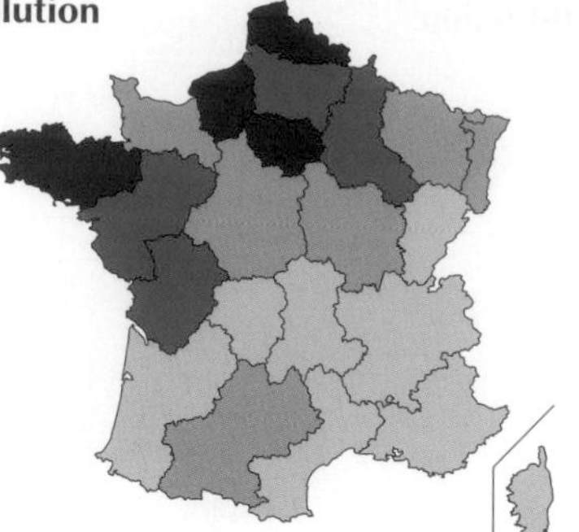
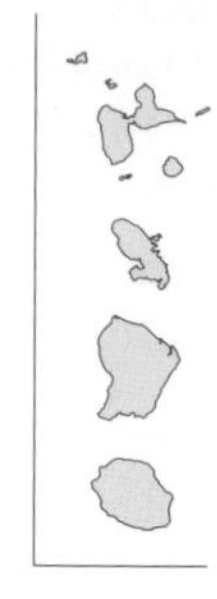

GéoFLA® © IGN 2009 – © INSEE 2010

	Ressources en eau douce moyenne 2005-2007		Prélèvements en eau de surface en 2007		Prélèvements en eau souterraine en 2007		Communes vulnérables à la pollution par les nitrates en 2007		Eaux de baignade de bonne qualité en 2008	
	Volume des précipitations totales (litres/m²)	Volume des pluies efficaces (litres/m²)	Volume total (Mds de m³)	*dont secteur de l'énergie* (%)	Volume total (Mds de m³)	*dont usage domestique* (%)	(%) des communes	(%) de la superficie	en eau douce (% de pts de relevés)	en eau de mer (% de pts de relevés)
Alsace	888	162	2 147,7	*86,4*	521,3	***28,4***	62,2	60,6	50,0	///
Aquitaine	931	192	418,0	*0,0*	474,7	*40,7*	20,4	17,8	52,6	78,7
Auvergne	946	212	52,6	*0,0*	108,1	*87,3*	11,8	9,7	38,7	///
Bourgogne	823	159	**37,2**	*0,0*	154,2	*89,5*	50,3	50,1	49,3	///
Bretagne	892	188	192,2	*0,0*	76,8	*82,8*	100,0	100,0	54,8	49,6
Centre	680	67	708,0	*95,3*	368,8	*52,3*	64,0	54,6	50,0	///
Champagne-Ardenne	796	108	343,0	*94,3*	153,1	*74,6*	84,9	87,1	41,7	///
Corse	878	305	71,5	*0,2*	25,0	***97,3***	0,0	0,0	41,2	83,8
Franche-Comté	**1 269**	**456**	63,6	*0,0*	118,9	*75,2*	8,2	9,8	53,8	///
Île-de-France	**643**	**54**	1 664,7	*22,2*	413,9	*89,5*	90,3	93,7	60,0	///
Languedoc-Roussillon	840	316	1 187,3	*38,5*	302,7	*88,4*	7,1	7,7	30,6	**97,3**
Limousin	1 104	269	74,3	*0,0*	**16,1**	*97,0*	0,0	0,0	46,3	///
Lorraine	893	157	1 257,8	*84,1*	232,2	*67,9*	28,9	28,4	51,2	///
Midi-Pyrénées	884	180	796,8	*27,6*	108,6	*42,7*	29,6	30,2	51,8	///
Nord - Pas-de-Calais	857	142	132,5	*1,5*	316,9	*83,1*	100,0	100,0	**0,0**	**17,6**
Basse-Normandie	890	154	38,4	*1,3*	90,2	*91,3*	57,9	57,0	**100,0**	52,7
Haute-Normandie	829	122	242,5	*0,6*	256,8	*58,2*	100,0	100,0	50,0	52,2
Pays de la Loire	728	77	1 444,7	*85,4*	164,6	*64,5*	74,7	78,4	72,5	85,3
Picardie	736	70	42,2	*0,0*	201,5	*71,2*	86,4	87,5	44,4	37,5
Poitou-Charentes	758	101	211,8	*46,5*	192,7	*44,3*	80,1	81,3	40,7	71,4
Provence - Alpes - Côte d'Azur	701	170	2 405,6	*1,2*	405,5	*77,0*	1,8	1,4	66,3	82,1
Rhône-Alpes	1 061	325	**12 856,0**	*96,9*	**959,2**	*52,8*	20,5	17,4	34,7	///
France métropolitaine	**861**	**180**	**26 388,5**	***71,2***	**5 661,7**	***63,0***	**49,7**	**44,6**	**45,4**	**69,3**
dont France de province	*866*	*183*	*24 723,8*	*74,5*	*5 247,7*	*60,9*	*48,3*	*43,5*	*45,2*	*69,3*

Sources : direction générale de la Santé ; SOeS ; SSP.

Définitions

Eaux de baignade : en France, l'eau des sites de baignade est contrôlée au minimum une fois par mois par les services de l'État.

Chaque eau de baignade est classée dans l'une des quatre catégories suivantes, les eaux de qualité A et B étant réputées conformes à la réglementation européenne, celles de qualité C et D non conformes :
- A, eau de bonne qualité ;
- B, eau de qualité moyenne ;
- C, eau pouvant être momentanément polluée ;
- D, eau de mauvaise qualité.

Pluies efficaces : les pluies (ou précipitations) efficaces sont égales à la différence entre les précipitations totales et l'évapotranspiration réelle. Les précipitations efficaces peuvent être calculées directement à partir des paramètres climatiques et de la réserve utile du sol (RU). L'eau des précipitations efficaces est répartie, au niveau du sol, en deux fractions : l'écoulement superficiel et l'infiltration.

Comme les précipitations totales, les pluies efficaces s'expriment en hauteur (en millimètres) rapportée à une unité de temps ou bien en volume (par exemple, milliards de m³ par an).

Zones vulnérables aux nitrates : parties de territoires alimentant des masses d'eau dépassant ou risquant de dépasser le seuil de 50 mg/l en nitrate, ainsi que celles présentant des tendances à l'eutrophisation. Ces zones sont définies par la directive « nitrates » qui concerne la protection des eaux contre la pollution par les nitrates à partir de sources agricoles.

Directive « nitrates » : voir *Glossaire*.

Poids de la région dans les déchets de composés chimiques en 2007

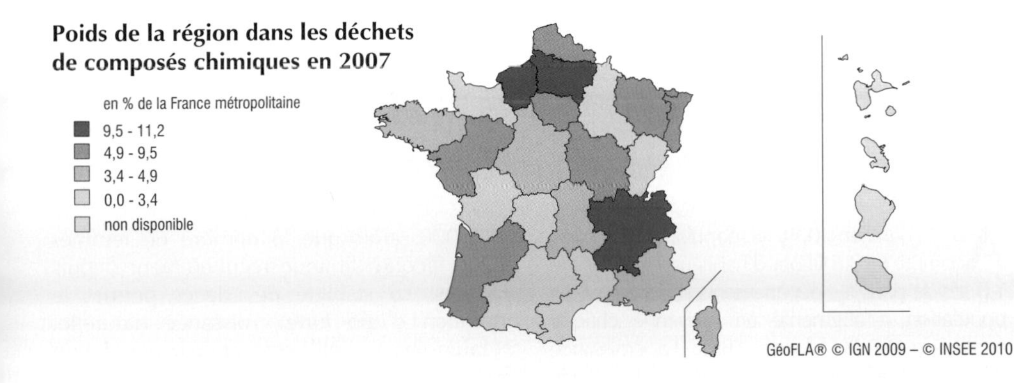

	Production de déchets dangereux par les entreprises industrielles en 2007 (tonnes)						
	Composés chimiques		Préparations chimiques	Autres déchets chimiques	Minéraux	Terres et boues de dragage	Autres déchets
	Quantité	Poids de la région (%)					
Alsace	59 273	5,4	33 900	148 039	48 287	2 220	1 327
Aquitaine	81 965	7,4	18 014	158 286	199 319	6 426	7 799
Auvergne	38 241	3,5	7 583	30 866	43 598	12	1 509
Bourgogne	60 853	5,5	16 794	58 496	17 684	742	9 963
Bretagne	40 523	3,7	11 334	22 626	35 347	305	4 210
Centre	39 589	3,6	14 820	39 806	43 509	2 774	7 269
Champagne-Ardenne	24 894	2,3	24 499	25 762	99 399	937	8 629
Corse	555	0,1	102	877	5	114	13
Franche-Comté	17 467	1,6	12 520	45 440	23 054	319	1 595
Île-de-France	70 528	6,4	34 560	104 829	193 779	12 436	141 967
Languedoc-Roussillon	22 295	2,0	31 267	87 149	19 664	2 344	11 222
Limousin	1 429	0,1	1 414	3 679	34 416	14	108
Lorraine	55 139	5,0	21 860	75 364	79 626	4 357	13 422
Midi-Pyrénées	20 631	1,9	13 681	46 517	28 894	1 058	4 471
Nord - Pas-de-Calais	79 070	7,2	34 352	131 162	259 148	1 665	7 526
Basse-Normandie	14 819	1,3	13 259	41 952	5 282	369	6 648
Haute-Normandie	122 851	**11,1**	33 089	218 593	80 262	43 119	10 398
Pays de la Loire	76 194	6,9	25 927	52 465	38 326	6 001	16 805
Picardie	118 222	10,7	63 415	297 764	67 737	380	2 273
Poitou-Charentes	10 977	1,0	7 352	34 478	30 699	28	1 814
Provence - Alpes - Côte d'Azur	42 718	3,9	21 504	127 999	86 714	7 675	23 678
Rhône-Alpes	105 803	9,6	92 930	224 267	159 754	3 381	33 408
France métropolitaine	**1 104 034**	**100,0**	**534 175**	**1 976 418**	**1 594 505**	**96 677**	**316 054**
dont France de province	*1 033 506*	*93,5*	*499 615*	*1 871 589*	*1 400 726*	*84 241*	*174 087*
Ensemble des Dom	1 513	...	4 659	2 572	3 897	791	401
France	**1 105 547**	**...**	**538 834**	**1 978 990**	**1 598 402**	**97 468**	**316 455**

Source : SOeS.

Définitions

Autres déchets : déchets provenant des soins médicaux ou vétérinaires et déchets biologiques ; déchets métalliques ; déchets non métalliques du verre, du bois, déchets contenant du PCB ; déchets courants mélangés ; équipements hors d'usage véhicule au rebut, déchets de piles et accumulateurs et batteries ; déchets solidifiés, stabilisés ou vitrifiés.

Autres déchets chimiques : dépôts et résidus chimiques, boues d'effluents industriels.

Déchets de composés chimiques : solvants usés, déchets acides, alcalins ou salins, catalyseurs chimiques usés, huiles usagées.

Déchets industriels dangereux : déchets qui nécessitent des modalités particulières de collecte et de traitement car ils peuvent contenir des éléments polluants. Sont considérés comme dangereux : les huiles usagées, piles, accumulateurs et batteries, l'amiante, les déchets toxiques en quantité dispersée (DTQD), les déchets arséniés, cyanurés, mercuriés, chromés ou contenant des PCB (Polychlorobyphényles) ou PCT (Polychlorotriphényls), les déchets phytosanitaires, les sous-produits de la sidérurgie, les solvants, les emballages souillés, les boues industrielles.

Déchets minéraux : déchets minéraux et déchets d'opérations thermiques.

2.2 Population

I. Population
II. Évolution de la population
III. Population par âge
IV. Migration interrégionales
V. Étrangers
VI. Famille
VII. Natalité
VIII. Mortalité
IX. Vie en couple

Au 1er janvier 2009, la population française compte 64,3 millions d'habitants dont plus de 1,8 réside dans les départements d'outre-mer. La population a augmenté en moyenne chaque année de 0,7 %, depuis 1999. La croissance démographique a été plus soutenue sur la période 1999-2009 qu'au cours de la décennie précédente. Elle repose sur un solde naturel soutenu mais également sur l'apport des migrations, contrairement à la période précédente.

Alors que durant la décennie précédente, l'Auvergne et le Limousin étaient des régions déficitaires, entre 1999 et 2009 seule la Champagne-Ardenne perd des habitants, certes à un rythme très faible. Dans la moitié nord de la France, les régions ont connu des évolutions modestes. À l'inverse, les régions du Sud ou du littoral atlantique sont en plus forte croissance démographique. Les régions d'outre-mer ont une croissance relativement élevée, due en grande partie à un accroissement naturel (naissances moins décès) important. Cette dynamique naturelle se conjugue avec un fort solde migratoire apparent pour la Guyane qui affiche une croissance particulièrement soutenue.

Les régions du Sud et de l'Ouest toujours très attractives

Avec un taux d'évolution annuel moyen sur la période 1999-2009 supérieur à la moyenne nationale, les régions du Sud et de l'Ouest se distinguent, notamment en raison d'un excédent migratoire. Ces régions accueillent plus de migrants qu'elles n'en voient partir : la Corse est en tête, suivie par le Languedoc-Roussillon, Midi-Pyrénées et l'Aquitaine. Les départements urbains du Sud et le pourtour du Bassin parisien sont toutefois en perte d'attractivité. En revanche, les régions du Nord et du Nord-Est sont très fortement déficitaires avec un nombre de départs plus importants que les arrivées, en particulier l'Île-de-France, Champagne-Ardenne et Nord - Pas-de-Calais.

Depuis le début des années 2000, le nombre des naissances en France dépasse les 800 000, alors que le nombre de femmes d'âge fécond diminue régulièrement depuis 15 ans. La stabilité des décès permet le maintien d'une forte croissance naturelle. Néanmoins, le vieillissement de la population française se poursuit. En France, environ une personne sur quatre a moins de 20 ans, et une sur cinq a 60 ans ou plus. Les populations des régions d'outre-mer sont beaucoup plus jeunes : près de 35 % des habitants y ont moins de 20 ans. À l'inverse, les populations du Limousin, de Poitou-Charentes, d'Auvergne ou de Corse sont plus âgées. Enfin, l'Île-de-France se distingue des autres régions avec un poids élevé des jeunes générations et une faible proportion de personnes de 60 ans ou plus. Cette structure particulière est le résultat combiné de l'attrait de la région capitale sur les populations étudiantes et actives ainsi que de nombreux départs, essentiellement vers le Sud ou vers leur région d'origine, d'un nombre conséquent de retraités franciliens.

Familles monoparentales et nombreuses dans l'Outre-Mer

Le nombre d'enfants dans les familles diminue, que ce soit par l'augmentation de la proportion de couples sans enfant ou par la baisse de la part des familles nombreuses. En 2006, près de la moitié des familles sont sans enfant. En métropole, c'est en Île-de-France ou dans les régions du nord de la France, Nord - Pas-de-Calais et Picardie, que l'on trouve le plus souvent des couples avec enfants ainsi que des familles avec plus de trois enfants.

Le poids des familles nombreuses est élevé dans les départements d'outre-mer, particulièrement en Guyane où une famille sur six a quatre enfants ou plus. Ces territoires ont aussi une très forte proportion de familles monoparentales, avec environ une famille sur trois (sur quatre à La Réunion) composée d'une femme seule avec enfants. En France métropolitaine, cette proportion n'est que d'une famille sur neuf. ■

Population au 1er janvier 2009

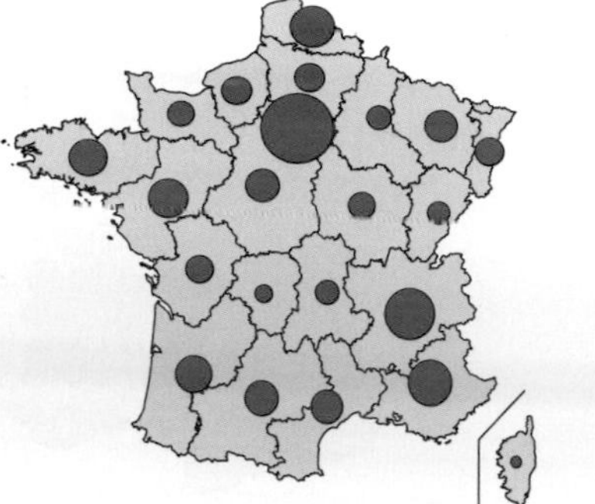

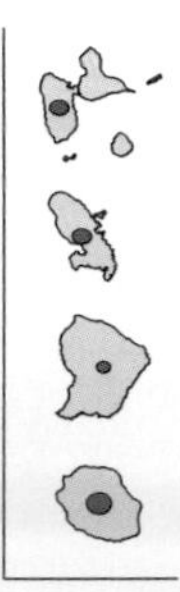

	Estimations de population au 1er janvier					
	1999		2007		2009[1]	
	Nombre (milliers d'habitants)	Poids de la région (%)	Nombre (milliers d'habitants)	Poids de la région (%)	Nombre (milliers d'habitants)	Poids de la région (%)
Alsace	1 732,6	2,9	1 827,2	2,9	1 847,0	2,9
Aquitaine	2 906,7	4,8	3 150,9	5,0	3 200,0	5,0
Auvergne	1 309,4	2,2	1 339,2	2,1	1 343,0	2,1
Bourgogne	1 610,8	2,7	1 633,9	2,6	1 637,0	2,5
Bretagne	2 904,1	4,8	3 120,3	4,9	3 163,0	4,9
Centre	2 440,3	4,1	2 526,9	4,0	2 544,0	4,0
Champagne-Ardenne	1 343,3	2,2	1 339,5	2,1	1 336,0	2,1
Corse	260,2	**0,4**	299,2	**0,5**	307,0	**0,5**
Franche-Comté	1 117,3	1,9	1 158,7	1,8	1 168,0	1,8
Île-de-France	10 946,0	**18,2**	11 598,9	**18,2**	11 746,0	**18,3**
Languedoc-Roussillon	2 292,4	3,8	2 560,9	4,0	2 616,0	4,1
Limousin	711,5	1,2	737,0	1,2	741,0	1,2
Lorraine	2 311,7	3,8	2 339,9	3,7	2 342,0	3,6
Midi-Pyrénées	2 550,3	4,2	2 810,6	4,4	2 865,0	4,5
Nord - Pas-de-Calais	3 997,5	6,6	4 021,7	6,3	4 022,0	6,3
Basse-Normandie	1 421,9	2,4	1 461,4	2,3	1 467,0	2,3
Haute-Normandie	1 780,5	3,0	1 816,7	2,9	1 822,0	2,8
Pays de la Loire	3 220,0	5,4	3 482,6	5,5	3 538,0	5,5
Picardie	1 858,0	3,1	1 900,4	3,0	1 906,0	3,0
Poitou-Charentes	1 639,7	2,7	1 739,8	2,7	1 759,0	2,7
Provence - Alpes - Côte d'Azur	4 502,4	7,5	4 864,0	7,6	4 940,0	7,7
Rhône-Alpes	5 640,2	9,4	6 066,0	9,5	6 160,0	9,6
France métropolitaine	**58 496,6**	**97,3**	**61 795,6**	**97,2**	**62 469,0**	**97,1**
dont France de province	*47 550,6*	*79,1*	*50 196,7*	*78,9*	*50 723,0*	*78,9*
Guadeloupe	385,6	0,6	400,6	0,6	404,0	0,6
Guyane	155,8	0,3	213,0	0,3	229,0	0,4
Martinique	380,9	0,6	397,7	0,6	402,0	0,6
La Réunion	703,8	1,2	794,1	1,2	817,0	1,3
Total France	**60 122,7**	**100,0**	**63 601,0**	**100,0**	**64 321,0**	**100,0**

1. Estimations provisoires arrêtées fin 2009.
Source : Insee, estimations de population.

Définitions

Populations 1999, 2007 et 2009 : pour l'année 1999, les estimations de population au 1er janvier s'appuient sur les dénombrements issus du recensement de la population datant du 8 mars 1999, dont les données sont ramenées au 1er janvier. Pour l'année 2007, les estimations de population proviennent du recensement de la population 2007. En dehors des recensements de la population, le niveau de la population est évalué annuellement à partir des statistiques d'état civil et d'une estimation du solde migratoire.

Recensement de la population : voir *Glossaire*.

Variation relative annuelle de la population 1999-2009

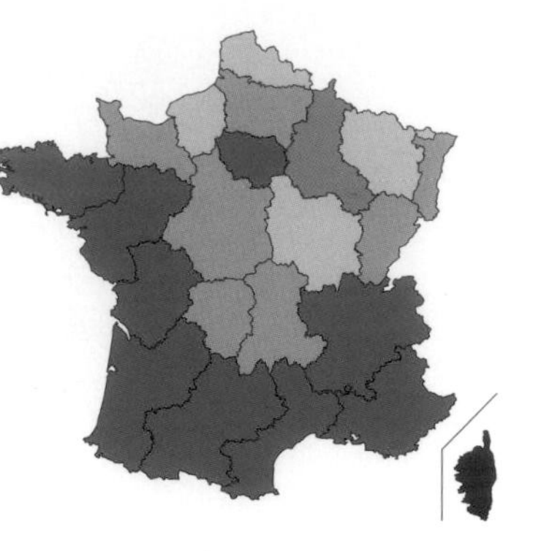

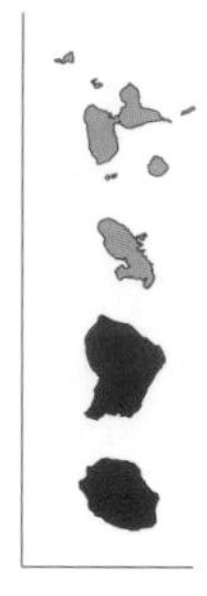

GéoFLA® © IGN 2009 – © INSEE 2010

	Population au 1er janvier		Variation relative annuelle 1990-1999 (%)			Variation relative annuelle 1999-2009 (%)		
	1999 (milliers)	2009 (*p*) (milliers)	Totale	due au solde naturel	due au solde apparent des entrées et des sorties	Totale	due au solde naturel	due au solde apparent des entrées et des sorties
Alsace	1 732,6	1 847,0	0,7	0,5	0,2	0,6	0,5	0,1
Aquitaine	2 906,7	3 200,0	0,4	0,0	0,4	1,0	0,1	0,9
Auvergne	1 309,4	1 343,0	– 0,1	– 0,1	0,0	0,3	0,0	0,3
Bourgogne	1 610,8	1 637,0	0,0	0,0	0,0	0,2	0,0	0,2
Bretagne	2 904,1	3 163,0	0,4	0,1	0,3	0,9	0,2	0,7
Centre	2 440,3	2 544,0	0,3	0,2	0,1	**0,4**	0,2	0,2
Champagne-Ardenne	1 343,3	1 336,0	0,0	0,3	– 0,3	– 0,1	0,3	**– 0,4**
Corse	260,2	307,0	0,4	0,0	0,4	1,7	0,0	1,7
Franche-Comté	1 117,3	1 168,0	0,2	0,4	– 0,2	0,4	0,4	0,0
Île-de-France	10 946,0	11 746,0	0,3	**0,8**	**– 0,5**	0,7	**0,9**	– 0,2
Languedoc-Roussillon	2 292,4	2 616,0	**0,9**	0,1	**0,8**	**1,3**	0,2	**1,1**
Limousin	711,5	741,0	**– 0,2**	**– 0,4**	0,2	**0,4**	**– 0,3**	0,7
Lorraine	2 311,7	2 342,0	0,0	0,3	– 0,3	0,1	0,3	– 0,2
Midi-Pyrénées	2 550,3	2 865,0	0,5	0,0	0,5	1,2	0,1	**1,1**
Nord - Pas-de-Calais	3 997,5	4 022,0	0,1	0,5	– 0,4	0,1	0,5	**– 0,4**
Basse-Normandie	1 421,9	1 467,0	0,2	0,3	– 0,1	0,3	0,2	0,1
Haute-Normandie	1 780,5	1 822,0	0,3	0,5	– 0,2	0,2	0,4	– 0,2
Pays de la Loire	3 220,0	3 538,0	0,6	0,4	0,2	0,9	0,5	0,4
Picardie	1 858,0	1 906,0	0,3	0,4	– 0,1	0,3	0,4	– 0,1
Poitou-Charentes	1 639,7	1 759,0	0,3	0,0	0,3	0,7	0,0	0,7
Provence - Alpes - Côte d'Azur	4 502,4	4 940,0	0,6	0,2	0,4	0,9	0,2	0,7
Rhône-Alpes	5 640,2	6 160,0	0,6	0,5	0,1	0,9	0,5	0,4
France métropolitaine	**58 496,6**	**62 469,0**	**0,4**	**0,4**	**0,0**	**0,7**	**0,4**	**0,3**
dont France de province	*47 550,6*	*50 723,0*	*0,4*	*0,3*	*0,1*	*0,6*	*0,4*	*0,2*
Guadeloupe	385,6	404,0	1,0	1,2	– 0,2	0,5	0,9	– 0,4
Guyane	155,8	229,0	3,6	2,8	0,8	3,9	2,8	1,1
Martinique	380,9	402,0	0,7	1,0	– 0,3	0,5	0,7	– 0,2
La Réunion	703,8	817,0	1,9	1,6	0,3	1,5	1,4	0,1
France	**60 122,7**	**64 321,0**	**0,4**	**0,4**	**0,0**	**0,7**	**0,4**	**0,3**

Source : Insee, recensements et estimations de population.

Définitions

Solde apparent des entrées et des sorties : calculé par la différence entre la variation totale de population et celle due au solde naturel.

Solde naturel (ou accroissement naturel ou excédent naturel de population) : différence entre le nombre de naissances et le nombre de décès enregistrés au cours d'une période. Les mots « excédent » ou « accroissement » sont justifiés par le fait qu'en général le nombre de naissances est supérieur à celui des décès. Mais l'inverse peut se produire, le solde naturel est alors négatif.

Les 75 ans ou plus au 1er janvier 2008

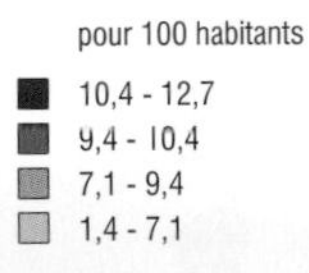

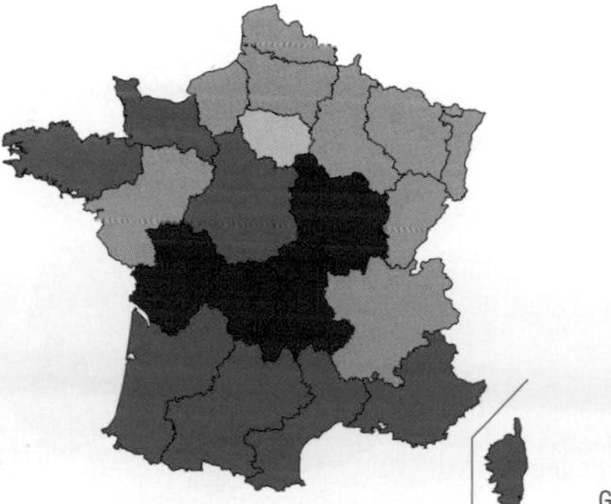

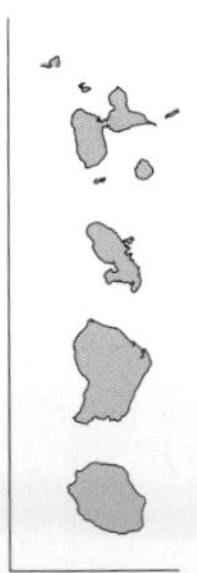

GéoFLA® © IGN 2009 – © INSEE 2010

	Population par grand groupe d'âge au 1er janvier 2008						
	Total (milliers)	0 à 19 ans (%)	20 à 39 ans (%)	40 à 59 ans (%)	60 à 74 ans (%)	75 ans ou plus (%)	Part des femmes parmi les 75 ans ou plus (%)
Alsace	1 837,5	24,6	26,9	28,5	12,5	7,5	64,8
Aquitaine	3 175,5	22,6	24,3	28,1	14,7	10,3	62,8
Auvergne	1 341,5	21,7	23,6	28,5	15,4	10,8	63,9
Bourgogne	1 636,0	22,9	23,3	28,1	15,1	10,6	63,0
Bretagne	3 141,0	24,4	24,4	27,3	14,3	9,6	64,7
Centre	2 535,0	24,0	24,3	27,6	14,2	9,8	62,0
Champagne-Ardenne	1 338,5	24,7	25,4	27,9	13,3	8,7	64,1
Corse	303,0	20,0	21,5	**28,6**	**16,2**	10,0	61,8
Franche-Comté	1 163,0	24,9	25,4	27,4	13,7	8,6	62,9
Île-de-France	11 672,5	25,9	**30,1**	26,8	**10,9**	**6,3**	64,8
Languedoc-Roussillon	2 587,5	23,4	24,1	27,2	15,3	10,1	**61,4**
Limousin	**739,0**	**20,4**	**22,6**	28,2	16,1	**12,7**	62,8
Lorraine	2 341,0	24,1	26,0	28,4	13,2	8,3	64,2
Midi-Pyrénées	2 837,5	22,9	24,8	27,8	14,3	10,2	61,6
Nord - Pas-de-Calais	4 022,0	**27,1**	27,2	**26,7**	11,6	7,4	**66,6**
Basse-Normandie	1 464,0	24,4	23,8	27,7	14,3	9,8	63,7
Haute-Normandie	1 819,5	26,0	25,7	27,5	12,8	8,1	64,7
Pays de la Loire	3 510,5	25,6	25,4	27,0	13,2	8,9	62,9
Picardie	1 903,5	26,3	25,9	27,9	12,3	7,6	63,5
Poitou-Charentes	1 749,5	22,6	23,2	27,9	15,4	10,9	61,5
Provence - Alpes - Côte d'Azur	4 900,5	23,5	24,2	27,3	15,2	9,9	62,7
Rhône-Alpes	6 113,0	25,5	26,3	26,9	13,0	8,1	63,3
France métropolitaine	**62 131,0**	**24,6**	**26,0**	**27,4**	**13,3**	**8,6**	**63,5**
dont France de province	*50 458,5*	*24,4*	*25,1*	*27,5*	*13,9*	*9,2*	*63,3*
Guadeloupe	402,5	30,4	23,7	28,1	11,9	5,9	60,8
Guyane	221,5	44,1	30,1	19,8	4,4	1,6	60,2
Martinique	399,5	28,3	23,6	29,0	12,6	6,5	61,4
La Réunion	805,5	35,0	27,9	25,8	8,3	3,1	64,0
France	**63 960,0**	**24,9**	**26,0**	**27,4**	**13,2**	**8,5**	**63,5**

Source : Insee, estimations localisées de population (données provisoires).

Définitions

Population par âge au 1er janvier : estimations localisées de population (ELP), effectuées chaque année par l'Insee. L'âge s'entend comme âge révolu atteint au 1er janvier de l'année considérée.

Taux annuel de migration nette sur les cinq dernières années précédant le 1er janvier 2006

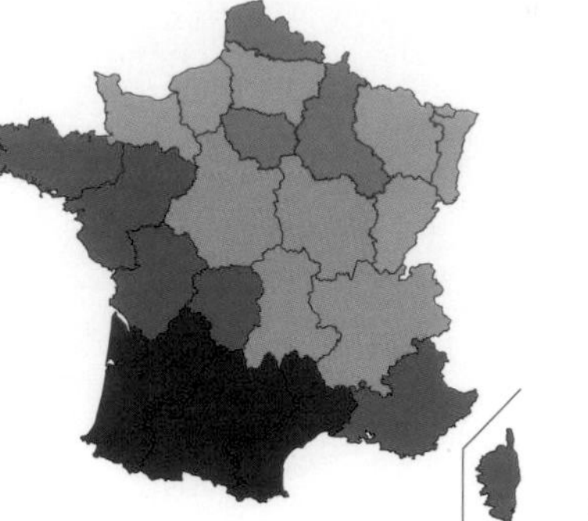

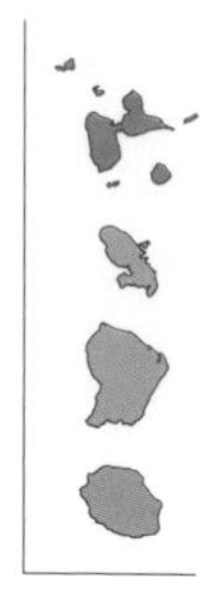

GéoFLA® © IGN 2009 – © INSEE 2010

	Taux annuel moyen de migration nette sur 5 ans précédant le 1er janvier 2006 (pour 10 000 habitants)							
	Total	5 à 14 ans	15 à 29 ans	30 à 39 ans	40 à 49 ans	50 à 59 ans	60 à 74 ans	75 ans ou plus
Alsace	– 14,7	– 29,8	12,5	– 38,0	– 18,0	– 20,8	– 14,1	3,2
Aquitaine	58,6	96,8	22,4	101,8	65,3	56,6	58,1	18,0
Auvergne	23,7	56,9	– 42,2	52,3	34,5	36,9	35,0	14,2
Bourgogne	0,9	16,6	– 88,7	9,2	16,1	30,5	37,0	12,1
Bretagne	50,9	74,9	– 10,3	95,6	53,5	62,7	74,9	20,6
Centre	4,4	18,7	– 61,4	33,8	6,9	19,0	29,6	6,9
Champagne-Ardenne	– 46,1	– 48,4	– 91,4	– 74,1	– 37,3	– 21,9	– 11,9	– 2,5
Corse	51,0	36,6	– 18,9	89,0	53,2	87,3	81,6	**28,5**
Franche-Comté	– 12,8	2,9	– 58,9	– 4,2	– 4,0	– 1,3	– 0,3	0,8
Île-de-France	**– 67,7**	**– 118,1**	**92,9**	**– 132,3**	**– 88,2**	**– 100,5**	**– 150,4**	**– 55,1**
Languedoc-Roussillon	**82,1**	**113,5**	44,1	**109,3**	**88,2**	**104,1**	**97,7**	17,8
Limousin	37,7	58,1	8,3	52,3	44,8	46,6	50,0	12,7
Lorraine	– 26,5	– 26,7	– 45,9	– 38,3	– 21,8	– 14,9	– 13,5	– 9,1
Midi-Pyrénées	66,3	91,4	91,4	101,0	61,5	48,8	42,4	15,0
Nord - Pas-de-Calais	– 41,3	– 42,2	– 67,3	– 53,8	– 33,3	– 25,6	– 23,8	– 11,1
Basse-Normandie	– 3,9	10,2	**– 107,0**	12,2	6,2	30,6	49,1	14,9
Haute-Normandie	– 23,5	– 15,9	– 63,6	– 10,4	– 22,2	– 16,1	– 13,7	11,5
Pays de la Loire	35,8	61,6	– 22,9	85,9	44,6	35,3	48,9	16,3
Picardie	– 23,8	– 8,9	– 79,4	7,4	– 16,8	– 18,0	– 19,9	6,5
Poitou-Charentes	42,8	81,9	– 36,5	75,5	51,8	65,1	69,4	14,0
Provence - Alpes - Côte d'Azur	27,6	34,9	13,0	46,7	30,1	29,5	35,9	1,0
Rhône-Alpes	15,1	22,9	28,2	37,1	13,7	– 5,6	– 7,7	7,0
France métropolitaine	**0,4**	**– 0,3**	**4,1**	**– 1,0**	**– 0,6**	**– 0,7**	**– 0,4**	**– 0,1**
dont France de province	*16,1*	*28,8*	*– 18,2*	*34,9*	*20,3*	*21,9*	*27,7*	*8,8*
Guadeloupe	– 30,2	– 0,9	– 218,3	20,7	17,0	30,4	36,2	4,9
Guyane	– 26,5	– 22,5	– 75,6	40,9	– 13,1	– 7,3	– 82,4	– 10,5
Martinique	– 19,2	3,5	– 162,2	13,8	13,8	31,7	35,1	4,4
La Réunion	1,6	24,3	– 82,8	45,5	34,4	35,7	4,4	8,6
France	**0,0**	**0,0**	**0,0**	**0,0**	**0,0**	**0,0**	**0,0**	**0,0**

Source : Insee, Recensement de la population 2006.

Définitions

Migrations résidentielles interrégionales sur cinq ans : on appelle migrations résidentielles les changements de lieu de résidence. Dans le passé, la résidence antérieure était celle au 1er janvier de l'année du précédent recensement ; les deux dernières périodes intercensitaires, 1982-1990 et 1990-1999 étaient respectivement de 8 ans et de 9 ans. Désormais, la résidence antérieure est celle au 1er janvier cinq ans auparavant. Les enfants de moins de cinq ans n'étant pas nés à la date de référence de la résidence antérieure, ne sont pas inclus dans la population susceptible d'avoir migré.

Taux de migration nette : il est évalué en rapportant le solde des entrées et des sorties à la population moyenne de la région sur la période considérée. Les taux par groupe d'âges sont calculés en référence à l'âge des personnes au 1er janvier 2006, et non pas à l'âge des personnes au moment de la migration, qui n'est pas connu.

Population étrangère en 2006

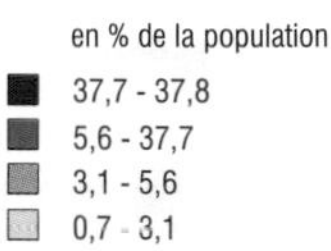

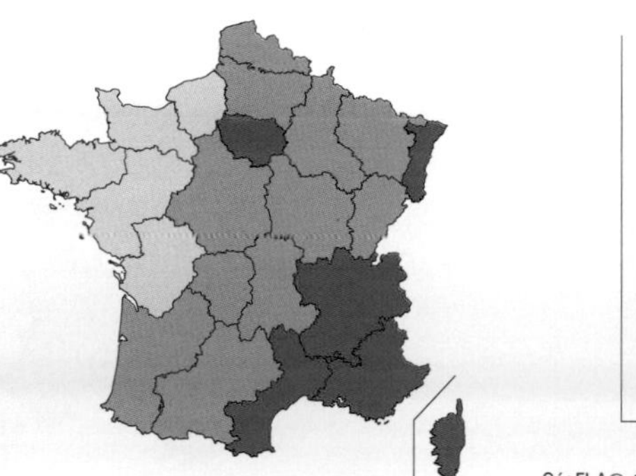

GéoFLA® © IGN 2009 – © INSEE 2010

	Total étrangers		Étrangers par nationalité						
	Nombre en 2006	Poids dans la population (%)	Union européenne à 27 (%)		Hors Union européenne à 27 (%)				
			Ensemble	*dont Portugais*	Algériens	Marocains	Tunisiens	Turcs	Autres
Alsace	137 334	7,6	37,9	*6,8*	9,4	9,5	1,7	**21,1**	20,4
Aquitaine	122 907	3,9	58,2	*21,7*	5,1	15,9	1,3	3,6	15,9
Auvergne	43 655	3,3	52,4	***32,5***	8,6	10,6	1,7	9,3	17,3
Bourgogne	61 930	3,8	44,8	*21,5*	9,3	16,1	3,1	8,4	18,4
Bretagne	52 289	1,7	48,2	*9,1*	4,6	8,1	1,2	9,2	28,6
Centre	102 125	4,1	38,5	*25,2*	8,0	17,1	1,9	10,9	23,6
Champagne-Ardenne	49 753	3,7	36,5	*16,3*	17,5	15,3	1,6	8,0	21,0
Corse	23 680	8,1	39,3	*20,8*	3,8	**43,8**	7,9	0,1	5,1
Franche-Comté	52 787	4,6	25,7	*12,3*	16,5	15,7	1,5	17,9	22,7
Île-de-France	1 434 802	**12,4**	29,0	*10,1*	10,5	10,2	1,2	3,0	**38,0**
Languedoc-Roussillon	143 520	5,7	41,3	*7,0*	10,2	31,5	1,3	3,0	12,7
Limousin	27 029	3,7	49,7	*15,4*	10,2	8,8	1,1	11,1	19,0
Lorraine	121 416	5,2	50,3	*8,8*	14,8	10,2	1,1	12,1	11,6
Midi-Pyrénées	120 391	4,3	51,6	*13,5*	10,0	14,3	2,3	2,2	19,6
Nord - Pas-de-Calais	126 279	3,1	34,7	*8,3*	**23,8**	23,5	1,7	2,5	13,7
Basse-Normandie	25 412	1,7	48,8	*7,7*	6,5	7,9	1,8	12,4	22,6
Haute-Normandie	49 837	2,8	26,3	*12,4*	17,2	14,6	3,2	8,9	29,9
Pays de la Loire	60 382	1,8	36,5	*10,8*	8,5	10,7	3,6	8,3	32,4
Picardie	60 879	3,2	36,6	*19,7*	10,2	18,6	1,9	8,2	24,4
Poitou-Charentes	41 279	2,4	**61,7**	*16,0*	5,3	6,9	1,2	2,1	22,7
Provence - Alpes - Côte d'Azur	302 159	6,3	34,0	*5,4*	17,6	16,4	**12,0**	2,7	17,3
Rhône-Alpes	381 974	6,3	34,4	*12,0*	19,5	8,7	5,9	10,7	20,8
France métropolitaine	**3 541 820**	**5,8**	**35,8**	***13,9***	**13,6**	**13,0**	**4,1**	**6,3**	**27,2**
dont France de province	*2 107 018*	*4,2*	*40,3*	*12,4*	*13,6*	*14,9*	*4,1*	*7,9*	*19,2*
Guadeloupe	16 809	4,2	4,4	*0,2*	0,3	0,2	0,1	0,0	94,9
Guyane	77 704	37,7	1,1	*0,1*	0,1	0,1	0,0	0,0	98,6
Martinique	6 187	1,6	13,9	*1,0*	0,8	1,0	0,3	0,0	83,9
La Réunion	5 636	0,7	16,9	*1,1*	1,1	1,1	0,3	0,1	80,5
France	**3 648 156**	**5,8**	**34,9**	***13,5***	**13,2**	**12,6**	**4,0**	**6,1**	**29,2**

Source : Insee, Recensement de la population 2006.

Définitions

Étranger : personne qui réside en France et ne possède pas la nationalité française, soit qu'elle possède une autre nationalité (à titre exclusif), soit qu'elle n'en ait aucune (c'est le cas des personnes apatrides). Les personnes de nationalité française possédant une autre nationalité (ou plusieurs) sont considérées en France comme françaises. Un étranger n'est pas forcément immigré, il peut être né en France (les mineurs notamment).

Immigré : selon la définition adoptée par le Haut Conseil à l'Intégration, personne née étrangère à l'étranger et résidant en France. Les personnes nées françaises à l'étranger et vivant en France ne sont donc pas comptabilisées. À l'inverse, certains immigrés ont pu devenir français, les autres restant étrangers. Les populations étrangère et immigrée ne se confondent pas totalement : un immigré n'est pas nécessairement étranger et réciproquement, certains étrangers sont nés en France (essentiellement des mineurs). La qualité d'immigré est permanente : une personne continue à appartenir à la population immigrée même si elle devient française par acquisition. C'est le pays de naissance, et non la nationalité à la naissance, qui définit l'origine géographique d'un immigré.

Nationalité, Union européenne (UE) : voir *Glossaire*.

Femmes seules avec enfant(s) en 2006

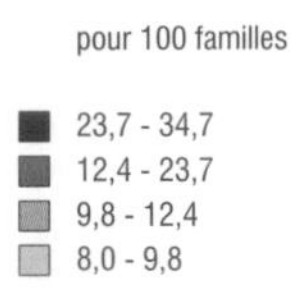

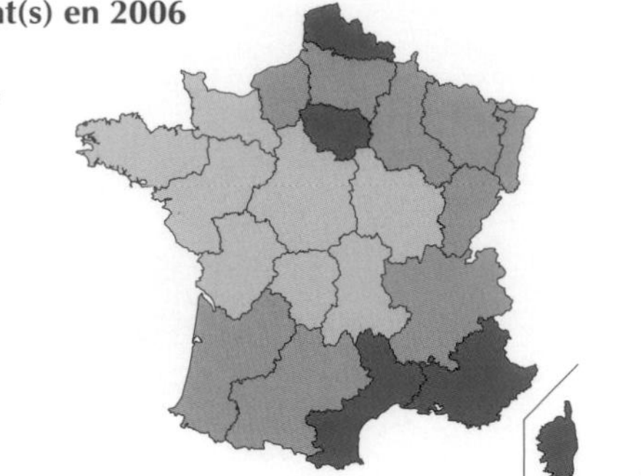

GéoFLA® © IGN 2009 – © INSEE 2010

	Nombre de familles (milliers)	Composition des familles au 1er janvier 2006 (%)				Familles selon le nombre d'enfants âgés de moins de 25 ans au 1er janvier 2006 (%)				
		Couples avec enfant(s)	Familles monoparentales		Couples sans enfant	Aucun enfant	1 enfant	2 enfants	3 enfants	4 enfants ou plus
			Hommes seuls avec enfant(s)	Femmes seules avec enfant(s)						
Alsace	508,8	47,2	2,0	10,1	40,8	47,2	23,2	20,6	6,7	2,3
Aquitaine	879,3	41,7	2,1	10,8	45,5	51,7	22,3	19,1	5,5	1,5
Auvergne	374,9	41,9	1,9	9,6	46,6	53,3	21,5	18,4	5,4	1,4
Bourgogne	457,1	41,4	1,9	9,2	47,5	52,7	20,6	18,3	6,4	1,9
Bretagne	852,1	44,1	1,8	9,1	45,0	50,3	19,6	20,4	8,0	1,8
Centre	713,5	43,0	1,9	9,0	46,1	51,1	20,7	19,5	6,6	2,1
Champagne-Ardenne	370,6	44,1	1,9	10,3	43,7	49,1	22,0	19,3	7,1	2,4
Corse	78,8	42,4	**2,9**	**14,5**	40,2	50,0	**25,8**	18,2	4,7	1,4
Franche-Comté	320,7	44,6	2,1	9,9	43,5	48,8	21,8	19,6	7,6	2,2
Île-de-France	2 979,3	**48,3**	2,4	13,4	35,9	41,3	24,8	**22,0**	8,5	3,4
Languedoc-Roussillon	713,0	40,4	2,1	12,8	44,6	50,4	22,7	18,9	6,0	2,0
Limousin	206,1	38,3	2,0	9,4	**50,4**	**57,1**	20,7	16,6	4,3	1,3
Lorraine	652,7	45,5	2,1	10,9	41,6	48,3	22,7	19,6	7,3	2,2
Midi-Pyrénées	776,8	41,9	2,1	10,5	45,5	51,9	21,9	19,4	5,3	1,5
Nord - Pas-de-Calais	1 093,7	48,0	2,0	12,5	37,5	44,1	22,3	19,9	**9,7**	**3,9**
Basse-Normandie	409,2	43,9	1,8	9,3	45,1	50,3	20,2	19,7	7,7	2,1
Haute-Normandie	507,9	45,9	2,0	10,7	41,4	46,3	22,8	20,7	7,6	2,6
Pays de la Loire	964,5	45,4	1,5	8,1	45,0	49,3	19,6	20,6	8,5	2,0
Picardie	531,2	47,5	2,1	10,4	39,9	46,0	22,9	20,0	8,1	3,0
Poitou-Charentes	499,8	39,9	1,8	9,0	49,4	54,5	20,3	18,0	5,6	1,5
Provence - Alpes - Côte d'Azur	1 322,0	41,7	2,2	13,4	42,8	48,5	23,5	19,6	6,3	2,2
Rhône-Alpes	1 641,3	46,4	2,0	10,4	41,2	46,5	21,8	21,5	8,0	2,4
France métropolitaine	**16 853,4**	**44,8**	**2,0**	**11,1**	**42,1**	**47,8**	**22,3**	**20,2**	**7,4**	**2,4**
dont France de province	*13 874,1*	*44,0*	*2,0*	*10,6*	*43,5*	*49,2*	*21,8*	*19,8*	*7,1*	*2,2*
Guadeloupe	106,9	41,5	3,2	32,7	22,7	34,3	28,6	23,3	9,6	4,2
Guyane	43,7	46,6	4,9	31,1	17,4	21,6	25,8	22,5	13,1	17,0
Martinique	106,1	39,1	3,7	34,6	22,6	36,7	28,8	22,0	8,5	3,9
La Réunion	205,0	52,5	3,0	23,8	20,8	28,8	27,5	26,0	11,9	5,9
France	**17 315,0**	**44,8**	**2,1**	**11,5**	**41,6**	**47,3**	**22,5**	**20,3**	**7,4**	**2,5**

Source : Insee, RP 2006 exploitation complémentaire.

Définitions

Couple : couple de fait, marié ou non, de deux personnes âgées de 15 ans ou plus de sexe différent. Au sein d'un ménage, un couple, avec ou sans enfant, constitue une famille.

Enfant d'une famille : est comptée comme enfant d'une famille toute personne vivant au sein du même ménage (au sens du recensement) que son (ses) parent(s) avec le(s)quel(s) elle forme une famille, quel que soit son âge, si elle est célibataire et n'a pas de conjoint ou d'enfant vivant dans le ménage (avec lesquels elle constituerait alors une famille en tant qu'adulte). L'enfant d'une famille peut être l'enfant des deux parents, de l'un ou de l'autre, un enfant adopté ou un enfant en tutelle de l'un ou l'autre parent. Aucune limite d'âge n'est fixée pour être enfant d'une famille. Un petit-fils ou une petite-fille n'est pas considéré comme « enfant d'une famille ». Un couple dont tous les enfants ont quitté le foyer parental est compté parmi les couples sans enfant.

Famille : partie d'un ménage comprenant au moins deux personnes et constituée soit d'un couple marié ou non, avec le cas échéant son ou ses enfant(s) appartenant au même ménage, soit d'un adulte avec son ou ses enfant(s) appartenant au même ménage (famille monoparentale). Les seuls enfants pris en compte dans les familles sont les enfants célibataires et sans enfant vivant avec eux. Un ménage peut comprendre zéro, une ou plusieurs familles. Au sein d'un ménage, une personne peut soit appartenir à une seule famille, soit n'appartenir à aucune famille.

Famille monoparentale : une famille monoparentale comprend un parent isolé et un ou plusieurs enfants célibataires (n'ayant pas d'enfant).

Indicateur conjoncturel de fécondité en 2007

nombre moyen d'enfants pour 100 femmes

- 370 - 380
- 220 - 370
- 190 - 220
- 150 - 190

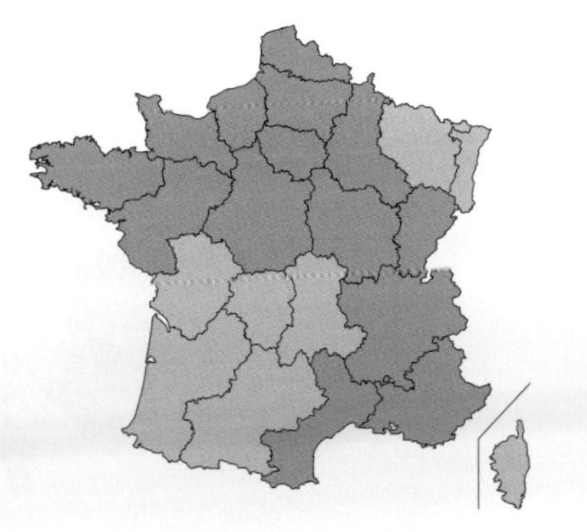

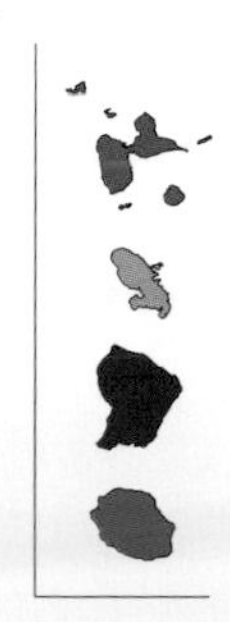

GéoFLA® © IGN 2009 – © INSEE 2010

	Naissances vivantes[1] en 2007 (nombre)	Naissances vivantes[1] en 2008		Taux de natalité en 2007 (pour 1 000 habitants)	Indicateur conjoncturel de fécondité 2007 (nombre moyen d'enfants pour 100 femmes)			
		Nombre	*dont hors mariage (%)*		Total	Contribution des groupes d'âge 15-24 ans	25-34 ans	35-49 ans
Alsace	22 093	22 140	***43,4***	12,1	181	31	118	32
Aquitaine	33 914	34 163	*57,9*	10,7	179	26	119	34
Auvergne	13 831	13 852	*57,0*	10,3	181	28	123	30
Bourgogne	17 819	17 914	*54,6*	10,9	192	34	128	31
Bretagne	37 009	37 659	*56,3*	11,8	200	26	139	36
Centre	29 952	30 533	*55,1*	11,8	199	34	131	33
Champagne-Ardenne	16 165	16 344	*57,1*	12,1	195	37	127	31
Corse	2 940	2 939	*53,4*	**9,5**	**156**	**24**	**98**	34
Franche-Comté	14 609	14 715	*50,7*	12,6	206	36	138	32
Île-de-France	179 264	180 668	*44,2*	**15,4**	190	20	123	**50**
Languedoc-Roussillon	29 584	30 020	*55,8*	11,5	191	32	123	35
Limousin	7 087	7 183	*59,8*	9,6	176	30	117	30
Lorraine	26 844	27 006	*51,5*	11,5	182	32	121	30
Midi-Pyrénées	31 480	31 983	*55,6*	11,1	183	25	123	36
Nord - Pas-de-Calais	56 199	56 474	*54,2*	14,0	207	42	132	33
Basse-Normandie	16 982	16 752	*59,3*	11,6	200	34	135	31
Haute-Normandie	23 537	23 758	*57,7*	12,9	204	39	133	32
Pays de la Loire	45 181	45 483	*54,5*	12,9	**209**	29	**145**	34
Picardie	24 883	25 268	*57,3*	13,1	206	**44**	129	33
Poitou-Charentes	18 311	19 042	***60,3***	10,5	186	31	125	**29**
Provence - Alpes - Côte d'Azur	57 408	58 828	*52,0*	11,8	194	30	125	38
Rhône-Alpes	79 538	81 477	*47,4*	13,1	200	28	134	38
France métropolitaine	**784 538**	**794 507**	***51,7***	**12,7**	**196**	**31**	**128**	**37**
dont France de province	*605 274*	*613 839*	*53,9*	*12,0*	*195*	*32*	*129*	*34*
Guadeloupe[2]	6 862	5 758	*74,4*	15,1	229	56	123	50
Guyane	6 386	6 247	*87,9*	29,4	371	130	170	70
Martinique	5 317	5 333	*72,5*	13,3	206	49	113	44
La Réunion	14 808	14 927	*69,5*	18,5	249	75	132	42
France	**817 911**	**826 772**	***52,6***	**12,8**	**197**	**32**	**128**	**38**

1. Les naissances sont domiciliées au lieu de résidence de la mère ; celles ayant eu lieu en France de mère résidant à l'étranger ne sont pas comptées.
2. Non comprises les îles de Saint-Martin et Saint-Barthélemy.
Source : Insee, état civil, estimations de population.

Définitions

Indicateur conjoncturel de fécondité : somme des taux de fécondité par âge observés une année donnée. Il est équivalent au nombre moyen d'enfants que mettrait au monde une génération de femmes qui, tout au long de leur vie, auraient à chaque âge les taux de fécondité observés l'année considérée. L'évolution de l'indicateur conjoncturel de fécondité donne une mesure synthétique de l'évolution des taux de fécondité, indépendamment de la structure par âge de la population.

Taux de fécondité : le taux de fécondité à un âge donné (ou pour une tranche d'âges) est le nombre d'enfants nés vivants des femmes de cet âge au cours de l'année, rapporté à la population moyenne de l'année des femmes de même âge. Par extension, le taux de fécondité est le rapport du nombre de naissances vivantes de l'année à l'ensemble de la population féminine en âge de procréer (nombre moyen des femmes de 15 à 50 ans sur l'année). À la différence de l'indicateur conjoncturel de fécondité, son évolution dépend en partie de l'évolution de la structure par âge des femmes âgées de 15 à 50 ans.

Taux de natalité : rapport du nombre de naissances vivantes de l'année à la population totale moyenne de l'année considérée.

Naissance : voir *Glossaire*.

Espérance de vie à la naissance des femmes en 2006

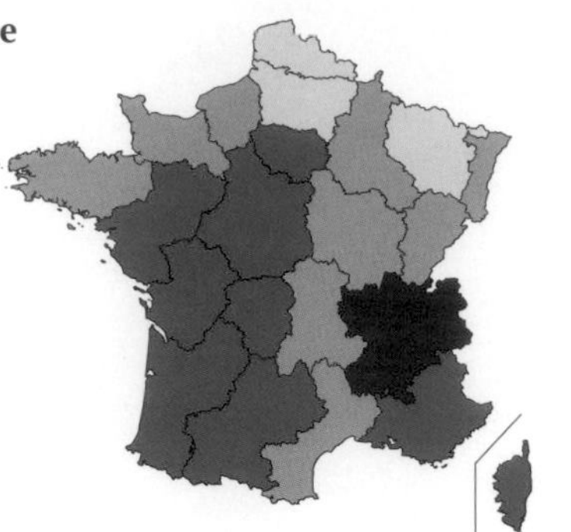

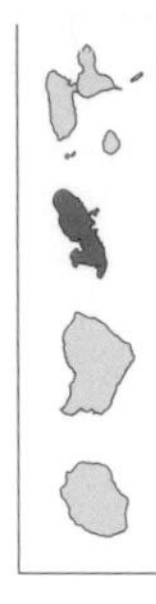

GéoFLA® © IGN 2009 – © INSEE 2010

	Décès en 2007	Taux brut de mortalité en 2006 (‰)	Taux de mortalité infantile en 2006 (‰)	Espérance de vie à la naissance en 2006 en années			Espérance de vie à 60 ans en 2006 en années		
				Hommes	Femmes	Différence femmes-hommes	Hommes	Femmes	Différence femmes-hommes
Alsace	13 491	7,6	**4,5**	77,3	83,5	6,1	21,2	26,0	4,7
Aquitaine	29 822	9,5	3,8	77,4	84,5	7,1	22,0	**27,1**	5,1
Auvergne	14 110	10,4	3,0	76,6	84,1	7,5	21,3	26,6	5,2
Bourgogne	16 802	10,4	3,0	76,6	84,0	7,4	21,3	26,5	5,2
Bretagne	30 258	9,6	2,6	76,2	83,8	7,5	21,1	26,3	5,2
Centre	23 691	9,3	3,4	77,2	84,4	7,2	21,9	26,9	5,0
Champagne-Ardenne	12 197	9,0	4,4	75,9	83,6	7,7	20,9	26,2	5,3
Corse	2 743	9,2	**1,4**	78,2	84,6	6,4	22,4	26,9	4,5
Franche-Comté	9 776	8,6	3,6	77,2	83,9	6,8	21,6	26,4	4,7
Île-de-France	69 082	**6,0**	3,9	**78,6**	84,7	**6,0**	**22,6**	**27,1**	**4,4**
Languedoc-Roussillon	24 250	9,4	3,5	77,5	84,2	6,7	22,2	26,7	4,5
Limousin	8 668	**11,7**	2,5	77,1	84,4	7,3	21,8	26,8	5,0
Lorraine	20 599	8,8	**4,5**	76,1	82,9	6,8	20,8	25,5	4,7
Midi-Pyrénées	25 537	9,1	3,4	78,5	84,5	6,1	**22,6**	27,0	**4,4**
Nord - Pas-de-Calais	35 594	8,8	3,8	**73,9**	**82,1**	**8,2**	**19,5**	**25,0**	**5,5**
Basse-Normandie	13 936	9,2	3,2	76,7	84,1	7,4	21,6	26,7	5,1
Haute-Normandie	15 572	8,6	4,2	75,8	83,2	7,3	21,0	26,1	5,2
Pays de la Loire	29 102	8,2	3,5	77,5	84,7	7,2	22,2	27,0	4,8
Picardie	16 570	8,6	3,8	75,6	82,7	7,0	20,6	25,5	4,9
Poitou-Charentes	17 344	10,0	2,9	77,3	84,5	7,3	22,2	**27,1**	4,9
Provence - Alpes - Côte d'Azur	44 940	9,1	3,4	77,8	84,5	6,7	22,4	27,0	4,5
Rhône-Alpes	45 014	7,3	3,3	78,5	**84,9**	6,5	22,4	27,0	4,6
France métropolitaine	**519 098**	**8,4**	**3,6**	**77,3**	**84,1**	**6,9**	**21,8**	**26,6**	**4,8**
dont France de province	*450 016*	...	*3,5*	...	...	...	...	...	...
Guadeloupe	2 769	6,9	9,0	75,0	82,7	7,7	21,4	26,2	4,7
Guyane	690	3,4	12,6	74,4	81,0	6,6	22,1	25,5	3,5
Martinique	2 830	6,7	8,2	76,2	84,6	8,4	22,2	26,7	4,5
La Réunion	3 974	5,5	6,6	73,2	80,9	7,7	19,0	23,9	4,9
France	**529 361**	**8,3**	**3,8**	**77,2**	**84,1**	**7,0**	**21,8**	**26,7**	**4,9**

Source : Insee, état civil.

Définitions

Espérance de vie : l'espérance de vie à la naissance (ou à l'âge 0) représente la durée de vie moyenne, autrement dit l'âge moyen au décès, d'une génération fictive soumise aux conditions de mortalité de l'année. Elle caractérise la mortalité indépendamment de la structure par âge.

Elle est un cas particulier de l'espérance de vie à l'âge x. Cette espérance représente, pour une année donnée, l'âge moyen au décès des individus d'une génération fictive d'âge x qui auraient, à chaque âge, la probabilité de décéder observée cette année-là au même âge. Autrement dit, elle est le nombre moyen d'années restant à vivre au-delà de cet âge x (ou durée de survie moyenne à l'âge x), dans les conditions de mortalité par âge de l'année considérée.

Taux brut de mortalité : rapport entre le nombre de décès de l'année et la population totale moyenne de l'année.

Taux de mortalité infantile : rapport entre le nombre d'enfants décédés à moins d'un an et l'ensemble des enfants nés vivants.

Pacs conclus en 2008

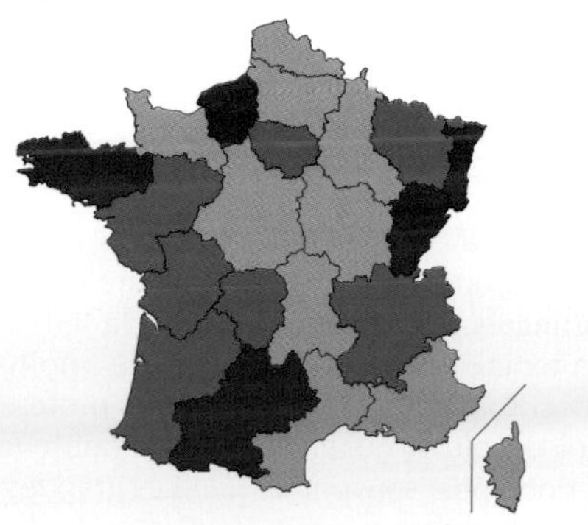

GéoFLA® © IGN 2009 – © INSEE 2010

	État matrimonial légal des personnes de 15 ans ou plus dans les ménages en 2006				Mariages enregistrés[1] en 2008	Taux brut de nuptialité[1] en 2007 (pour 1 000 hab.)	Divorces prononcés en 2008	Pacs conclus en 2008
	Célibataires (%)	Mariés (%)	Veufs (%)	Divorcés (%)				
Alsace	34,2	51,8	7,5	6,5	7 548	4,3	4 015	4 668
Aquitaine	34,8	48,9	8,7	7,6	13 168	3,9	6 942	7 564
Auvergne	34,6	49,1	9,5	6,7	5 002	3,4	2 403	3 024
Bourgogne	33,2	50,4	9,3	7,0	6 966	3,7	3 241	3 687
Bretagne	35,1	50,1	9,1	5,7	12 695	3,6	4 901	7 841
Centre	33,9	51,1	8,5	6,6	10 603	3,8	4 901	5 226
Champagne-Ardenne	35,3	49,4	8,5	6,9	5 455	4,0	2 733	2 931
Corse	36,2	47,3	8,7	7,8	1 082	**2,4**	617	385
Franche-Comté	34,7	50,3	7,9	7,1	4 877	4,1	2 525	2 817
Île-de-France	**41,4**	**45,6**	**5,9**	7,2	46 738	**4,8**	24 916	28 390
Languedoc-Roussillon	34,5	48,7	8,4	8,3	10 951	3,9	6 250	5 565
Limousin	33,4	49,4	**10,5**	6,7	2 579	3,3	1 400	1 733
Lorraine	34,4	50,4	8,6	6,7	9 845	4,2	4 903	5 510
Midi-Pyrénées	36,3	48,3	8,1	7,3	10 706	3,9	5 932	7 240
Nord - Pas-de-Calais	35,5	49,4	8,8	6,3	18 362	4,5	9 113	8 446
Basse-Normandie	34,4	50,5	8,8	6,3	6 359	3,9	2 662	3 277
Haute-Normandie	35,6	49,5	8,2	6,7	8 126	4,5	3 668	4 661
Pays de la Loire	34,4	**52,1**	7,9	**5,6**	15 166	4,1	5 767	8 358
Picardie	35,6	49,8	8,0	6,6	8 455	4,2	3 801	4 026
Poitou-Charentes	**32,8**	51,3	8,8	7,0	7 215	3,7	3 223	4 146
Provence - Alpes - Côte d'Azur	34,3	48,4	8,4	**9,0**	21 007	4,6	12 398	11 016
Rhône-Alpes	35,9	49,7	7,3	7,2	25 834	4,4	13 068	14 175
France métropolitaine	**36,0**	**49,0**	**7,9**	**7,0**	**258 739**	**4,2**	**129 379**	**144 716**
dont France de province	*34,8*	*49,8*	*8,4*	*7,0*	*212 001*	*4,1*	*104 463*	*116 326*
Guadeloupe	52,4	36,8	5,3	5,5	1 502	3,3	989	223
Guyane	70,0	25,4	2,1	2,6	619	3,2	193	164
Martinique	55,8	34,3	4,9	4,9	1 395	3,4	683	161
La Réunion	49,9	40,9	5,1	4,1	3 149	3,6	1 350	634
France	**36,5**	**48,7**	**7,8**	**7,0**	**265 404**	**4,2**	**132 594**	**145 898**

1. Pour la Guadeloupe, les îles de Saint-Martin et Saint-Barthélemy sont non comprises.

Sources : Insee, RP 2006 exploitations principales, estimations de population , état civil ; ministère de la Justice.

Définitions

État matrimonial légal : situation conjugale d'une personne au regard de la loi : célibataire, mariée, veuve, divorcée. Au recensement de la population, l'état matrimonial légal correspond à ce que les personnes ont déclaré et peut donc parfois différer de leur situation légale. L'union libre ou la liaison par un Pacs ne constituent pas un état matrimonial légal.

Pacte civil de solidarité (Pacs) : contrat entre deux personnes majeures, de sexe différent ou de même sexe, pour organiser leur vie commune. Il a été promulgué par la loi du 15 novembre 1999. Il établit des droits et des obligations entre les deux contractants, en terme de soutien matériel, de logement, de patrimoine, d'impôts et de droits sociaux. Par contre, il est sans effet sur les règles de filiation et de l'autorité parentale si l'un des contractants est déjà parent. Le pacs peut être dissous par la volonté de l'un ou des deux contractants, qui adresse(nt) une déclaration au tribunal d'instance. Il est automatiquement rompu par le mariage ou par le décès de l'un ou des deux contractants.

Taux brut de nuptialité : rapport du nombre de mariages célébrés au cours d'une période à la population totale en milieu de période.

Population des ménages : voir *Glossaire*.

2.3 Travail - Emploi

I. Évolution de l'emploi
II. Secteurs d'activité
III. Taux d'activité
IV. Emploi public
V. Catégories sociales
VI. Emploi aidé
VII. Chômage

Au sein des régions métropolitaines de province, on peut distinguer trois groupes de régions : une France tertiaire du Sud-Est (Midi-Pyrénées, Languedoc-Roussillon, Paca, Rhône-Alpes) où l'emploi est plutôt qualifié, et aussi plutôt féminisé, donc plus souvent à temps partiel que dans les autres régions ; une France d'industries traditionnelles du Nord et de l'Est (Nord - Pas-de-Calais, Lorraine, Alsace), où la population en emploi est fortement salariée, assez jeune mais pas très diplômée ; enfin, une France plus agricole de l'Ouest et du Sud-Ouest (Basse-Normandie, Bretagne, Poitou-Charentes, Aquitaine, Limousin et Auvergne) avec un emploi moins jeune et moins qualifié qu'ailleurs. Les sept autres régions, autour de l'Île-de-France, forment un dernier groupe aux caractéristiques moins affirmées.

Parmi les 26,1 millions d'actifs ayant un emploi et résidant en France, 46,6 % sont des femmes. En France métropolitaine, les taux de féminisation sont proches dans la très grande majorité des régions : entre 45 % et 47 %. La Martinique et la Guadeloupe sont les régions françaises où l'emploi est le plus féminisé, puisqu'on y observe la parité. À l'inverse, dans les autres départements d'outre-mer (Guyane, La Réunion), l'emploi est peu féminisé.

La part des jeunes dans l'emploi diffère peu d'une région à l'autre. Les moins de 30 ans occupent entre 19 % et 23 % des emplois. Font à nouveau exceptions la Martinique et la Guadeloupe où cette part est inférieure à 15 %. Dans les deux autres Dom, la proportion de jeunes dépasse les 22 % ; la population y étant particulièrement jeune, notamment en Guyane.

Un secteur tertiaire développé en Île-de-France, Paca et dans les Dom

En France métropolitaine, l'Île-de-France et, à un degré moindre, Provence - Alpes - Côte d'Azur ont le secteur tertiaire le plus développé. Mis à part la Corse et les Dom, emplois qualifiés et secteur tertiaire développé vont souvent de pair. Dans un certain nombre d'autres régions, faiblement urbanisées, la tertiarisation de l'emploi est encore limitée (moins de 70 %) et la part de cadres et de professions intermédiaires demeure assez faible (de l'ordre d'un tiers).

Les grandes villes concentrent les fonctions intellectuelles, de gestion et de décision. Les cadres occupant ces fonctions dites « métropolitaines » travaillent essentiellement à Paris, malgré un rééquilibrage récent au profit des grandes villes de province, comme Grenoble et Toulouse.

Travail à temps partiel dans l'Ouest et le Sud-Est, contrats temporaires dans les Dom

L'emploi salarié représente en moyenne 89 % de l'emploi total, et même plus de neuf emplois sur dix dans la partie nord du pays : Nord - Pas-de-Calais, Alsace, Lorraine, Île-de-France, Haute-Normandie et Picardie (régions où le poids de l'agriculture est très faible). À l'opposé, l'emploi non salarié est encore élevé (15 % ou plus) en Guyane et Guadeloupe ainsi qu'en Auvergne, Limousin et dans le midi (Corse, Languedoc-Roussillon, Midi-Pyrénées), régions où l'agriculture, l'artisanat et le commerce occupent encore une place significative.

La part des contrats à temps partiel ou temporaires s'est beaucoup développée au cours des dernières décennies : les premiers représentent en 2006 près de 18 % de l'emploi salarié, les seconds plus de 15 %. La Guyane, la Corse et l'Île-de-France, avec des taux inférieurs à 15 % d'emploi à temps partiel, contrastent fortement avec les régions Languedoc-Roussillon et Pays de la Loire, où plus d'un salarié sur cinq ne travaille pas à temps plein. De même, la pratique des contrats à durée limitée est beaucoup moins répandue en Île-de-France, Alsace et Corse (moins de 14 % des contrats) que dans les Dom : 18 % en Guadeloupe et 24 % à La Réunion. Pour les départements ultramarins, l'importance des emplois aidés dans le cadre des politiques publiques d'emploi peut expliquer en partie cette part élevée d'emplois temporaires. ■

Emploi au lieu de travail fin 2008

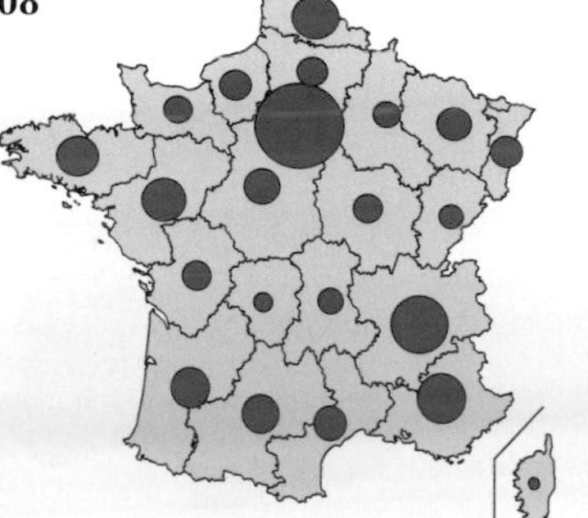

GéoFLA® © IGN 2009 – © INSEE 2010

	1990			2008 (p)			Taux d'évolution annuel de l'emploi total (%)	
	Emploi salarié (milliers)	Emploi non salarié (milliers)	Emploi total (milliers)	Emploi salarié (milliers)	Emploi non salarié (milliers)	Emploi total (milliers)	Entre 1990 et 2000	Entre 2000 et 2008
Alsace	618,9	55,9	674,8	720,6	53,1	773,7	1,2	0,2
Aquitaine	914,8	202,2	1 117,0	1 137,7	151,0	1 288,7	0,8	0,8
Auvergne	408,4	90,9	499,3	461,9	67,8	529,7	0,5	0,1
Bourgogne	524,1	93,1	617,2	589,5	68,7	658,2	0,5	0,1
Bretagne	853,8	212,7	1 066,5	1 148,9	142,2	1 291,1	1,2	0,9
Centre	806,7	126,6	933,3	912,2	90,7	1 002,9	0,7	0,1
Champagne-Ardenne	466,5	74,6	541,1	483,2	53,2	536,4	0,1	– 0,3
Corse	67,6	16,6	84,2	98,2	15,2	113,4	1,2	**2,3**
Franche-Comté	363,7	53,5	417,2	405,9	41,6	447,5	0,9	– 0,2
Île-de-France	5 130,5	338,7	5 469,2	5 625,5	331,4	5 956,9	0,5	0,4
Languedoc-Roussillon	602,0	146,7	748,7	819,6	127,6	947,2	1,1	1,6
Limousin	226,8	54,8	281,6	253,6	36,3	289,9	0,2	0,1
Lorraine	745,4	81,0	[illegible]	793,1	67,4	860,5	0,5	– 0,2
Midi-Pyrénées	785,5	202,8	988,3	1 038,6	147,8	1 186,4	0,8	1,3
Nord - Pas-de-Calais	1 210,3	128,3	1 338,6	1 427,3	100,9	1 528,2	1,0	0,4
Basse-Normandie	453,0	96,7	549,7	518,8	63,3	582,1	0,4	0,2
Haute-Normandie	595,5	73,7	669,2	672,4	53,5	725,9	0,6	0,3
Pays de la Loire	1 004,1	192,3	1 196,4	1 344,9	144,6	1 489,5	**1,4**	1,0
Picardie	567,0	77,7	644,7	628,8	55,0	683,8	0,5	0,1
Poitou-Charentes	471,7	119,2	590,9	611,0	78,7	689,7	1,1	0,5
Provence - Alpes - Côte d'Azur	1 367,4	246,4	1 613,8	1 755,5	224,7	1 980,2	0,9	1,4
Rhône-Alpes	2 006,6	292,5	2 299,1	2 407,0	256,6	2 663,6	0,8	0,8
France métropolitaine	**20 184,3**	**2 986,8**	**23 171,1**	**23 854,2**	**2 371,3**	**26 225,5**	**0,8**	**0,6**
dont France de province	*15 053,8*	*2 648,1*	*17 701,9*	*18 228,7*	*2 039,9*	*20 268,6*	*0,8*	*0,6*
Ensemble des Dom	355,1	40,0	395,1	500,8	39,7	540,5	1,9	1,6
France	**20 539,4**	**3 026,8**	**23 566,2**	**24 355,0**	**2 411,0**	**26 766,0**	**0,8**	**0,6**

Champ : emploi au 31 décembre en données brutes.
Source : Insee, estimations d'emploi.

Définitions

Emploi salarié : par salarié, il faut entendre toutes les personnes qui travaillent, aux termes d'un contrat, pour une autre unité institutionnelle résidente en échange d'un salaire ou d'une rétribution équivalente. Les non-salariés sont les personnes qui travaillent mais sont rémunérées sous une autre forme qu'un salaire.

Emploi total : comprend l'emploi salarié et l'emploi non-salarié.

Estimations d'emploi : voir *Glossaire*.

Emploi dans le tertiaire marchand

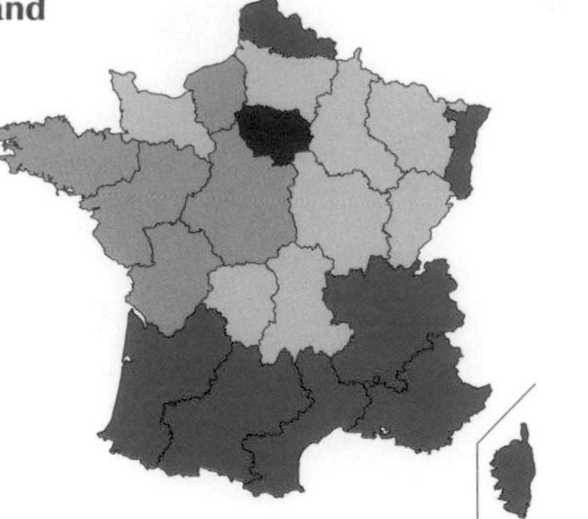

GéoFLA® © IGN 2009 – © INSEE 2010

	Emploi par secteur d'activité en 2008 (*p*)									
	Agriculture		Industrie		Construction		Tertiaire marchand		Tertiaire non marchand	
	Emploi total (milliers)	*dont salariés* (%)	Emploi total (milliers)	*dont salariés* (%)	Emploi total (milliers)	*dont salariés* (%)	Emploi total (milliers)	*dont salariés* (%)	Emploi total (milliers)	*dont salariés* (%)
Alsace	11,7	*39,3*	150,5	***97,9***	51,8	*89,2*	337,5	*91,6*	222,3	*95,9*
Aquitaine	59,8	*44,0*	157,7	*94,9*	97,5	*79,4*	571,6	*88,1*	402,1	*94,8*
Auvergne	27,4	***15,0***	93,5	*95,9*	38,9	*80,5*	200,1	*87,1*	169,8	*95,6*
Bourgogne	29,7	*34,0*	112,5	*96,4*	46,1	*82,4*	260,7	*89,1*	209,3	*96,0*
Bretagne	61,2	*36,9*	190,8	*95,9*	97,9	*81,3*	535,3	*89,0*	405,9	*95,4*
Centre	33,7	*32,6*	178,7	*96,9*	74,7	*84,1*	417,5	*90,7*	298,2	*96,1*
Champagne-Ardenne	30,8	*37,0*	98,1	*97,1*	34,7	*85,0*	202,1	*90,2*	170,7	*96,5*
Corse	4,2	*38,1*	6,6	***87,9***	13,4	*79,9*	50,3	*86,5*	38,9	*94,1*
Franche-Comté	12,8	*23,4*	101,3	*97,2*	29,6	*82,4*	161,1	*88,6*	142,7	*96,1*
Île-de-France	12,7	*40,9*	520,6	*97,4*	292,2	*90,3*	3 596,6	***94,3***	1 534,6	*95,0*
Languedoc-Roussillon	36,7	*39,5*	76,4	*91,5*	77,5	***76,1***	428,3	***85,7***	328,2	*94,2*
Limousin	15,8	*16,5*	41,4	*95,7*	21,0	*79,5*	111,1	*88,2*	100,6	*96,1*
Lorraine	17,4	*30,5*	148,5	*97,1*	60,3	*85,4*	339,7	*90,5*	294,6	***96,6***
Midi-Pyrénées	51,7	*19,3*	152,1	*94,9*	88,5	*78,4*	530,0	*88,5*	364,3	*94,9*
Nord - Pas-de-Calais	23,4	*40,6*	239,8	*97,8*	98,5	***90,4***	662,6	*91,7*	503,9	*96,5*
Basse-Normandie	28,6	*32,2*	97,0	*96,4*	45,1	*82,9*	228,3	*88,9*	183,0	*96,1*
Haute-Normandie	14,2	*32,4*	135,8	*97,3*	54,7	*87,4*	306,5	*91,7*	214,7	*96,3*
Pays de la Loire	60,1	*35,8*	270,3	*97,0*	115,1	*84,5*	627,9	*90,3*	416,2	*95,5*
Picardie	21,2	*37,7*	127,2	*97,7*	45,3	*85,0*	270,2	*90,9*	219,9	*96,5*
Poitou-Charentes	36,8	*37,5*	103,5	*95,7*	52,2	*81,2*	280,5	*88,5*	216,6	*95,7*
Provence - Alpes - Côte d'Azur	35,3	***45,0***	175,1	*93,0*	143,4	*78,9*	984,8	*87,5*	641,7	***93,8***
Rhône-Alpes	47,3	*26,0*	463,5	*96,5*	188,6	*81,7*	1 217,3	*89,4*	746,9	*94,4*
France métropolitaine	**672,5**	***33,8***	**3 640,9**	***96,5***	**1 767,0**	***83,8***	**12 320,0**	***90,7***	**7 825,1**	***95,3***
dont France de province	*659,8*	*33,6*	*3 120,3*	*96,3*	*1 474,8*	*82,5*	*8 723,4*	*89,3*	*6 290,5*	*95,4*

Champ : emploi au 31 décembre en données brutes.
Source : Insee, estimations d'emploi.

Définitions

Agriculture : au sens le plus large ce secteur de l'économie comprend les cultures, l'élevage, la chasse, la pêche et la sylviculture.

La nomenclature d'activités française établit une distinction entre l'activité agricole (exploitation des ressources naturelles en vue de la production des divers produits de la culture et de l'élevage) et l'activité de pêche (exploitation professionnelle des ressources halieutiques en milieu marin ou en eau douce).

Construction : l'activité de construction est essentiellement une activité de mise en œuvre ou d'installation sur le chantier du client et qui concerne aussi bien les travaux neufs que la rénovation, la réparation ou la maintenance. Ces industries correspondent au code EH de la NES : – bâtiment et travaux publics.

Industrie : en première approximation, relèvent de l'industrie les activités économiques qui combinent des facteurs de production (installations, approvisionnements, travail, savoir) pour produire des biens matériels destinés au marché. Une distinction est généralement établie entre l'industrie manufacturière et les industries d'extraction mais le contour précis de l'industrie dans chaque opération statistique est donné par la liste des items retenus de la nomenclature économique à laquelle cette opération se réfère (NAF, NES, NA...).

Estimations d'emploi, tertiaire : voir *Glossaire*.

Taux d'activité des femmes en 2006

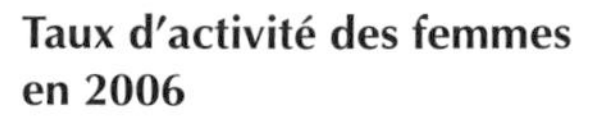

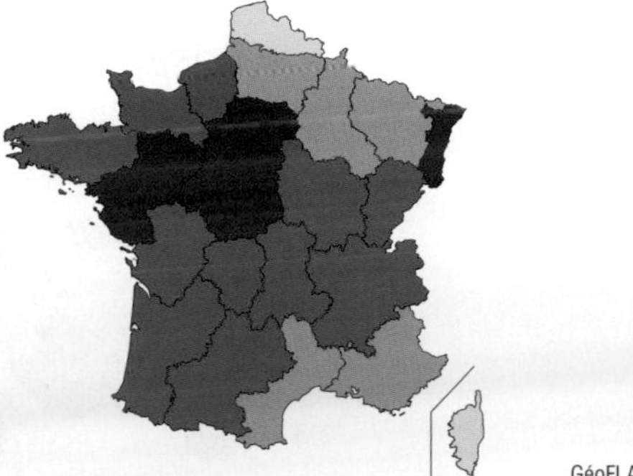

GéoFLA® © IGN 2009 – © INSEE 2010

	Population active en 2006								
	Effectifs (milliers)			Taux d'activité (%)					
				Hommes			Femmes		
	Total	Actifs de 15 à 24 ans	Actifs de 55 à 64 ans	Ensemble	15 à 24 ans	55 à 64 ans	Ensemble	15 à 24 ans	55 à 64 ans
Alsace	887	113	76	78,0	**51,4**	43,2	68,5	**42,8**	35,6
Aquitaine	1 418	152	150	75,0	45,5	42,0	67,2	37,0	37,6
Auvergne	604	66	64	74,9	47,5	39,8	66,8	37,1	36,4
Bourgogne	736	88	77	75,7	50,6	40,4	67,4	40,5	36,4
Bretagne	1 393	159	128	74,6	45,2	38,5	67,4	36,7	34,2
Centre	1 164	140	117	76,6	50,5	41,6	[illegible]	41,1	37,7
Champagne-Ardenne	618	78	60	70,0	49,2	41,7	65,9	39,5	36,5
Corse	125	13	14	72,8	45,0	45,8	**58,9**	35,3	30,9
Franche-Comté	537	67	52	76,8	50,4	42,0	67,5	[illegible]	36,6
Île-de-France	5 869	629	635	**78,2**	**42,2**	**56,9**	**71,3**	38,8	**48,3**
Languedoc-Roussillon	1 080	122	113	**72,2**	43,6	39,5	62,4	**34,2**	33,0
Limousin	321	34	35	73,5	45,0	39,0	67,4	37,8	36,4
Lorraine	1 076	139	95	75,3	48,5	39,9	64,8	39,5	33,9
Midi-Pyrénées	1 275	136	133	75,4	44,1	44,0	67,8	36,2	38,5
Nord - Pas-de-Calais	1 758	235	143	73,9	44,3	39,0	60,1	35,8	**30,6**
Basse-Normandie	656	81	62	75,4	49,4	38,7	67,1	39,7	35,3
Haute-Normandie	838	110	75	75,8	49,6	39,9	66,4	40,9	35,0
Pays de la Loire	1 610	203	141	77,0	50,9	39,2	69,2	41,2	34,9
Picardie	878	113	79	76,6	50,7	41,5	65,1	39,7	34,2
Poitou-Charentes	773	92	77	75,1	50,0	**38,2**	67,5	40,0	35,0
Provence - Alpes - Côte d'Azur	2 103	239	235	73,8	44,6	44,4	63,6	36,5	36,1
Rhône-Alpes	2 848	339	287	76,8	47,1	45,6	68,1	38,5	39,3
France métropolitaine	**28 566**	**3 348**	**2 848**	**75,9**	**46,4**	**44,2**	**67,2**	**38,4**	**37,9**
dont France de province	*22 697*	*2 719*	*2 213*	*75,4*	*47,4*	*41,5*	*66,1*	*38,3*	*35,8*
Guadeloupe	174	16	17	69,3	32,9	47,5	65,3	28,2	39,4
Guyane	78	11	6	68,4	35,1	62,7	56,6	28,9	46,6
Martinique	176	16	17	69,8	32,7	47,2	65,8	27,2	39,4
La Réunion	329	48	19	71,1	43,6	37,2	57,3	34,5	26,7
France	**29 322**	**3 440**	**2 908**	**75,8**	**46,1**	**44,2**	**67,0**	**38,2**	**37,9**

Champ : population des ménages, personnes de 15 à 64 ans.
Source : Insee, recensement de la population 2006, exploitation principale.

Définitions

Ménage : au sens du recensement de la population, un ménage désigne l'ensemble des personnes qui partagent la même résidence principale, sans que ces personnes soient nécessairement unies par des liens de parenté. Un ménage peut être constitué d'une seule personne. Il y a égalité entre le nombre de ménages et le nombre de résidences principales. Les personnes vivant dans des habitations mobiles, les mariniers, les personnes sans-abri, et les personnes vivant en communauté (foyers de travailleurs, maisons de retraite, résidences universitaires, maisons de détention...) sont considérées comme vivant hors ménage.

Population active : au sens du recensement de la population, la population active comprend les personnes qui déclarent : exercer une profession (salariée ou non) même à temps partiel ; aider un membre de la famille dans son travail (même sans rémunération) ; être apprenti, stagiaire rémunéré ; être chômeur à la recherche d'un emploi ; être étudiant ou retraité mais occupant un emploi ; être militaire du contingent (tant que cette situation existait). Ne sont pas retenues les personnes qui, bien que s'étant déclarées chômeurs, précisent qu'elles ne recherchent pas d'emploi.

Taux d'activité : rapport entre le nombre d'actifs (actifs occupés et chômeurs) et l'ensemble de la population correspondante.

Recensement de la population : voir *Glossaire*.

Agents de la fonction publique territoriale en 2007

pour 100 emplois

- 22,7 - 32,0
- 19,6 - 22,7
- 18,5 - 19,6
- 15,2 - 18,5

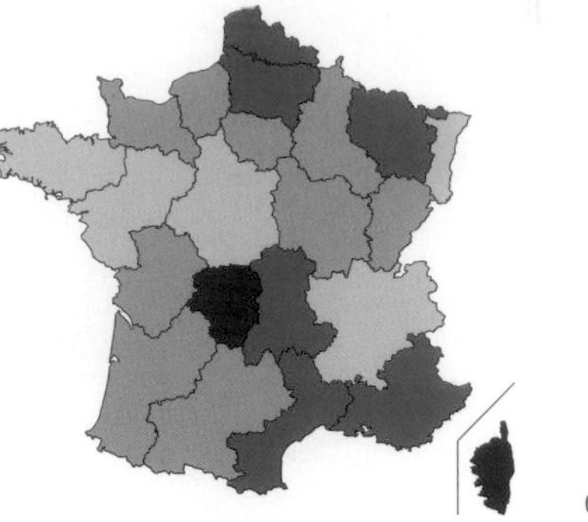

GéoFLA® © IGN 2009 – © INSEE 2010

	Agents de la fonction publique au 31.12.2007							
	Agents civils							
	Fonction publique d'État[1] (milliers)	Fonction publique territoriale[2] (milliers)	Fonction publique hospitalière[3] (milliers)	Total agents civils (milliers)	Pour 100 habitants	Pour 100 emplois	Militaires[1]	Total fonction publique (milliers)
Alsace	56,4	37,5	33,9	127,9	7,0	17,3	9 833	137,7
Aquitaine	98,2	88,2	47,3	233,7	7,4	18,9	21 195	254,9
Auvergne	44,0	35,3	25,9	105,3	7,9	19,9	5 767	111,0
Bourgogne	49,6	41,3	32,5	123,4	7,6	18,9	8 119	131,6
Bretagne	87,8	79,0	54,9	221,7	7,1	17,6	28 865	250,6
Centre	73,3	61,8	43,9	179,0	7,1	17,9	19 536	198,5
Champagne-Ardenne	44,6	29,6	24,9	99,1	7,4	18,8	13 496	112,5
Corse	11,5	9,6	4,1	25,2	8,4	**23,1**	1 753	27,0
Franche-Comté	36,1	28,0	21,2	85,3	7,4	18,7	8 723	94,0
Île-de-France	505,0	370,5	182,1	1 057,6	**9,1**	18,9	42 635	1 100,3
Languedoc-Roussillon	77,3	76,7	36,2	190,2	7,4	21,1	15 251	205,5
Limousin	26,2	21,2	18,5	65,9	8,9	22,7	4 300	70,2
Lorraine	79,6	47,4	39,8	166,8	7,1	19,8	24 195	191,0
Midi-Pyrénées	93,1	80,0	42,6	215,7	7,7	19,2	14 069	229,8
Nord - Pas-de-Calais	119,3	110,7	60,9	290,9	7,2	19,9	7 924	298,8
Basse-Normandie	43,0	35,4	28,6	107,0	7,3	18,5	4 999	112,0
Haute-Normandie	54,3	50,3	29,6	134,2	7,4	18,7	3 949	138,1
Pays de la Loire	82,2	83,3	56,4	221,9	**6,4**	**15,3**	10 817	232,7
Picardie	54,0	44,0	34,4	132,4	7,0	19,7	8 868	141,2
Poitou-Charentes	50,5	48,3	29,9	128,8	7,4	19,2	12 642	141,4
Provence - Alpes - Côte d'Azur	155,6	153,8	67,6	377,0	7,8	20,1	42 866	419,9
Rhône-Alpes	179,9	157,2	95,7	432,8	7,1	17,1	21 156	454,0
France métropolitaine	**2 021,5**	**1 689,1**	**1 011,0**	**4 721,7**	**9,4**	**18,7**	**330 958**	**5 052,6**
dont France de province	*1 516,5*	*1 318,7*	*828,9*	*3 664,0*	*5,9*	*18,7*	*288 323*	*3 952,4*
Guadeloupe	15,9	14,4	6,3	36,5	9,1	25,9	...	...
Guyane	9,1	6,2	2,2	17,6	8,2	31,9	...	...
Martinique	15,3	13,9	8,1	37,3	9,4	28,5	...	...
La Réunion	29,4	24,5	7,5	61,3	7,7	26,3	...	...
France	**2 091,2**	**1 748,1**	**1 035,1**	**4 874,4**	**7,7**	**18,9**	**338 299**	**5 212,7**

1. Y compris ÉPA nationaux. 2. Y compris ÉPA locaux et les assistantes maternelles. 3. Y compris médecins et non-titulaires sur crédits de remplacement.
Champ : emplois principaux, tous statuts, hors bénéficiaires d'emplois aidés.
Sources : Insee ; Drees ; DHOS ; DGAFP.

Définitions

Fonction publique : on distingue trois fonctions publiques, la fonction publique d'État, la fonction publique territoriale et la fonction publique hospitalière. Au sens strict, un agent de la fonction publique travaille dans un organisme public dans lequel le recrutement se fait sur la base du droit public. Néanmoins, certaines missions de service public sont assurées, hors de ce périmètre, par des agents travaillant dans d'autres types d'organismes publics, par des organismes privés ou par des entreprises publiques ou privées. Ces personnes travaillent dans les services civils et militaires de l'État (administrations centrales et services déconcentrés), dans les collectivités territoriales (régions, départements, communes) et dans les établissements publics à caractère administratif nationaux ou locaux, tels que CNRS, universités, hôpitaux publics, centres de gestion de la fonction publique territoriale, caisses des écoles...

Fonction publique d'État : agents employés par les ministères et les établissements publics administratifs (Épa).

Fonction publique hospitalière : ensemble du personnel (médical et non médical, y compris les internes et autres praticiens en formation) des hôpitaux publics et des établissements d'hébergement pour personnes âgées.

Fonction publique territoriale : agents des organismes régionaux et départementaux (conseil régional, conseil général, préfecture de police de Paris, services de secours et d'incendie, centre de gestion de la fonction publique territoriale...), des organismes communaux et intercommunaux (communes, centres communaux d'action sociale, caisses des écoles, syndicats intercommunaux...) et de certains organismes privés d'action locale.

Cadres et professions intellectuelles supérieures en 2006

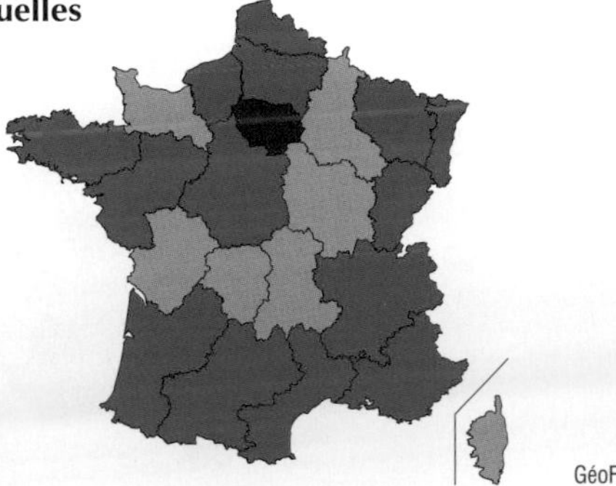

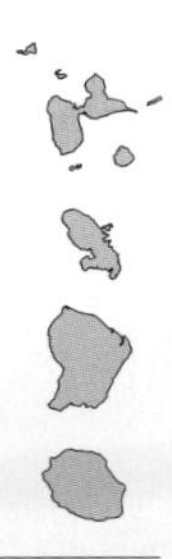

GéoFLA® © IGN 2009 – © INSEE 2010

	Personnes de 15 ans ou plus en 2006								
		selon leur catégorie socioprofessionnelle (%)							
	Nombre (milliers)	Agriculteur exploitant	Artisan, commerçant, chef d'entreprise	Cadre, profession intellectuelle supérieure	Profession intermédiaire	Employé	Ouvrier	Retraité	Autre, sans activité professionnelle
Alsace	1 481,1	0,5	2,7	7,6	14,1	16,5	18,2	23,2	17,2
Aquitaine	2 598,3	1,6	3,7	6,4	12,7	16,7	13,4	28,7	16,6
Auvergne	1 121,1	2,6	3,5	5,2	11,9	16,0	14,6	30,1	15,9
Bourgogne	1 351,5	1,8	3,2	5,4	12,0	16,1	15,9	29,6	15,9
Bretagne	2 532,9	2,1	3,3	6,4	12,8	15,7	14,7	28,9	16,2
Centre	2 065,5	1,3	3,0	6,3	13,0	16,7	16,0	28,5	15,1
Champagne-Ardenne	1 094,9	2,2	2,7	5,3	11,9	16,5	17,6	25,7	18,1
Corse	248,8	1,2	**4,8**	5,0	10,6	**18,2**	10,6	25,9	**23,8**
Franche-Comté	936,9	1,3	3,0	5,9	12,9	15,4	**18,7**	26,1	16,7
Île-de-France	9 281,7	0,1	2,8	**16,0**	**16,5**	17,9	9,8	18,6	18,3
Languedoc-Roussillon	2 096,2	1,3	4,0	6,0	12,2	16,3	11,3	28,6	20,2
Limousin	622,6	**2,7**	3,3	5,1	11,4	15,7	13,2	**33,5**	15,2
Lorraine	1 921,2	0,8	2,5	5,9	12,6	17,3	16,7	24,1	20,2
Midi-Pyrénées	2 311,5	2,2	3,7	8,0	13,5	15,9	11,9	28,0	16,8
Nord - Pas-de-Calais	3 207,0	0,6	2,3	5,9	12,6	16,2	16,4	22,6	23,3
Basse-Normandie	1 190,9	2,2	3,5	5,1	11,0	16,5	16,1	29,0	16,0
Haute-Normandie	1 461,8	0,8	2,8	6,0	13,2	16,8	17,4	25,0	18,0
Pays de la Loire	2 790,0	1,8	3,1	6,3	13,0	16,3	17,1	27,2	15,2
Picardie	1 520,6	1,1	2,6	5,8	12,9	16,9	18,0	23,9	18,9
Poitou-Charentes	1 437,7	2,1	3,5	5,2	11,6	16,6	14,8	30,9	15,3
Provence - Alpes - Côte d'Azur	3 979,9	0,5	4,0	7,2	13,0	17,2	10,8	27,3	20,0
Rhône-Alpes	4 875,3	0,8	3,6	8,3	15,0	16,1	14,5	24,2	17,4
France métropolitaine	**50 128,2**	**1,1**	**3,2**	**8,3**	**13,6**	**16,7**	**14,0**	**25,2**	**17,9**
dont France de province	*40 846,4*	*1,3*	*3,3*	*6,5*	*13,0*	*16,4*	*14,9*	*26,7*	*17,8*
Guadeloupe	308,1	1,3	4,8	4,0	10,7	20,1	11,5	19,5	28,2
Guyane	132,5	1,1	6,1	4,6	10,6	16,5	11,0	6,5	43,6
Martinique	313,8	0,8	4,0	4,4	11,4	19,8	12,9	21,0	25,7
La Réunion	575,6	1,1	3,1	4,0	10,1	20,1	14,6	13,5	33,5
France	**51 458,1**	**1,1**	**3,2**	**8,1**	**13,5**	**16,8**	**13,9**	**25,0**	**18,3**

Source : Insee, Recensement de la population 2006 exploitation complémentaire.

Définitions

Autres personnes sans activité professionnelle : comprennent les chômeurs n'ayant jamais travaillé, les élèves ou étudiants, les personnes diverses sans activité professionnelle de moins de 60 ans et celles de 60 ans ou plus (sauf retraités).

Catégories socioprofessionnelles : regroupement en huit postes du niveau le plus fin (486 postes) de la nomenclature des professions et des catégories socioprofessionnelles (PCS). Cette nomenclature sert à la codification du recensement et des enquêtes que l'Insee réalise auprès des ménages ; celle actuellement en vigueur date de 2003.

Recours aux contrats en alternance par les entreprises en 2006

Pour 1 000 emplois

- 40,2 - 40,3
- 25,8 - 40,2
- 22,4 - 25,8
- 12,6 - 22,4

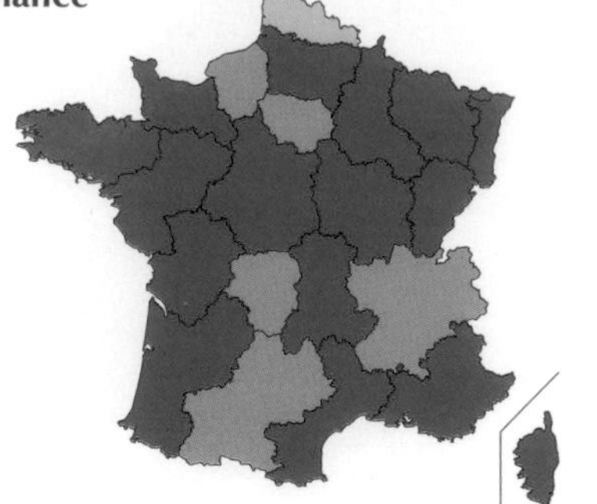

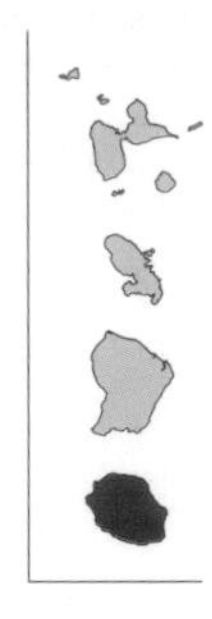

GéoFLA® © IGN 2009 – © INSEE 2010

	Ensemble des entrées en 2006	Emploi marchand aidé en 2006						Emploi non marchand aidé en 2006	
		Ensemble des entrées	dont contrats initiative emploi	dont contrats en alternance				Ensemble des entrées	dont contrats d'accompagnement dans l'emploi
				Ensemble	contrats en apprentissage	contrats de professionnalisation	recours des entreprises pour 1000 emplois[1]		
Alsace	33 315	25 352	*1 650*	*14 489*	*10 373*	*4 116*	*27,8*	7 963	*5 733*
Aquitaine	54 852	36 621	*3 323*	*19 347*	*12 504*	*6 843*	*26,9*	18 231	*13 245*
Auvergne	23 634	15 414	*1 290*	*8 135*	*5 647*	*2 488*	*26,9*	8 220	*4 617*
Bourgogne	30 012	18 621	*1 144*	*10 260*	*7 415*	*2 845*	*26,3*	11 391	*6 691*
Bretagne	46 438	33 390	*2 096*	*20 225*	*13 611*	*6 614*	*27,9*	13 048	*7 824*
Centre	42 956	28 330	*2 604*	*16 204*	*12 881*	*3 323*	*26,2*	14 626	*10 188*
Champagne-Ardenne	25 261	15 346	*1 199*	*9 110*	*6 691*	*2 419*	*29,0*	9 915	*6 324*
Corse	5 401	3 658	*318*	*1 496*	*1 277*	*219*	*25,9*	1 743	*1 082*
Franche-Comté	21 039	14 255	*877*	*8 053*	*6 226*	*1 827*	*28,2*	6 784	*4 381*
Île-de-France	184 462	145 799	*22 562*	*89 783*	*52 416*	*37 367*	*22,4*	38 663	*27 930*
Languedoc-Roussillon	55 621	30 524	*4 130*	*15 350*	*9 626*	*5 724*	*30,4*	25 097	*18 181*
Limousin	12 114	7 416	*454*	*3 758*	*2 645*	*1 113*	*24,3*	4 698	*2 819*
Lorraine	43 964	25 101	*2 312*	*14 685*	*10 715*	*3 970*	*27,8*	18 863	*12 075*
Midi-Pyrénées	53 710	33 834	*4 522*	*16 104*	*9 353*	*6 751*	*24,3*	19 876	*15 340*
Nord - Pas-de-Calais	82 283	38 199	*5 432*	*18 452*	*10 549*	*7 903*	***18,8***	44 084	*28 446*
Basse-Normandie	26 899	17 188	*1 663*	*9 912*	*7 163*	*2 749*	*28,8*	9 711	*6 877*
Haute-Normandie	32 466	19 442	*2 294*	*11 051*	*7 301*	*3 750*	*23,7*	13 024	*8 292*
Pays de la Loire	58 749	43 050	*2 561*	*26 619*	*19 264*	*7 355*	*28,7*	15 699	*8 718*
Picardie	40 465	21 053	*2 757*	*11 850*	*8 468*	*3 382*	*28,6*	19 412	*14 366*
Poitou-Charentes	39 134	21 267	*2 654*	*10 717*	*7 753*	*2 964*	*27,9*	17 867	*13 381*
Provence - Alpes - Côte d'Azur	101 953	68 386	*7 624*	*35 889*	*23 852*	*12 037*	***31,0***	33 567	*22 171*
Rhône-Alpes	103 222	76 084	*6 716*	*41 040*	*25 659*	*15 381*	*23,7*	27 138	*18 436*
France métropolitaine	**1 117 950**	**738 330**	***80 182***	***412 529***	***271 389***	***141 140***	***25,5***	**379 620**	***257 117***
dont France de province	*933 488*	*592 531*	*57 620*	*322 746*	*218 973*	*103 773*	*...*	*340 957*	*229 187*
Guadeloupe	6 621	2 101	*0*	*1 413*	*747*	*666*	*18,0*	4 520	*1 928*
Guyane	3 708	462	*0*	*283*	*190*	*93*	*12,7*	3 246	*2 614*
Martinique	8 005	2 391	*3*	*1 279*	*947*	*332*	*16,5*	5 614	*1 853*
La Réunion	27 698	7 318	*0*	*5 326*	*3 308*	*2 018*	*40,3*	20 380	*10 947*
France	**1 163 982**	**750 602**	***80 185***	***420 830***	***276 581***	***144 249***	***25,5***	**413 380**	***274 459***

1. Rapport entre l'ensemble des contrats en alternance de l'année considérée et l'effectif salarié Unedic au 31 décembre 2006.
Source : Dares.

Définitions

Contrat ou emploi aidé : contrat de travail dérogatoire au droit commun, pour lequel l'employeur bénéficie d'aides, qui peuvent prendre la forme de subventions à l'embauche, d'exonérations de certaines cotisations sociales, d'aides à la formation. Le principe général est de diminuer, par des aides directes ou indirectes, les coûts d'embauche et/ou de formation pour l'employeur. Ces emplois aidés sont, en général, accessibles prioritairement à des « publics cibles », telles les personnes « en difficulté sur le marché du travail » ou les jeunes. Ils relèvent du secteur marchand (c'est le cas par exemple des contrats « initiative emploi ») ou du secteur non marchand (par exemple contrats « d'accompagnement dans l'emploi »).

Contrat en alternance : contrat de travail incluant une formation diplômante ou qualifiante et s'adressant en grande majorité aux jeunes de moins de 26 ans en cours d'insertion dans la vie professionnelle. Depuis la loi du 4 mai 2004, le contrat de professionnalisation a succédé aux contrats de qualification, d'adaptation et d'orientation. Par extension, le terme peut englober les contrats d'apprentissage qui reposent aussi sur le mécanisme d'alternance entre cours théoriques et emploi.

Contrat d'accompagnement dans l'emploi (CAE), contrat en apprentissage, contrat initiative emploi (CIE), contrat de professionnalisation : voir *Glossaire*.

Taux de chômage localisé au 2e trimestre 2009

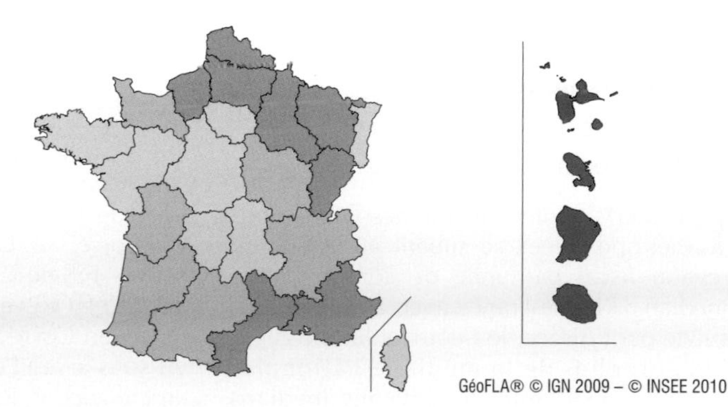

	Taux de chômage localisé en moyenne trimestrielle			Demandeurs d'emploi en fin de mois de décembre 2008					
							Part des demandeurs d'emploi depuis plus d'un an		
	2e trimestre 2004 (%)	2e trimestre 2009 (%)	Évolution (points)	Ensemble (milliers)	Part des 15-24 ans (%)	Part des 50 ans ou plus (%)	Parmi l'ensemble (%)	Parmi les 15-24 ans (%)	Parmi les 50 ans ou plus (%)
Alsace	7,2	8,3	1,1	62,7	20,6	14,1	20,6	8,3	34,4
Aquitaine	8,9	8,7	– 0,2	113,2	19,0	15,1	22,9	9,5	37,5
Auvergne	7,6	8,3	0,7	43,7	20,3	15,5	27,6	10,6	45,1
Bourgogne	7,6	8,5	0,9	51,4	22,2	16,1	24,1	11,1	40,1
Bretagne	7,2	7,7	0,5	94,6	19,5	14,9	22,0	7,8	39,0
Centre	7,7	8,3	0,6	80,7	21,2	15,5	23,6	10,1	39,0
Champagne-Ardenne	9,1	9,9	0,8	51,3	22,7	14,5	25,3	10,6	43,2
Corse	9,4	8,1	– 1,3	11,2	18,9	14,9	**14,6**	**3,3**	**23,9**
Franche-Comté	7,7	9,6	1,9	41,3	21,9	14,6	22,8	8,7	38,8
Île-de-France	8,8	**7,7**	– 1,1	406,8	**13,7**	**16,9**	26,4	8,3	42,9
Languedoc-Roussillon	**12,2**	12,4	0,2	127,3	19,5	15,0	23,2	9,3	38,5
Limousin	**6,8**	**7,7**	0,9	21,3	20,6	16,2	24,8	11,5	39,5
Lorraine	8,4	9,8	1,4	86,2	22,6	14,4	22,0	9,3	38,7
Midi-Pyrénées	8,7	9,0	0,3	102,2	18,9	14,9	23,4	9,1	38,4
Nord - Pas-de-Calais	11,5	**12,7**	1,2	186,4	**26,0**	**12,7**	**29,8**	**16,4**	**47,1**
Basse-Normandie	8,2	9,0	0,8	50,2	23,8	14,2	21,7	9,2	38,2
Haute-Normandie	9,5	10,2	0,7	71,0	24,7	14,1	26,0	13,2	43,5
Pays de la Loire	7,4	8,1	0,7	110,7	22,2	13,9	21,5	9,3	37,7
Picardie	9,5	10,8	1,3	74,7	24,9	14,0	27,8	15,6	44,0
Poitou-Charentes	8,2	8,9	0,7	59,1	20,4	15,6	24,6	10,4	40,3
Provence - Alpes - Côte d'Azur	10,4	10,3	– 0,1	207,2	17,2	15,6	22,3	8,7	34,5
Rhône-Alpes	7,8	8,6	0,8	204,4	18,7	14,4	20,5	6,9	36,0
France métropolitaine	**8,8**	**9,1**	**0,3**	**2 257,8**	**19,7**	**15,0**	**24,1**	**10,2**	**39,8**
dont France de province	*8,7*	*9,4*	*0,7*	*1 851,0*	*21,0*	*14,6*	*23,6*	*10,4*	*39,0*
Guadeloupe	23,3	23,5	0,2	43,2	13,5	13,5	50,8	26,3	64,0
Guyane	24,7	20,5	– 4,2	12,8	15,7	15,0	33,2	15,3	48,2
Martinique	21,0	22,0	1,0	35,1	16,2	14,2	44,1	23,0	57,4
La Réunion	32,2	27,2	– 5,0	81,6	18,8	11,3	37,7	18,7	55,4
France	**9,2**	**9,5**	**0,3**	**2 430,5**	**19,5**	**14,9**	**25,4**	**10,8**	**40,9**

Sources : Insee, taux de chômage localisé, enquête Emploi Dom ; Pôle Emploi.

Définitions

Demandes d'emploi en fin de mois (DEFM) : personnes inscrites à Pôle Emploi et ayant une demande en cours au dernier jour du mois. Les demandeurs d'emploi considérés ici sont ceux de catégorie A qui sont tenus de faire des actes positifs de recherche d'emploi, sans emploi (anciennes catégories 1, 2, 3 hors activité réduite).

Pôle Emploi : opérateur du service public de l'emploi. Il est issu de la fusion entre l'ANPE et le réseau des Assedic. Il a pour mission d'accompagner tous les demandeurs d'emploi dans leur recherche jusqu'au placement, assurer le versement des allocations aux demandeurs indemnisés, aider les entreprises dans leurs recrutements et recouvrer les cotisations.

Taux de chômage : nombre de chômeurs rapporté à la population active qui comprend les actifs occupés (y compris militaires du contingent et apprentis) et les chômeurs.

Taux de chômage localisé : synthèse des informations de l'enquête Emploi (chômage au sens du BIT) et des DEFM (chômage répertorié). Le chômage régional est obtenu par ventilation du chômage (France métropolitaine) à l'aide de la structure géographique observée dans les DEFM à chaque trimestre. Chaque série régionale ainsi obtenue est ensuite désaisonnalisée (corrigée des variations saisonnières).

Chômage au sens du BIT, enquête Emploi : voir *Glossaire*.

2.4 Revenus - Salaires

I. Salaires du privé et du semi-public
II. Revenu disponible
III. Revenus fiscaux
IV. Aide sociale
V. Prestations familiales et de logement
VI. Insertion et aide aux personnes âgées ou handicapées
VII. Retraites et minimum vieillesse

En 2007, seules quatre des 22 régions métropolitaines se situent au-dessus du revenu fiscal par unité de consommation médian : l'Île-de-France avec 20 600 euros, suivie par l'Alsace, le Centre et Rhône-Alpes plus proches de la médiane nationale. À l'autre extrémité, les revenus médians les plus faibles sont ceux du Nord - Pas-de-Calais, de la Corse et du Languedoc-Roussillon, inférieurs de plus de 10 % à la médiane nationale. Ces écarts renvoient aux différences de composition des populations des régions selon l'activité, la catégorie socioprofessionnelle, le niveau de diplôme ou l'âge. Il y a par exemple en Nord - Pas-de-Calais plus de jeunes, de retraités, d'ouvriers et bien moins de cadres qu'en Île-de-France.

L'Île-de-France se distingue par ses hauts revenus

Les régions se différencient également par un éventail des niveaux de vie plus ou moins large. Dans cinq régions, la dispersion, mesurée par le rapport interdécile, est supérieure à la référence nationale : Nord - Pas-de-Calais, Provence-Alpes-Côte d'Azur, Languedoc-Roussillon, Corse et Île-de-France. Dans cette dernière région, le revenu fiscal des plus aisés est 7,2 fois supérieur à celui des plus modestes. L'Île-de-France se distingue en effet par ses hauts revenus : en 2007, les 10 % des personnes les plus aisées bénéficient d'un revenu fiscal supérieur à 45 940 euros, contre 35 570 euros pour l'ensemble de la France. En revanche, dans les trois régions méditerranéennes, les inégalités tiennent surtout aux plus bas revenus. À l'opposé, en Bretagne et dans la région Pays de la Loire, les inégalités de revenus apparaissent relativement faibles.

Un taux de pauvreté monétaire plus faible en Alsace

Les disparités régionales sont également importantes pour le taux de pauvreté, qui varie de 10,7 % à 20,4 % selon les régions. La Corse, le Languedoc-Roussillon et le Nord - Pas-de-Calais cumulent des niveaux de vie peu élevés et une pauvreté monétaire forte : en Corse, 20,4 % de la population vit sous le seuil de pauvreté. Ils sont 18,7 % en Languedoc-Roussillon et 18,5 % dans le Nord - Pas-de-Calais.

L'Alsace est la région la moins touchée en proportion, avec un taux de pauvreté inférieur à 11 %. Ce résultat est à nuancer compte tenu du poids de chacune des régions, et du nombre de personnes pauvres concernées. En raison de son poids important dans la population totale et avec un taux de pauvreté de 12,2 %, c'est en Île-de-France que résident le plus de personnes pauvres.

Inégalités de revenus entre Dom et métropole

En 2006, le revenu médian par unité de consommation des ménages des départements d'outre-mer est inférieur de 38 % à celui des ménages de la métropole. En dix ans, cet écart ne s'est que partiellement résorbé.

Les disparités de revenus par unité de consommation y sont également plus fortes qu'en métropole. Dans les Dom, les ménages appartenant aux 20 % les plus riches ont un revenu plancher, par unité de consommation, 3,2 fois supérieur au revenu plafond des ménages appartenant aux 20 % les plus modestes. Ce rapport atteint même 4,1 en Guyane alors qu'il n'est que de 2,2 en métropole. Ces différences avec la métropole s'expliquent en partie par des différences dans les structures démographiques avec une moindre qualification des emplois et un taux d'emploi plus faible outre-mer. Mais elles sont aussi liées à des spécificités propres aux départements d'outre-mer : retraites et revenus du patrimoine plus faibles, plus grande part des petites et moyennes entreprises, spécificités du marché du travail. ■

Revenu salarial annuel moyen net des employés en 2007

en euros
- 14 850 - 15 830
- 13 283 - 14 850
- 12 847 - 13 283
- 12 388 - 12 847

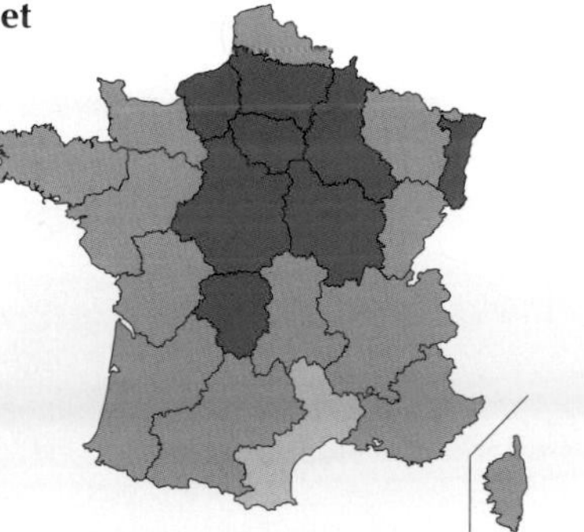

GéoFLA® © IGN 2009 – © INSEE 2010

	Revenu salarial annuel moyen net en 2007 (euros)							
	Ensemble	Par sexe		Par catégorie socioprofessionnelle				
		Hommes	Femmes	Cadres	Professions intermédiaires	Employés	Ouvriers qualifiés	Ouvriers non qualifiés
Alsace	18 739	21 442	15 574	38 199	21 721	13 284	17 233	12 159
Aquitaine	17 693	19 902	15 213	36 900	21 118	13 122	15 833	10 671
Auvergne	17 235	19 287	14 849	36 131	20 779	13 033	16 109	11 609
Bourgogne	17 720	19 810	15 279	36 979	21 649	13 303	16 573	11 400
Bretagne	17 272	19 558	14 708	35 592	20 781	12 882	15 584	11 163
Centre	18 205	20 497	15 023	37 495	21 520	13 552	16 524	11 643
Champagne-Ardenne	17 595	19 638	15 080	37 072	21 388	13 313	16 547	11 968
Corse	**16 365**	**17 767**	14 600	36 930	21 382	12 848	**14 528**	10 706
Franche-Comté	17 457	19 734	14 714	35 632	21 119	12 989	16 596	12 160
Île-de-France	**24 240**	**27 551**	**20 467**	**46 132**	**22 865**	**14 196**	17 057	11 812
Languedoc-Roussillon	16 681	18 718	**14 393**	35 343	**20 319**	**12 388**	15 096	**10 105**
Limousin	17 172	18 796	15 378	**35 076**	20 917	13 379	15 747	11 153
Lorraine	17 683	20 053	14 800	36 455	21 659	12 884	16 760	11 400
Midi-Pyrénées	18 159	20 554	15 406	36 370	20 798	12 947	15 441	11 080
Nord - Pas-de-Calais	17 758	19 819	14 938	36 694	21 104	13 005	16 399	11 570
Basse-Normandie	17 289	19 398	14 773	36 519	21 157	13 094	16 239	11 578
Haute-Normandie	18 761	21 250	15 615	38 708	22 385	13 564	**17 344**	**12 603**
Pays de la Loire	17 518	19 938	14 687	36 254	20 778	13 036	16 012	11 532
Picardie	18 493	20 565	15 796	38 885	21 987	13 792	17 054	12 170
Poitou-Charentes	17 000	18 888	14 852	36 207	20 808	13 010	15 631	11 290
Provence - Alpes - Côte d'Azur	18 095	20 453	15 406	37 871	21 263	13 000	15 855	10 460
Rhône-Alpes	18 668	21 405	15 431	38 014	21 411	12 921	16 570	11 286
France métropolitaine	**19 287**	**21 793**	**16 346**	**40 707**	**21 613**	**13 298**	**16 361**	**11 459**
dont France de province	*17 877*	*20 182*	*15 148*	*37 060*	*21 226*	*13 062*	*16 248*	*11 392*
Guadeloupe	18 400	19 365	17 438	41 527	23 339	15 126	13 870	10 675
Guyane	20 185	21 104	18 955	44 415	24 215	15 829	14 748	10 926
Martinique	18 538	19 773	17 328	41 954	22 596	14 851	15 101	11 203
La Réunion	17 377	18 204	16 123	42 599	22 762	13 753	14 790	10 898
France	**19 265**	**21 739**	**16 359**	**40 725**	**21 637**	**13 328**	**16 330**	**11 449**

Source : Insee, DADS, estimations régionales et départementales d'emploi (données provisoires).

Définitions

Déclaration annuelle des données sociales (DADS) : c'est une formalité déclarative que doit accomplir toute entreprise employant des salariés, en application du code de la Sécurité sociale et du code Général des Impôts. Dans ce document commun aux administrations fiscales et sociales, les employeurs, y compris les administrations et les établissements publics, fournissent annuellement et pour chaque établissement, la masse des traitements qu'ils ont versés, les effectifs employés et une liste nominative de leurs salariés indiquant pour chacun, le montant des rémunérations salariales perçues. Le champ de l'exploitation des DADS par l'Insee couvre actuellement l'ensemble des employeurs et de leurs salariés, à l'exception des agents des ministères, titulaires ou non, des services domestiques (division 95 de la NAF rév. 1) et des activités extra-territoriales (division 99 de la NAF rév. 1). Le champ de la publication des résultats exclut en outre les apprentis, les stagiaires, les emplois aidés, les dirigeants salariés de leur entreprise ainsi que les agents des collectivités territoriales.

Revenu salarial annuel moyen net de prélèvement : il s'obtient en divisant le montant total des rémunérations nettes versées, après déduction des cotisations sociales ouvrières obligatoires et de la CSG et de la CRDS, par le nombre de personnes salariées. Effectifs et revenus sont évalués au lieu de résidence du salarié.

Catégories socioprofessionnelles : voir *Glossaire*.

Variation annuelle moyenne du RDB par habitant entre 2001 et 2006

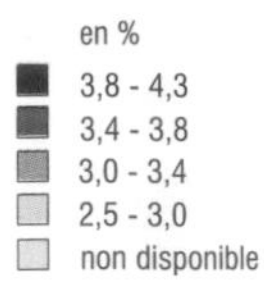

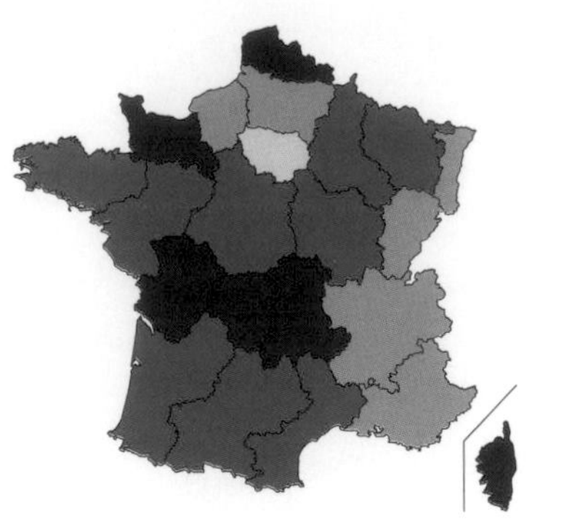

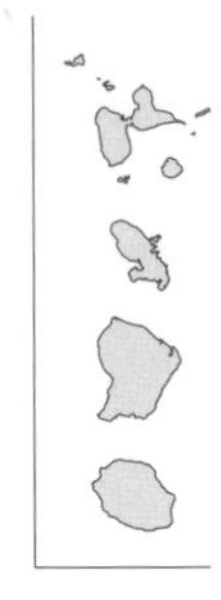

GéoFLA® © IGN 2009 – © INSEE 2010

	Revenu disponible brut (RDB) des ménages en 2001			Revenu disponible brut (RDB) des ménages en 2006			Variation annuelle moyenne du RDB/habitant 2001-2006
	RDB total	RDB par habitant		RDB total	RDB par habitant		
	(millions d'euros)	(euros)	en indice (France=100)	(millions d'euros)	(euros)	en indice (France=100)	(%)
Alsace	28 635	16 251	102	33 542	18 422	99	**2,5**
Aquitaine	46 132	15 491	98	58 007	18 514	99	3,6
Auvergne	20 326	15 423	97	25 144	18 800	101	4,0
Bourgogne	25 202	15 585	98	30 273	18 579	100	3,6
Bretagne	44 760	15 081	95	55 713	17 934	96	3,5
Centre	39 001	15 807	100	47 069	18 645	100	3,4
Champagne-Ardenne	19 943	14 863	94	23 542	17 603	95	3,4
Corse	3 718	13 684	86	5 007	16 899	91	**4,3**
Franche-Comté	17 388	15 400	97	20 659	17 924	96	3,1
Île-de-France	217 871	**19 550**	**123**	256 803	**22 187**	**119**	2,6
Languedoc-Roussillon	33 992	14 336	90	43 840	17 195	92	3,7
Limousin	11 214	15 634	99	13 805	18 860	101	3,8
Lorraine	34 995	15 078	95	41 631	17 821	96	3,4
Midi-Pyrénées	39 769	15 147	95	50 630	18 138	97	3,7
Nord - Pas-de-Calais	52 762	**13 179**	**83**	64 294	**15 993**	**86**	3,9
Basse-Normandie	21 035	14 657	92	26 115	17 907	96	4,1
Haute-Normandie	27 451	15 320	97	32 232	17 788	96	3,0
Pays de la Loire	49 574	15 031	95	62 246	17 962	97	3,6
Picardie	27 988	14 954	94	33 145	17 480	94	3,2
Poitou-Charentes	24 890	14 919	94	31 288	18 095	97	3,9
Provence - Alpes - Côte d'Azur	72 531	15 744	99	88 630	18 330	99	3,1
Rhône-Alpes	93 353	16 182	102	114 884	18 997	102	3,3
France métropolitaine	**952 528**	**16 015**	**101**	**1 158 499**	**18 811**	**101**	**3,3**
dont France de province	*734 657*	*15 200*	*96*	*901 696*	*18 030*	*97*	*3,5*
Ensemble des Dom	16 862	9 995	63	19 799	11 020	59	2,0
France[1]	**970 372**	**15 865**	**100**	**1 179 498**	**18 609**	**100**	**3,2**

1. Le RDB France inclut le RDB hors territoire (982 millions d'euros en 2001 et 1 200 millions d'euros en 2006).
Source : Insee, comptes nationaux - base 2000.

Définitions

Ménage : de manière générale, un ménage, au sens statistique du terme, désigne l'ensemble des occupants d'un même logement sans que ces personnes soient nécessairement unies par des liens de parenté (en cas de cohabitation, par exemple). Un ménage peut être composé d'une seule personne. Selon les enquêtes d'autres conditions sont utilisées pour définir ce qu'est un ménage.

Revenu disponible : le revenu disponible d'un ménage comprend les revenus d'activité, les revenus du patrimoine, les transferts en provenance d'autres ménages et les prestations sociales (y compris les pensions de retraite et les indemnités de chômage), nets des impôts directs. Quatre impôts directs sont pris en compte : l'impôt sur le revenu, la taxe d'habitation et les contributions sociales généralisées (CSG) et la contribution à la réduction de la dette sociale (CRDS).

Revenu fiscal médian en 2007

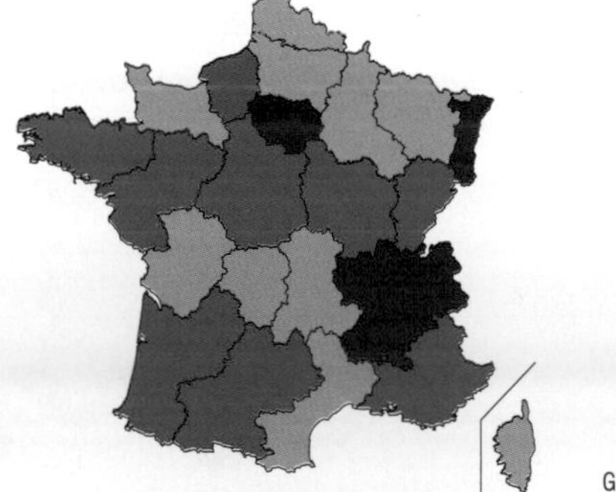

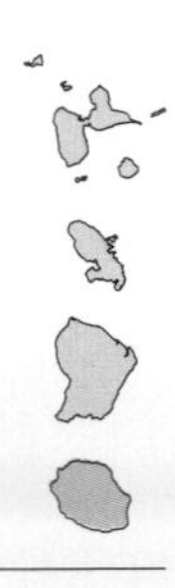

GéoFLA® © IGN 2009 – © INSEE 2010

	Revenus fiscaux des ménages en 2007								
	Nombre total de ménages fiscaux (milliers)	*dont ménages imposés (%)*	Revenu fiscal déclaré par unité de consommation (euros/UC)			Part dans le revenu total déclaré (%)			
			Médiane	Premier décile	Neuvième décile	Salaires et traitements	Pensions, retraites et rentes	Bénéfices	Autres revenus
Alsace	729,0	*65,0*	18 835	7 548	35 633	68,0	21,8	**5,0**	5,1
Aquitaine	1 341,8	*59,8*	17 322	7 072	33 559	59,2	27,3	7,3	6,2
Auvergne	588,1	*57,0*	16 497	6 950	31 446	58,6	28,5	7,2	5,7
Bourgogne	703,5	*59,9*	17 035	7 311	31 943	59,0	28,3	7,2	5,5
Bretagne	1 327,8	*58,9*	17 248	**7 936**	32 100	59,7	26,8	8,0	5,5
Centre	1 066,0	*62,2*	17 603	7 152	32 860	61,0	26,1	6,6	6,3
Champagne-Ardenne	558,6	*59,2*	16 607	6 396	32 395	60,1	24,3	**9,7**	6,0
Corse	113,2	*54,3*	15 606	**4 686**	32 863	**56,3**	27,8	9,4	6,5
Franche-Comté	481,9	*59,5*	17 084	7 201	31 674	64,9	24,5	5,9	4,7
Île-de-France	4 697,0	***72,3***	**20 575**	6 366	**45 947**	**70,9**	**17,5**	5,1	6,4
Languedoc-Roussillon	1 101,3	***54,1***	15 700	4 755	31 967	56,4	29,7	7,6	6,4
Limousin	325,2	*56,6*	16 602	6 761	31 492	56,5	**31,0**	7,2	5,3
Lorraine	957,8	*56,5*	16 743	6 540	31 954	65,2	24,7	5,5	**4,6**
Midi-Pyrénées	1 184,6	*58,5*	17 157	6 763	33 720	60,9	25,7	7,4	6,1
Nord - Pas-de-Calais	1 568,8	*55,5*	**15 189**	4 955	**30 507**	66,2	23,3	6,0	4,7
Basse-Normandie	610,6	*57,5*	16 374	6 936	30 853	59,9	26,7	7,7	5,7
Haute-Normandie	739,8	*61,9*	17 234	6 673	32 493	65,4	24,0	5,9	4,8
Pays de la Loire	1 439,8	*59,5*	16 965	7 816	31 355	63,3	24,4	6,8	5,6
Picardie	744,3	*61,4*	16 741	6 317	32 247	65,3	23,0	6,6	5,1
Poitou-Charentes	748,6	*57,1*	16 537	7 078	31 575	57,8	28,4	8,0	5,9
Provence - Alpes - Côte d'Azur	2 081,9	*60,3*	17 243	5 425	35 618	58,4	27,0	7,1	**7,5**
Rhône-Alpes	2 493,6	*62,7*	18 143	7 308	35 684	65,5	22,6	5,9	6,0
France métropolitaine	**25 603,3**	***61,7***	**17 497**	**6 573**	**35 572**	**64,1**	**23,6**	**6,4**	**5,9**
dont France de province	*20 906,3*	*59,4*	*17 003*	*6 622*	*33 017*	*62,0*	*25,5*	*6,8*	*5,7*
Guadeloupe	...	...	...	...	...	...	...	...	...
Guyane	...	...	...	...	...	...	...	...	...
Martinique	...	...	...	...	...	...	...	...	...
La Réunion	249,1	*38,7*	9 511	0	31 605	71,2	13,4	9,5	5,8
France	**...**	**...**	**...**	**...**	**...**	**...**	**...**	**...**	**...**

Sources : Insee ; direction générale des Finances publiques - revenus fiscaux localisés.

Définitions

Ménage fiscal : c'est un ménage constitué par le regroupement des foyers fiscaux répertoriés dans un même logement. Son existence, une année donnée, tient au fait que coïncident une déclaration indépendante de revenus (dite déclaration n° 2042) et l'occupation d'un logement connu à la taxe d'habitation (TH). Sont exclus des ménages fiscaux :

– les ménages constitués de personnes qui ne sont pas fiscalement indépendantes (le plus souvent des étudiants). Ces personnes sont en fait comptabilisées dans le ménage où elles sont déclarées à charge (ménages de leur(s) parent(s) dans le cas des étudiants) ;
– les contribuables vivant en collectivité (foyers de travailleurs, maisons de retraite, maisons de détention...) ;
– les sans-abri.

Revenu fiscal : il correspond à la somme des ressources déclarées par les contribuables sur la déclaration des revenus, avant tout abattement. Il ne correspond pas au revenu disponible. Le revenu fiscal comprend ainsi les revenus d'activité salariée et indépendante, les pensions d'invalidité et les retraites (hors minimum vieillesse), les pensions alimentaires reçues (déduction faite des pensions versées), certains revenus du patrimoine ainsi que les revenus sociaux imposables : indemnités de maladie et de chômage (hors RMI). Le revenu fiscal est ventilé en quatre grandes catégories : les revenus salariaux, les revenus des professions non salariées (bénéfices), les pensions, retraites et rentes ainsi que les autres revenus (essentiellement des revenus du patrimoine). Le revenu fiscal est exprimé suivant trois niveaux d'observation : l'unité de consommation (UC), le ménage et la personne.

Déciles, médiane, unité de consommation (UC) : voir *Glossaire*.

Dépenses d'aide sociale des départements en 2007

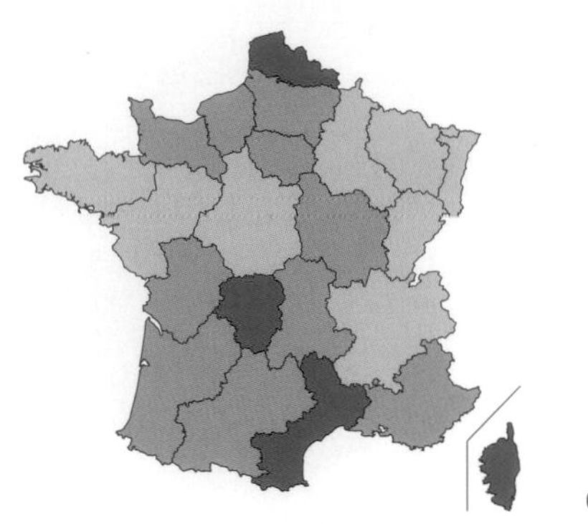

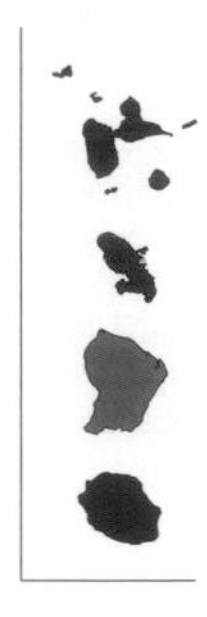

GéoFLA® © IGN 2009 – © INSEE 2010

	Dépenses nettes obligatoires d'aide sociale des départements en 2007					Établissements d'aide sociale à l'enfance au 01/01/2008		
	Total (euros/habitant)	Aide à l'enfance (%)	Aide aux personnes âgées (%)	Aide aux personnes handicapées (%)	RMI, APA et autres aides (%)	Maisons d'enfants à caractère social (lits)	Foyers de l'enfance (lits)	Taux d'équipement global[1] (lits-places pour 100 000 jeunes de moins de 20 ans)
Alsace	362	24,3	8,5	19,1	48,1	1 639	224	462,0
Aquitaine	436	19,9	8,7	18,8	52,6	2 781	370	589,8
Auvergne	422	18,2	7,5	20,3	54,0	874	174	372,2
Bourgogne	469	22,0	10,0	22,5	45,4	1 286	350	867,2
Bretagne	374	23,7	6,0	21,4	48,9	880	444	266,5
Centre	397	20,2	8,3	22,1	49,4	2 147	409	497,9
Champagne-Ardenne	395	22,8	6,6	18,0	52,5	846	356	408,0
Corse	492	12,3	9,8	14,1	**63,8**	88	0	199,0
Franche-Comté	386	20,4	7,5	20,5	51,5	983	220	492,8
Île-de-France	438	**29,4**	10,4	16,9	43,3	**6 112**	**1 516**	382,0
Languedoc-Roussillon	541	16,9	7,7	13,6	61,8	1 524	464	355,2
Limousin	495	15,3	10,7	21,8	52,1	333	95	1 140,3
Lorraine	387	22,5	6,7	15,5	55,3	1 726	537	468,1
Midi-Pyrénées	452	17,7	7,9	21,1	53,3	1 943	390	465,1
Nord - Pas-de-Calais	**562**	24,5	7,1	14,4	54,0	3 585	1 033	474,9
Basse-Normandie	431	23,4	**11,3**	18,5	46,8	850	284	417,7
Haute-Normandie	456	22,7	7,5	17,9	51,8	968	874	**1 141,0**
Pays de la Loire	370	22,9	9,0	20,8	47,3	1 888	367	376,6
Picardie	412	24,1	6,3	20,6	49,0	1 421	310	427,8
Poitou-Charentes	433	16,2	8,8	19,7	55,2	690	313	288,0
Provence - Alpes - Côte d'Azur	461	17,5	9,3	13,7	59,5	2 472	419	276,0
Rhône-Alpes	375	22,7	8,0	**22,7**	46,6	4 340	644	407,4
France métropolitaine	**432**	**22,4**	**8,3**	**18,4**	**50,9**	**39 376**	**9 793**	**438,3**
dont France de province	*431*	*20,7*	*7,8*	*18,8*	*52,6*	*33 264*	*8 277*	*452,0*
Guadeloupe	943	14,0	7,7	5,9	72,4	228	176	299,9
Guyane	588	17,8	4,9	2,9	74,3	0	111	115,8
Martinique	854	14,0	10,4	3,3	72,2	400	91	447,3
La Réunion	924	10,0	3,4	5,9	80,8	335	136	217,7
France	**445**	**22,0**	**8,4**	**17,5**	**52,1**	**40 339**	**10 307**	**431,0**

1.Pour l'ensemble des établissements de l'aide sociale à l'enfance.
Sources : DGCL ; Drass, fichier national des établissements sanitaires et sociaux.

Définitions

Aide sociale départementale : les compétences des départements en matière d'aide sociale recouvrent l'aide sociale aux personnes âgées, aux personnes handicapées, à l'enfance et les dépenses liées au RMI. L'aide sociale aux personnes âgées comprend : les dépenses relatives à l'aide à domicile (aides ménagères...), ainsi que les dépenses liées aux prises en charge en hébergement. L'aide sociale aux personnes handicapées recouvre les dépenses d'aides à domicile (aides ménagères ou auxiliaires de vie...), ainsi que les aides à l'hébergement (accueil en établissements, accueil de jour et accueil familial). L'aide sociale à l'enfance tient compte des dépenses pour les enfants placés, y compris les frais inhérents à ce placement, et également des mesures d'aide éducative. Les dépenses totales liées au RMI comprennent les dépenses de RMI *stricto sensu* (versement de l'allocation et charges d'insertion des dispositifs RMI) ainsi que les dépenses de CI-RMA et les dépenses liées aux contrats d'avenir.

Établissements de l'aide sociale à l'enfance : outre les maisons d'enfants à caractère social et les foyers de l'enfance, ils comprennent des établissements d'accueil mère-enfant, des pouponnières à caractère social et des centres de placement familial social.

Bénéficiaires de la prestation d'accueil du jeune enfant en 2008

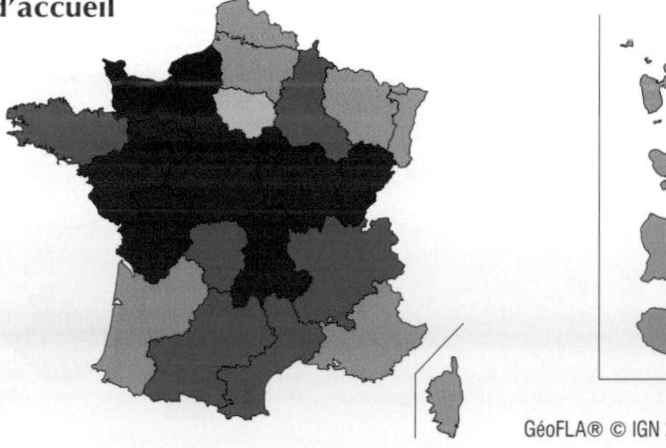

	Bénéficiaires de prestations familiales et aide au logement au 31 décembre 2008								
	Aide personnalisée au logement	Allocation logement familial	Allocation de logement social	Allocations familiales	Complément familial	Allocation soutien familial pour 1 000 enfants 0 à 19 ans	Prestation d'accueil jeune enfant pour 1 000 enfants moins de 3 ans	Alloc. rentrée scolaire pour 1 000 enfants 6 à 18 ans	Allocation parent isolé pour 10 000 personnes 18 à 59 ans
	pour 1 000 ménages								
Alsace	83	49	78	170	30	34	958	253	44
Aquitaine	77	50	110	157	24	40	966	303	43
Auvergne	86	44	104	148	25	36	1 029	321	38
Bourgogne	94	40	83	156	29	36	1 010	298	40
Bretagne	95	38	92	180	33	34	994	274	31
Centre	102	30	71	171	[illegible]	[illegible]	1 007	206	42
Champagne-Ardenne	133	41	72	168	33	41	980	303	58
Corse	73	67	90	134	20	40	871	340	40
Franche-Comté	106	44	74	172	35	34	1 009	288	46
Île-de-France	97	38	66	182	30	41	842	238	41
Languedoc-Roussillon	91	**76**	**131**	162	29	**57**	975	**357**	83
Limousin	86	38	98	127	20	39	979	301	42
Lorraine	103	51	79	156	31	39	963	282	51
Midi-Pyrénées	81	51	115	159	23	36	974	294	43
Nord - Pas-de-Calais	**144**	66	80	**201**	**48**	52	967	333	**94**
Basse-Normandie	116	42	86	177	36	40	1 030	309	44
Haute-Normandie	132	40	75	188	36	43	1 011	298	62
Pays de la Loire	106	39	92	196	39	33	**1 047**	287	37
Picardie	112	53	66	196	40	41	965	308	64
Poitou-Charentes[1]	83	51	104	162	28	43	1 027	325	49
Provence - Alpes - Côte d'Azur	83	66	105	160	28	52	930	314	66
Rhône-Alpes	111	39	83	188	34	33	988	268	34
France métropolitaine[1]	**100**	**47**	**87**	**175**	**32**	**40**	**954**	**287**	**49**
dont France de province[1]	*101*	*49*	*92*	*173*	*32*	*40*	*985*	*299*	*51*
Guadeloupe	0	167	93	433	50	208	952	483	273
Guyane	0	152	54	458	64	101	657	280	351
Martinique	0	143	93	351	37	218	878	424	224
La Réunion	0	226	136	485	63	129	953	432	288
France[1]	**98**	**50**	**87**	**181**	**32**	**45**	**951**	**292**	**56**

1. La Caisse Nationale Maritime est incluse dans le département Charente-Maritime.
Champ : bénéficiaires des prestations versées par les CAF et la MSA, au lieu de résidence, y compris la Caisse Nationale Maritime.
Sources : CAF ; Insee ; MSA.

Définitions

Aide au logement (ou allocations logement) : prestations sociales dont la finalité est de réduire les dépenses de logement des familles (loyer, mensualités d'emprunt). Elles sont accordées sous condition de ressources, permettant donc aux bénéficiaires de parvenir au niveau du minimum concerné. Elles sont calculées en tenant compte également de la situation familiale, de la nature du logement et du lieu de résidence du bénéficiaire.

Allocation de rentrée scolaire : elle est versée sous condition de ressources aux familles ayant un ou plusieurs enfants scolarisés et âgés de 6 à 18 ans.

Allocations familiales : allocations versées sans condition de ressources aux familles assumant la charge de deux enfants ou plus (dès le 1er enfant dans les Dom), jusqu'à 20 ans.

Prestation d'accueil du jeune enfant : allocation à plusieurs niveaux, comprenant, sous condition de ressources, une allocation de base ainsi qu'une prime à la naissance et à l'adoption. Les familles peuvent également recevoir, sans condition de ressources, un complément de libre choix d'activité en cas de cessation ou réduction d'activité et un complément de libre choix du mode de garde en cas de recours à une assistante maternelle ou à une garde d'enfants à domicile.

Allocation de parent isolé, allocation de soutien familial : voir *Glossaire*.

Allocataires du RMI en 2008

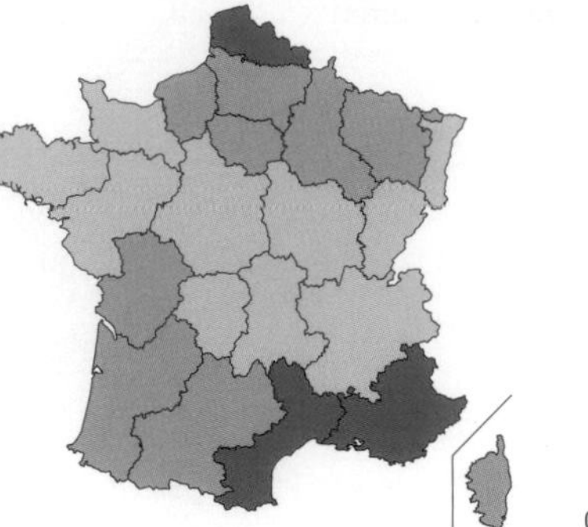

GéoFLA® © IGN 2009 – © INSEE 2010

	Allocataires d'aides sociales au 31.12.2008					
	Allocation d'éducation d'enfant handicapé	Allocation aux adultes handicapés	Revenu minimum d'insertion	Allocation minimum vieillesse	CMU complémentaire	
	pour 1 000 enfants de moins de 20 ans	pour 10 000 personnes de 18 à 59 ans	pour 1 000 personnes de 25 à 64 ans	pour 1 000 personnes de 65 ans ou plus	Nombre d'allocataires (milliers)	Taux de couverture pour 100 habitants
Alsace	10,2	183,2	25,3	33,8	71,2	4,2
Aquitaine	9,9	284,8	28,9	54,0	132,8	5,1
Auvergne	12,5	306,9	25,8	52,6	55,7	4,8
Bourgogne	10,0	304,4	23,5	37,7	68,9	4,6
Bretagne	9,3	261,6	**20,4**	41,0	93,8	**3,4**
Centre	9,9	227,9	24,9	34,1	116,9	5,0
Champagne-Ardenne	11,6	260,9	30,4	37,2	80,5	6,4
Corse	**16,1**	306,7	30,2	**179,3**	13,6	5,5
Franche-Comté	8,2	225,7	23,5	40,2	52,7	4,9
Île-de-France	10,0	**154,9**	32,0	49,4	648,7	5,9
Languedoc-Roussillon	10,6	304,0	**55,8**	69,4	200,9	9,3
Limousin	7,9	**360,6**	24,5	60,6	31,9	5,0
Lorraine	**7,7**	226,5	30,5	**33,3**	111,2	5,1
Midi-Pyrénées	9,1	278,2	29,5	64,0	135,0	5,6
Nord - Pas-de-Calais	12,1	273,3	53,3	46,1	372,7	**9,8**
Basse-Normandie	8,7	282,4	23,7	39,4	67,7	5,0
Haute-Normandie	10,6	269,0	32,1	35,3	102,6	6,1
Pays de la Loire	9,0	205,5	21,1	37,3	129,1	4,2
Picardie	9,5	299,2	28,5	41,9	115,3	6,5
Poitou-Charentes	11,8	280,4	29,6	43,0	82,6	5,4
Provence - Alpes - Côte d'Azur	9,4	253,8	39,9	75,9	329,4	7,5
Rhône-Alpes	9,3	209,0	21,1	42,2	246,5	4,6
France métropolitaine	**9,9**	**235,7**	**30,9**	**49,2**	**3 259,7**	**5,8**
dont France de province	*9,9*	*255,9*	*30,6*	*49,2*	*2 611,0*	*5,8*
Guadeloupe	12,0	353,5	140,8	384,4	95,5	24,6
Guyane	4,9	137,5	114,9	272,2	67,2	33,4
Martinique	11,4	334,9	142,9	316,8	109,2	28,0
La Réunion	10,9	252,0	165,5	422,0	269,5	36,9
France	**9,9**	**237,0**	**34,1**	**54,8**	**3 801,2**	**6,5**

Sources : CNAF ; CNAMTS ; Drees ; Insee ; MSA.

Définitions

Allocation aux adultes handicapés (AAH) : instituée en 1975, elle s'adresse aux personnes handicapées ne pouvant prétendre ni à un avantage vieillesse ni à une rente d'accident du travail.

Couverture maladie universelle complémentaire (CMUC) : depuis le 1er janvier 2000, la couverture maladie universelle complémentaire fournit une couverture maladie complémentaire gratuite à toute personne résidant en France de manière stable et régulière, sous condition de ressources fixée par décret.

Revenu minimum d'insertion (RMI) : créé en 1988, a pour objectif de garantir un niveau minimum de ressources et faciliter l'insertion ou la réinsertion de personnes disposant de faibles revenus. Le RMI est versé à toute personne remplissant les conditions suivantes : résider en France, être âgé d'au moins 25 ans (sauf cas particuliers : femmes enceintes, etc.), disposer de ressources inférieures au montant du RMI et conclure un contrat d'insertion. Le RMI est une allocation dite « différentielle » : l'intéressé touche la différence entre le montant du RMI et ses ressources mensuelles. Les ressources prises en compte pour le calcul du RMI sont celles du demandeur mais aussi de son conjoint ou concubin et l'allocation dépend également des personnes à sa charge. Le revenu de Solidarité active (RSA), entré en vigueur le 1er juin 2009 en France métropolitaine, se substitue au revenu minimum d'insertion.

Allocation du minimum vieillesse : voir *Glossaire*.

Femmes vivant seules au 31 déc. 2007

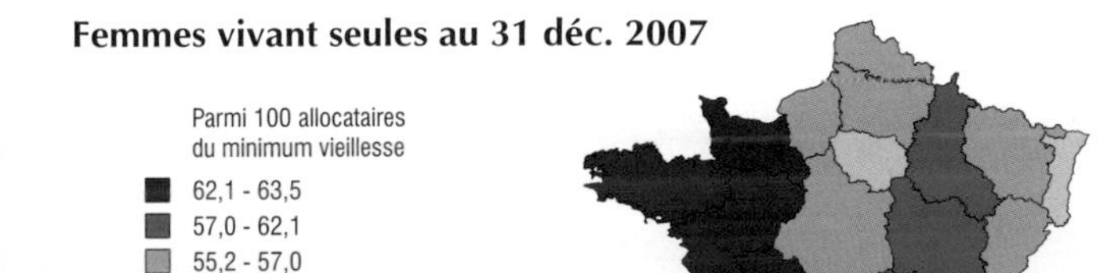

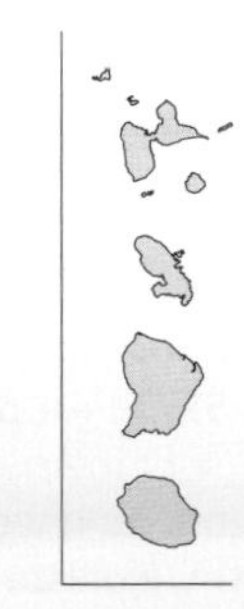

GéoFLA® © IGN 2009 – © INSEE 2010

	Retraités du régime général au 31 décembre 2007 (milliers)	Titulaires du minimum vieillesse[1] au 31 décembre 2007						
		Nombre de titulaires	Structure par sexe et état matrimonial des titulaires			Nombre d'allocataires rapporté à la population âgée de 60 ans ou plus (%)		
			Femmes (%)	Personnes isolées (%)	Femmes isolées (%)	Hommes	Femmes	Ensemble
Alsace	314,0	9 305	**51,8**	**66,1**	**48,3**	2,9	**2,4**	2,6
Aquitaine	582,9	32 415	63,3	80,0	58,6	3,5	4,6	4,1
Auvergne	265,8	14 207	61,0	81,1	57,1	3,7	4,3	4,1
Bourgogne	325,5	11 657	60,4	79,2	57,2	2,6	3,0	2,0
Bretagne	543,2	23 561	**66,5**	**88,4**	**63,5**	2,5	3,7	3,2
Centre	483,7	15 341	59,6	78,8	55,8	2,3	2,7	2,6
Champagne-Ardenne	232,4	7 783	60,2	76,4	57,0	2,5	2,8	2,7
Corse	42,5	10 759	58,6	74,6	53,1	**13,9**	**15,7**	**14,9**
Franche-Comté	210,6	7 585	59,0	74,4	55,7	2,8	3,1	3,0
Île-de-France	1 612,9	68 727	56,5	69,0	51,2	3,4	3,4	3,4
Languedoc-Roussillon	463,9	33 195	56,7	72,4	52,9	5,1	5,2	5,1
Limousin	148,3	10 330	63,5	78,0	57,2	4,2	5,5	5,0
Lorraine	404,3	12 500	57,9	73,0	55,2	2,5	2,5	**2,5**
Midi-Pyrénées	479,6	34 260	62,8	78,4	57,2	4,2	5,6	5,0
Nord - Pas-de-Calais	621,6	25 468	59,3	76,1	56,1	3,4	3,4	3,4
Basse-Normandie	266,4	10 352	66,1	87,8	62,9	2,4	3,5	3,0
Haute-Normandie	320,8	9 788	58,5	77,6	55,6	2,6	2,7	2,6
Pays de la Loire	608,8	21 840	65,8	84,9	62,6	2,3	3,3	2,8
Picardie	312,0	11 423	59,7	77,8	56,2	2,8	3,3	3,1
Poitou-Charentes	328,0	15 369	**66,5**	82,5	62,1	2,6	4,1	3,4
Provence - Alpes - Côte d'Azur	916,5	67 027	51,8	66,5	48,8	6,2	5,1	5,6
Rhône-Alpes	1 045,0	39 200	54,1	69,3	50,6	3,2	2,9	3,1
France métropolitaine	**10 528,6**	**492 092**	**58,8**	**74,9**	**54,8**	**3,4**	**3,8**	**3,6**
dont France de province	*8 915,7*	*423 365*	*59,2*	*75,9*	*55,4*	*3,4*	*3,8*	*3,6*
Ensemble des Dom	163,0	9 558	69,5	86,7	65,2	2,6	4,7	3,8
France	**10 691,6**	**501 650**	**59,7**	**76,4**	**55,7**	**3,4**	**3,8**	**3,6**

1. Depuis 2007, les nouveaux allocataires du minimum vieillesse perçoivent l'allocation de solidarité aux personnes âgées (ASPA), les anciens continuent de percevoir l'allocation supplémentaire du Minimum vieillesse (ASV).

Sources : Drees, CNAV.

Définitions

Allocation du minimum vieillesse (ASV et ASPA) : l'allocation supplémentaire vieillesse (ASV), créée en en 1956, s'adresse aux personnes âgées de plus de 65 ans (60 ans en cas d'inaptitude au travail) et leur assure un niveau de revenu égal au minimum vieillesse. Une nouvelle prestation, l'allocation de solidarité aux personnes âgées (ASPA) est entrée en vigueur le 13 janvier 2007. Cette allocation unique se substitue, pour les nouveaux bénéficiaires, aux prestations de premier étage du minimum (qui ne font pas partie des minimas sociaux) et à l'allocation supplémentaire vieillesse (ASV).

Minimum vieillesse : ensemble de prestations destinées à garantir, sous certaines conditions, un revenu minimum à toute personne âgée de 65 ans ou plus (ou 60 ans en cas d'inaptitude au travail), française ou étrangère, résidant en France. Depuis le 1er janvier 1994, elles sont financées par le Fonds de solidarité vieillesse.

Retraite : ensemble des prestations sociales que perçoit une personne au-delà d'un certain âge du fait qu'elle-même ou son conjoint a exercé une activité professionnelle et a cotisé à un régime d'assurance vieillesse. Il existe deux sortes de pensions : celles de droits directs (droits acquis par un individu en contrepartie de ses cotisations passées) et celles de droits dérivés ou pensions de réversion qui profitent au veuf, à la veuve ou à l'orphelin du cotisant après le décès de celui-ci.

2.5 Conditions de vie - Société

I. Logement
II. Crimes et délits
III. Culture
IV. Sport
V. Véhicules et circulation routière
VI. Justice
VII. Élus locaux

En métropole, un peu plus d'un ménage sur deux (57 %) est propriétaire de son logement. Ce sont même deux ménages sur trois en Bretagne, ou encore en Poitou-Charentes et Limousin, alors qu'en Île-de-France, seulement 47 % des ménages sont propriétaires. Les propriétaires privilégient l'habitat individuel : au niveau national, 79 % d'entre eux vivent dans une maison. En habitat collectif, moins de trois ménages sur dix sont propriétaires de leur logement.

La construction neuve progresse en zone rurale à proximité des villes

Entre 2005 et 2007 l'ouest du pays (Bretagne, Aquitaine, Pays de la Loire), le Sud-Ouest (Midi-Pyrénées, Languedoc-Roussillon), l'Alsace et la région Rhône-Alpes restent les régions les plus dynamiques pour la construction de logements neufs, prolongeant la tendance observée depuis 1990. Certaines régions demeurent toujours sous les moyennes nationales : les régions du Bassin parisien, le Nord - Pas-de-Calais, l'Auvergne, le Limousin, la Lorraine et Provence - Alpes - Côte d'Azur. Le dynamisme de la construction neuve repose principalement sur la construction de logements collectifs, qui n'est plus cantonnée aux grandes unités urbaines mais se développe également dans les communes rurales. Cette situation s'accompagne d'un étalement urbain qui se poursuit dans les régions où la construction est la plus dynamique, notamment dans l'ouest du pays, le Sud-Ouest, Rhône-Alpes et l'Alsace.

Un ménage sur trois possède deux voitures ou plus

En 2006, plus de 80 % des ménages métropolitains possèdent au moins une voiture et un tiers en possède deux ou plus. Ces taux varient peu d'une région à l'autre.

Le taux d'équipement des ménages franciliens est néanmoins inférieur à la moyenne nationale : ces ménages, et plus généralement ceux vivant dans l'agglomération parisienne, consacrent en contrepartie des montants très supérieurs à la moyenne en services de transports collectifs.

En dehors des grandes agglomérations, les habitants parcourent des distances de plus en plus longues entre leur résidence et leurs différents lieux d'activité : ils utilisent plus souvent leurs voitures et ils en possèdent davantage qu'en 1994.

Le Limousin et l'Auvergne moins exposés aux crimes et délits

Le nombre de crimes et délits constatés en France s'établit à 3,7 millions en 2008. Pour les crimes et délits contre les personnes, le taux national est de 672 pour 100 000 habitants. Les taux les plus élevés sont enregistrés dans les Dom, en Provence - Alpes - Côte d'Azur, en Haute-Normandie, en Île-de-France et dans le Nord - Pas-de-Calais, où ils dépassent les 800 crimes et délits pour 100 000 habitants.

En 2008, 2,2 millions d'atteintes aux biens ont été enregistrées par les services de police et les unités de gendarmerie. Plus des trois quarts de ces atteintes sont des vols sans violence, dont le nombre diminue régulièrement depuis 2003. Trois régions enregistrent un taux de vols par habitant supérieur à 4 pour 1 000 habitants en 2008 : Provence - Alpes - Côte d'Azur, Languedoc-Roussillon et Île-de-France.

Le football attire un maximum de licenciés, particulièrement en Bretagne

Le football est le premier sport pratiqué dans toutes les régions, à l'exception de l'Île-de-France qui compte un taux identique de licenciés pour le tennis. La pratique sportive peut être influencée par les traditions locales. Ainsi, la pratique du rugby est plus importante dans le Sud-Ouest (Midi-Pyrénées et Aquitaine). Dans 17 régions, la pétanque est le troisième sport pratiqué, devancée par le tennis et le football ; en Midi-Pyrénées, le taux de licenciés de pétanque est presque aussi élevé que celui de licenciés de tennis. ■

Ménages propriétaires de leur résidence principale en 2006

pour 100 ménages

- 62,0 - 66,0
- 57,8 - 62,0
- 54,2 - 57,8
- 43,4 - 54,2

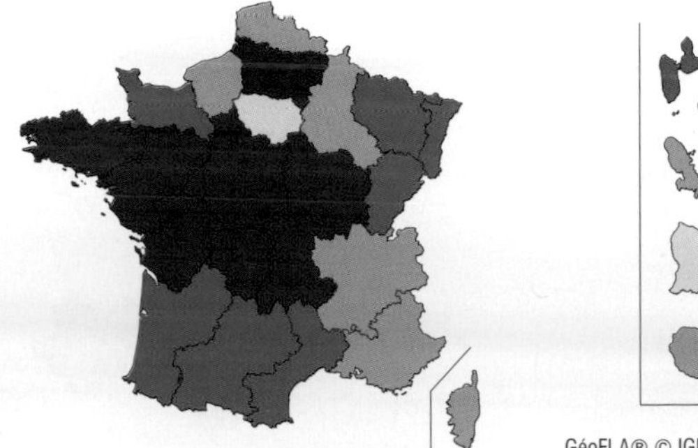

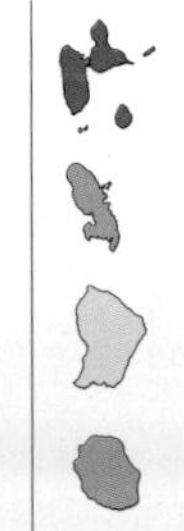

GéoFLA® © IGN 2009 – © INSEE 2010

	Parc des logements en 2006			Résidences principales en 2006	Logements ordinaires commencés en 2007		Prix de vente moyen des logements neufs[1] en 2008	
	Ensemble des logements (milliers)	Résidences principales (%)	Résidences secondaires et logements occasionnels (%)	Ménages propriétaires (%)	Ensemble (milliers)	*dont collectifs* (%)	Logements individuels (milliers d'euros)	Appartements (euros par m²)
Alsace	820	91,2	2,4	57,9	11,8	*60,7*	212	2 686
Aquitaine	1 667	81,8	12,2	60,2	31,8	*37,3*	207	2 992
Auvergne	766	77,8	12,6	63,0	9,7	*33,6*	178	2 443
Bourgogne	868	82,4	9,0	62,8	7,6	*24,3*	182	2 630
Bretagne	1 670	80,7	13,7	**66,0**	32,1	*36,3*	200	2 775
Centre	1 262	85,7	7,1	62,8	14,5	*29,8*	193	2 807
Champagne-Ardenne	648	88,5	4,1	55,6	5,8	*27,6*	...	2 788
Corse	201	61,4	**34,8**	55,0	3,5	*60,0*	...	2 991
Franche-Comté	566	86,9	6,5	60,0	7,6	*31,8*	104	2 381
Île-de-France	5 309	91,0	2,8	47,2	37,2	***75,2***	**359**	**4 156**
Languedoc-Roussillon	1 569	70,8	22,3	58,4	26,6	*49,8*	207	3 207
Limousin	428	78,3	12,8	64,0	5,5	*26,4*	...	2 555
Lorraine	1 090	89,8	3,4	59,1	12,4	*41,5*	197	2 367
Midi-Pyrénées	1 476	82,5	10,7	60,6	26,1	*40,1*	203	2 999
Nord - Pas-de-Calais	1 744	**91,5**	3,3	56,3	18,1	*35,4*	221	3 007
Basse-Normandie	793	78,3	16,2	58,6	9,1	*27,3*	215	3 216
Haute-Normandie	834	90,0	4,8	55,7	10,3	*32,9*	206	2 910
Pays de la Loire	1 752	83,0	12,1	63,3	31,3	*30,4*	193	3 027
Picardie	846	89,2	5,1	62,0	9,0	*28,2*	229	2 818
Poitou-Charentes	951	80,0	13,3	64,7	14,5	*16,2*	204	2 996
Provence - Alpes - Côte d'Azur	2 735	76,4	17,4	54,2	28,2	*61,8*	298	3 927
Rhône-Alpes	3 094	81,8	12,2	56,9	51,0	*56,1*	298	3 347
France métropolitaine	**31 090**	**83,9**	**9,9**	**57,2**	**403,8**	***43,9***	**247**	**3 352**
dont France de province	*25 781*	*82,4*	*11,3*	*59,5*	*392,0*	*40,7*	...	...
Guadeloupe	193	80,1	5,6	61,1	...	...	...	...
Guyane	65	89,3	2,4	43,5	...	...	...	...
Martinique	181	84,5	3,9	55,8	...	...	...	...
La Réunion	285	91,7	1,7	54,6	...	...	...	...
France	**31 813**	**83,9**	**9,7**	**57,2**	...	...	...	...

1. Prix à la réservation.

Sources : Insee, recensement de la population 2006 (exploitation principale) ; SOeS.

Définitions

Logement : local utilisé pour l'habitation : séparé, c'est-à-dire complètement fermé par des murs et cloisons, sans communication avec un autre local si ce n'est par les parties communes de l'immeuble (couloir, escalier, vestibule...) ; indépendant, à savoir ayant une entrée d'où l'on a directement accès sur l'extérieur ou les parties communes de l'immeuble, sans devoir traverser un autre local.

Il existe des logements ayant des caractéristiques particulières, mais qui font tout de même partie des logements au sens de l'Insee : les logements-foyers pour personnes âgées, les chambres meublées, les habitations précaires ou de fortune (caravanes, mobile home, etc.).

Logement collectif : logement dans un immeuble collectif (appartement).

Logement individuel : construction qui ne comprend qu'un logement (maison).

Logement occasionnel : logement ou pièce indépendante utilisée occasionnellement pour des raisons professionnelles ; la distinction entre résidence secondaire et logement occasionnel étant parfois difficile à établir, les deux catégories sont souvent regroupées.

Résidence principale : logement occupé de façon habituelle et à titre principal par une ou plusieurs personnes qui constituent un ménage. Le nombre de résidences principales est ainsi égal au nombre de ménages.

Résidence secondaire : logement utilisé pour les week-ends, les loisirs ou les vacances. Les logements meublés loués (ou à louer) pour des séjours touristiques sont aussi classés en résidences secondaires.

Crimes et délits contre les personnes en 2008

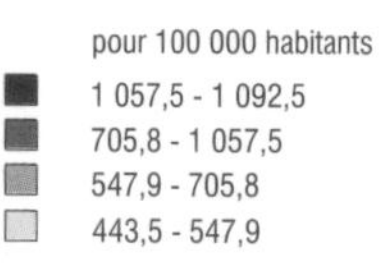

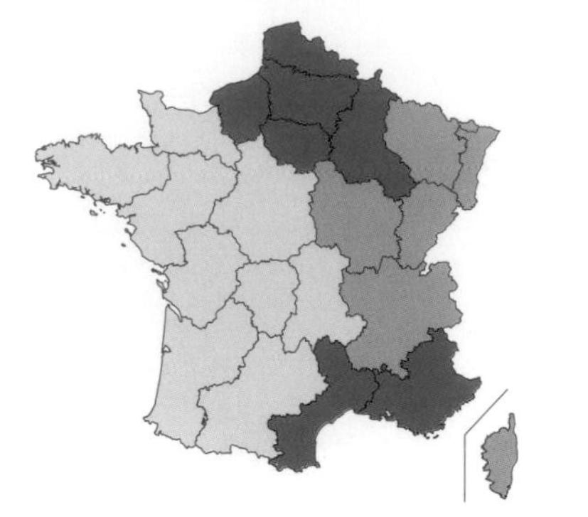

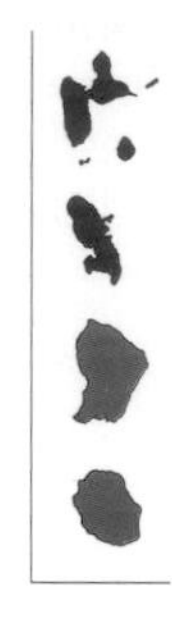

GéoFLA® © IGN 2009 – © INSEE 2010

	Total des crimes et délits constatés en 2008		Crimes et délits contre les personnes			Crimes et délits contre les biens		Autres infractions
	Nombre (milliers)	Pour 100 000 habitants	Ensemble	*dont homicides (y compris tentatives)*	*dont coups et blessures volontaires*	Vols	Infractions économiques et financières	
			Pour 100 000 habitants					
Alsace	85,6	4 715	637	*2,8*	*267*	2 199	455	1 424
Aquitaine	155,4	4 981	525	*2,7*	*235*	2 671	594	1 191
Auvergne	47,8	3 578	469	*1,6*	***192***	**1 690**	499	920
Bourgogne	67,2	4 126	548	*2,9*	*237*	2 083	501	994
Bretagne	119,1	3 850	453	*1,5*	*224*	1 911	477	1 009
Centre	112,0	4 444	533	*2,5*	*239*	2 388	512	1 011
Champagne-Ardenne	70,3	5 248	706	*1,7*	*324*	2 412	580	1 550
Corse	14,0	4 773	585	***15,0***	*200*	1 986	770	1 432
Franche-Comté	45,8	3 981	557	*2,6*	*242*	1 860	563	1 001
Île-de-France	912,8	7 915	831	*4,3*	*410*	4 046	807	**2 230**
Languedoc-Roussillon	182,7	7 209	721	*4,1*	*303*	4 224	698	1 566
Limousin	26,1	**3 573**	**444**	***1,4***	*195*	1 804	484	**841**
Lorraine	107,3	4 593	584	*2,3*	*260*	2 162	522	1 325
Midi-Pyrénées	135,8	4 890	508	*2,7*	*229*	2 841	591	951
Nord - Pas-de-Calais	248,8	6 190	**875**	*2,1*	***450***	2 814	534	1 967
Basse-Normandie	56,9	3 909	518	*2,5*	*233*	1 845	**377**	1 169
Haute-Normandie	98,1	5 419	802	*2,0*	*357*	2 714	521	1 381
Pays de la Loire	151,8	4 399	472	*1,8*	*210*	2 378	474	1 075
Picardie	97,9	5 167	782	*2,6*	*375*	2 547	549	1 288
Poitou-Charentes	75,0	4 352	467	*3,1*	*203*	2 323	574	988
Provence - Alpes - Côte d'Azur	396,6	**8 235**	801	*4,8*	*344*	**4 741**	**885**	1 809
Rhône-Alpes	349,7	5 808	664	*3,2*	*293*	3 065	607	1 472
France métropolitaine[1]	**3 558,3**	**5 795**	**665**	***3,1***	***306***	**3 008**	**621**	**1 501**
dont France de province	*2 645,6*	*5 305*	*626*	*2,8*	*282*	*2 769*	*577*	*1 333*
Guadeloupe	26,0	6 496	1 092	*15,7*	*597*	3 044	592	1 767
Guyane	22,1	10 723	912	*31,1*	*546*	3 181	665	5 965
Martinique	22,1	5 560	1057	*7,8*	*566*	2 610	387	1 506
La Réunion	31,4	4 016	775	*4,0*	*417*	2 069	356	816
France[1]	**3 660,0**	**5 792**	**672**	***3,3***	***312***	**2 995**	**616**	**1 509**

1. Les totaux France métropolitaine et France peuvent être légèrement supérieurs à la somme des régions, la localisation géographique n'étant pas toujours précisée.
Sources : direction générale de la Police nationale ; direction centrale de la Police judiciaire.

Définitions

Crimes et délits contre les biens : ils regroupent les vols, recels, destructions, dégradations, détournements de fonds...

Crimes et délits contre les personnes : ils regroupent les homicides, les coups et blessures volontaires ou involontaires, les atteintes aux mœurs (dont proxénétisme, viols, agressions sexuelles), les infractions contre la famille et l'enfant (dont violences, mauvais traitements, abandons) ainsi que les prises d'otages, séquestrations, rapts, menaces et chantages, atteintes à la dignité et à la personnalité,...

Criminalité : les crimes et délits constatés en France sont des faits bruts portés pour la première fois à la connaissance des services de police et de gendarmerie. Leur qualification peut être modifiée par l'autorité judiciaire. Sont exclus des statistiques de la criminalité constatée les contraventions ainsi que les délits relatifs à la circulation routière, les actes de police administrative et les infractions relevées par d'autres administrations (douanes, services fiscaux et répression des fraudes, inspection du travail...).

Infractions économiques et financières : elles regroupent les escroqueries, les faux et contrefaçons, les infractions à la législation sur les chèques (en particulier falsifications ou usages de chèques volés), les falsifications ou usages de cartes de crédit, le travail clandestin, les infractions sur les sociétés (comme l'abus de biens sociaux).

Crime, délit : voir *Glossaire*.

Entrées de cinéma en 2008

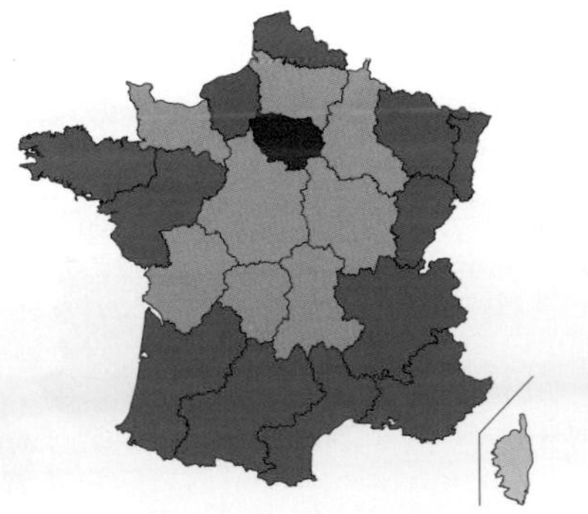

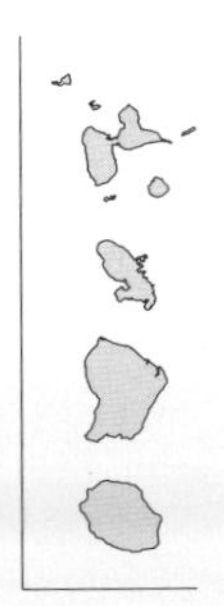

GéoFLA® © IGN 2009 – © INSEE 2010

	Entrées[1] en 2006 en milliers			Bibliothèques municipales en 2007		Cinéma en 2008			
	Édifices civils et religieux	Musées	Parcs à thèmes et animaliers	Nombre	Nombre de prêts par habitant	Salles actives en nombre	Séances en milliers	Nombre de fauteuils pour 100 habitants	Nombre d'entrées pour 100 habitants
Alsace	815,5	1 619,3	1 274,7	78	3,5	131	203	1,5	288
Aquitaine	1 083,6	1 261,3	1 162,2	158	4,1	309	378	1,9	286
Auvergne	405,9	406,9	626,1	63	4,9	106	103	1,3	192
Bourgogne	2 060,4	880,5	1 773,2	100	4,0	146	152	1,6	202
Bretagne	765,9	1 716,7	2 151,3	230	5,4	304	297	2,0	269
Centre	4 407,6	960,8	877,8	116	4,3	204	227	1,6	226
Champagne-Ardenne	1 881,2	592,0	512,1	51	3,8	06	110	1,4	218
Corse	...	...	...	5	1,9	28	11	**2,6**	**100**
Franche-Comté	323,7	738,2	452,1	74	4,8	114	131	1,9	261
Île-de-France	47 885,2	27 212,7	15 247,0	288	3,6	996	1 606	1,8	**468**
Languedoc-Roussillon	2 745,7	3 745,9	2 841,4	123	3,2	244	301	1,8	286
Limousin	137,6	297,6	357,0	41	4,9	76	65	1,9	209
Lorraine	826,3	649,9	1 969,4	93	4,0	186	238	1,7	287
Midi-Pyrénées	2 640,4	1 702,4	2 078,4	119	4,2	260	251	1,7	267
Nord - Pas-de-Calais	467,1	1 529,8	4 763,5	133	3,7	254	334	1,3	261
Basse-Normandie	2 959,7	1 277,1	1 511,2	72	4,5	130	129	2,0	240
Haute-Normandie	246,9	968,9	45,8	68	4,0	134	168	1,5	271
Pays de la Loire	1 828,0	1 467,1	4 138,3	155	5,4	300	327	1,8	272
Picardie	585,4	773,0	2 384,2	87	3,1	133	148	1,4	205
Poitou-Charentes	810,5	1 303,2	4 364,5	115	4,0	166	184	1,9	236
Provence - Alpes - Côte d'Azur	3 296,7	4 724,2	969,1	220	3,1	439	532	1,5	310
Rhône-Alpes	824,3	2 681,9	1 431,3	359	**5,4**	666	658	2,0	319
France métropolitaine	**76 997,4**	**56 509,5**	**50 930,9**	**2 778**	**...**	**5 422**	**6 561**	**1,7**	**305**
dont France de province	*29 112,2*	*29 296,8*	*35 683,9*	*2 490*	*...*	*4 426*	*4 955*	*1,7*	*268*
Guadeloupe	...	...	...	14	0,4	...	...	...	...
Guyane	...	...	...	1	0,9	...	...	...	...
Martinique	...	...	...	17	1,0	...	...	...	...
La Réunion	...	...	...	15	2,0	...	...	...	...
France	**...**	**...**	**...**	**2 830**	**4,0**	**...**	**...**	**...**	**...**

1. Les données pour la Corse sont indisponibles ; les totaux France métropolitaine, France de province et France ne comprennent donc pas la Corse.

Sources : Atout France ; direction du Livre et de la Lecture ; Centre national du cinéma et de l'image animée.

Définitions

Édifices civils et religieux : châteaux et architectures civiles remarquables, édifices et patrimoine religieux.

Musées : sites et musées archéologiques, écomusées et musées d'art et tradition populaire, musées des Beaux-Arts, muséums et musées d'histoire naturelle, musées thématiques (cités des sciences, musée Grévin, musées de la marine, de l'automobile, des tissus, etc.).

Bibliothèques municipales : le nombre annuel de prêts est rapporté à la population des communes où se situe une bibliothèque. Toutes les bibliothèques recensées sont interrogées à l'enquête mais, parmi les établissements répondant à l'enquête, seules sont retenues celles dont :
- les dépenses de personnel sont égales ou supérieures à 7 500 euros, équivalent à un agent de catégorie C à mi-temps ;
- les dépenses de personnel sont inférieures à 7 500 euros mais qui ont un budget d'acquisition supérieur à 900 euros et qui sont ouvertes au moins 6 heures par semaine.

Licenciés de tennis en 2008

pour 10 000 habitants

- 188,9 - 213,1
- 154,9 - 188,9
- 117,1 - 154,9
- 65,5 - 117,1

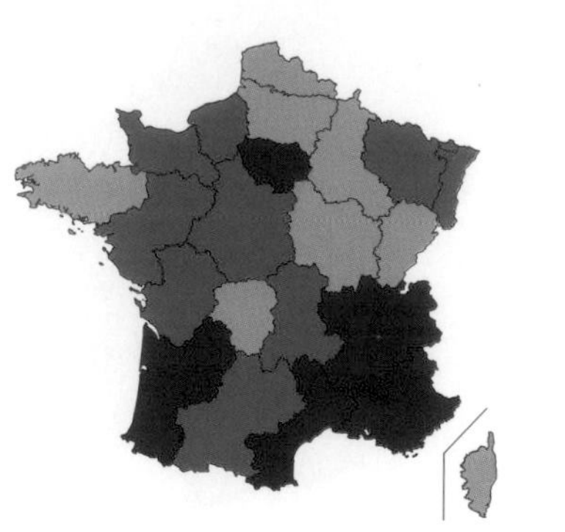

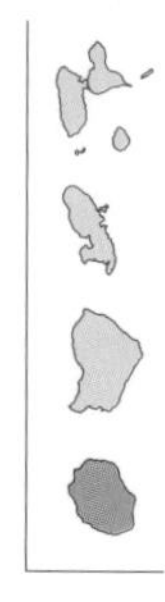

GéoFLA® © IGN 2009 – © INSEE 2010

	Principales disciplines sportives en 2008 (nombre de licences pour 10 000 habitants)							
	Football	Tennis	Équitation	Judo	Basket-ball	Golf	Handball	Pétanque
Alsace	493	167	91	94	112	53	**92**	18
Aquitaine	331	202	98	100	98	**94**	62	73
Auvergne	453	167	86	76	90	50	43	125
Bourgogne	341	128	104	90	66	43	57	69
Bretagne	**536**	147	98	85	99	48	71	31
Centre	389	178	116	104	76	49	70	44
Champagne-Ardenne	387	137	95	82	44	30	58	33
Corse	371	131	108	91	33	43	59	62
Franche-Comté	416	133	96	93	39	42	66	58
Île-de-France	210	209	81	83	43	90	37	25
Languedoc-Roussillon	299	200	98	75	36	40	72	141
Limousin	407	137	104	86	84	48	67	87
Lorraine	412	155	97	98	47	55	73	56
Midi-Pyrénées	397	179	103	87	75	70	37	**159**
Nord - Pas-de-Calais	415	120	85	69	79	38	31	18
Basse-Normandie	376	162	**137**	92	66	64	73	44
Haute-Normandie	358	168	123	95	62	59	62	27
Pays de la Loire	491	155	96	85	**169**	44	75	38
Picardie	401	145	129	**104**	45	58	54	39
Poitou-Charentes	445	163	117	85	65	56	72	62
Provence - Alpes - Côte d'Azur	255	**213**	88	72	48	81	75	100
Rhône-Alpes	351	189	91	82	97	67	47	44
France métropolitaine	**355**	**176**	**96**	**85**	**72**	**64**	**57**	**55**
dont France de province	*389*	*168*	*100*	*86*	*79*	*57*	*61*	*62*
Guadeloupe	424	102	29	59	56	19	41	28
Guyane	266	66	35	45	61	11	47	16
Martinique	307	72	28	73	52	13	74	52
La Réunion	408	117	38	55	27	28	64	43
France	**356**	**174**	**94**	**85**	**71**	**62**	**57**	**55**

Source : mission des études, de l'observation et des statistiques (MEOS).

Définitions

Fédération sportive : union d'associations sportives (régie par la loi de 1901), dont l'objet est de rassembler les groupements sportifs qui y sont affiliés ainsi que les licenciés, dans le but d'organiser la pratique sportive à travers notamment les compétitions. Les fédérations peuvent être agréées par le ministère : la loi leur reconnaît alors une mission de service public. Parmi elles, certaines reçoivent une délégation pour organiser la pratique d'une discipline sportive. Elles passent avec l'État un contrat permanent autorisant l'organisation de compétitions.

Licence sportive : acte unilatéral de la fédération sportive qui permet la pratique sportive et la participation aux compétitions, et le cas échéant (selon les statuts de la fédération) la participation au fonctionnement de la fédération. Toute autre forme d'adhésion est considérée comme un autre « titre de participation » (ATP). Le nombre de licences sportives délivrées ainsi que le nombre de clubs affiliés est connu grâce à un recensement dénommé « recensement des licences et des clubs auprès des fédérations sportives agréées ». Seules les licences sont recensées et un licencié peut en détenir plusieurs.

Autre titre de participation (ATP) : voir *Glossaire*.

Ménage ayant 2 voitures ou plus en 2006

pour 100 ménages

- 37,5 - 39,2
- 35,3 - 37,5
- 30,2 - 35,3
- 16,7 - 30,2

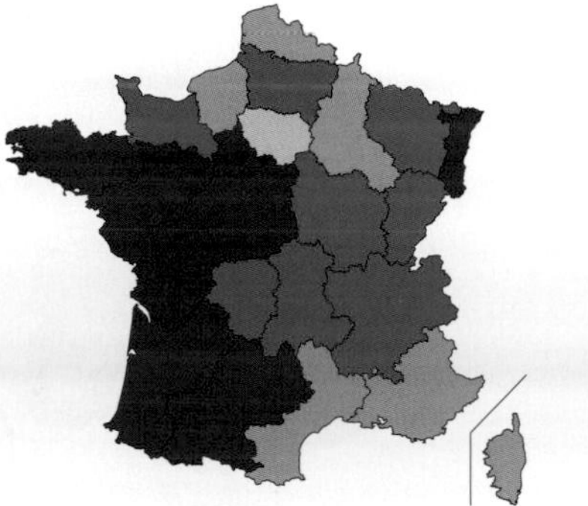

GéoFLA® © IGN 2009 – © INSEE 2010

	Équipement automobile en 2006			Accidents corporels de la circulation en 2008			
	Taux d'équipement des ménages (%)	*dont ménages ayant... une seule voiture (%)*	*dont ménages ayant... deux voitures ou plus (%)*	Accidents corporels	Blessés	Nombre de tués – Total	Nombre de tués – Pour 100 accidents
Alsace	83,0	*44,7*	*38,3*	1 660	2 054	97	5,8
Aquitaine	85,5	*47,2*	*38,3*	3 887	4 911	247	6,4
Auvergne	83,5	*46,4*	*37,1*	1 403	1 874	75	5,3
Bourgogne	83,6	*48,0*	*35,6*	1 676	2 190	169	10,1
Bretagne	85,5	*47,7*	*37,8*	2 845	3 502	234	8,2
Centre	84,7	*47,2*	*37,5*	2 217	2 766	247	11,1
Champagne-Ardenne	81,5	*48,1*	*33,4*	1 029	1 304	97	9,4
Corse	82,4	***50,2***	*32,3*	615	892	35	5,7
Franche-Comté	84,4	*47,3*	*37,1*	960	1 200	110	**11,5**
Île-de-France	68,4	*46,9*	*21,6*	21 138	25 214	371	1,8
Languedoc-Roussillon	82,9	*49,6*	*33,3*	3 287	4 307	305	9,3
Limousin	83,7	*46,9*	*36,8*	1 006	1 269	70	7,0
Lorraine	82,1	*46,8*	*35,3*	1 965	2 565	161	8,2
Midi-Pyrénées	85,2	*46,4*	*38,9*	2 865	3 664	253	8,8
Nord - Pas-de-Calais	77,7	*47,5*	*30,2*	3 696	4 781	202	5,5
Basse-Normandie	84,7	*48,5*	*36,2*	1 125	1 515	121	10,8
Haute-Normandie	81,6	*47,9*	*33,7*	1 660	2 135	126	7,6
Pays de la Loire	86,1	*46,9*	***39,1***	3 015	3 811	241	8,0
Picardie	83,0	*47,3*	*35,7*	1 656	2 226	181	10,9
Poitou-Charentes	**86,3**	*47,7*	*38,7*	1 853	2 306	172	9,3
Provence - Alpes - Côte d'Azur	80,4	*49,2*	*31,2*	9 285	11 813	388	4,2
Rhône-Alpes	83,5	*46,8*	*36,7*	5 644	7 500	373	6,6
France métropolitaine	**80,5**	***47,4***	***33,1***	**74 487**	**93 798**	**4 275**	**5,7**
dont France de province	*83,3*	*47,5*	*35,8*	*53 349*	*68 584*	*3 904*	*7,3*
Guadeloupe	65,1	*45,8*	*19,3*	500	751	56	11,2
Guyane	57,5	*40,7*	*16,8*	400	528	26	6,5
Martinique	70,4	*49,2*	*21,2*	603	850	35	5,8
La Réunion	69,4	*49,8*	*19,6*	777	978	51	6,6
France	**80,2**	***47,4***	***32,8***	**76 767**	**96 905**	**4 443**	**5,8**

Sources : Insee, recensement de la population de 2006 ; Observatoire national interministériel de sécurité routière.

Définitions

Accident corporel de la circulation : est défini comme accident corporel de la circulation tout accident impliquant au moins un véhicule routier en mouvement, survenant sur une voie ouverte à la circulation publique, et dans lequel au moins une personne est blessée ou tuée. Sont exclus les actes volontaires (homicides volontaires, suicides) et les catastrophes naturelles. Le nombre d'accidents et le nombre de victimes sont obtenus par l'exploitation du fichier national des accidents corporels de la circulation routière, établi à partir des informations transmises par les services de police et de gendarmerie.

Taux d'équipement des ménages : part des ménages disposant au moins d'une voiture. Un ménage, au sens du recensement de la population, désigne l'ensemble des personnes qui partagent la même résidence principale, sans que ces personnes soient nécessairement unies par des liens de parenté. Un ménage peut être constitué d'une seule personne.

Tués : victimes d'accidents décédées sur le coup ou dans les trente jours qui suivent l'accident. Avant le 1er janvier 2005, le délai retenu n'était que de six jours.

Affaires poursuivables en 2007

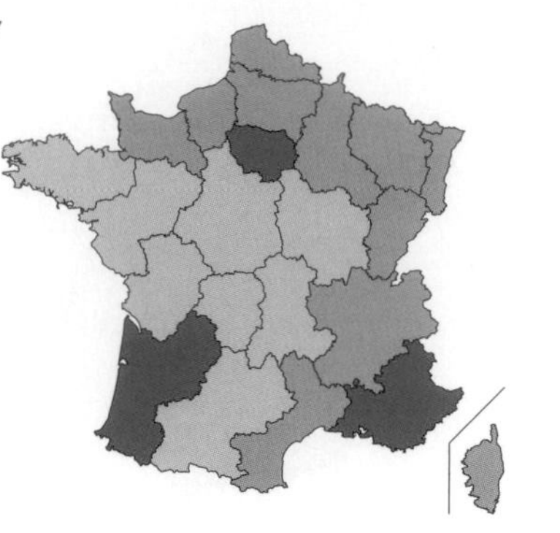

GéoFLA® © IGN 2009 – © INSEE 2010

	Total des affaires poursuivables en 2007		Orientation donnée aux affaires (%)				Population pénale au 1er janvier 2009		
	Nombre	Pour 100 000 habitants	Poursuites	Compositions pénales	Procédures alternatives aux poursuites	Classements sans suite	Prévenus	Condamnés	Densité carcérale pour 100 places
Alsace	38 547	21	53,6	1,5	27,8	17,1	466	1 391	125,1
Aquitaine	82 670	26	39,6	3,8	**43,6**	13,0	638	2 083	92,0
Auvergne	22 639	17	55,1	4,3	29,9	10,7	156	709	106,7
Bourgogne	32 531	20	**57,9**	3,5	29,7	8,8	357	1 428	117,6
Bretagne	57 072	18	54,7	4,3	24,7	16,4	494	1 383	123,4
Centre	47 075	19	56,2	2,6	28,7	12,5	346	1 796	110,9
Champagne-Ardenne	31 406	24	55,2	2,9	24,3	17,6	310	1 287	106,3
Corse	7 321	24	44,2	9,1	27,1	19,7	98	388	88,6
Franche-Comté	26 066	22	51,5	4,4	30,0	14,2	164	567	119,3
Île-de-France	322 949	**28**	40,4	2,6	36,4	**20,6**	4 186	7 862	133,2
Languedoc-Roussillon	61 009	24	45,7	3,5	34,8	16,0	769	1 482	**139,3**
Limousin	13 072	18	56,7	9,2	29,7	4,4	88	784	109,5
Lorraine	52 616	23	54,3	2,9	27,4	15,4	425	2 566	102,3
Midi-Pyrénées	44 331	16	54,7	2,6	30,4	12,3	571	1 845	114,4
Nord - Pas-de-Calais	100 119	25	43,5	4,8	35,6	16,2	975	4 574	123,0
Basse-Normandie	31 243	21	51,6	**9,5**	26,3	12,6	192	1 539	108,1
Haute-Normandie	44 179	24	43,9	7,3	33,1	15,7	290	1 703	106,7
Pays de la Loire	62 412	18	52,7	9,4	29,3	8,5	465	1 471	136,1
Picardie	46 099	24	50,9	3,4	32,4	13,2	378	2 228	128,9
Poitou-Charentes	28 057	16	52,6	9,1	26,1	12,3	301	1 088	113,3
Provence - Alpes - Côte d'Azur	125 927	26	42,2	5,0	34,8	18,1	1 800	5 670	119,1
Rhône-Alpes	136 422	22	45,0	2,3	32,6	20,1	1 245	3 118	131,9
France métropolitaine[1]	**1 420 072**	**23**	**46,7**	**4,1**	**33,0**	**16,3**	**14 714**	**46 962**	**119,5**
dont France de province[1]	*1 097 123*	*22*	*48,5*	*4,5*	*31,9*	*15,1*	*10 528*	*39 100*	*119,5*
Guadeloupe	13 544	33	41,8	7,4	36,1	14,8	277	548	129,3
Guyane	14 657	66	22,0	3,5	62,1	12,4	223	432	150,4
Martinique	10 790	27	39,8	6,2	30,3	23,6	289	544	143,3
La Réunion	17 472	22	49,9	0,0	29,5	20,5	204	990	70,7
France[1]	**1 476 535**	**23**	**46,4**	**4,0**	**33,2**	**16,4**	**15 707**	**49 476**	**118,9**

1. Les totaux France ont été estimés, en raison de l'indisponiblité de certaines données.
Source : SDSE.

Définitions

Composition pénale : le procureur de la République peut proposer une composition pénale à une personne majeure qui reconnaît avoir commis un ou plusieurs délits énumérés par la loi. La composition pénale consiste en une ou plusieurs mesures : amende, remise du permis de conduire ou de chasser, travail non rémunéré au profit de la collectivité, stage ou formation dans un service sanitaire, social ou professionnel... Cette procédure est applicable à l'ensemble des contraventions et aux délits punis d'une peine d'emprisonnement inférieure ou égale à 5 ans. Lorsque l'auteur des faits donne son accord aux mesures proposées, le procureur de la République saisit par requête le président de la juridiction aux fins de validation de la composition. L'exécution de la composition pénale éteint l'action publique ; elle figure au Casier judiciaire.

Condamné : personne détenue dans un établissement pénitentiaire en vertu d'une condamnation judiciaire définitive.

Population pénale : comprend l'ensemble des individus, prévenus et condamnés, détenus dans les établissements pénitentiaires ou sous contrôle de l'administration pénitentiaire par l'intermédiaire du bracelet électronique.

Prévenu : personne détenue dans un établissement pénitentiaire qui n'a pas encore été jugée ou dont la condamnation n'est pas définitive.

Procédures alternatives aux poursuites : voir *Glossaire*.

Femmes maires d'une commune de plus de 3 500 habitants

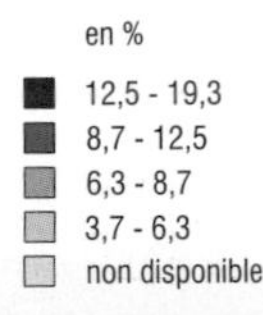

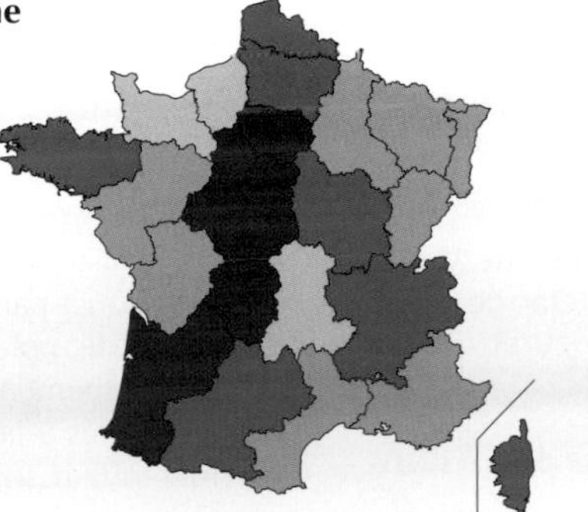

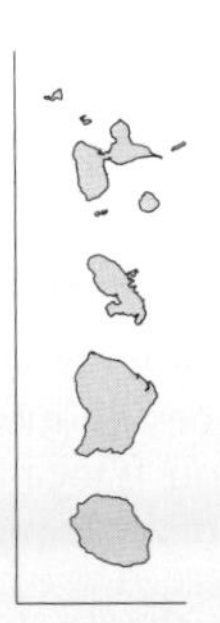

GéoFLA® © IGN 2009 – © INSEE 2010

	Maires en 2008				Conseillers généraux en 2008		Conseillers régionaux en 2010	
	Communes de moins de 3 500 hab.[1]		Communes de 3 500 hab. ou plus		Total	*dont femmes en %*	Total	*dont femmes en %*
	Total	*dont femmes en %*	Total	*dont femmes en %*				
Alsace	821	***8,3***	81	***3,7***	73	*5,5*	47	*48,9*
Aquitaine	2 111	*12,9*	143	*13,3*	234	*13,2*	85	*45,9*
Auvergne	1 238	*15,7*	56	*5,4*	158	*13,9*	47	*46,8*
Bourgogne	1 964	*17,7*	63	*11,1*	171	*12,3*	57	***42,1***
Bretagne	1 066	*13,8*	178	*11,2*	199	***20,6***	83	*40,4*
Centre	1 200	*14,4*	159	*12,6*	195	*10,8*	77	*45,5*
Champagne-Ardenne	1 718	*14,9*	43	*7,0*	140	*12,9*	49	*42,9*
Corse	**350**	*12,6*	**9**	*11,1*	**52**	***1,9***	51	*49,0*
Franche-Comté	1 692	*14,6*	42	*7,1*	116	*17,2*	**43**	*46,5*
Île-de-France	863	***18,2***	**414**	*12,8*	296	***20,6***	**209**	*49,8*
Languedoc-Roussillon	1 382	*12,5*	130	*6,9*	185	*7,0*	67	*44,8*
Limousin	710	*17,0*	26	***19,2***	106	*10,4*	**43**	***51,2***
Lorraine	2 139	*11,7*	126	*6,3*	159	*8,8*	73	*47,9*
Midi-Pyrénées	**2 883**	*13,1*	111	*9,0*	290	*10,3*	91	*50,5*
Nord - Pas-de-Calais	1 292	*11,2*	251	*8,8*	155	*14,8*	113	*49,6*
Basse-Normandie	1 685	*16,6*	56	*5,4*	140	*7,9*	47	*48,9*
Haute-Normandie	1 333	*14,7*	69	*5,8*	113	*17,7*	55	*49,1*
Pays de la Loire	1 448	*14,9*	128	*7,0*	202	*15,3*	93	*48,4*
Picardie	2 217	*13,7*	60	*10,0*	128	*7,0*	**57**	*49,1*
Poitou-Charentes	1 357	*15,8*	70	*7,1*	157	*7,0*	55	*47,3*
Provence - Alpes - Côte d'Azur	662	*13,4*	205	*7,8*	235	*11,1*	123	*47,2*
Rhône-Alpes	2 255	*14,5*	272	*10,7*	**328**	*10,7*	157	*47,8*
France métropolitaine	**32 455**	***14,2***	**2 692**	***9,6***	**3 832**	***12,4***	**1 722**	***47,9***
dont France de province	*31 592*	*14,1*	*2 278*	*9,0*	*3 536*	*11,7*	*1 513*	*47,7*
Guadeloupe	...	...	...	...	40	*12,5*	41	*48,8*
Guyane	...	...	...	...	19	*10,5*	31	*48,4*
Martinique	...	...	...	...	44	*13,6*	45	*48,9*
La Réunion	...	...	...	...	49	*10,2*	41	*48,8*
France	**...**	**...**	**...**	**...**	**3 984**	***12,3***	**1 880**	***48,0***

1. Il s'agit d'estimations sur 96,1 % des communes, soit 1 421 communes non renseignées, de moins de 3 500 habitants.
Source : Observatoire de la parité entre les hommes et les femmes.

Définitions

Canton : subdivision territoriale de l'arrondissement. C'est la circonscription électorale dans le cadre de laquelle est élu un conseiller général. Les cantons ont été créés, comme les départements, par la loi du 22 décembre 1789. Dans la plupart des cas, les cantons englobent plusieurs communes. Mais les cantons ne respectent pas toujours les limites communales : les communes les plus peuplées appartiennent à plusieurs cantons. Un canton appartient à un et un seul arrondissement.

Conseillers généraux : situation à la date des dernières élections cantonales de mars 2008. En général, chaque canton élit un conseiller général, sauf à Paris où les cantons correspondent aux arrondissements ; les conseillers de Paris ne sont pas compris.

Parité : la loi n°2000-493 du 6 juin 2000 tend à favoriser l'égal accès des femmes et des hommes aux mandats électoraux et aux fonctions électives. Pour les municipales, s'agissant du scrutin de liste dans les communes de plus de 3 500 habitants, le Code électoral précise : « Sur chacune des listes, l'écart entre le nombre de candidats des deux sexes ne peut être supérieur à un ». Pour les régionales, une réforme de 2003 a instauré une alternance stricte entre hommes et femmes sur les listes. La loi sur la parité ne s'applique pas aux élections cantonales (scrutin majoritaire à 2 tours). Cependant, une disposition de la loi du 31 janvier 2007 impose aux candidat(e)s aux élections cantonales de se présenter au côté d'un(e) remplaçant(e) de l'autre sexe, le remplaçant en cas de décès ou de démission.

Commune : voir *Glossaire*.

2.6 Santé

I. Hospitalisation court séjour
II. Activités hospitalières
III. Hospitalisation moyen séjour
IV. Personnels de santé
V. Accueil des handicapés
VI. Accueil des tout-petits
VII. Accueil des personnes âgées
VIII. Causes de décès
IX. Accidents du travail

Avec une des espérances de vie les plus élevées au monde, l'état de santé de la population française, en 2008, est globalement bon.

Un taux de suicide plus élevé dans l'Ouest et le Nord

Depuis 2004, les tumeurs sont la première cause de mortalité en France, devant les maladies de l'appareil circulatoire, les morts violentes et les maladies de l'appareil respiratoire. La jeunesse de sa population ainsi que la présence d'établissements de soins particulièrement performants expliquent la faible mortalité enregistrée en Île-de-France. On observe de fortes disparités spatiales de mortalité par suicide : les régions de l'Ouest et, dans une moindre mesure, du Nord et du Centre, sont nettement au-dessus de la moyenne nationale.

Près de 211 000 interruptions volontaires de grossesses (IVG) ont été réalisées en France en 2007. La part du secteur public ne cesse de se renforcer dans la prise en charge des IVG à l'hôpital (75 % des cas contre 60 % en 1990). Le taux de recours à l'IVG se stabilise à près de 14 pour 1 000 femmes de 15 à 49 ans, mais il demeure plus fréquent dans les Dom, le sud-est de la métropole et en Île-de-France.

Le Sud reste très attractif pour les professionnels de santé

Au 1er janvier 2008, 213 000 médecins libéraux exercent en France, soit une densité de 196 médecins pour 100 000 habitants. Cette densité est très élevée dans le sud en Provence - Alpes - Côte d'Azur, Languedoc-Roussillon, Midi-Pyrénées, Aquitaine et Corse, un peu moins dans les régions très urbaines telles que l'Île-de-France ou le Nord - Pas-de-Calais et l'Alsace. Elle est très faible dans les départements Antilles-Guyane ; les régions les moins pourvues en métropole sont la Picardie, la Basse-Normandie et le Centre. Les disparités interrégionales entre Nord et Sud s'observent aussi pour les médecins spécialistes et les chirurgiens-dentistes. Le nombre élevé de spécialistes dans le Sud et en Île-de-France peut s'expliquer par la spécialisation du pôle parisien et par le potentiel de formation des facultés, historiquement très inégal entre régions. Rapportés à la population, les infirmiers diplômés d'État sont quatre fois plus nombreux en Corse qu'en Île-de-France et les masseurs-kinésithérapeutes deux fois plus nombreux en Provence - Alpes - Côte d'Azur qu'en Haute-Normandie. En revanche, les pharmaciens, dont la profession est réglementée, se répartissent, eux, de manière plus homogène.

Toujours des inégalités dans le taux d'équipement

Le taux d'équipement en lits de court séjour hospitalier reste encore très inférieur à la moyenne nationale à La Réunion, et dans une moindre mesure en Guyane. Les structures d'hospitalisation à domicile (HAD) sont souvent implantées en zone urbaine, avec une forte concentration en Île-de-France (le tiers des places et la moitié de l'activité). L'activité d'HAD en Provence - Alpes - Côte d'Azur, en Aquitaine, en Nord - Pas-de-Calais ou encore en Limousin repose essentiellement sur l'activité du secteur privé non lucratif. En Rhône-Alpes, le secteur public et le secteur privé à but non lucratif se partagent l'HAD. Dans les autres régions, l'HAD est encore peu répandue.

La localisation des établissements de moyen séjour répond moins à des critères de proximité qu'à des critères d'environnement (climat, tranquillité...). C'est pourquoi ils sont peu implantés en Île-de-France, en proportion de la population, et très présents au Sud, en Auvergne, en Limousin ou en Bretagne.

Fin 2007, la France compte près de 10 000 établissements d'accueil collectif pour les enfants de moins de 6 ans ; leur offre d'accueil a augmenté de 5 000 places par rapport à 2006, soutenue par le dynamisme des établissements multi-accueil de plus en plus nombreux. La région parisienne et le sud-est de la France combinent un nombre de places d'accueil collectif et familial supérieur à la moyenne nationale, contrairement à ceux du nord de la France. ■

Lits et places en court séjour hospitalier au 1er janvier 2008

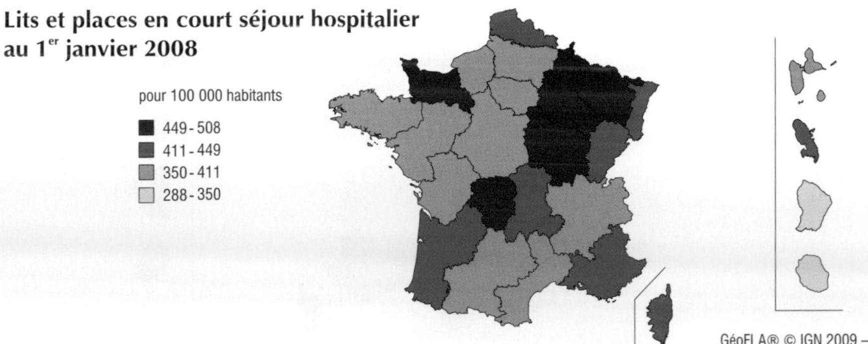

	Lits et places en court séjour hospitalier au 1er janvier 2008						
	Public	Privé	Total	Pour 100 000 habitants			Pour 100 000 femmes de 15 à 49 ans en gynécologie-obstétrique
				Total	Médecine[1]	Chirurgie	
Alsace	5 568	2 442	8 010	439	235	162	167
Aquitaine	7 889	5 670	13 559	431	221	177	147
Auvergne	4 004	1 833	5 837	436	226	177	156
Bourgogne	5 028	2 405	7 433	456	255	165	164
Bretagne	8 679	3 767	12 446	399	218	146	160
Centre	6 559	3 003	9 562	378	198	144	163
Champagne-Ardenne	4 125	1 909	6 034	452	230	183	171
Corse	655	611	1 266	424	209	175	176
Franche-Comté	3 740	1 051	4 791	415	211	162	181
Île-de-France	26 919	19 720	46 639	401	206	156	149
Languedoc-Roussillon	5 761	4 282	10 043	392	192	167	144
Limousin	2 622	1 096	3 718	**507**	**281**	**195**	151
Lorraine	6 933	3 852	10 785	462	253	167	176
Midi-Pyrénées	6 446	4 369	10 815	385	197	157	**140**
Nord - Pas-de-Calais	9 898	6 635	16 533	411	210	158	178
Basse-Normandie	5 050	1 506	6 556	449	253	156	**183**
Haute-Normandie	4 465	2 109	6 574	363	190	130	147
Pays de la Loire	7 860	4 349	12 209	**351**	**180**	135	158
Picardie	5 498	1 594	7 092	374	201	**132**	173
Poitou-Charentes	4 670	1 781	6 451	372	195	144	156
Provence - Alpes - Côte d'Azur	11 580	9 571	21 151	436	222	178	154
Rhône-Alpes	15 817	7 711	23 528	387	202	151	149
France métropolitaine	**159 766**	**91 266**	**251 032**	**406**	**212**	**158**	**157**
dont France de province	*132 847*	*71 546*	*204 393*	*408*	*187*	*142*	*159*
Guadeloupe	1 156	589	1 745	397	232	113	205
Guyane	434	244	678	318	161	88	263
Martinique	1 399	258	1 657	414	225	133	216
La Réunion	1 497	787	2 284	289	158	87	162
France	**164 252**	**93 144**	**257 396**	**405**	**211**	**156**	**158**

1. Y compris hospitalisation à domicile.

Sources : Drees, Drass, SAE.

Définitions

Chirurgie : concerne des soins impliquant le plus souvent un acte opératoire. La chirurgie ambulatoire regroupe les séjours de moins de 24 heures avec intervention chirurgicale.

Hospitalisation complète : activité des unités et services qui, accueillant et hébergeant des malades, se caractérisent par un équipement en lits d'hospitalisation, et par des équipes médicales et paramédicales qui assurent le diagnostic, les soins et la surveillance.

Hospitalisation court séjour : médecine générale et spécialités médicales (cardiologie...), chirurgie générale et spécialités chirurgicales (ORL, stomatologie...), gynécologie-obstétrique.

Secteur privé : établissements dépendant d'une entité de statut juridique à caractère commercial ou à but non lucratif (organisme mutualiste, association, etc.).

Secteur public : établissements dépendant d'une entité de statut juridique public (État, collectivité territoriale, organisme public à caractère administratif).

Nombre d'IVG en 2007

GéoFLA® © IGN 2009 – © INSEE 2010

	Activités du court séjour hospitalier en 2007								
	Hospitalisation complète				Venues en hospitalisation de jour et en chirurgie ambulatoire		Nombre total d'accouchements	Nombre d'IVG (y c. IMG)	
	Entrées en médecine (milliers)	*dont privé* (%)	Entrées en chirurgie (milliers)	*dont privé* (%)	Médecine (milliers)	Chirurgie (milliers)		Total	Pour 10 000 femmes de 15 à 49 ans
Alsace	173,1	*21,4*	152,8	*41,3*	112,2	72,1	22 336	5 209	117
Aquitaine	311,5	*23,7*	267,0	*59,0*	86,0	175,8	33 995	8 738	123
Auvergne	126,0	*11,0*	106,1	*51,0*	14,6	62,2	12 461	3 391	117
Bourgogne	183,9	*17,9*	130,6	*52,7*	56,2	76,6	18 098	4 103	116
Bretagne	308,1	*11,6*	225,9	*51,3*	92,7	151,3	37 362	8 394	122
Centre	218,2	*8,6*	173,0	*53,3*	45,0	126,0	28 736	6 768	120
Champagne-Ardenne	121,0	*11,2*	114,6	*57,3*	32,7	61,4	16 124	3 539	116
Corse	34,1	*26,6*	22,1	*60,0*	8,8	16,0	2 536	1 247	184
Franche-Comté	104,7	***3,8***	91,4	*45,1*	25,4	41,3	14 438	3 109	119
Île-de-France	859,7	*22,4*	731,4	*58,2*	462,1	649,8	167 133	48 350	160
Languedoc-Roussillon	235,3	*28,4*	205,5	*59,2*	97,7	161,1	28 414	9 891	171
Limousin	82,2	*16,4*	65,3	*50,9*	40,3	35,6	7 685	1 955	128
Lorraine	260,0	*28,2*	182,2	*43,6*	92,0	94,1	27 220	6 718	123
Midi-Pyrénées	267,9	*27,2*	209,7	*59,0*	75,4	151,5	29 488	8 761	138
Nord - Pas-de-Calais	421,9	*21,5*	297,1	*54,0*	154,6	211,5	56 350	12 706	131
Basse-Normandie	165,8	*10,4*	110,7	*47,9*	24,6	59,2	17 023	3 764	117
Haute-Normandie	135,8	*15,1*	123,1	*58,4*	52,0	89,1	21 410	4 985	117
Pays de la Loire	266,9	*15,0*	269,8	***61,1***	64,2	182,5	44 534	8 602	**109**
Picardie	172,1	*8,9*	122,8	***36,6***	42,1	71,2	22 592	5 406	121
Poitou-Charentes	171,6	*4,6*	124,5	*51,2*	38,1	95,1	17 287	4 134	110
Provence - Alpes - Côte d'Azur	433,6	***28,9***	392,5	*59,2*	170,3	369,9	58 032	20 816	**188**
Rhône-Alpes	498,9	*15,1*	440,0	*52,9*	164,7	284,7	79 692	17 570	122
France métropolitaine	**5 552,4**	***18,9***	**4 558,2**	***54,4***	**1 951,9**	**3 237,9**	**762 946**	**198 156**	**137**
dont France de province	*4 692,7*	*18,3*	*3 826,7*	*53,7*	*1 489,8*	*2 588,2*	*595 813*	*149 806*	*131*
Guadeloupe	34,5	*30,2*	22,0	*46,6*	11,3	17,0	7 328	4 451	392
Guyane	12,3	*29,6*	12,4	*62,1*	4,0	0,2	4 178	1 948	349
Martinique	33,7	*1,6*	22,0	*25,2*	7,6	12,2	4 451	2 459	236
La Réunion	62,3	*10,2*	37,9	*45,1*	15,0	30,6	14 824	3 797	177
France	**5 695,1**	***18,8***	**4 652,4**	***54,2***	**1 989,7**	**3 297,9**	**793 727**	**210 811**	**141**

Sources : Drees, Drass, SAE, PMSI.

Définitions

Hospitalisation complète : les entrées totales résultent de la somme des entrées directes dans une unité hospitalière hébergeant les malades, en provenance du domicile, d'un autre établissement ou d'une autre discipline du même établissement (de médecine à chirurgie, par exemple).

Hospitalisation de jour : les venues en hospitalisation de jour, de nuit et en anesthésie ou chirurgie ambulatoire résultent de l'activité des unités hospitalières qui effectuent pendant la seule journée des investigations spécialisées, des traitements médicaux séquentiels délicats, des interventions chirurgicales courtes ou une surveillance post-thérapeutique particulière (séjours de moins de 24 heures).

IMG : interruption médicale de grossesse.

Interruption volontaire de grossesse (IVG) : autorisées par la loi Veil depuis 1975, les IVG doivent faire l'objet d'une déclaration sous la forme d'un bulletin statistique anonyme. L'Institut national d'études démographiques (Ined) est chargé par la loi d'analyser et de publier les résultats issus de l'exploitation de ces bulletins, en liaison avec l'Institut national de la santé et de la recherche médicale (Inserm).

Lits en maternité en 2008

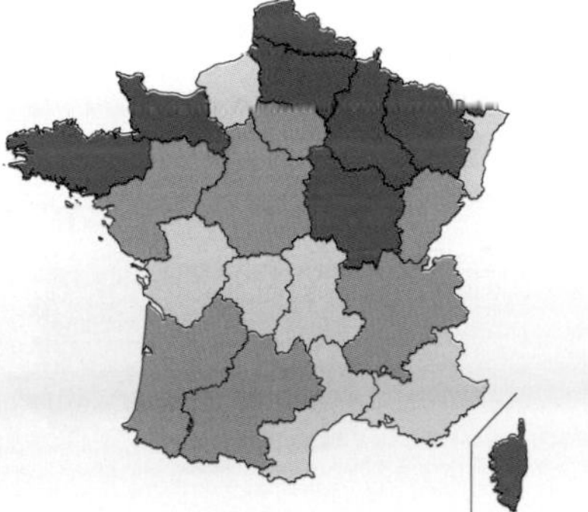

GéoFLA® © IGN 2009 – © INSEE 2010

	Nombre de lits installés en hospitalisation complète au 1er janvier 2008						
	Soins de suite et de réadaptation moyen séjour		Psychiatrie		*dont psychiatrie infanto-juvénile*	Maternités	
	Total	Pour 100 000 habitants	Total	Pour 100 000 habitants	*Pour 100 000 enfants de 0 à 16 ans*	Total	Pour 100 000 femmes de 15 à 49 ans
Alsace	2 709	148	1 395	76	*15*	486	109
Aquitaine	5 173	164	3 728	118	*23*	851	120
Auvergne	2 234	167	1 745	**130**	***42***	299	103
Bourgogne	2 505	154	1 626	100	*14*	454	128
Bretagne	4 647	149	3 823	123	*18*	871	126
Centre	3 605	143	2 343	93	*13*	674	120
Champagne-Ardenne	1 338	**100**	1 074	80	*8*	416	136
Corse	537	180	351	118	*17*	89	132
Franche-Comté	1 486	129	1 230	107	*23*	315	121
Île-de-France	16 117	139	7 075	66	*19*	3 482	115
Languedoc-Roussillon	5 051	197	2 843	111	*14*	642	111
Limousin	1 073	146	920	126	*17*	165	108
Lorraine	3 227	138	2 266	97	*9*	703	129
Midi-Pyrénées	4 726	168	3 300	118	*22*	730	116
Nord - Pas-de-Calais	5 228	130	3 380	84	*11*	1 324	136
Basse-Normandie	2 035	139	1 272	87	*7*	441	**137**
Haute-Normandie	2 291	126	1 164	**64**	***3***	430	**101**
Pays de la Loire	4 806	138	2 617	75	*12*	972	123
Picardie	2 661	140	1 982	104	*24*	581	130
Poitou-Charentes	2 310	133	1 510	87	*23*	414	110
Provence - Alpes - Côte d'Azur	10 518	**217**	5 742	118	*14*	1 243	112
Rhône-Alpes	8 946	147	5 384	89	*13*	1 686	117
France métropolitaine	**93 223**	**151**	**57 370**	**93**	***16***	**17 274**	**119**
dont France de province	*77 106*	*154*	*49 695*	*99*	*15*	*13 792*	*120*
Guadeloupe	547	125	288	66	*10*	193	170
Guyane	74	35	84	39	*0*	86	154
Martinique	532	133	308	77	*0*	196	188
La Réunion	367	46	358	45	*4*	269	126
France	**94 743**	**149**	**58 408**	**92**	***15***	**18 018**	**120**

Sources : Drees, DRASS, SAE.

Définitions

Soins de suite et de réadaptation moyen séjour : convalescence, rééducation fonctionnelle, cure médicale.

Psychiatrie infanto-juvénile : elle concerne majoritairement les enfants ou adolescents âgés de moins de 17 ans ; certains patients âgés de plus de 17 ans, toutefois, peuvent être soignés dans ces structures médicales. Sont considérés ici les lits installés en hospitalisation complète.

Hospitalisation complète : les entrées totales résultent de la somme des entrées directes dans une unité hospitalière hébergeant les malades, en provenance du domicile, d'un autre établissement ou d'une autre discipline du même établissement (de médecine à chirurgie, par exemple).

Nombre de médecins en 2008

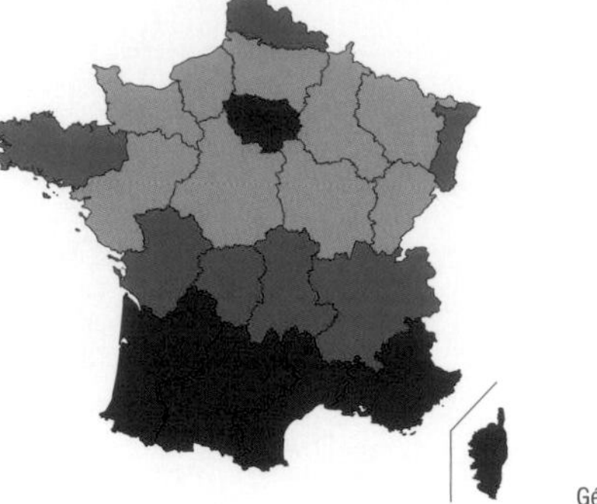

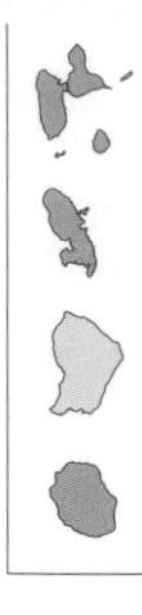

GéoFLA® © IGN 2009 – © INSEE 2010

	Effectif total de médecins au 1/1/2008	Densité des personnels de santé au 1/1/2008 pour 100 000 habitants						
		Total médecins[1]	*Dont omni-praticiens*[1]	*Dont spécialistes*[1]	Chirurgiens dentistes[1]	Infirmiers diplômés d'État[1]	Masseurs-kinésithérapeutes[1]	Pharmaciens
Alsace	6 480	194	*113*	*81*	69	78	59	106
Aquitaine	11 077	229	*128*	*101*	72	150	93	119
Auvergne	3 981	174	*107*	*67*	63	133	83	135
Bourgogne	4 681	167	*102*	*65*	46	90	64	120
Bretagne	9 623	177	*108*	*69*	62	145	88	108
Centre	6 763	157	***92***	*65*	44	73	57	114
Champagne-Ardenne	3 792	164	*103*	*62*	50	74	57	110
Corse	966	208	*113*	*95*	77	**283**	122	116
Franche-Comté	3 431	162	*106*	*56*	45	85	50	113
Île-de-France	47 289	225	*104*	*121*	72	**59**	84	117
Languedoc-Roussillon	9 337	237	*133*	*104*	72	235	118	131
Limousin	2 477	189	*127*	*62*	47	149	69	**148**
Lorraine	7 133	167	*104*	*63*	58	93	56	101
Midi-Pyrénées	9 983	227	*126*	*101*	74	188	98	122
Nord - Pas-de-Calais	12 195	174	*113*	*62*	46	89	85	110
Basse-Normandie	4 122	156	*97*	*59*	37	103	54	**99**
Haute-Normandie	4 968	161	*100*	*61*	**36**	79	**49**	108
Pays de la Loire	9 764	164	*101*	*63*	52	66	69	100
Picardie	4 882	**142**	*95*	***47***	38	73	49	101
Poitou-Charentes	5 111	175	*112*	*64*	46	92	65	117
Provence - Alpes - Côte d'Azur	19 888	**267**	***137***	***130***	**82**	217	**127**	135
Rhône-Alpes	20 390	192	*106*	*86*	62	118	95	128
France métropolitaine	**208 333**	**148**	***111***	***87***	**61**	**113**	**83**	**117**
dont France de province	*161 044*	*118*	*88*	*62*	*46*	*99*	*65*	*117*
Guadeloupe	1 017	142	*82*	*60*	42	191	68	69
Guyane	377	59	*38*	*22*	18	73	24	44
Martinique	1 035	131	*83*	*48*	38	224	69	80
La Réunion	2 196	163	*109*	*54*	55	150	101	77
France	**212 958**	**196**	**110**	**86**	**61**	**114**	**82**	**116**

1. Professionnels libéraux de santé uniquement.
Sources : Drees, Drass, Adeli, Finess.

Définitions

Omnipraticiens : médecins généralistes, certains d'entre eux pouvant détenir une compétence complémentaire (allergologie, gérontologie gériatrie, médecine du sport...).

Praticien libéral : tout praticien (y compris remplaçant) exerçant au moins une activité en clientèle privée à l'exception des médecins hospitaliers assurant des consultations privées à l'hôpital.

Praticien salarié : tout praticien exerçant exclusivement en établissement d'hospitalisation, en établissement médico-social, en centre de soins ou en centre de recherche ou d'enseignement.

Les praticiens sont classés en libéraux ou salariés en fonction de leur activité déclarée à titre principal.

Accueil enfance et jeunesse handicapées en 2008

en lits et places pour 1 000 personnes de moins de 20 ans

- 11 - 13
- 10 - 11
- 8 - 10
- 1 - 8

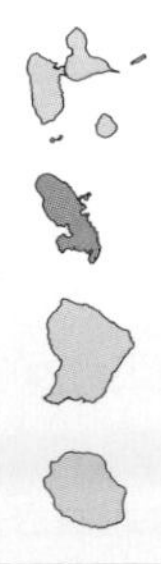

GéoFLA® © IGN 2009 – © INSEE 2010

	Accueil enfance et jeunesse handicapées au 1er janvier 2008				Accueil des adultes handicapés au 1er janvier 2008 Taux d'équipement pour 100 000 adultes de 20 à 59 ans				
	Lits-places en établissements d'hébergement	*Dont pour déficients intellectuels*	*Dont pour déficients psychiques*	Taux d'équipement en lits-places pour 1 000 personnes de moins de 20 ans	Lits de maisons d'accueil	Lits de foyer de vie	Lits de foyers d'accueil médicalisés	Places d'établissements et services d'aide par le travail[1]	Places d'entreprises adaptées[2]
Alsace	3 143	*1 850*	*375*	10	53	110	49	312	73
Aquitaine	6 064	*2 873*	*1 883*	11	56	151	38	349	57
Auvergne	2 364	*1 459*	*472*	11	68	112	74	397	93
Bourgogne	2 630	*2 002*	*253*	**12**	36	186	78	355	77
Bretagne	4 666	*3 026*	*582*	9	59	123	**80**	373	98
Centre	4 775	*3 105*	*866*	10	37	157	53	345	113
Champagne-Ardenne	2 752	*1 873*	*346*	11	82	80	20	376	40
Corse	270	*137*	*25*	7	30	8	44	225	0
Franche-Comté	2 422	*1 615*	*278*	12	107	93	34	385	89
Île-de-France	13 960	*7 738*	*1 533*	7	38	65	25	220	23
Languedoc-Roussillon	3 776	*1 948*	*959*	8	98	148	56	354	31
Limousin	1 239	*787*	*150*	11	**177**	**225**	23	**480**	69
Lorraine	4 647	*2 950*	*498*	10	75	73	39	387	38
Midi-Pyrénées	5 711	*2 541*	*1 826*	11	110	162	71	342	53
Nord - Pas-de-Calais	8 845	*5 535*	*425*	9	68	101	29	410	66
Basse-Normandie	3 107	*1 023*	*555*	12	109	162	24	468	101
Haute-Normandie	3 711	*2 361*	*530*	10	32	200	76	336	70
Pays de la Loire	5 682	*3 703*	*687*	9	71	204	42	335	**139**
Picardie	3 980	*2 547*	*602*	9	51	132	31	380	67
Poitou-Charentes	3 128	*2 246*	*371*	11	53	151	41	360	0
Provence - Alpes - Côte d'Azur	5 892	*3 805*	*871*	7	52	98	22	280	18
Rhône-Alpes	10 183	*5 642*	*2 127*	9	48	85	54	315	50
France métropolitaine	**102 953**	***61 566***	***16 214***	**9**	**60**	**117**	**42**	**326**	**56**
dont France de province	*88 993*	*53 828*	*14 681*	*9*	*65*	*130*	*47*	*350*	*64*
Guadeloupe	467	*394*	*15*	4	41	33	4	196	0
Guyane	110	*100*	*0*	1	29	31	0	49	0
Martinique	547	*417*	*8*	10	34	12	0	160	68
La Réunion	1 271	*818*	*0*	6	30	57	56	189	0
France	**105 348**	***63 295***	***16 237***	**9**	**59**	**114**	**42**	**321**	**55**

1. Les CAT (Centres d'aide par le travail) sont devenus des établissements et services d'aide par le travail.
2. Les ateliers protégés sont devenus des entreprises adaptées.
Sources : Drass, enquête ES, Finess ; DGEFP.

Définitions

Accueil enfance et jeunesse handicapée : il recouvre les établissements d'éducation spéciale : instituts médicaux-éducatifs (IME), les instituts thérapeutiques, éducatifs et pédagogiques (ITEP), les établissements pour enfants et adolescents polyhandicapés, les établissements pour déficients moteurs, les instituts d'éducation sensorielle : établissements pour déficients auditifs, instituts pour déficients visuels, ainsi que les services d'éducation spéciale et de soins à domicile (SESSAD).

Accueil des adultes handicapés : les établissements d'hébergement comprennent les foyers d'hébergement, les maisons d'accueil spécialisé, les foyers de vie, ainsi que les foyers d'accueil médicalisés. Les établissements de travail protégés regroupent les établissements et services d'aide par le travail et les entreprises adaptées.

Places en accueil collectif au 1er janvier 2008

pour 1 000 enfants nés au cours des 3 dernières années

148 - 164
108 - 148
68 - 108
47 - 68

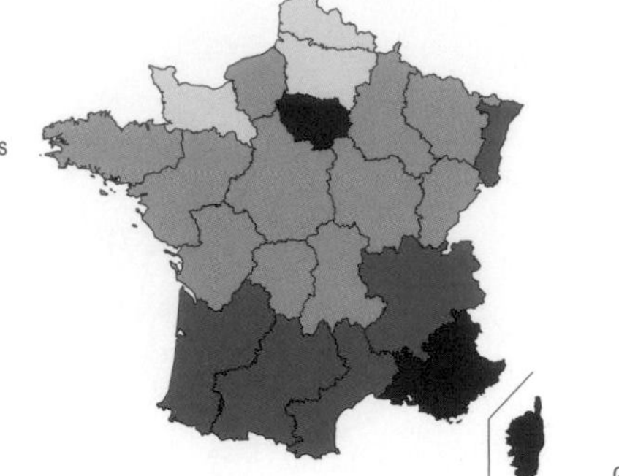

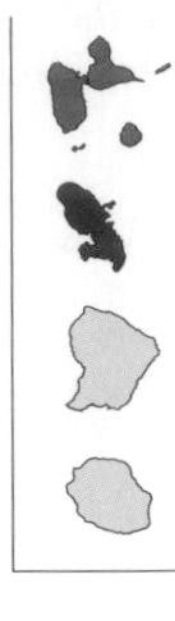

GéoFLA® © IGN 2009 – © INSEE 2010

	Population des moins de 4 ans au 1er janvier 2007			Garde des enfants d'âge pré-scolaire Nombre de places installées au 1er janvier 2008				
	Effectifs (milliers)	Poids dans le total France (%)	Part dans la population régionale (%)	Crèches collectives y c. parentales	Haltes-garderies y c. parentales	Jardins d'enfants	Multi-accueil	Pour 1 000 enfants nés au cours des 3 dernières années[1]
Alsace	108,8	2,8	6,0	1 942	1 214	1 395	4 336	112
Aquitaine	168,2	4,3	5,3	2 102	752	83	8 075	108
Auvergne	70,9	1,8	5,3	903	335	106	2 054	78
Bourgogne	90,1	2,3	5,5	1 398	1 461	0	1 857	88
Bretagne	189,3	4,8	6,1	1 798	2 142	0	3 706	69
Centre	152,6	3,9	6,0	1 692	1 664	135	3 735	79
Champagne-Ardenne	79,5	2,0	6,0	1 692	512	55	2 379	94
Corse	14,5	0,4	4,9	129	10	0	1 131	149
Franche-Comté	72,0	1,8	6,2	817	575	0	1 655	69
Île-de-France	801,1	**20,3**	**6,9**	58 470	9 905	3 330	19 648	**163**
Languedoc-Roussillon	142,5	3,6	5,6	1 045	276	122	9 260	121
Limousin	35,7	0,9	4,9	36	29	6	1 818	88
Lorraine	135,2	3,4	5,8	1 000	1 274	0	3 752	74
Midi-Pyrénées	153,8	3,9	5,5	3 229	1 280	131	7 424	128
Nord - Pas-de-Calais	272,0	6,9	6,8	3 172	3 163	177	3 742	60
Basse-Normandie	86,9	2,2	5,9	1 077	601	13	1 168	56
Haute-Normandie	115,5	2,9	6,4	1 386	1 219	60	2 865	78
Pays de la Loire	227,5	5,8	6,5	2 600	2 568	0	5 526	79
Picardie	124,4	3,2	6,6	433	1 088	71	1 995	47
Poitou-Charentes	94,0	2,4	5,4	842	723	0	3 133	85
Provence - Alpes - Côte d'Azur	268,5	6,8	5,5	970	1 133	1 442	24 471	155
Rhône-Alpes	388,0	9,8	6,4	4 049	3 224	297	22 861	126
France métropolitaine	**3 790,8**	**96,2**	**6,1**	**90 782**	**35 148**	**7 423**	**136 591**	**112**
dont France de province	*2 989,7*	*75,8*	*6,0*	*32 312*	*25 243*	*4 093*	*116 943*	*143*
Guadeloupe	31,1	0,8	7,1	2 364	63	403	0	112
Guyane	27,4	0,7	12,8	330	0	55	564	48
Martinique	25,1	0,6	6,3	1 799	30	553	555	150
La Réunion	67,8	1,7	8,6	1 808	45	1 346	344	50
France	**3 942,2**	**100,0**	**6,1**	**97 083**	**35 286**	**9 780**	**138 054**	**110**

1. Les places en jardins d'enfants (3 à 6 ans) ne sont pas incluses dans le taux.
Sources : Drees ; Conseils généraux ; Ircem.

Définitions

Crèches collectives : établissements ayant pour objet de garder pendant la journée, durant le travail de leurs parents, les enfants de moins de trois ans, dans des locaux et avec un personnel prévu à cet effet (crèches collectives de quartier, de personnel ou d'entreprise).

Crèches parentales : organisées et gérées par des parents d'enfants de moins de trois ans, réunis en association. Une personne compétente assure une présence permanente auprès des enfants.

Établissements multi-accueil : proposent au sein d'une même structure différents modes d'accueil d'enfants de moins de 6 ans. Ils offrent fréquemment une combinaison de plusieurs modes d'accueil collectifs : des places d'accueil régulier (de type crèche ou jardins d'enfants), des places d'accueil occasionnel (de type halte-garderie) ou des places d'accueil polyvalent (utilisées selon les besoins tantôt pour de l'accueil régulier, tantôt pour de l'accueil occasionnel). Ces structures peuvent être gérées de façon traditionnelle ou par des parents. Certains de ces établissements assurent aussi à la fois de l'accueil collectif et familial.

Haltes-garderies : établissements destinés à des gardes occasionnelles de quelques heures, pour les enfants de moins de six ans.

Équipement des hébergements pour personnes âgées en 2008

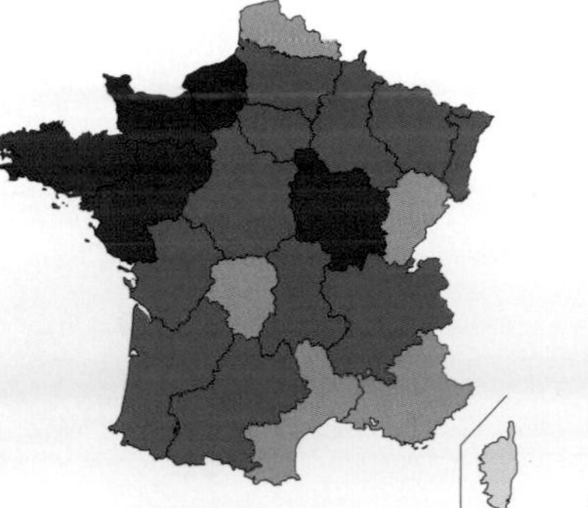

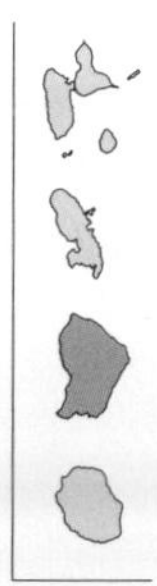

GéoFLA® © IGN 2009 – © INSEE 2010

	Population de 75 ans ou plus au 1/1/2007	Hébergement permanent au 1/1/2008			Hébergement temporaire au 1/1/2008	Services soins à domicile au 1/1/2008	Soins de longue durée au 1/1/2008
		Maisons de retraite	Logements en foyer	Taux d'équipement pour les personnes de 75 ans ou plus			
	(milliers)	(lits)	(logements)	(‰)	(lits)	(places)	(lits)
Alsace	131,1	12 953	3 168	124	197	2 141	2 907
Aquitaine	319,9	28 702	7 504	114	317	4 457	2 190
Auvergne	142,1	15 531	1 565	122	294	2 445	2 552
Bourgogne	170,8	19 860	3 267	138	417	3 097	1 573
Bretagne	303,1	26 207	10 000	104	637	5 562	5 121
Centre	243,7	23 897	4 178	117	379	3 926	3 644
Champagne-Ardenne	115,0	9 893	3 701	119	78	2 066	1 885
Corse	29,1	802	259	36	0	416	302
Franche-Comté	97,0	7 268	2 104	99	211	2 028	1 289
Île-de-France	711,7	52 599	26 520	112	790	12 780	7 887
Languedoc-Roussillon	252,8	17 564	4 324	88	366	4 523	2 835
Limousin	92,6	8 074	1 014	100	171	2 105	1 774
Lorraine	189,2	17 041	6 068	123	247	3 115	2 995
Midi-Pyrénées	281,9	25 851	5 010	111	503	5 426	2 562
Nord - Pas-de-Calais	292,5	19 396	10 359	103	382	5 171	4 261
Basse-Normandie	140,3	15 044	4 017	137	100	2 478	1 292
Haute-Normandie	142,6	12 872	8 416	151	183	2 433	1 701
Pays de la Loire	303,5	34 493	12 186	**156**	677	5 258	4 649
Picardie	142,6	13 980	3 085	120	111	2 773	2 932
Poitou-Charentes	186,3	18 772	4 570	127	412	3 095	1 894
Provence - Alpes - Côte d'Azur	474,5	37 069	7 580	95	579	8 061	3 646
Rhône-Alpes	479,8	43 867	16 360	127	728	7 674	7 509
France métropolitaine	**5 232,2**	**460 735**	**148 591**	**118**	**7 979**	**91 030**	**67 400**
dont France de province	*4 520,4*	*408 136*	*122 071*	*119*	*7 189*	*78 250*	*59 513*
Guadeloupe	22,7	235	142	16	7	386	377
Guyane	3,2	178	86	83	0	60	100
Martinique	25,0	1 134	67	48	4	260	200
La Réunion	24,4	1 089	0	45	3	434	79
France	**5 307,5**	**463 371**	**148 886**	**117**	**7 993**	**92 170**	**68 156**

Sources : Drass, Finess ; Insee, estimations de population.

Définitions

Établissement d'hébergement pour personnes âgées (EHPA) : les établissements d'hébergement pour personnes âgées regroupent l'ensemble des établissements médico-sociaux ou de santé qui reçoivent des personnes âgées pour un accueil permanent, temporaire, de jour ou de nuit. Ils regroupent une grande diversité de services adaptés à différentes situations : résidences d'hébergement temporaire, logements-foyers, maisons de retraite, unités de soins de longue durée.

Maison de retraite : établissement d'hébergement collectif offrant une prise en charge globale de la personne âgée.

Logement-foyer : ensemble résidentiel constitué de petits logements autonomes et doté de services collectifs.

Services de soins à domicile : une place correspond à la prise en charge d'une personne, à son domicile, pendant un an.

Soins de longue durée : unité sanitaire assurant l'hébergement de longue durée des personnes âgées atteintes d'affections chroniques nécessitant un environnement médical permanent, avec des moyens plus lourds que ceux des maisons de retraite.

Mortalité par suicide en 2006

pour 100 000 habitants

- 25,4 - 26,4
- 19,5 - 25,4
- 14,6 - 19,5
- 6,8 - 14,6

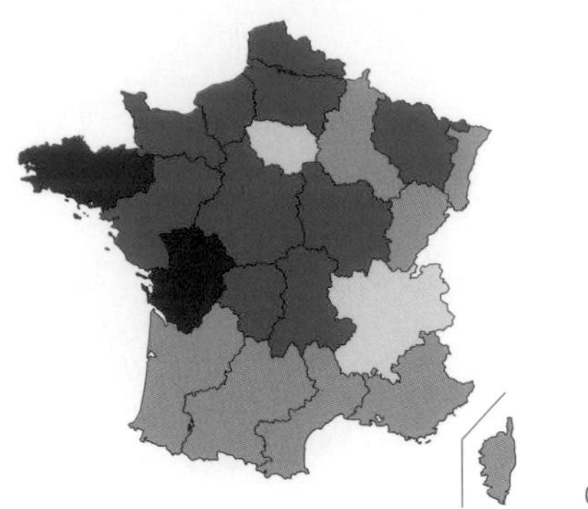

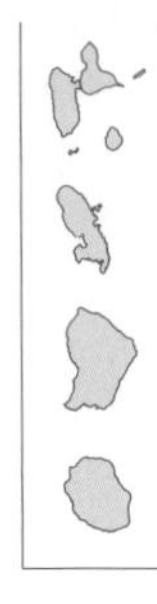

	Taux de mortalité en 2006 pour 100 000 habitants								
	Toutes causes		Tumeurs	Maladies de l'appareil			Maladies infectieuses et parasitaires	*dont Sida et infections par le VIH*	Suicides
	Hommes	Femmes		circulatoire	respiratoire	digestif			
Alsace	737,4	781,7	229,3	220,9	44,9	36,5	14,6	*0,6*	15,2
Aquitaine	949,5	954,0	278,8	291,2	54,1	41,9	16,2	*1,3*	18,0
Auvergne	1 045,2	1 037,9	306,2	312,1	57,9	49,2	15,8	*0,7*	20,7
Bourgogne	1 038,5	1 030,2	307,4	301,9	59,4	42,9	19,6	*0,6*	21,1
Bretagne	957,3	963,5	279,4	283,0	60,1	45,0	15,0	*0,7*	**26,3**
Centre	950,6	914,5	281,8	263,2	51,7	44,4	15,4	*0,9*	20,4
Champagne-Ardenne	921,1	882,1	268,2	258,4	55,3	41,7	16,7	*0,6*	17,6
Corse	920,7	943,1	273,4	274,4	46,2	40,8	18,0	*1,0*	15,3
Franche-Comté	870,0	840,9	242,7	250,6	54,2	35,8	15,8	*0,3*	18,8
Île-de-France	**582,5**	**615,1**	**194,3**	**145,8**	**35,1**	**25,1**	14,6	*2,5*	**8,2**
Languedoc-Roussillon	946,8	947,9	273,1	277,7	56,2	39,8	18,3	*2,0*	18,0
Limousin	**1 160,7**	**1 189,7**	**338,3**	**363,0**	**72,0**	48,0	**21,9**	***0,3***	19,8
Lorraine	879,1	885,9	265,7	247,7	59,1	40,8	16,4	*0,6*	19,5
Midi-Pyrénées	908,3	916,6	257,5	278,8	54,2	32,8	15,0	*1,2*	14,7
Nord - Pas-de-Calais	887,1	876,7	267,1	241,6	62,1	**52,2**	16,3	*0,4*	20,5
Basse-Normandie	918,6	919,9	278,5	268,1	55,3	40,7	15,8	*0,6*	22,0
Haute-Normandie	859,2	859,8	266,4	234,1	47,5	42,6	16,6	*1,3*	19,6
Pays de la Loire	828,8	814,0	253,1	232,2	46,9	38,8	**13,0**	*0,6*	21,4
Picardie	875,4	840,0	256,0	236,7	51,3	38,7	17,1	*0,9*	22,0
Poitou-Charentes	1 031,8	977,4	300,2	293,0	56,4	47,3	16,3	*1,0*	25,5
Provence - Alpes - Côte d'Azur	877,8	940,9	269,7	254,9	54,5	38,3	19,5	***2,6***	17,9
Rhône-Alpes	734,9	740,2	226,6	206,7	39,9	29,8	14,1	*0,7*	12,2
France métropolitaine	**833,9**	**840,9**	**252,5**	**236,0**	**49,7**	**37,5**	**15,9**	***1,3***	**16,9**
dont France de province	*892,2*	*893,1*	*266,0*	*256,8*	*53,1*	*40,4*	*16,2*	*1,0*	*18,9*
Guadeloupe	754,2	682,0	171,9	207,6	28,9	30,9	24,5	*8,0*	9,7
Guyane	423,8	264,9	41,3	62,1	11,2	7,8	26,7	*13,1*	6,8
Martinique	677,4	655,2	165,7	187,1	30,4	29,9	19,4	*2,8*	9,8
La Réunion	606,8	494,0	118,4	164,1	33,4	29,2	33,1	*0,9*	11,9
France	**828,3**	**832,6**	**249,1**	**234,0**	**49,2**	**37,2**	**16,2**	***1,4***	**16,7**

Sources : Drass, Finess ; Insee, estimations de population.

Définitions

Cause de décès : les statistiques sont élaborées à partir de la confrontation des certificats médicaux de décès adressés à l'Inserm par les DDASS (Directions départementales de l'action sanitaire et sociale), avec les données sociodémographiques, transmises par l'Insee. Toute déclaration de décès est en principe accompagnée par la déclaration de la cause de décès dressée sur bulletin anonyme. Celle-ci est codée selon les règles de classification internationale des maladies. L'importance de certaines maladies, qui peuvent être « impliquées » dans le décès sans être considérées comme la cause immédiate de celui-ci, est sous-estimée : c'est le cas des maladies circulatoires, de l'alcoolisme et du tabagisme.

Sida et VIH : syndrome d'immunodéficience acquise et virus de l'immunodéficience humaine.

Taux de mortalité : pour chaque cause de décès, on peut calculer les taux bruts de mortalité pour les hommes, les femmes ou les deux sexes, en rapportant les décès domiciliés à la population. La structure par sexe et âge de la population peut influencer ces taux.

Accidents du travail

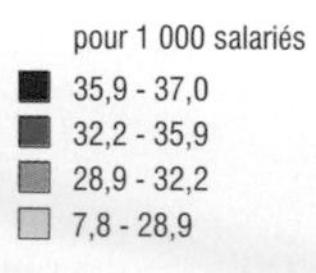

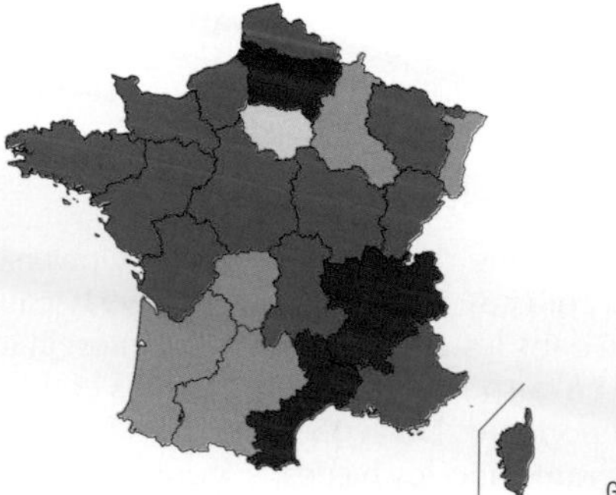

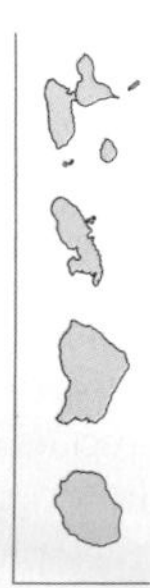

GéoFLA® © IGN 2009 – © INSEE 2010

	Accidents du travail avec arrêt en 2006				Accidents du travail avec incapacité permanente en 2006 (%)	Décès en 2006 dus aux		
	Tous secteurs	BTP	Services, commerces et industries de l'alimentation	Pour 1 000 salariés		maladies professionnelles	accidents du travail	accidents du trajet
Alsace	20 784	3 860	3 577	30,3	4,4	12	12	20
Aquitaine	32 594	6 570	5 658	30,2	7,4	30	12	24
Auvergne	14 822	3 317	2 195	32,3	8,6	4	12	12
Bourgogne	19 923	3 561	3 161	34,2	6,0	10	15	26
Bretagne	37 417	7 661	8 428	33,9	5,4	20	17	29
Centre	30 744	5 626	4 548	34,0	5,0	6	15	23
Champagne-Ardenne	14 955	2 622	2 324	31,5	7,7	3	11	16
Corse	3 137	918	710	34,1	**21,5**	4	0	4
Franche-Comté	13 398	2 583	1 882	32,5	5,8	7	9	13
Île-de-France	109 498	15 881	21 281	21,2	7,3	67	58	63
Languedoc-Roussillon	28 053	6 101	4 921	36,0	7,0	4	19	25
Limousin	7 270	1 499	1 209	29,0	5,1	4	7	6
Lorraine	25 601	4 703	3 834	32,9	6,2	33	20	31
Midi-Pyrénées	29 916	6 016	4 704	30,5	5,9	9	17	17
Nord - Pas-de-Calais	44 390	7 777	7 333	32,8	7,0	69	15	29
Basse-Normandie	16 510	3 365	3 121	32,6	5,3	15	7	11
Haute-Normandie	21 667	3 548	3 227	33,1	8,5	36	12	23
Pays de la Loire	44 015	8 531	7 240	34,1	4,8	28	28	27
Picardie	22 695	3 451	3 088	**36,9**	6,3	15	19	17
Poitou-Charentes	19 338	4 058	2 824	32,7	4,4	4	15	21
Provence - Alpes - Côte d'Azur	54 752	9 783	10 572	33,1	8,8	57	18	45
Rhône-Alpes	81 694	14 208	11 899	36,1	6,7	30	38	47
France métropolitaine	**693 173**	**125 639**	**117 736**	**32,8**	**6,7**	**467**	**376**	**529**
dont France de province	*583 675*	*109 758*	*96 455*	*30,2*	*6,5*	*400*	*318*	*466*
Guadeloupe	1 183	170	324	9,8	5,9	0	3	3
Guyane	371	74	36	7,8	7,3	0	0	0
Martinique	2 205	247	684	18,2	4,4	0	0	0
La Réunion	3 840	815	633	19,4	6,8	0	5	5
France	**700 772**	**126 945**	**119 413**	**29,9**	**6,6**	**467**	**384**	**537**

Sources : Caisse nationale d'assurance maladie des travailleurs salariés (CNAMTS) ; Insee.

Définitions

Accident du travail avec arrêt : tout accident survenu par le fait ou à l'occasion du travail, quelle qu'en soit la cause, ayant entraîné un arrêt de travail d'au moins 24 heures en sus du jour de l'accident. Dans ce tableau, les accidents de travail « proprement dits » sont séparés des accidents de trajet.

Incapacité permanente : accident ayant entraîné au cours de l'année la reconnaissance d'une incapacité permanente de travail, partielle ou totale.

Maladie professionnelle : maladie reconnue pour laquelle une indemnité ou une rente a été versée pour la première fois au cours de l'année. Une maladie est dite professionnelle si elle est la conséquence de l'exposition d'un travailleur à un risque physique, chimique, biologique, ou résulte des conditions d'exercice de son activité. La législation sociale a défini des « tableaux de maladies professionnelles »,

2.7 Enseignement - Éducation

I. Effectifs scolaires
II. Étudiants
III. Enseignants du public
IV. Formation continue dans les Greta
V. Réussite au baccalauréat
VI. Diplômes techniques
VII. Apprentissage

En France, six établissements du second degré sur dix sont des collèges. Leur poids est toutefois moins élevé dans les académies de Paris et Aix-Marseille en raison d'une offre de lycées privés plus importante. Les lycées professionnels sont plus rares que les lycées d'enseignement général et technologique. Ces derniers sont deux fois plus nombreux dans six académies (Corse, Dijon, Nice, Strasbourg, Guyane et La Réunion) et même trois fois plus dans les académies d'Île-de-France. En revanche, il y a presque parité dans cinq académies (Aix-Marseille, Amiens, Bordeaux, Lyon, Nancy-Metz).

Cinq académies de France métropolitaine sur vingt-six totalisent à elles seules le tiers des établissements du second degré. Il s'agit de Versailles, Lille, Créteil, Nantes et Rennes.

L'enseignement privé est fortement implanté dans l'Ouest

En France métropolitaine, trois établissements du second degré sur dix relèvent du secteur privé. Il représente même 45 % des établissements dans les académies de Nantes, Paris et Rennes. La part des élèves du second degré scolarisés dans le secteur privé est très inégale d'une académie à l'autre, dépassant les 40 % dans les académies de Rennes et de Nantes contre seulement moins de 10 % en Guyane, en Corse et dans le Limousin.

Tous niveaux de formation confondus, l'apprentissage est fortement développé dans les régions du Sud, du Sud-Ouest et en Île-de-France mais Nantes reste l'académie où le nombre d'apprentis est le plus important, suivie de très près par celle de Versailles.

Un poids très important de l'Île-de-France dans l'enseignement supérieur

Avec le Centre universitaire de formation et de recherche d'Albi, la France compte 79 universités et 10 grands établissements. Le nombre d'établissements universitaires a augmenté au cours des années 1990 grâce au plan « Universités 2000 » qui a permis, à partir de 1991, outre la création d'universités nouvelles, la multiplication d'antennes d'universités et d'IUT, ainsi que des écoles d'ingénieurs universitaires, localisées sur de nouveaux sites géographiques.

La nouvelle tendance au regroupement des structures, après leur multiplication rapide durant les années 1990, correspond à une volonté de rationalisation de l'offre de formation sur le territoire et de création de structures visibles sur le plan international dans le domaine universitaire. Malgré le reclassement de Paris IX, la centralisation des universités reste forte : 20 % d'entre elles sont situées en Île-de-France. De même, le quart des écoles d'ingénieurs hors université, des écoles de commerce, des classes préparatoires aux grandes écoles et des autres établissements se situe en Île-de-France. À l'inverse, les écoles d'ingénieurs dépendantes des universités sont plus souvent installées en province.

Plus du quart des effectifs des étudiants inscrits dans l'enseignement supérieur se concentre en Île-de-France, dont plus de la moitié à Paris. Les principales académies en province sont celles de Lille, Lyon, Toulouse et Nantes. Elles concentrent toutes les quatre le quart des étudiants. Les plus petites académies métropolitaines sont celles de Corse, de Limoges et de Besançon, qui ne regroupent que 2,6 % des effectifs totaux.

Durant l'année scolaire 2008-2009, à champ constant, les effectifs sont en baisse dans toutes les académies, à l'exception des académies de Créteil, Nantes, Nice et Paris. Les baisses les plus importantes concernent les académies de Limoges, de Nancy-Metz et de la Corse.

Le volume financier pour la formation continue a atteint 401,4 millions d'euros au cours de l'année 2007, en progression de 0,8 % par rapport à l'année précédente. La part des stages financés par les fonds publics dépasse les 70 % en Corse, Limousin et Picardie, alors qu'elle atteint à peine les 29 % en Aquitaine. ■

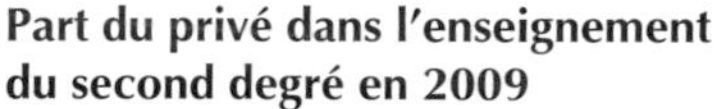

Part du privé dans l'enseignement du second degré en 2009

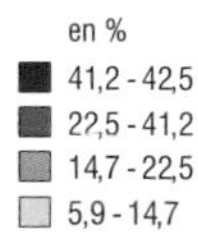

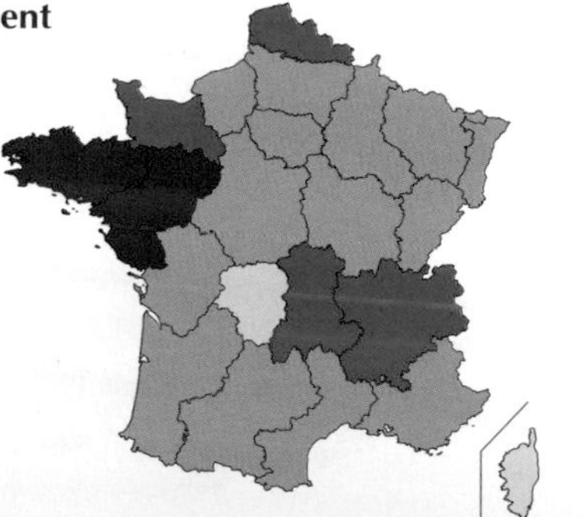

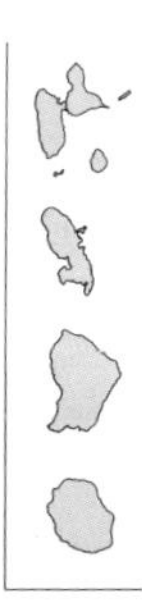

GéoFLA® © IGN 2009 – © INSEE 2010

	Année scolaire 2008-2009							
	Enseignement du premier degré			Enseignement du second degré			Enseignement supérieur	
	Effectifs (milliers)	Poids de la région (%)	Part du privé (%)	Effectifs (milliers)	Poids de la région (%)	Part du privé (%)	Effectifs (milliers)	Poids de la région (%)
Alsace	178,9	2,7	5,6	149,0	2,8	15,1	65,8	2,9
Aquitaine	296,4	4,5	10,8	242,5	4,5	19,0	102,1	4,6
Auvergne	122,2	1,8	15,5	96,9	1,8	22,5	42,6	1,9
Bourgogne	154,4	2,3	7,5	124,3	2,3	14,8	41,6	1,9
Bretagne	332,8	5,0	**38,8**	254,2	4,8	**42,5**	106,0	4,7
Centre	253,3	3,8	8,9	196,8	3,7	15,2	54,6	2,4
Champagne-Ardenne	134,6	2,0	8,8	110,1	2,1	17,2	38,9	1,7
Corse	24,6	0,4	4,2	21,0	0,4	6,6	4,8	0,2
Franche-Comté	119,4	1,8	7,8	94,9	1,8	15,1	31,3	1,4
Île-de-France	1 247,7	**18,8**	9,0	999,2	**18,7**	19,2	588,7	**26,4**
Languedoc-Roussillon	253,3	3,8	11,4	208,2	3,9	17,9	88,9	4,0
Limousin	61,2	0,9	5,5	50,7	1,0	10,4	21,0	0,9
Lorraine	226,8	3,4	5,5	191,1	3,6	15,8	73,9	3,3
Midi-Pyrénées	266,3	4,0	12,2	215,5	4,0	18,7	109,0	4,9
Nord - Pas-de-Calais	473,8	7,1	18,3	367,5	6,9	27,3	152,9	6,9
Basse-Normandie	148,5	2,2	16,5	119,5	2,2	22,8	36,6	1,6
Haute-Normandie	192,6	2,9	8,5	159,9	3,0	16,8	49,4	2,2
Pays de la Loire	387,0	5,8	35,2	284,5	5,3	41,3	109,0	4,9
Picardie	208,2	3,1	8,7	162,8	3,1	16,6	41,3	1,9
Poitou-Charentes	163,7	2,5	11,3	127,0	2,4	15,8	45,3	2,0
Provence - Alpes - Côte d'Azur	472,6	7,1	9,0	405,7	7,6	18,4	153,2	6,9
Rhône-Alpes	654,5	9,9	14,6	519,5	9,7	25,0	237,2	10,6
France métropolitaine	**6 372,7**	**95,9**	**13,8**	**5 104,1**	**95,7**	**21,8**	**2 194,8**	**98,3**
dont France de province	*5 124,9*	*77,1*	*14,9*	*4 104,9*	*77,0*	*22,4*	*1 606,1*	*72,0*
Guadeloupe	60,7	0,9	10,0	52,5	1,0	10,3	8,6	0,4
Guyane	40,9	0,6	6,1	28,8	0,5	6,0	2,7	0,1
Martinique	47,0	0,7	7,1	44,3	0,8	9,1	8,8	0,4
La Réunion	122,3	1,8	7,3	101,3	1,9	6,2	16,8	0,8
France	**6 643,6**	**100,0**	**13,5**	**5 330,9**	**100,0**	**21,2**	**2 231,7**	**100,0**

Source : Depp.

Définitions

Enseignement du premier degré : enseignement préélémentaire et élémentaire, y compris enseignement spécialisé sous tutelle du ministère de l'Éducation nationale.

Enseignement du second degré : enseignement dispensé dans les collèges, les lycées d'enseignement général et technologique, les lycées professionnels du ministère de l'Éducation nationale ou d'autres ministères (principalement le ministère de l'Agriculture).

Enseignement privé : écoles privées soit sous contrat simple (personnel rémunéré par l'État) ou sous contrat d'association (prise en charge par l'État des dépenses de personnel et de fonctionnement de l'externat), soit hors contrat.

Enseignement supérieur : enseignement dispensé dans les universités, les instituts universitaires de technologie (IUT), les instituts universitaires de formation des maîtres (IUFM), les sections de techniciens supérieurs (STS), les classes préparatoires aux grandes écoles (CPGE), les écoles d'ingénieurs, les écoles de commerce, gestion, vente et comptabilité, les écoles paramédicales et sociales, etc.

Étudiants à l'université en 2008-2009

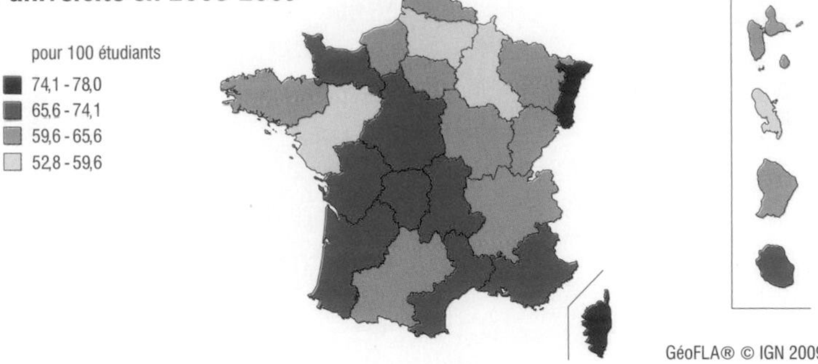

pour 100 étudiants
- 74,1 - 78,0
- 65,6 - 74,1
- 59,6 - 65,6
- 52,8 - 59,6

GéoFLA® © IGN 2009 – © INSEE 2010

	Année scolaire 2008-2009							
	Part des étudiants dans l'ensemble des scolaires (%)	Nombre d'étudiants (milliers)	Accroissement annuel moyen 2001-2008 (%)	Principales filières (milliers d'étudiants)				
				Université	Section de technicien supérieur	Formations d'ingénieurs	Écoles de commerce, vente, gestion, comptabilité	Écoles paramédicales et sociales
Alsace	16,7	65,8	0,3	48,8	6,1	3,0	0,5	4,0
Aquitaine	15,9	102,1	1,0	69,5	11,0	3,6	6,0	6,4
Auvergne	16,3	42,6	0,4	28,0	4,9	2,2	1,5	2,9
Bourgogne	13,0	41,6	0,8	26,9	5,2	1,9	2,5	3,4
Bretagne	15,3	106,0	0,3	65,9	13,3	7,3	2,1	5,9
Centre	10,8	54,6	– 0,9	36,5	7,5	2,4	1,2	5,0
Champagne-Ardenne	13,7	38,9	0,5	21,6	5,4	2,3	4,7	2,4
Corse	9,6	4,8	– 0,8	3,8	0,5	0,0	0,1	0,3
Franche-Comté	12,7	31,3	– 0,4	19,2	4,6	2,9	0,4	2,5
Île-de-France	**20,8**	588,7	0,6	351,2	42,6	26,1	32,6	27,5
Languedoc-Roussillon	16,2	88,9	0,2	62,7	10,2	2,4	3,7	5,1
Limousin	15,8	21,0	– 0,1	14,0	3,2	1,0	0,1	2,2
Lorraine	14,9	73,9	– 0,4	47,5	8,3	6,1	1,4	6,5
Midi-Pyrénées	18,6	109,8	– 0,2	69,7	10,8	8,7	4,2	4,6
Nord - Pas-de-Calais	15,4	152,9	0,3	95,5	17,9	8,6	5,2	11,8
Basse-Normandie	12,0	36,6	0,0	24,3	4,9	1,3	0,9	3,0
Haute-Normandie	12,3	49,4	0,3	29,8	5,7	3,4	3,6	3,7
Pays de la Loire	14,0	109,0	**1,2**	60,2	15,6	7,8	4,7	5,6
Picardie	10,0	41,3	0,8	21,8	5,8	4,7	1,3	4,7
Poitou-Charentes	13,5	45,3	0,3	30,8	5,3	1,8	2,6	3,0
Provence - Alpes - Côte d'Azur	14,9	153,2	– 0,1	105,7	15,7	4,4	9,2	8,7
Rhône-Alpes	16,8	237,2	1,0	147,8	22,8	12,6	12,0	12,2
France métropolitaine	**16,1**	**2 194,8**	**0,4**	**1 381,1**	**227,2**	**114,3**	**100,4**	**131,5**
dont France de province	*14,8*	*1 606,1*	*0,3*	*1 030,0*	*184,6*	*88,3*	*67,7*	*104,0*
Guadeloupe	7,1	8,6	– 6,3	5,2	1,8	0,0	0,0	0,6
Guyane	3,7	2,7	22,7	1,6	0,3	0,0	0,0	0,2
Martinique	8,8	8,8	16,9	5,1	1,8	0,0	0,1	0,6
La Réunion	7,0	16,8	0,8	11,3	3,1	0,1	0,2	1,4
France	**15,7**	**2 231,7**	**0,4**	**1 404,4**	**234,2**	**114,4**	**100,6**	**134,4**

Source : Depp.

Définitions

Écoles de commerce, vente, gestion, comptabilité : établissements privés, comprenant parfois des classes préparatoires intégrées qui constituent une première année d'études. Ces écoles sont ou non reconnues par l'État et délivrent des diplômes visés ou non par le ministère de l'Éducation nationale.

Écoles paramédicales et sociales : seules sont retenues les écoles recrutant au niveau du baccalauréat et au-delà.

Formations d'ingénieurs : ensemble des écoles et formations d'ingénieurs (universitaires ou non), y compris les formations d'ingénieurs en partenariat (FIP), habilitées à délivrer un diplôme d'ingénieur.

STS : section de technicien supérieur, préparant après le baccalauréat au brevet de technicien supérieur (BTS).

Université : ensemble des unités de formation et de recherche (UFR), Institut d'études politiques de Paris (IEP), Observatoire de Paris, Institut national des langues et civilisations orientales (Inalco), Instituts universitaires de technologie (IUT), ainsi que les écoles d'ingénieurs rattachées (dont les Instituts nationaux polytechniques [INP]) et les instituts intégrés.

Enseignants dans le 1er degré en 2008-2009

pour 1 000 élèves

- 60,0 - 63,3
- 57,4 - 60,0
- 54,8 - 57,4
- 53,1 - 54,8

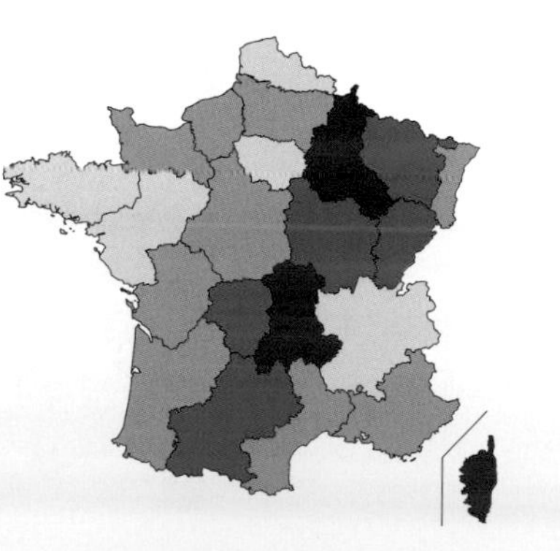

GéoFLA® © IGN 2009 – © INSEE 2010

	Année scolaire 2008-2009							
	Premier degré				Second degré			
	Enseignants du privé et du public	Enseignants pour 1 000 élèves	Part du privé sous contrat (%)	Part des femmes dans l'enseignement public (%)	Enseignants du privé et du public	Enseignants pour 1 000 élèves	Part du privé sous contrat (%)	Part des femmes dans l'enseignement public (%)
Alsace	10 084	56	5,2	82,0	14 013	94	12,6	57,5
Aquitaine	16 405	55	10,9	78,7	21 781	90	17,6	58,7
Auvergne	7 428	**61**	14,5	78,6	9 739	101	22,8	56,9
Bourgogne	9 046	59	6,8	80,7	11 515	93	14,7	58,1
Bretagne	17 833	54	**37,9**	79,7	23 316	92	**40,4**	55,9
Centre	13 890	55	8,5	81,9	17 814	90	15,0	58,2
Champagne-Ardenne	8 089	60	7,9	80,3	10 688	97	15,5	56,2
Corse	1 486	60	3,4	80,1	2 163	**103**	5,5	57,8
Franche-Comté	6 915	58	7,4	79,4	9 101	96	14,9	56,3
Île-de-France	67 425	54	7,7	**85,0**	89 883	90	16,2	60,0
Languedoc-Roussillon	14 353	57	10,7	78,2	18 299	88	16,4	57,1
Limousin	3 604	59	5,2	76,6	5 106	101	10,2	57,1
Lorraine	13 477	59	5,9	81,6	19 229	99	15,0	56,2
Midi-Pyrénées	15 306	57	11,5	80,3	19 681	91	18,7	**60,4**
Nord - Pas-de-Calais	25 582	54	16,9	80,6	34 811	95	24,0	53,4
Basse-Normandie	8 321	56	15,9	80,0	11 456	96	22,4	54,8
Haute-Normandie	10 716	56	8,1	83,2	14 756	92	15,9	57,4
Pays de la Loire	20 550	53	33,7	78,9	26 338	93	39,4	55,1
Picardie	11 533	55	8,1	82,3	15 234	94	14,9	55,8
Poitou-Charentes	9 111	56	11,5	79,4	11 877	94	15,2	57,7
Provence - Alpes - Côte d'Azur	25 947	55	8,1	81,5	35 375	87	16,6	58,9
Rhône-Alpes	35 565	54	14,1	82,2	46 864	90	23,6	59,7
France métropolitaine	**352 666**	**55**	**12,8**	**84,3**	**469 042**	**92**	**20,1**	**57,8**
dont France de province	*285 241*	*56*	*14,0*	*84,1*	*379 159*	*92*	*21,0*	*57,3*
Guadeloupe	3 359	55	7,1	77,3	4 659	89	9,6	52,5
Guyane	2 282	56	5,1	74,7	2 469	86	6,2	44,1
Martinique	2 975	63	7,7	80,6	4 309	97	9,0	56,1
La Réunion	6 597	54	6,0	73,1	8 902	88	5,4	48,4
France	**367 879**	**55**	**12,5**	**81,3**	**489 381**	**92**	**19,5**	**57,5**

Source : Depp.

Définitions

Enseignant du premier degré : instituteurs, professeurs des écoles et autres enseignants chargés de classes du premier degré, directeurs d'écoles et psychologues déchargés de classes.

Enseignant du second degré : personnel titulaire et non-titulaire enseignant dans les établissements du second degré. Sont inclus les personnels de remplacement et de documentation.

Personnel enseignant : le personnel est comptabilisé en personnes physiques ; chaque enseignant compte pour une personne, qu'il exerce à temps complet ou à temps partiel.

Part du financement par les fonds publics en 2007

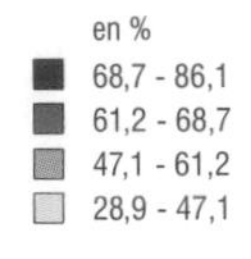

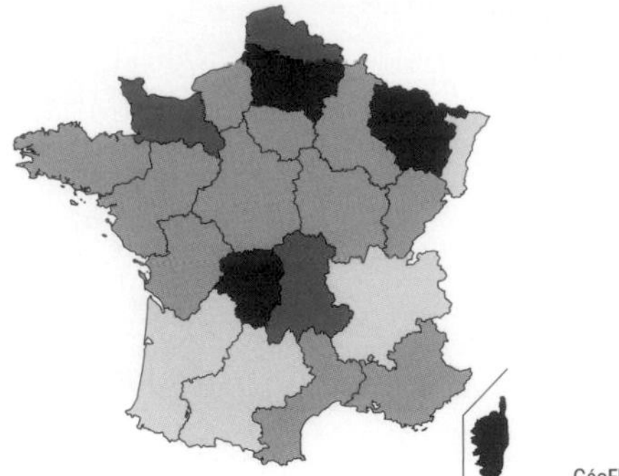

GéoFLA® © IGN 2009 – © INSEE 2010

	Chiffre d'affaires selon l'origine du financement en 2007 (milliers d'euros)						
		Financement par les fonds publics			Financement par les entreprises ou les individus		
	Total	État	Collectivités territoriales	Part du financement public dans le total (%)	1,6 % strict	1,6 % extensions	Individus
Alsace	10 701	1 045	3 393	41,5	4 947	608	708
Aquitaine	17 008	1 600	3 320	28,9	9 453	1 365	1 270
Auvergne	13 881	3 284	5 210	61,2	3 583	1 469	336
Bourgogne	11 127	1 006	5 099	54,9	3 794	983	244
Bretagne	16 076	2 647	5 953	53,5	4 907	1 989	580
Centre	11 536	1 935	4 587	56,5	3 352	1 401	261
Champagne-Ardenne	9 865	2 510	2 727	53,1	3 330	1 070	228
Corse	1 416	356	751	**78,2**	98	183	30
Franche-Comté	6 127	1 063	1 979	49,6	2 021	452	612
Île-de-France	76 979	8 886	27 355	47,1	30 569	5 778	4 390
Languedoc-Roussillon	15 188	2 427	6 208	56,9	4 609	1 265	678
Limousin	6 703	986	4 032	74,9	1 054	470	162
Lorraine	18 557	3 224	9 525	68,7	3 592	1 671	544
Midi-Pyrénées	18 171	3 360	3 873	39,8	7 567	2 048	1 324
Nord - Pas-de-Calais	20 931	3 362	9 804	62,9	6 481	1 165	119
Basse-Normandie	11 184	2 707	4 333	62,9	3 922	78	144
Haute-Normandie	18 178	1 027	9 182	56,2	6 856	850	263
Pays de la Loire	13 585	2 463	4 331	50,0	4 955	1 333	502
Picardie	12 799	1 805	7 185	70,2	2 828	881	101
Poitou-Charentes	8 547	1 255	3 410	54,6	2 851	839	191
Provence - Alpes - Côte d'Azur	31 464	4 999	10 159	48,2	12 998	2 081	1 227
Rhône-Alpes	41 654	6 508	11 358	42,9	17 673	4 006	2 107
France métropolitaine	**391 679**	**58 456**	**143 775**	**51,6**	**141 442**	**31 985**	**16 021**
dont France de province	*314 700*	*49 570*	*116 420*	*52,7*	*110 873*	*26 207*	*11 631*
Guadeloupe	1 523	432	706	74,7	40	333	13
Guyane	1 103	581	369	86,1	69	71	14
Martinique	4 097	302	2 557	69,8	755	355	128
La Réunion	3 010	608	1 020	54,1	785	522	76
France	**401 412**	**60 380**	**148 426**	**52,0**	**143 090**	**33 264**	**16 252**

Source : Depp.

Définitions

Financement de l'État : fonds provenant surtout du Fonds de la formation professionnelle et de la promotion sociale auquel contribuent le Fonds national pour l'emploi, Pôle Emploi, le Fonds social européen, le budget de formation des agents de la Fonction publique.

Financement des entreprises : prélèvements sur la masse salariale de 1,6 % au titre de la formation continue. On distingue :

– le secteur « 1,6 % strict » qui concerne les entreprises participant soit directement, soit indirectement par les organismes paritaires collecteurs agréés, nationaux ou régionaux ;

– le secteur « 1,6 % extensions » qui concerne la formation pour les collectivités locales, les personnels hospitaliers, les artisans et les agriculteurs.

Formation continue : légalement obligatoire depuis 1971, elle a pour but d'assurer aux salariés, employés ou demandeurs d'emploi, une formation destinée à conforter, améliorer ou acquérir des connaissances professionnelles.

Groupement d'établissements (Greta) : les établissements publics d'enseignement du second degré sont essentiellement regroupés en Greta au sein desquels les conseillers en formation continue assurent la mise en place des actions de formation.

Taux de réussite à l'ensemble des baccalauréats en 2008

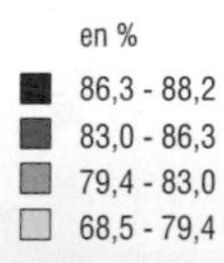

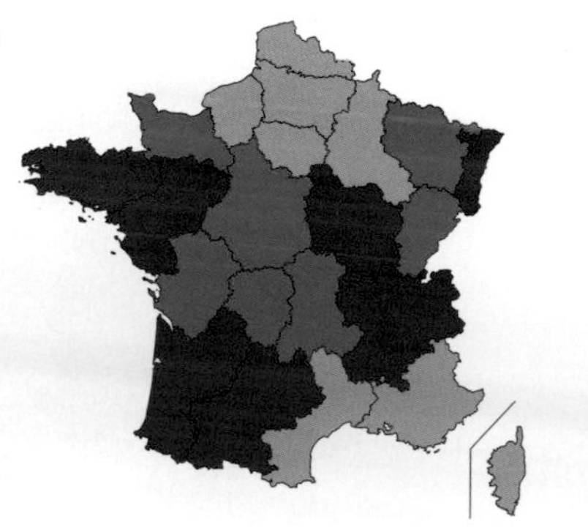

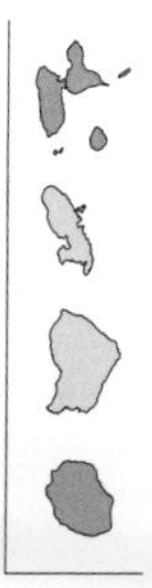

GéoFLA® © IGN 2009 – © INSEE 2010

	Session 2008								Proportion de bacheliers dans une génération[1]
	Bac général		Bac technologique		Bac professionnel		Tous baccalauréats		
	Nombre de présents	Taux de réussite (%)	Nombre de présents	Taux de réussite (%)	Nombre de présents	Taux de réussite (%)	Nombre de présents	Taux de réussite (%)	(%)
Alsace	8 691	**91,9**	4 607	84,8	3 795	80,6	17 093	87,5	61,8
Aquitaine	14 580	89,1	6 783	85,5	6 363	80,8	27 726	86,3	63,9
Auvergne	5 796	89,2	2 934	80,3	2 804	79,5	11 534	84,6	64,2
Bourgogne	7 380	90,1	4 071	83,5	3 410	81,8	14 861	86,4	66,0
Bretagne	15 588	91,3	8 976	86,4	7 008	**83,4**	31 572	**88,1**	72,5
Centre	12 058	87,8	6 113	80,3	4 686	77,3	22 857	83,7	62,6
Champagne-Ardenne	6 529	85,0	3 588	76,0	3 235	76,1	13 352	80,5	61,7
Corse	1 340	86,6	792	**73,1**	322	**69,3**	2 454	80,0	60,9
Franche-Comté	5 312	89,7	3 009	84,5	2 672	78,0	10 993	85,4	65,2
Île-de-France[2]	66 601	85,6	32 209	76,0	23 124	71,0	121 934	80,3	**84,3**
Languedoc-Roussillon	11 621	86,1	6 574	79,3	4 556	77,0	22 751	82,3	58,1
Limousin	3 076	88,1	1 901	77,4	1 573	80,0	6 550	83,1	69,5
Lorraine	10 928	89,1	6 818	80,5	5 534	79,0	23 280	84,2	63,6
Midi-Pyrénées	12 683	90,6	6 597	83,4	5 253	80,5	24 533	86,5	62,2
Nord - Pas-de-Calais	20 123	85,7	12 616	78,5	9 621	75,3	42 360	81,2	58,9
Basse-Normandie	6 958	87,5	3 500	82,9	3 332	80,8	13 790	84,7	64,0
Haute-Normandie	9 048	87,7	5 601	77,6	4 451	75,5	19 100	81,9	64,3
Pays de la Loire	17 018	91,6	8 465	**87,1**	8 062	80,6	33 545	87,8	67,8
Picardie	8 617	**83,7**	5 512	74,5	4 075	77,0	18 204	**79,4**	**57,4**
Poitou-Charentes	7 450	88,6	4 058	81,8	3 460	81,6	14 968	85,2	64,0
Provence - Alpes - Côte d'Azur[2]	24 604	86,8	11 870	80,4	9 344	73,8	45 818	82,5	64,0
Rhône-Alpes[2]	31 494	91,1	15 603	85,0	12 093	79,3	59 190	87,0	62,5
France métropolitaine	**307 495**	**88,0**	**162 197**	**80,7**	**128 773**	**77,2**	**598 465**	**83,7**	**63,8**
dont France de province	*240 894*	*88,7*	*129 988*	*81,9*	*105 649*	*78,6*	*476 531*	*84,6*	...
Guadeloupe	2 776	85,4	1 746	72,9	1 439	76,0	5 961	79,4	71,2
Guyane	814	75,2	618	60,7	502	67,3	1 934	68,5	32,7
Martinique	2 328	80,0	1 819	66,5	1 521	64,7	5 668	71,6	69,7
La Réunion	4 724	87,4	2 779	77,4	1 990	71,8	9 493	81,2	54,1
France	**318 137**	**87,9**	**169 159**	**80,3**	**134 225**	**77,0**	**621 521**	**83,5**	**64,0**

Note de lecture : si les taux de candidature et de réussite par âge restaient inchangés en 2008, 64 % des jeunes âgés de 15 ans en 2008 obtiendraient le baccalauréat.
1. Données session 2007 pour les Dom et la France.
2. Pour l'Île-de-France, Provence - Alpes - Côte d'Azur et Rhône-Alpes, les proportions de bacheliers se rapportent aux seules académies de Paris, Aix-Marseille et Lyon.
Source : Depp.

Définitions

Baccalauréat professionnel : créé en 1985, ce baccalauréat a été délivré pour la première fois en 1987. Ce diplôme est généralement préparé en deux ans dans les lycées professionnels par des élèves déjà titulaires du BEP.

Proportion de bacheliers dans une génération : il s'agit de la proportion de bacheliers d'une génération fictive d'individus qui auraient, à chaque âge, les taux de candidature et de réussite observés l'année considérée. Ce nombre est obtenu en calculant, pour chaque âge, le rapport du nombre de lauréats à la population totale de cet âge, et en faisant la somme de ces taux par âge. Les âges pris en compte dans le calcul ne sont pas les mêmes pour les séries générales et technologiques que pour les séries professionnelles, compte tenu pour ces dernières d'une scolarité décalée d'un an et d'une répartition par âge assez différente. La proportion retenue ici est calculée au lieu de scolarisation.

Taux de réussite : rapport du nombre de candidats admis au nombre de candidats présents à l'examen.

Diplômés d'un CAP ou BEP en 2008

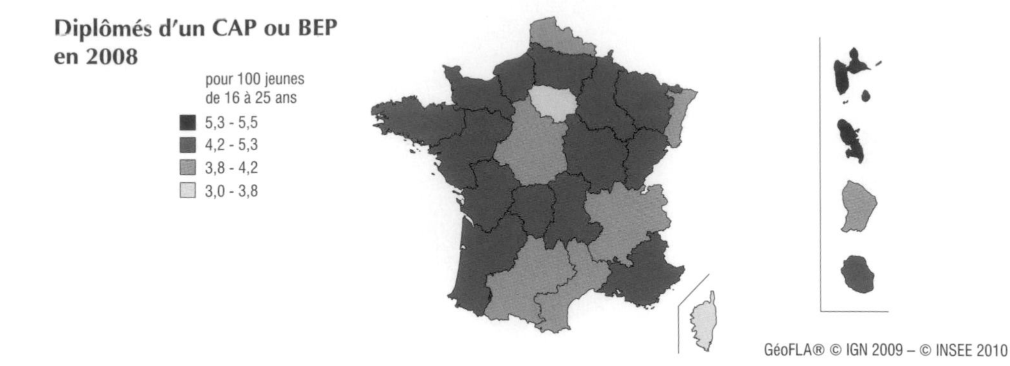

	Session 2008							
	CAP			BEP			BTS	
	Nombre de diplômes délivrés	Diplômés rapportés aux 16-25 ans (%)	Taux de réussite (%)	Nombre de diplômes délivrés	Diplômés rapportés aux 16-25 ans (%)	Taux de réussite (%)	Nombre de diplômes délivrés	Taux de réussite (%)
Alsace	4 575	1,9	81,9	5 202	2,1	78,5	3 128	69,8
Aquitaine	7 440	2,0	82,5	8 603	2,3	81,0	4 719	72,1
Auvergne	3 251	2,1	81,0	3 221	2,1	79,2	1 835	67,9
Bourgogne	4 034	2,1	80,6	4 715	2,5	78,3	2 209	71,5
Bretagne	7 124	1,8	**86,3**	8 960	2,3	**85,4**	5 605	74,7
Centre	5 819	1,9	78,7	6 471	2,1	79,5	3 478	70,2
Champagne-Ardenne	3 245	1,8	78,4	4 192	2,4	77,4	1 965	69,7
Corse	550	1,6	**73,2**	583	**1,7**	**67,5**	204	63,0
Franche-Comté	2 943	2,0	82,5	3 305	2,2	78,6	2 030	74,9
Île-de-France	18 429	**1,1**	81,1	29 496	1,8	70,5	21 426	**60,6**
Languedoc-Roussillon	6 158	1,9	79,8	6 453	2,0	74,8	4 227	68,9
Limousin	1 847	**2,3**	85,5	1 766	2,2	78,3	1 004	71,8
Lorraine	6 194	2,0	77,8	7 663	2,4	77,0	4 074	72,5
Midi-Pyrénées	6 453	1,9	83,0	6 815	2,0	79,3	4 646	72,9
Nord - Pas-de-Calais	7 926	1,4	78,5	14 208	2,4	73,0	7 165	71,9
Basse-Normandie	3 533	2,0	81,9	4 635	**2,6**	80,8	2 156	73,5
Haute-Normandie	4 659	1,9	80,8	5 787	2,4	73,1	2 804	70,8
Pays de la Loire	8 705	2,0	82,2	10 687	2,4	84,1	6 922	**75,7**
Picardie	4 672	1,9	82,3	5 869	2,4	74,2	2 613	71,8
Poitou-Charentes	4 477	2,2	80,5	4 574	2,3	83,2	2 451	70,3
Provence - Alpes - Côte d'Azur	11 497	1,9	76,9	13 163	2,2	73,7	7 803	67,5
Rhône-Alpes	15 079	1,9	82,2	16 095	2,0	80,6	10 896	70,4
France métropolitaine	**138 610**	**1,7**	**80,9**	**172 463**	**2,2**	**76,7**	**103 360**	**68,8**
dont France de province	*120 181*	*1,9*	*80,8*	*142 967*	*2,3*	*78,1*	*81 934*	*71,4*
Guadeloupe	712	1,4	70,7	1 997	3,9	57,4	665	52,0
Guyane	650	1,9	75,5	682	2,0	55,5	111	43,4
Martinique	1 014	1,9	66,1	1 856	3,5	59,7	736	49,4
La Réunion	2 169	1,8	73,6	3 384	2,8	68,4	1 153	63,1
France	**143 155**	**1,7**	**80,5**	**180 382**	**2,2**	**75,9**	**106 025**	**68,4**

Source : Depp.

Définitions

Brevet d'études professionnelles (BEP) : diplôme sanctionnant un cycle de un ou deux ans après la troisième.
Brevet de technicien supérieur (BTS) : diplôme préparé généralement en deux ans après le baccalauréat.
Certificat d'aptitude professionnelle (CAP) : diplôme se préparant en deux ans après la troisième ou en un an dans le cadre de la Loi quinquennale sur l'emploi, le travail et la formation professionnelle.
Taux de réussite : rapport du nombre de candidats admis au nombre de candidats présents à l'examen.

Apprentis en 2007-2008

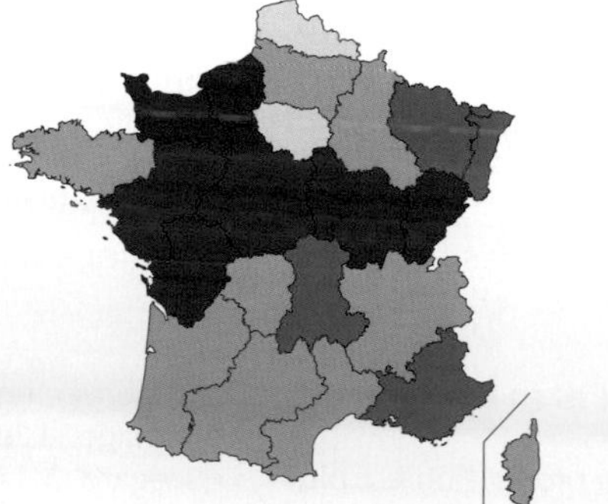

GéoFLA® © IGN 2009 – © INSEE 2010

	Année scolaire 2007-2008						
	Nombre total d'apprentis	Poids de la région	Part des apprentis parmi les 16-25 ans	Répartition des apprentis			Taux d'évolution par rapport à 2006-2007
				Niveau V	Niveau IV	Niveaux I, II et III	
		(%)	(%)	(%)	(%)	(%)	(%)
Alsace	13 681	3,4	5,6	64,5	23,3	12,2	– 2,0
Aquitaine	17 535	4,3	4,7	65,9	19,5	14,6	1,8
Auvergne	8 113	2,0	5,3	70,5	23,7	5,8	3,4
Bourgogne	12 079	3,0	6,3	66,4	22,3	11,3	3,7
Bretagne	18 397	4,5	4,8	61,8	23,4	14,8	2,3
Centre	19 494	4,8	6,4	62,0	22,5	15,5	4,9
Champagne-Ardenne	8 678	2,1	4,9	66,9	21,9	11,3	3,8
Corse	1 576	0,4	4,7	**84,2**	14,3	1,5	5,8
Franche-Comté	9 639	2,4	6,6	57,0	24,6	18,4	4,0
Île-de-France	63 405	15,6	3,9	47,6	21,5	**30,9**	3,3
Languedoc-Roussillon	14 062	3,5	4,4	67,1	20,8	12,1	5,5
Limousin	3 979	1,0	4,9	62,1	26,9	11,1	**10,2**
Lorraine	17 015	4,2	5,4	57,7	25,4	16,9	3,9
Midi-Pyrénées	17 161	4,2	5,0	61,3	21,5	17,3	4,4
Nord - Pas-de-Calais	20 030	4,9	3,4	54,1	25,6	20,3	6,7
Basse-Normandie	10 941	2,7	6,1	66,9	21,3	11,8	3,6
Haute-Normandie	15 103	3,7	6,2	58,2	22,3	19,6	3,2
Pays de la Loire	30 754	7,6	7,0	56,5	27,4	16,0	1,5
Picardie	12 050	3,0	4,8	61,1	23,1	15,8	1,0
Poitou-Charentes	14 370	3,5	**7,1**	60,6	24,4	15,0	7,4
Provence - Alpes - Côte d'Azur	33 173	8,2	5,6	62,3	22,4	15,3	0,9
Rhône-Alpes	38 242	9,4	4,8	52,2	**27,8**	20,0	4,7
France métropolitaine	**399 477**	**98,1**	**5,0**	**58,5**	**23,4**	**18,1**	**3,4**
dont France de province	*336 072*	*82,6*	*5,3*	*60,5*	*23,8*	*15,6*	*1,2*
Guadeloupe	1 346	0,3	2,6	68,6	14,6	16,8	30,7
Guyane	212	0,1	0,6	95,3	4,7	0,0	– 7,0
Martinique	1 939	0,5	3,7	69,8	16,4	13,8	6,1
La Réunion	4 052	1,0	3,4	67,9	23,7	8,4	0,9
France	**407 026**	**100,0**	**4,9**	**58,7**	**23,4**	**17,9**	**3,4**

Source : Depp.

Définitions

Apprentis : jeunes âgés de 16 à 25 ans qui préparent un diplôme de l'enseignement professionnel ou technologique dans le cadre d'un contrat de travail de type particulier associant une formation en entreprise – sous la responsabilité d'un maître de stage – et des enseignements dispensés dans un centre de formation d'apprentis (CFA).

Niveaux de formation :

– Niveau VI : sorties du 1er cycle du second degré (6e, 5e, 4e) et des formations préprofessionnelles en un an.

– Niveau V *bis* : sorties de 3e générale, de 4e et 3e technologiques et des classes du second cycle court avant l'année terminale.

– Niveau V : sorties de l'année terminale des cycles courts professionnels et abandons de la scolarité du second cycle long avant la classe terminale.

– Niveau IV : sorties des classes terminales du second cycle long et abandons des scolarisations post-baccalauréat avant d'atteindre le niveau III.

– Niveau III : sorties avec un diplôme de niveau bac + 2 ans (DUT, BTS, DEUG, écoles des formations sanitaires ou sociales, etc.).

– Niveaux II et I : sorties avec un diplôme de second ou troisième cycle universitaire ou un diplôme de grande école.

2.8 Économie - Entreprises

I. Produit intérieur brut et valeur ajoutée
II. Valeur ajoutée industrielle
III. Valeur ajoutée des services
IV. Administrations publiques locales
V. Comptes administratifs des régions
VI. Comptes administratifs des départements
VII. Comptes administratifs des communes
VIII. Fiscalité directe locale
IX. Artisans
X. Créations d'entreprises
XI. Stock d'établissements

Forte concentration du PIB en Île-de-France

La concentration de la production est plus importante que celle de la population. Elle l'est encore plus pour les activités de recherche et développement. L'Île-de-France concentre à elle seule plus de 28 % du produit intérieur brut de la nation. Même en rapportant le PIB à la population ou à l'emploi, elle distance largement les régions de province. Rhône-Alpes se situe en deuxième position avec un PIB trois fois plus faible. Avec Provence - Alpes - Côte d'Azur et Nord - Pas-de-Calais, ces quatre régions concentrent la moitié du produit intérieur brut de la France en 2006.

Entre 2000 et 2007, le niveau de richesse, mesuré par le rapport du PIB à la population, progresse en volume de + 1,1 % par an en moyenne en France contre + 1,8 % pour l'Union européenne à 27. La perte de terrain des régions françaises, en termes de PIB par habitant, résulte de la combinaison d'une croissance plus faible du PIB et d'une croissance plus forte de la population. En France, les disparités de PIB par habitant entre régions françaises restent significatives mais les écarts se resserrent. L'ampleur des écarts s'explique principalement par les différences de structures productives et par la plus ou moins grande capacité des régions à utiliser les ressources disponibles. L'Île-de-France et Rhône-Alpes sont les seules régions au-dessus de la moyenne nationale, résultats d'une productivité élevée, mesurée par le PIB par emploi, conjuguée à une bonne mobilisation de la main-d'œuvre. L'Île-de-France, Provence - Alpes - Côte d'Azur, l'Alsace, Champagne-Ardenne, la Haute-Normandie et l'Aquitaine ont leur niveau de PIB par habitant globalement tiré par des activités à forte valeur ajoutée. Le bon niveau des Pays de la Loire résulte plutôt d'une bonne mobilisation de l'emploi. À l'opposé, le Languedoc-Roussillon ne parvient pas à compenser une situation défavorisée par le chômage et le nombre insuffisant d'emplois eu égard à la croissance de sa population alors que sa structure productive est proche de la moyenne nationale.

Le secteur tertiaire contribue toujours fortement à la croissance nationale en représentant près de 78 % de la valeur ajoutée réalisée en France, dont les trois quarts dans les services marchands. Les régions les plus spécialisées en services marchands sont l'Île-de-France et Provence - Alpes - Côte d'Azur, suivies de Languedoc-Roussillon et de Rhône-Alpes. Champagne-Ardenne se caractérise par un poids des services marchands très faible et un poids de l'agriculture très élevé (cinq fois plus que la moyenne nationale). En 2008, l'industrie génère 14 % de la valeur ajoutée nationale. Ce secteur occupe une place relativement importante en Franche-Comté (20,5 %), en Haute-Normandie (20,3 %) et en Alsace (19,4 %).

Le régime d'auto-entrepreneur dope les créations d'entreprises dans toutes les régions métropolitaines

En 2008, le nombre d'entreprises nouvelles augmente dans les deux tiers des régions. La moitié des entreprises créées se concentrent comme les années précédentes dans quatre régions : Île-de-France, Provence - Alpes - Côte d'Azur, Rhône-Alpes et Languedoc-Roussillon. Le renouvellement du tissu productif est plus important dans le sud de la France, notamment en Aquitaine, en Provence - Alpes - Côte d'Azur, en Languedoc-Roussillon et en Corse ainsi qu'en Alsace et en région Île-de-France.

Hors régime d'auto-entrepreneur, le nombre de créations diminue nettement dans toutes les régions. Avec les auto-entrepreneurs, la hausse du nombre de créations est supérieure à 60 % partout en métropole. Elle dépasse même les 97 % en Poitou-Charentes. ■

PIB par habitant en 2008

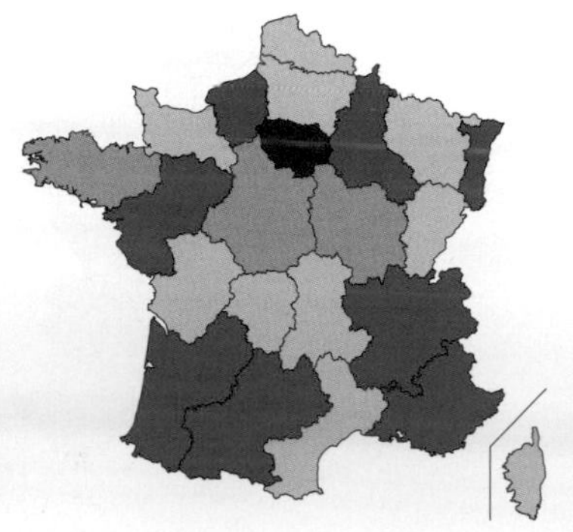

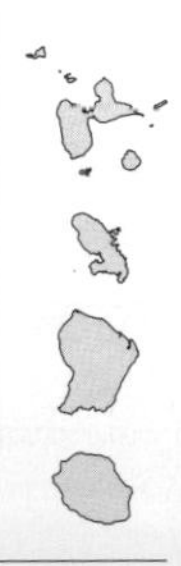

GéoFLA® © IGN 2009 – © INSEE 2010

	Produit intérieur brut (PIB) en 2008			Valeur ajoutée brute en 2008 – Répartition par branche d'activité (%)				
	Total (millions d'euros)	Par emploi (euros)	Par habitant (euros)	Agriculture	Industrie	Construction	Services principalement marchands	Services administrés
Alsace	52 444	71 203	28 470	2,0	19,4	6,8	50,1	21,6
Aquitaine	87 673	71 016	27 562	3,8	13,0	8,3	51,2	23,8
Auvergne	34 393	65 027	25 630	2,7	16,9	7,7	47,4	25,2
Bourgogne	43 124	66 245	26 427	4,9	17,1	7,7	46,7	23,6
Bretagne	83 604	66 491	26 547	3,3	13,4	8,9	49,6	24,8
Centre	67 483	67 764	26 541	4,1	17,9	7,6	47,9	22,6
Champagne-Ardenne	37 115	70 514	27 835	**10,2**	18,7	6,5	41,1	23,5
Corse	7 341	66 780	24 232	1,5	5,9	**11,1**	52,5	**28,9**
Franche-Comté	29 030	64 196	25 010	2,9	**20,5**	7,4	45,0	24,2
Île-de-France	552 664	**98 706**	**47 155**	0,2	9,6	4,2	**70,4**	15,7
Languedoc-Roussillon	61 906	69 091	23 726	3,0	9,2	8,2	53,5	26,0
Limousin	18 238	62 907	24 794	3,7	13,5	8,3	45,9	28,6
Lorraine	57 513	68 434	24 606	1,9	17,4	7,0	47,2	26,5
Midi-Pyrénées	77 908	69 153	27 384	2,6	12,4	8,6	51,9	24,5
Nord - Pas-de-Calais	100 085	68 572	24 866	1,3	17,8	6,4	49,5	25,0
Basse-Normandie	36 340	63 131	24 813	3,4	17,0	8,5	46,1	25,0
Haute-Normandie	50 850	70 025	27 990	1,6	20,3	7,1	48,5	22,5
Pays de la Loire	96 060	66 571	27 533	2,9	17,5	8,6	50,7	20,2
Picardie	45 443	67 805	23 890	3,7	18,4	6,9	47,5	23,5
Poitou-Charentes	44 135	65 772	25 259	4,5	14,3	8,0	48,9	24,2
Provence - Alpes - Côte d'Azur	142 110	75 568	28 949	1,4	10,3	7,0	56,6	24,7
Rhône-Alpes	187 990	74 402	30 601	1,1	17,8	7,7	53,9	19,5
France métropolitaine	**1 914 360**	**75 948**	**30 746**	**2,0**	**13,9**	**6,7**	**56,2**	**21,2**
dont France de province	*1 361 696*	*69 450*	*26 941*	*2,7*	*15,7*	*7,7*	*50,5*	*23,4*
Ensemble des Dom	33 661	60 362	17 888	2,5	7,1	7,6	48,6	34,2
France[1]	**1 950 085**	**75 691**	**30 401**	**2,0**	**13,8**	**6,7**	**56,0**	**21,5**

1. Y compris le PIB hors territoire.
Source : Insee, comptes régionaux base 2000 (données provisoires).

Définitions

Produit intérieur brut (PIB) : agrégat représentant le résultat final de l'activité de production des unités productrices résidentes. Il peut se définir de trois manières : la somme des valeurs ajoutées brutes des différents secteurs institutionnels ou des différentes branches d'activité, augmentée des impôts moins les subventions sur les produits (lesquels ne sont pas affectés aux secteurs et aux branches d'activité) ; la somme des emplois finals intérieurs de biens et de services (consommation finale effective, formation brute de capital fixe, variations de stocks), plus les exportations, moins les importations ; la somme des emplois des comptes d'exploitation des secteurs institutionnels (rémunération des salariés, impôts sur la production et les importations moins les subventions, excédent brut d'exploitation et revenu mixte).

Valeur ajoutée : solde du compte de production. Elle est égale à la valeur de la production diminuée de la consommation intermédiaire. Une partie de la valeur ajoutée n'est pas ventilée par région, elle est dite « hors territoire ».

Services administrés ou non marchands : on considère qu'une unité rend des services non marchands lorsqu'elle les fournit gratuitement ou à des prix qui ne sont pas économiquement significatifs. Ces activités de services se rencontrent dans les postes suivants de la NES : éducation, santé, action sociale (EQ) et administration (ER).

Services marchands : voir *Glossaire*.

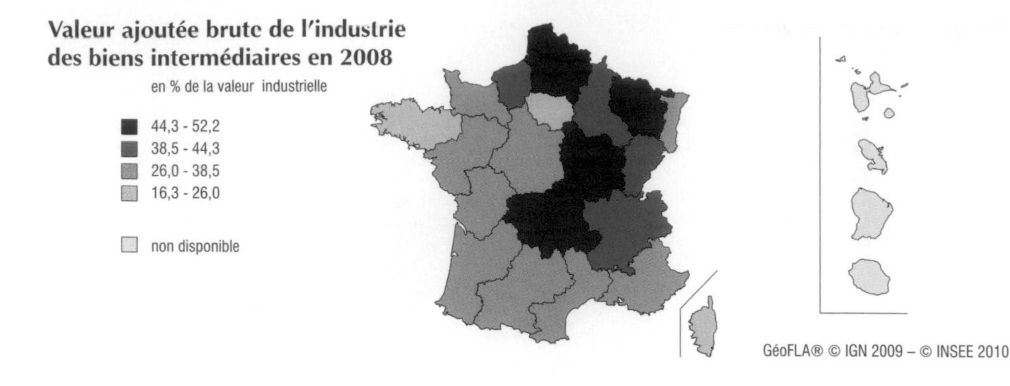

	Valeur ajoutée brute industrielle en 2008							
	Total (millions d'euros)	Poids de la région (%)	Répartition par branche d'activité (%)					
			Industries agroalimentaires	Biens de consommation	Automobile	Biens d'équipement	Biens intermédiaires	Énergie
Alsace	9 159	3,8	17,6	12,0	7,2	23,8	31,3	8,1
Aquitaine	10 247	4,2	15,2	13,8	1,6	**26,6**	28,3	14,5
Auvergne	5 224	2,2	16,6	11,8	1,0	10,6	**52,2**	7,8
Bourgogne	6 617	2,7	11,6	12,0	3,1	21,9	44,9	6,4
Bretagne	10 042	4,2	**32,8**	11,3	4,3	20,7	21,6	9,2
Centre	10 844	4,5	11,1	19,8	2,3	20,9	31,8	14,1
Champagne-Ardenne	6 238	2,6	25,9	9,7	2,7	11,6	40,6	9,5
Corse	392	0,2	24,7	5,6	0,3	13,8	16,3	**39,3**
Franche-Comté	5 338	2,2	10,6	9,6	**16,9**	19,1	39,3	4,5
Île-de-France	47 512	**19,7**	7,4	**25,9**	6,5	21,0	16,9	22,3
Languedoc-Roussillon	5 127	2,1	17,3	11,1	0,4	17,7	26,0	27,5
Limousin	2 214	0,9	17,1	11,2	4,4	10,6	44,3	12,4
Lorraine	8 990	3,7	9,9	7,4	8,5	13,0	48,2	13,0
Midi-Pyrénées	8 653	3,6	13,9	10,8	1,3	26,3	32,3	15,4
Nord - Pas-de-Calais	15 959	6,6	14,3	6,7	7,0	12,2	45,6	14,2
Basse-Normandie	5 537	2,3	20,1	13,1	7,0	14,4	26,6	18,8
Haute-Normandie	9 252	3,8	9,1	9,2	4,9	16,3	38,5	21,9
Pays de la Loire	15 284	6,3	18,7	11,5	2,9	26,0	28,7	12,2
Picardie	7 510	3,1	17,0	11,6	2,6	16,1	46,7	5,9
Poitou-Charentes	5 685	2,4	20,7	8,8	3,5	24,6	33,3	9,1
Provence - Alpes - Côte d'Azur	13 151	5,5	12,1	9,7	0,2	24,0	33,1	20,9
Rhône-Alpes	30 092	12,5	8,6	12,1	3,7	21,2	38,6	15,8
France métropolitaine	**239 067**	**99,1**	**13,4**	**14,1**	**4,5**	**20,1**	**32,3**	**15,5**
dont France de province	*191 555*	*79,4*	*15,0*	*11,2*	*4,1*	*19,9*	*36,2*	*13,8*
Ensemble des Dom	2 175	0,9	24,6	12,4	0,3	17,9	26,5	18,3
France[1]	**241 242**	**100,0**	**13,5**	**14,1**	**4,5**	**20,1**	**32,3**	**15,5**

1. Y compris la VA hors territoire.
Source : Insee, comptes régionaux - base 2000 (données provisoires).

Définitions

Industries agricoles et alimentaires (ou agroalimentaires) : correspondent au code EB de la NES qui regroupe l'industrie des viandes, l'industrie du lait, l'industrie des boissons, le travail du grain et fabrication d'aliments pour animaux, les industries alimentaires diverses ainsi que l'industrie du tabac.

Industries des biens de consommation : recouvrent des activités dont le débouché « naturel » est la consommation finale des ménages. Ces industries correspondent au code EC de la NES qui comprend l'habillement et cuir, l'édition, imprimerie et reproduction, la pharmacie, parfumerie et entretien ainsi que les équipements du foyer.

Industries des biens d'équipement : recouvrent des activités de production de biens durables servant principalement à produire d'autres biens. Ces industries correspondent au code EE de la NES qui regroupe la construction navale, aéronautique et ferroviaire, les équipements mécaniques et les équipements électriques et électroniques.

Valeur ajoutée (VA) : solde du compte de production. Elle est égale à la valeur de la production diminuée de la consommation intermédiaire. Une partie de la valeur ajoutée n'est pas ventilée par région, elle est dite « hors territoire ».

Industries des biens intermédiaires : voir *Glossaire*.

Services aux entreprises en 2008

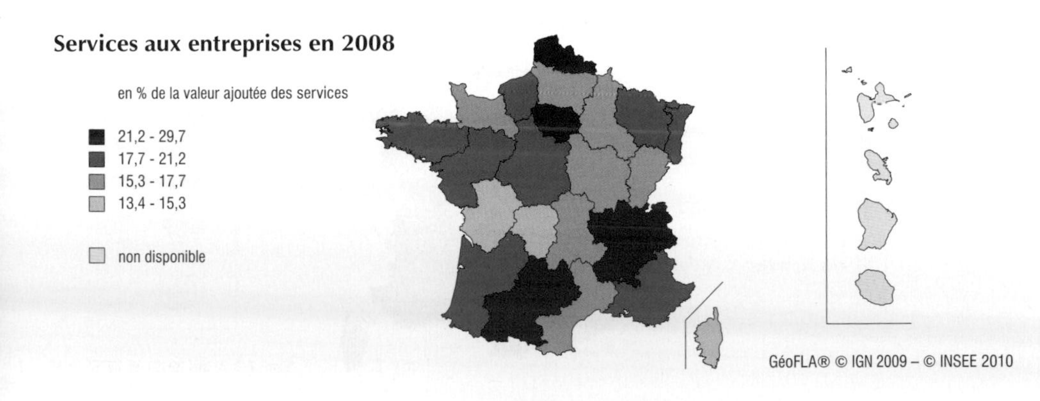

	Valeur ajoutée brute des services en 2008							
	Total (millions d'euros)	Poids de la région (%)	Répartition par branche d'activité (%)					
			Commerce	Transports	Activités financières et immobilières	Services aux entreprises	Services aux particuliers	Services administrés
Alsace	33 789	2,5	15,3	4,6	25,0	19,4	5,7	30,1
Aquitaine	59 010	4,3	14,4	5,5	23,6	18,3	6,4	31,7
Auvergne	22 431	1,7	12,9	4,8	23,8	17,5	6,2	34,8
Bourgogne	27 215	2,0	14,9	5,3	24,2	15,8	6,2	33,5
Bretagne	55 881	4,1	14,1	4,6	22,6	18,9	6,4	33,4
Centre	42 698	3,1	13,6	5,9	23,9	19,0	5,5	32,1
Champagne-Ardenne	21 538	1,6	13,8	6,4	22,7	15,4	5,4	36,3
Corse	5 370	**0,4**	13,2	5,9	23,1	**13,4**	8,8	35,5
Franche-Comté	18 038	1,3	12,8	5,3	24,6	17,1	5,2	35,0
Île-de-France	427 461	**31,5**	**10,8**	5,7	26,2	**29,6**	**9,4**	**18,3**
Languedoc-Roussillon	44 257	3,3	13,8	4,9	26,0	16,7	5,9	32,7
Limousin	12 204	0,9	13,5	4,5	24,1	13,8	5,7	**38,4**
Lorraine	38 064	2,8	13,1	5,2	23,0	17,8	5,0	36,0
Midi-Pyrénées	53 485	3,9	12,9	4,6	22,7	22,1	5,7	32,1
Nord - Pas-de-Calais	66 999	4,9	13,6	6,2	**20,8**	21,3	**4,6**	33,5
Basse-Normandie	23 207	1,7	14,3	**4,2**	22,6	16,5	7,3	35,1
Haute-Normandie	32 476	2,4	12,3	**9,8**	22,7	18,8	5,0	31,6
Pays de la Loire	61 796	4,5	**15,6**	5,8	23,7	20,5	5,8	28,5
Picardie	29 002	2,1	15,2	7,3	22,5	16,3	5,7	33,1
Poitou-Charentes	28 997	2,1	14,9	4,7	**26,5**	14,3	6,5	33,1
Provence - Alpes - Côte d'Azur	103 774	7,6	12,5	6,6	24,8	18,1	7,6	30,4
Rhône-Alpes	123 917	9,1	13,7	6,3	25,1	22,0	6,2	26,6
France métropolitaine	**1 331 609**	**98,0**	**12,8**	**5,7**	**24,6**	**22,3**	**7,1**	**27,4**
dont France de province	*904 148*	*66,5*	*13,8*	*5,8*	*23,8*	*18,9*	*6,1*	*31,7*
Ensemble des Dom	25 382	1,9	13,6	4,2	21,5	13,8	5,6	41,3
France[1]	**1 359 055**	**100,0**	**12,8**	**5,7**	**24,5**	**22,1**	**7,1**	**27,7**

1. Y compris la VA hors territoire.
Source : Insee, comptes régionaux base 2000 (données provisoires).

Définitions

Services administrés ou non marchands : on considère qu'une unité rend des services non marchands lorsqu'elle les fournit gratuitement ou à des prix qui ne sont pas économiquement significatifs. Ces activités de services se rencontrent dans les postes suivants de la NES : éducation, santé, action sociale (EQ) et administration (ER).

Services aux entreprises : ces activités correspondent au code EN de la NES. Elles comprennent les postes et télécommunications, les conseils et assistance, les services opérationnels et également la recherche et développement. L'Insee classant les services marchands en fonction de leur utilisateur principal, les services de télécommunication, les services juridiques, les activités de contrôles, les analyses techniques ... sont des services aux entreprises même lorsqu'ils sont partiellement consommés par les ménages.

Services aux particuliers : ces activités correspondent au code EP de la NES. Elles regroupent les hôtels et restaurants, les activités récréatives, culturelles et sportives ainsi que les services personnels et domestiques.

Valeur ajoutée (VA) : solde du compte de production. Elle est égale à la valeur de la production diminuée de la consommation intermédiaire. Une partie de la valeur ajoutée n'est pas ventilée par région, elle est dite « hors territoire ».

Dépenses de fonctionnement des APUL en 2006

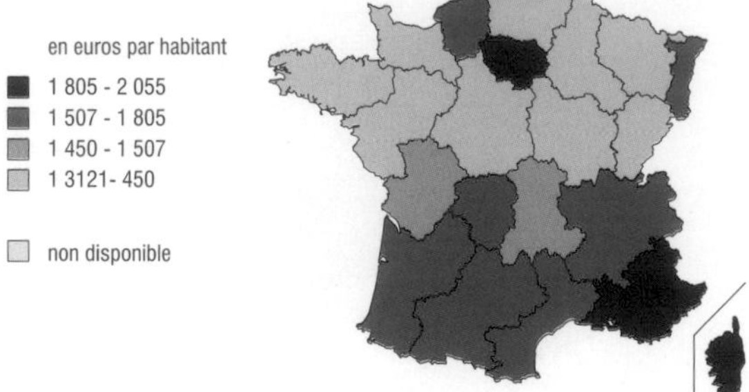

GéoFLA® © IGN 2009 – © INSEE 2010

	Emplois en 2006 en euros par habitant				Ressources en 2006 en euros par habitant			Capacité de financement en euros par habitant
		dont				*dont*		
	Dépenses totales	*Dépenses de fonctionnement*	*Prestations sociales et autres transferts*	*Acquisitions nettes d'actifs non financiers*	Recettes totales	*Impôts et transferts de recettes fiscales*	*Autres transferts*[1]	
Alsace	3 051	*1 510*	*872*	*619*	3 028	*1 401*	*890*	8
Aquitaine	3 031	*1 551*	***677***	*752*	3 038	*1 544*	*904*	11
Auvergne	3 145	*1 450*	*705*	*920*	2 973	*1 419*	*996*	– 185
Bourgogne	2 725	*1 354*	*748*	*577*	**2 708**	*1 347*	*911*	– 22
Bretagne	2 737	***1 312***	*698*	*667*	2 735	*1 326*	*889*	5
Centre	2 734	*1 359*	*684*	*628*	2 743	*1 388*	*892*	– 8
Champagne-Ardenne	2 830	*1 357*	*738*	*680*	2 815	*1 380*	*909*	– 52
Corse	**5 714**	***2 055***	***2 194***	***1 394***	**5 410**	*1 849*	***2 923***	**– 273**
Franche-Comté	2 842	*1 358*	*694*	*743*	2 767	*1 340*	*874*	– 118
Île-de-France	3 437	*1 805*	*1 034*	***541***	3 354	***1 911***	*871*	– 53
Languedoc-Roussillon	3 300	*1 637*	*754*	*839*	3 239	*1 707*	*934*	– 43
Limousin	3 267	*1 507*	*847*	*855*	3 004	*1 338*	*1 087*	– 238
Lorraine	2 737	*1 319*	*732*	*632*	2 713	***1 311***	*902*	– 27
Midi-Pyrénées	3 145	*1 530*	*732*	*815*	3 120	*1 559*	*922*	– 25
Nord - Pas-de-Calais	2 988	*1 479*	*810*	*627*	3 017	*1 570*	*1 025*	– 17
Basse-Normandie	2 798	*1 389*	*722*	*639*	2 772	*1 356*	*892*	– 56
Haute-Normandie	3 089	*1 539*	*845*	*633*	3 082	*1 614*	*940*	4
Pays de la Loire	2 810	*1 331*	*726*	*698*	**2 708**	*1 383*	***844***	– 109
Picardie	**2 666**	*1 348*	*721*	*548*	2 743	*1 421*	*914*	**71**
Poitou-Charentes	2 838	*1 459*	*703*	*611*	2 838	*1 362*	*905*	– 6
Provence - Alpes - Côte d'Azur	3 549	*1 841*	*828*	*800*	3 429	*1 875*	*951*	– 145
Rhône-Alpes	3 207	*1 528*	*758*	*839*	3 162	*1 676*	*911*	– 44
France métropolitaine	**3 110**	***1 549***	***812***	***687***	**3 064**	***1 594***	***922***	**– 47**
dont France de province	...	...	...	...	...	...	...	...
Ensemble des Dom	3 990	1 896	1 183	860	3 863	2 131	1 256	– 101
France[1]	**3 135**	***1 558***	***822***	***692***	**3 086**	***1 609***	***931***	**– 49**

1. Les transferts hors recettes fiscales comprennent les transferts de capital et les autres transferts courants entre sous-secteurs des administrations publiques.
Source : Insee, comptes régionalisés des administrations publiques locales en base 2000.

Définitions

Administrations publiques locales (APUL) : comprennent les collectivités locales et les organismes divers d'administration locale (ODAL). Les collectivités locales regroupent les collectivités territoriales à compétence générale (communes, départements et régions), les groupements de communes à fiscalité propre (communautés urbaines, communautés d'agglomération et communautés de communes) et certaines activités des syndicats de communes. Les ODAL regroupent principalement des établissements publics locaux (centres communaux d'action sociale, caisses des écoles, services départementaux d'incendie et de secours,...), les établissements publics locaux d'enseignement (collèges, lycées d'enseignement général et professionnel), les associations récréatives et culturelles financées majoritairement par les collectivités territoriales et les chambres consulaires (commerce et industrie, agriculture et métiers).

Capacité et besoin de financement des APU, transferts courants (hors recettes fiscales), transferts en capital : voir *Glossaire*.

Dépenses totales des régions en 2007

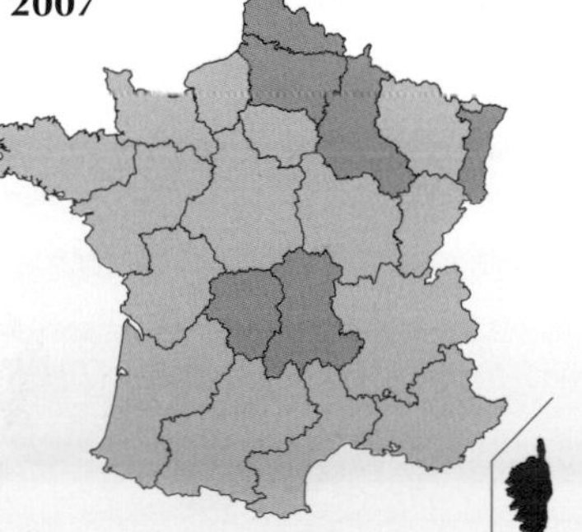

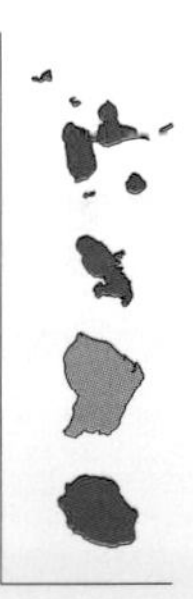

GéoFLA® © IGN 2009 – © INSEE 2010

	Emplois en 2007 par habitant (€)						Ressources en 2007 par habitant (€)		
				dont					
	Dépenses totales	Dépenses de fonctionnement	Dépenses d'investissement	*formation professionnelle continue et apprentissage*	*établis. scolaires du 2nd degré*	*transport ferroviaire[1]*	Recettes totales	Recettes de fonctionnement	Recettes d'investissement
Alsace	399	246	153	*80*	*82*	*85*	405	310	95
Aquitaine	**303**	**167**	136	*70*	*76*	*40*	**303**	283	**20**
Auvergne	441	240	201	*86*	*93*	*73*	442	349	93
Bourgogne	384	250	134	*90*	*82*	*90*	381	324	57
Bretagne	308	189	119	*71*	*77*	*38*	305	278	27
Centre	351	204	147	*82*	*67*	*55*	352	302	51
Champagne-Ardenne	395	231	164	*79*	*91*	*86*	375	304	72
Corse	**2 141**	**1 244**	**897**	*67*	***130***	///	**2 247**	**1 658**	**589**
Franche-Comté	372	228	144	*77*	*87*	*58*	373	324	49
Île-de-France	336	186	149	***65***	*77*	///	336	273	62
Languedoc-Roussillon	368	205	163	*73*	*100*	*63*	370	290	80
Limousin	501	334	167	***113***	*92*	*97*	510	422	88
Lorraine	323	213	**110**	*68*	***52***	*92*	311	280	32
Midi-Pyrénées	339	196	143	*71*	*108*	*45*	335	303	33
Nord - Pas-de-Calais	403	253	150	*74*	*85*	*64*	405	331	75
Basse-Normandie	358	217	140	*96*	*60*	*48*	368	315	53
Haute-Normandie	357	220	136	*105*	*92*	*46*	372	349	22
Pays de la Loire	350	193	157	*87*	*73*	*56*	348	**268**	80
Picardie	445	285	160	*88*	*86*	***116***	452	348	104
Poitou-Charentes	356	229	127	*74*	*85*	***27***	360	285	75
Provence - Alpes - Côte d'Azur	372	224	148	*68*	*75*	*46*	374	291	83
Rhône-Alpes	353	223	130	*67*	*90*	*88*	353	291	63
France métropolitaine	**367**	**219**	**148**	***75***	***82***	***51***	**368**	**304**	**64**
dont France de province	*374*	*226*	*148*	*77*	*83*	*63*	*375*	*311*	*64*
Guadeloupe	641	296	345	*70*	*82*	///	662	559	102
Guyane	499	272	227	*86*	*76*	///	512	391	121
Martinique	769	412	357	*172*	*76*	///	733	579	154
La Réunion	1 006	312	694	*176*	*95*	///	1 036	511	525
France	**380**	**222**	**158**	***77***	***82***	***50***	**381**	**310**	**71**

1. En 2007, toutes les régions de métropole, sauf la Corse et l'Île-de-France, disposent de la compétence « transport ferroviaire », généralisée depuis 2003.
Champ : hors gestion active de la dette.
Source : DGCL.

Définitions

Dépenses de fonctionnement : regroupent principalement les frais de rémunération des personnels, les dépenses d'entretien et de fourniture, les intérêts de la dette et les frais de fonctionnement divers correspondant aux compétences de la collectivité.

Dépenses d'investissement : concernent des opérations en capital ; elles comprennent les remboursements d'emprunts, les prêts et avances accordés par la collectivité, les dépenses directes d'investissement et les subventions d'équipement versées.

Gestion active de la dette ou réaménagement de la dette : comprend d'une part les remboursements anticipés de dette classiques refinancés par emprunt et comptabilisés à l'article 166 « refinancement de dette » ; d'autre part les mouvements de dette équilibrés en dépenses et en recettes correspondant à l'utilisation des nouveaux produits de gestion active de la dette : crédit long terme renouvelable (CLTR), ouverture de crédit à long terme (OCLT) et prêt à capital et taux modulable (PCTM) comptabilisés à l'article 16449 « emprunts assortis d'une option de tirage sur ligne de trésorerie : opérations afférentes à l'option de tirage sur ligne de trésorerie ».

Recettes de fonctionnement : proviennent des quatre taxes directes (habitation, foncier bâti, foncier non bâti, professionnelle), des recettes fiscales indirectes (taxe sur les cartes grises, taxes additionnelles aux droits de mutation, taxe sur les permis de conduire), des dotations versées par l'État, des ressources d'exploitation des domaines et des produits financiers.

Recettes d'investissement : voir *Glossaire*.

Dépenses totales des départements en 2007

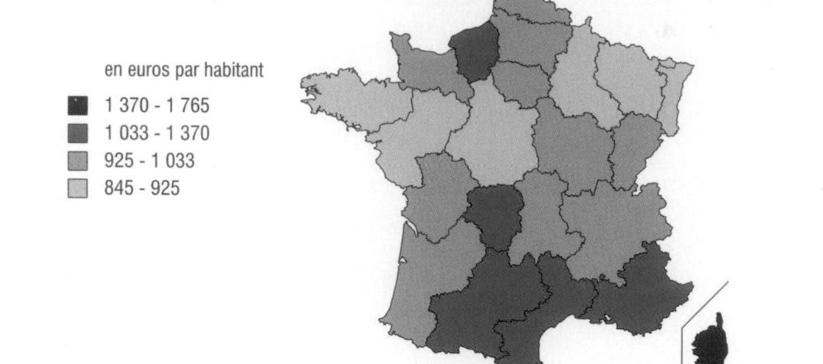

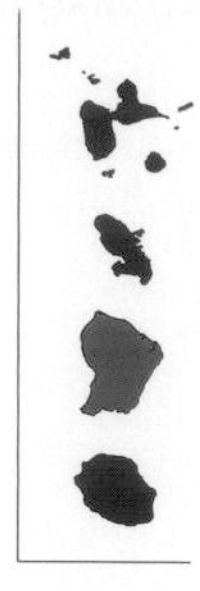

GéoFLA® © IGN 2009 – © INSEE 2010

	Emplois en 2007 par habitant (€)						Ressources en 2007 par habitant (€)		
			dont						
	Dépenses totales	Dépenses de fonctionnement	*voirie*	*prévention médico-sociale et action sociale*	*collèges*[1]	Dépenses d'investissement	Recettes totales	Recettes de fonctionnement	Recettes d'investissement
Alsace	863	587	*13*	*227*	*17*	276	899	763	136
Aquitaine	925	690	*14*	*265*	*23*	236	912	847	65
Auvergne	989	705	***38***	*247*	*23*	284	984	840	144
Bourgogne	1 005	744	*22*	*312*	*22*	261	1 012	872	140
Bretagne	861	623	*12*	*242*	*32*	238	847	769	78
Centre	895	645	*17*	*251*	*28*	250	898	793	104
Champagne-Ardenne	861	618	*23*	*228*	*22*	244	857	769	89
Corse	**1 371**	**1 029**	*29*	*263*	*/// *	**341**	**1 364**	**1 232**	133
Franche-Comté	969	663	*22*	*239*	*24*	307	962	819	143
Île-de-France	932	717	*9*	*306*	*23*	215	914	828	85
Languedoc-Roussillon	1 111	841	*21*	*262*	*19*	270	1 101	1 019	83
Limousin	1 118	801	*23*	*293*	*16*	317	1 163	955	**208**
Lorraine	845	623	*18*	*230*	*20*	223	841	766	75
Midi-Pyrénées	1 060	783	*22*	*255*	*18*	277	1 100	958	142
Nord - Pas-de-Calais	979	774	*11*	**328**	***41***	205	972	872	100
Basse-Normandie	947	687	*24*	*268*	*34*	260	941	830	110
Haute-Normandie	1 033	727	*14*	*292*	*20*	307	1 033	834	198
Pays de la Loire	850	622	*14*	*240*	*26*	228	848	740	107
Picardie	928	688	*13*	*269*	*31*	240	921	843	78
Poitou-Charentes	958	702	*11*	*249*	*25*	256	945	828	117
Provence - Alpes - Côte d'Azur	1 100	778	*14*	*252*	*33*	322	1 098	979	119
Rhône-Alpes	950	676	*20*	*251*	*21*	273	950	864	85
France métropolitaine[2]	**958**	**706**	***16***	***257***	***24***	**245**	**955**	**852**	**103**
dont France de province	*964*	*703*	*18*	*260*	*26*	*252*	*964*	*857*	*107*
Guadeloupe	1 516	1 255	*14*	*334*	*15*	261	1 523	1 397	126
Guyane	1 190	1 057	*12*	*256*	*38*	132	1 230	1 135	95
Martinique	1 651	1 262	*24*	*317*	*17*	388	1 621	1 329	291
La Réunion	1 764	1 314	*10*	*283*	*16*	450	1 759	1 529	230
France[2]	**977**	**722**	***16***	***269***	***25***	**256**	**974**	**867**	**106**

1. En Corse, il ne s'agit pas d'une compétence des départements, mais de la collectivité territoriale.
2. Données hors commune de Paris pour les dépenses d'entretien de la voirie.
Champ : hors gestion active de la dette.
Source : DGCL.

Définitions

Dépenses de fonctionnement : elles concernent surtout les domaines de l'action sociale et de la santé, l'entretien de la voirie et le fonctionnement des collèges.

Dépenses d'investissement : concernent des opérations en capital ; elles comprennent les remboursements d'emprunts, les prêts et avances accordés par la collectivité, les dépenses directes d'investissement et les subventions d'équipement versées.

Gestion active de la dette ou réaménagement de la dette : comprend d'une part les remboursements anticipés de dette classiques refinancés par emprunt et comptabilisés à l'article 166 « refinancement de dette » ; d'autre part les mouvements de dette équilibrés en dépenses et en recettes correspondant à l'utilisation des nouveaux produits de gestion active de la dette : crédit long terme renouvelable (CLTR), ouverture de crédit à long terme (OCLT) et prêt à capital et taux modulable (PCTM) comptabilisés à l'article 16449 « emprunts assortis d'une option de tirage sur ligne de trésorerie : opérations afférentes à l'option de tirage sur ligne de trésorerie ».

Recettes de fonctionnement : voir *Glossaire*.

Dépenses de fonctionnement en 2006 des communes de plus de 10 000 habitants

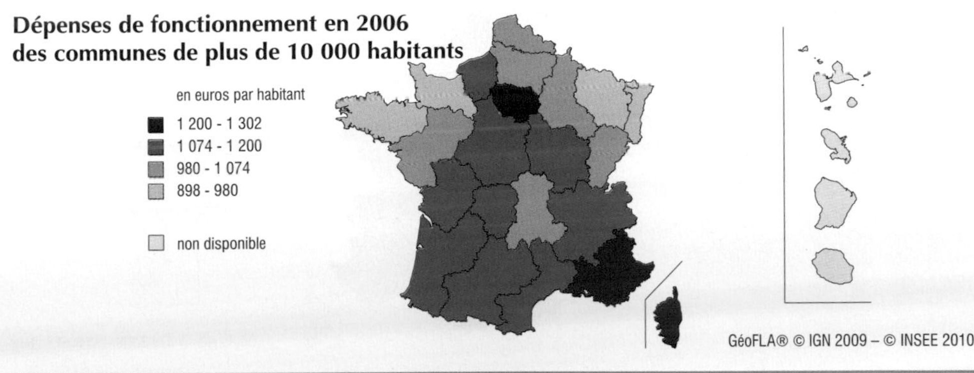

	Communes de moins de 10 000 habitants					Communes de 10 000 habitants ou plus (hors Paris)				
	Recettes 2006 en euros par habitant			Dépenses 2006 en euros par habitant		Recettes 2006 en euros par habitant			Dépenses 2006 en euros par habitant	
	Total	*dont impôts et taxes*	*dont DGF*	Fonctionnement[1]	Investissement[2]	Total	*dont impôts et taxes*	*dont DGF*	Fonctionnement[1]	Investissement[2]
Alsace	777	*387*	***158***	545	470	1 352	*640*	***225***	956	**620**
Aquitaine	829	*407*	*202*	664	397	1 282	*805*	*242*	1 074	458
Auvergne	836	*400*	*231*	627	510	1 214	*717*	*250*	1 008	422
Bourgogne	785	*383*	*194*	610	401	1 284	*741*	*271*	1 087	408
Bretagne	803	*414*	*204*	592	450	1 136	*641*	*247*	931	415
Centre	820	*419*	*197*	650	362	1 321	*786*	*268*	1 110	451
Champagne-Ardenne	759	*328*	*188*	548	396	1 229	*694*	*312*	1 032	476
Corse	1 039	*449*	***294***	833	**632**	1 375	*806*	*310*	1 200	563
Franche-Comté	739	***301***	*166*	**542**	426	1 252	*699*	*280*	1 025	479
Île-de-France	1 052	*599*	*202*	856	386	**1 527**	*839*	***336***	**1 302**	471
Languedoc-Roussillon	1 038	*540*	*228*	843	554	1 363	*864*	*254*	1 147	520
Limousin	832	*383*	*234*	650	442	1 275	*764*	*234*	1 091	411
Lorraine	788	*338*	*193*	585	425	**1 054**	***561***	*271*	**898**	362
Midi-Pyrénées	836	*397*	*207*	644	449	1 416	*914*	*230*	1 126	473
Nord - Pas-de-Calais	790	*414*	*201*	641	315	1 204	*688*	*287*	1 048	363
Basse-Normandie	752	*346*	*204*	581	352	1 142	*565*	*324*	951	364
Haute-Normandie	815	*395*	*196*	659	366	1 321	*747*	*315*	1 121	491
Pays de la Loire	799	*405*	*211*	584	436	1 204	*703*	*275*	996	409
Picardie	**696**	*344*	*182*	545	**285**	1 154	*623*	***207***	**980**	**344**
Poitou-Charentes	770	*374*	*202*	500	371	1 299	*746*	*279*	1 084	432
Provence - Alpes - Côte d'Azur	**1 211**	***703***	*216*	**975**	605	1 471	***933***	*261*	1 267	533
Rhône-Alpes	1 049	*595*	*195*	759	591	1 294	*762*	*247*	1 081	441
France métropolitaine	**866**	***441***	***201***	**666**	**437**	**1 353**	***783***	***283***	**1 139**	**458**
dont France de province	...	...	...	...	...	...	...	...	...	...
Ensemble des Dom	1 197	780	220	1 103	453	1 264	822	241	1 130	403
France	**869**	***444***	***201***	**670**	**437**	**1 349**	***785***	***281***	**1 139**	**455**

1. Hors travaux en régie.
2. Y compris travaux en régie et hors gestion active de la dette.
Source : DGCL.

Définitions

Dépenses de fonctionnement : regroupent principalement les frais de rémunération des personnels, les dépenses d'entretien et de fourniture, les intérêts de la dette et les frais de fonctionnement divers correspondant aux compétences de la collectivité.

Dépenses d'investissement : concernent des opérations en capital ; elles comprennent les remboursements d'emprunts, les prêts et avances accordés par la collectivité, les dépenses directes d'investissement et les subventions d'équipement versées.

DGF : dotation globale de fonctionnement.

Gestion active de la dette ou réaménagement de la dette : comprend d'une part les remboursements anticipés de dette classiques refinancés par emprunt et comptabilisés à l'article 166 « refinancement de dette » ; d'autre part les mouvements de dette équilibrés en dépenses et en recettes correspondant à l'utilisation des nouveaux produits de gestion active de la dette : crédit long terme renouvelable (CLTR), ouverture de crédit à long terme (OCLT) et prêt à capital et taux modulable (PCTM) comptabilisés à l'article 16449 « emprunts assortis d'une option de tirage sur ligne de trésorerie : opérations afférentes à l'option de tirage sur ligne de trésorerie ».

Recettes de fonctionnement : proviennent des quatre taxes directes (habitation, foncier bâti, foncier non bâti, professionnelle), des recettes fiscales indirectes (taxe sur les cartes grises, taxes additionnelles aux droits de mutation, taxe sur les permis de conduire), des dotations versées par l'État, des ressources d'exploitation des domaines et des produits financiers.

Recettes d'investissement : voir *Glossaire*.

Produit des 4 taxes locales en 2007

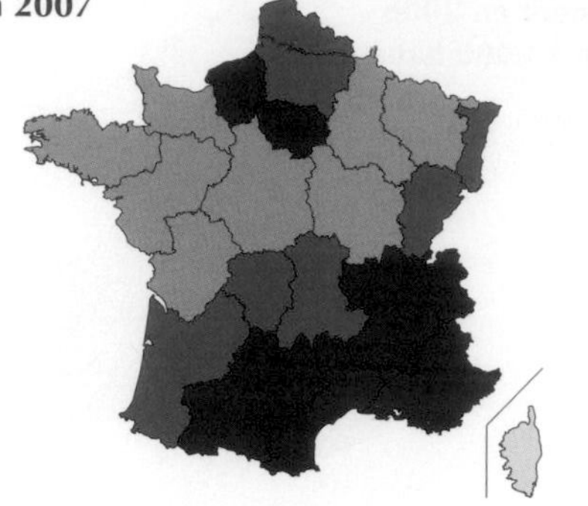

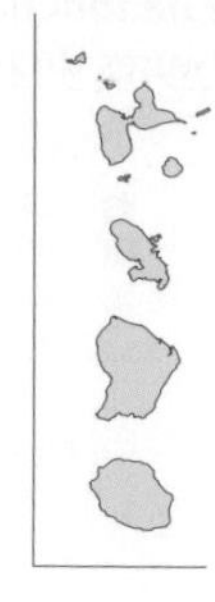

GéoFLA® © IGN 2009 – © INSEE 2010

	Produit total 2007 en euros par habitant	Communes et regroupements en euros par habitant				Départements toutes taxes en 2007 en euros par habitant	Régions toutes taxes en 2007 en euros par habitant
		Taxe d'habitation en 2007	Taxe professionnelle en 2007	Taxe sur le foncier bâti en 2007	Taxe sur le foncier non bâti en 2007		
Alsace	946	132	275	149	11	314	64
Aquitaine	988	169	239	196	16	293	74
Auvergne	939	131	212	164	23	317	91
Bourgogne	889	124	188	174	23	305	75
Bretagne	847	160	175	165	17	268	61
Centre	896	141	217	183	18	264	73
Champagne-Ardenne	887	137	225	185	17	256	66
Corse	**679**	181	166	**120**	**3**	**199**	**10**
Franche-Comté	902	109	212	145	10	337	88
Île-de-France	1 034	193	276	231	**3**	276	55
Languedoc-Roussillon	1 073	186	191	231	17	361	86
Limousin	911	143	191	164	22	311	79
Lorraine	813	121	207	130	8	283	64
Midi-Pyrénées	1 045	132	243	189	20	**371**	90
Nord - Pas-de-Calais	960	145	297	165	9	266	79
Basse-Normandie	785	**108**	**154**	165	**25**	257	75
Haute-Normandie	1 030	116	289	201	14	316	**93**
Pays de la Loire	894	160	223	168	19	264	61
Picardie	909	120	195	173	20	325	76
Poitou-Charentes	869	134	193	180	23	280	59
Provence - Alpes - Côte d'Azur	**1 178**	**222**	306	**238**	7	323	83
Rhône-Alpes	1 099	157	**322**	204	8	338	70
France métropolitaine	**983**	**159**	**249**	**193**	**12**	**298**	**71**
dont France de province	*972*	*151*	*243*	*185*	*15*	*304*	*74*
Guadeloupe	711	80	130	152	10	290	50
Guyane	470	38	102	86	6	209	30
Martinique	605	97	104	163	4	194	42
La Réunion	551	97	154	155	4	106	35
France	**972**	**157**	**246**	**192**	**12**	**295**	**70**

Source : direction générale des Finances publiques.

Définitions

Regroupements de communes : ce terme recouvre d'une part les syndicats de communes non dotés d'une fiscalité propre (SIVU, SIVOM,...), d'autre part les groupements à fiscalité propre (syndicats d'agglomération nouvelle, communautés de communes, communautés d'agglomération et communautés urbaines).

Taxe d'habitation : taxe établie au nom des personnes physiques ou morales qui ont, pour quelque raison que ce soit, la disposition ou la jouissance à titre privatif de locaux imposables.

Taxe foncière sur les propriétés bâties : taxe due par les propriétaires ou usufruitiers des immeubles bâtis situés en France, fixés au sol à perpétuelle demeure et présentant le caractère de véritables constructions.

Taxe foncière sur les propriétés non bâties : taxe due par les propriétaires et usufruitiers des propriétés non bâties situées en France, à l'exception de celles expressément exonérées.

Taxe professionnelle : taxe due par toutes les personnes physiques ou morales qui exercent, à titre habituel, une activité non salariée revêtant un caractère professionnel, localisée en France et pour laquelle aucune exonération n'est prévue.

Artisans en 2008

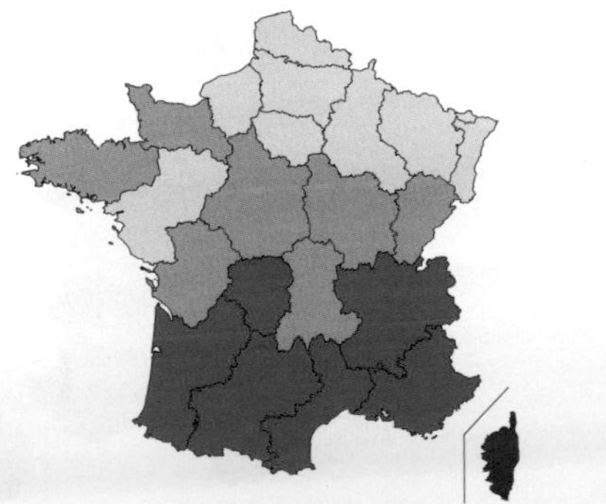

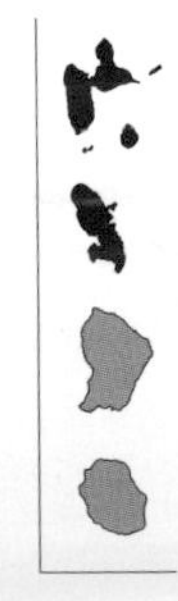

GéoFLA® © IGN 2009 – © INSEE 2010

	Entreprises artisanales au 1er janvier 2008							
			Par secteur d'activité (%)					
	Nombre total	Pour 10 000 hab.	Industries agricoles et alimentaires	Construction	Commerce	Services aux entreprises	Services aux particuliers	Autres activités
Alsace	21 256	117	6,2	37,1	18,7	5,5	13,4	19,1
Aquitaine	52 503	168	5,6	43,5	15,7	4,7	13,0	17,5
Auvergne	21 606	162	7,2	38,4	17,7	3,5	14,7	18,5
Bourgogne	23 000	141	7,1	40,2	16,5	4,3	13,5	18,5
Bretagne	45 903	148	7,3	40,2	16,9	4,4	15,3	15,9
Centre	33 969	135	6,0	39,6	17,7	4,5	13,6	17,7
Champagne-Ardenne	16 479	123	7,4	37,3	17,7	4,5	15,3	17,8
Corse	8 002	**272**	5,9	**45,9**	15,9	6,0	11,8	14,5
Franche-Comté	16 943	147	6,1	35,9	17,2	4,8	15,4	20,5
Île-de-France	140 429	122	3,8	39,3	15,5	**7,3**	11,7	**22,4**
Languedoc-Roussillon	51 318	203	5,1	41,9	17,2	5,9	14,9	15,0
Limousin	13 163	180	6,4	36,9	19,5	4,4	16,3	16,6
Lorraine	28 540	122	6,4	37,6	16,6	5,1	15,7	18,6
Midi-Pyrénées	50 904	183	5,7	42,8	16,6	4,7	13,7	16,6
Nord - Pas-de-Calais	35 698	89	6,8	33,4	20,3	5,5	**17,3**	16,8
Basse-Normandie	21 069	145	**7,9**	38,3	**21,0**	4,0	14,6	14,0
Haute-Normandie	21 009	116	7,0	36,6	20,1	5,0	14,6	16,8
Pays de la Loire	45 611	132	6,7	40,8	16,9	4,5	14,2	16,9
Picardie	20 834	110	6,2	38,8	17,9	4,6	15,3	17,3
Poitou-Charentes	27 109	157	7,0	41,3	17,4	4,1	13,8	16,5
Provence - Alpes - Côte d'Azur	93 115	193	5,1	40,9	15,9	6,5	13,9	17,7
Rhône-Alpes	102 749	171	5,5	39,1	15,6	6,3	13,3	20,3
France métropolitaine	**891 209**	**145**	**5,8**	**39,7**	**16,8**	**5,5**	**13,9**	**18,3**
dont France de province	*750 780*	*151*	*6,2*	*39,8*	*17,1*	*5,2*	*14,3*	*17,5*
Guadeloupe	9 487	237	4,8	50,4	11,1	4,7	8,4	20,6
Guyane	3 034	147	6,9	45,0	12,8	5,2	5,7	24,5
Martinique	8 769	220	4,3	44,3	11,6	4,9	9,1	25,7
La Réunion	12 101	155	6,7	41,2	11,2	6,2	11,1	23,6
France	**924 600**	**146**	**5,8**	**39,9**	**16,6**	**5,5**	**13,7**	**18,5**

Source : Insee, REE (répertoire des entreprises et des établissements - Sirene).

Définitions

Entreprise artisanale au sens économique : entreprise ayant une activité principale relevant des secteurs de l'artisanat (en NAF 700) et dont l'effectif salarié ne dépasse pas un certain seuil. Compte tenu des évolutions récentes, ce seuil a été porté à 19 salariés, ce qui correspond à celui des « très petites entreprises ». Dans le répertoire des entreprises et établissements (REE, Sirene), une entreprise est considérée comme artisanale si l'une des conditions suivantes est remplie :

- l'entreprise est inscrite à la chambre des métiers ;
- le code d'activité principale au répertoire des métiers est renseigné.

Taux de création en 2008 pour l'ensemble des activités

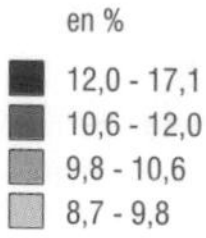

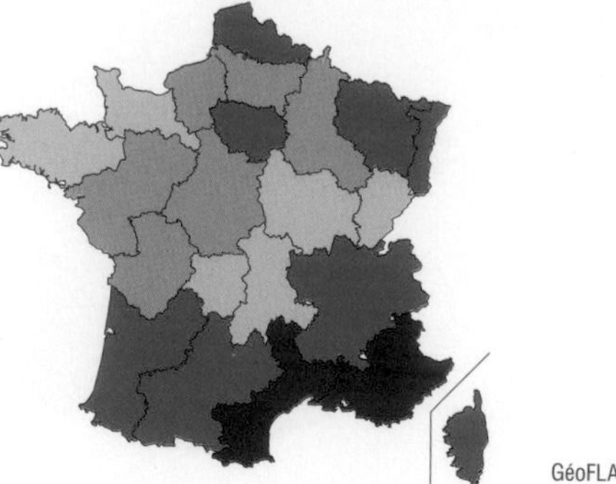

GéoFLA® © IGN 2009 – © INSEE 2010

	Créations d'entreprises en 2008							
				Taux de création par activité (%)				
	Ensemble des créations	Poids de la région (%)	Créations dans les services	Industrie	Construction	Commerce	Services	Ensemble des activités
Alsace	8 093	2,5	4 521	8,3	11,9	12,3	11,3	11,4
Aquitaine	17 316	5,3	8 735	8,8	13,0	12,4	10,6	11,2
Auvergne	4 914	1,5	2 404	5,8	9,4	10,4	8,4	8,7
Bourgogne	6 176	1,9	3 166	7,3	10,2	10,2	9,7	9,7
Bretagne	11 987	3,7	6 350	8,3	10,3	10,3	9,3	9,6
Centre	9 300	2,8	4 716	6,5	11,8	11,2	10,1	10,3
Champagne-Ardenne	4 557	1,4	2 318	6,2	11,2	11,1	9,9	9,9
Corse	2 517	0,8	1 155	**12,5**	16,1	11,3	9,2	11,1
Franche-Comté	4 087	1,2	2 013	6,1	11,9	9,9	9,2	9,4
Île-de-France	77 532	**23,7**	46 486	7,9	**17,0**	11,2	10,7	11,2
Languedoc-Roussillon	18 102	5,5	8 911	11,2	14,6	**14,8**	**11,6**	**12,8**
Limousin	2 673	0,8	1 293	7,3	10,9	9,2	8,7	9,0
Lorraine	8 179	2,5	4 084	6,7	13,9	11,3	10,2	10,7
Midi-Pyrénées	15 013	4,6	8 064	8,1	12,4	10,7	10,9	10,9
Nord - Pas-de-Calais	13 116	4,0	6 825	9,3	14,6	11,6	9,8	10,7
Basse-Normandie	5 162	1,6	2 521	6,8	10,2	10,5	8,9	9,3
Haute-Normandie	6 185	1,9	3 061	7,6	13,3	11,2	9,6	10,3
Pays de la Loire	13 546	4,1	7 251	7,2	10,3	11,7	10,1	10,2
Picardie	5 974	1,8	2 978	7,3	14,2	10,4	9,7	10,3
Poitou-Charentes	7 039	2,2	3 414	7,6	10,8	10,7	9,5	9,8
Provence - Alpes - Côte d'Azur	37 089	11,3	18 877	10,1	16,7	13,2	10,8	12,1
Rhône-Alpes	33 503	10,2	18 290	7,5	13,7	11,2	10,7	10,9
France métropolitaine	**312 060**	**95,4**	**167 433**	**8,0**	**13,7**	**11,6**	**10,4**	**10,9**
dont France de province	*234 528*	*71,7*	*120 947*	*8,1*	*13,0*	*11,7*	*10,3*	*10,8*
Guadeloupe	4 194	1,3	2 109	13,6	11,1	12,0	13,3	12,6
Guyane	1 097	0,3	451	15,9	13,2	12,2	13,0	13,2
Martinique	3 684	1,1	1 767	22,6	11,4	11,1	11,7	12,5
La Réunion	6 147	1,9	2 689	16,3	20,0	18,1	15,6	17,0
France	**327 182**	**100,0**	**174 449**	**8,4**	**13,7**	**11,7**	**10,5**	**11,0**

Champ : ensemble des activités marchandes non agricoles.
Source : Insee, REE (Répertoire des Entreprises et des Établissements - Sirene).

Définitions

Création d'entreprise : la statistique des créations d'entreprises est constituée à partir des informations du répertoire national des entreprises et des établissements (Sirene). Depuis le 1er janvier 2007, la notion de création d'entreprise s'appuie sur un concept harmonisé au niveau européen pour faciliter les comparaisons : une création d'entreprise correspond à la mise en œuvre de nouveaux moyens de production. Par rapport aux immatriculations dans Sirene, on retient comme création pour satisfaire au concept harmonisé :

– les créations d'entreprises correspondant à la création de nouveaux moyens de production (il y a nouvelle immatriculation dans Sirene) ;

– les cas où l'entrepreneur (il s'agit en général d'un entrepreneur individuel) reprend une activité après une interruption de plus d'un an (il n'y a pas de nouvelle immatriculation dans Sirene mais reprise de l'ancien numéro Siren) ;

– les reprises par une entreprise nouvelle de tout ou partie des activités et moyens de production d'une autre entreprise (il y a nouvelle immatriculation dans Sirene) lorsqu'il n'y a pas continuité de l'entreprise reprise. On considère qu'il n'y a pas continuité de l'entreprise si parmi les trois éléments suivants concernant le siège de l'entreprise, au moins deux sont modifiés lors de la reprise : l'unité légale contrôlant l'entreprise, l'activité économique et la localisation.

Taux de création : rapport du nombre des créations d'entreprises d'une année au stock d'entreprises au 1er janvier de cette même année.

Entreprise, secteur d'activité : voir *Glossaire*.

Établissements de 1 à 9 salariés en 2007

en % du total des établissements

- 38,7 - 39,8
- 35,7 - 38,7
- 31,0 - 35,7
- 20,4 - 31,0

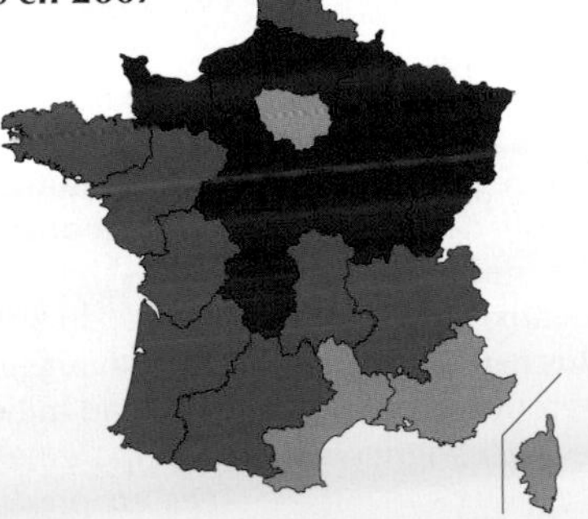
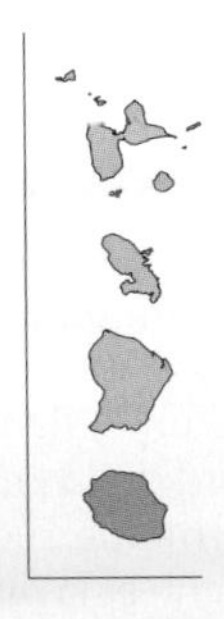

GéoFLA® © IGN 2009 – © INSEE 2010

	Stock d'établissements en 2007						
			Répartition par taille (%)				
	Ensemble des établissements	Poids de la région (%)	0 salarié	1 à 9 salariés	10 à 19 salariés	20 à 99 salariés	100 salariés ou plus
Alsace	100 934	2,4	50,0	39,2	5,3	4,6	0,9
Aquitaine	215 369	5,2	55,0	36,3	4,4	3,7	0,5
Auvergne	82 359	2,0	53,2	37,3	4,7	4,1	0,7
Bourgogne	94 058	2,3	50,3	39,5	5,0	4,5	0,8
Bretagne	176 023	4,3	52,5	37,2	5,0	4,5	0,8
Centre	132 897	3,2	49,8	39,5	5,2	4,6	0,9
Champagne-Ardenne	70 513	1,7	49,5	**39,8**	5,3	4,5	0,9
Corse	29 852	**0,7**	59,4	34,4	**3,6**	**2,3**	**0,3**
Franche-Comté	64 411	1,6	50,4	39,6	4,8	4,4	0,8
Île-de-France	918 002	**22,3**	58,7	33,2	3,9	3,4	0,8
Languedoc-Roussillon	189 956	4,6	58,8	34,1	3,7	2,9	0,5
Limousin	44 130	1,1	51,6	38,7	4,7	4,2	0,7
Lorraine	114 670	2,8	49,9	39,4	5,2	4,6	0,9
Midi-Pyrénées	195 443	4,7	55,6	35,8	4,3	3,7	0,6
Nord - Pas-de-Calais	176 702	4,3	50,3	37,4	**5,9**	**5,3**	**1,1**
Basse-Normandie	82 784	2,0	50,5	39,4	4,9	4,4	0,7
Haute-Normandie	88 460	2,1	**48,8**	39,4	5,6	5,1	1,0
Pays de la Loire	190 259	4,6	52,4	36,8	5,2	4,7	1,0
Picardie	86 908	2,1	49,0	39,7	5,3	4,9	1,0
Poitou-Charentes	103 261	2,5	52,6	37,5	4,9	4,3	0,7
Provence - Alpes - Côte d'Azur	402 337	9,8	**60,2**	**33,0**	3,6	2,7	0,5
Rhône-Alpes	422 535	10,2	54,8	35,8	4,7	4,0	0,7
France métropolitaine	**3 981 863**	**96,6**	**54,9**	**35,9**	**4,5**	**3,9**	**0,8**
dont France de province	*3 063 861*	*74,3*	*53,8*	*36,7*	*4,7*	*4,1*	*0,7*
Guadeloupe	49 455	1,2	75,0	20,4	2,6	1,7	0,3
Guyane	10 689	0,3	66,6	25,8	3,7	3,4	0,5
Martinique	36 025	0,9	72,4	22,0	3,0	2,2	0,5
La Réunion	45 741	1,1	60,8	31,1	4,0	3,5	0,6
France	**4 123 773**	**100,0**	**55,4**	**35,5**	**4,5**	**3,8**	**0,8**

Champ : établissements actifs au 31 décembre, hors secteurs de l'agriculture, de la défense et de l'intérim.
Source : Insee, Clap.

Définitions

Connaissance locale de l'appareil productif (Clap) : système d'information alimenté par différentes sources dont l'objectif est de fournir des statistiques localisées au lieu de travail jusqu'au niveau communal, sur l'emploi salarié et les rémunérations pour les différentes activités des secteurs marchand et non marchand. Le référentiel d'entreprises et d'établissements est constitué à partir du Répertoire national des entreprises et des établissements (Sirene). Les données sur l'emploi salarié résultent d'une mise en cohérence des informations issues de l'exploitation des Déclarations annuelles de données sociales (DADS), des bordereaux récapitulatifs de cotisations de l'Union pour le Recouvrement de Sécurité Sociale et des Allocations Familiales (URSSAF) ainsi que des fichiers de paye de la fonction publique d'État.

Établissement : unité de production géographiquement individualisée, mais juridiquement dépendante de l'entreprise. L'établissement, unité de production, constitue le niveau le mieux adapté à une approche géographique de l'économie.

2.9 Agriculture

I. Superficie agricole utilisée
II. Utilisation des terres agricoles
III. Élevage et cheptel
IV. Production végétale
V. Agriculture et production bio

La surface agricole diminue régulièrement depuis cinquante ans au profit des superficies boisées et du territoire non agricole. Autour d'une ligne Bordeaux-Nancy, la moitié nord de la France, plus agricole, s'oppose à sa moitié sud qui regroupe les zones de montagne et la plupart des zones agricoles défavorisées.

Vignes et vergers au Sud, grandes cultures au Nord

Les deux tiers des exploitations sont professionnelles et concentrent la quasi-totalité de la SAU. Les petites exploitations disparaissent au profit des grandes qui continuent de s'accroître. Parmi les grandes cultures, les céréales couvrent près de la moitié des terres labourables. Le blé tendre, première culture française, est localisé dans les plaines de climat océanique du centre du Bassin aquitain et de l'Ouest, et surtout dans celles du grand Bassin parisien. Le Sud-Ouest et l'Alsace sont les terres d'élection du maïs grain, principalement utilisé dans l'alimentation animale.

Les surfaces en cultures permanentes (vignes et vergers) se trouvent dans les régions du pourtour méditerranéen et du Sud-Ouest, ainsi que dans la vallée de la Loire. Ces superficies, en forte baisse dans les années 1980 à cause de l'arrachage de vignes à vins de consommation courante, ont libéré des terres au profit des grandes cultures. La progression des labours aux dépens des prairies permanentes a été très sensible dans certaines régions comme la Basse-Normandie, le Poitou-Charentes, la Champagne-Ardenne et la Bourgogne. Les régions Centre, Champagne-Ardenne, Bourgogne et Lorraine assurent plus de la moitié de la production de colza, Midi-Pyrénées et Poitou-Charentes assurent plus de la moitié de celle de tournesol.

Porcins en Bretagne, caprins en Poitou-Charentes, ovins en Midi-Pyrénées

Entre 1974 et 2005, le cheptel bovin diminuait lentement, et depuis 2007, il progresse à nouveau. En 25 ans, l'effectif des vaches laitières en France a diminué de moitié, conséquence de la mise en place des quotas laitiers en 1984. Toutefois, la forte hausse du prix du lait du premier semestre 2008 avait entraîné une hausse de 1 % du troupeau laitier. Cette reprise avait bénéficié principalement aux régions les plus spécialisées en production laitière : Bretagne, Pays de la Loire, Franche-Comté. Depuis 2000, le cheptel porcin se réduit petit à petit. La production continue de se concentrer dans les grandes exploitations. En Bretagne, la concentration de l'élevage est particulièrement forte : 80 % des porcs sont élevés dans des unités de plus de mille animaux. La Bretagne et les Pays de la Loire restent les principales zones d'élevage. En 2008, l'érosion du cheptel ovin s'accélère, particulièrement en Limousin et en Poitou-Charentes. La baisse est un peu moindre en Midi-Pyrénées, première région d'élevage très liée à la filière Roquefort. En Aquitaine, les effectifs progressent de 1 % grâce au dynamisme de la production de fromage des Pyrénées. L'élevage caprin est de plus en plus concentré dans les régions du Centre-Ouest, le principal bassin de production étant Poitou-Charentes. Malgré la baisse du nombre de chèvres, la productivité laitière ne cesse de progresser.

L'agriculture biologique surtout présente en Corse et en Provence - Alpes - Côte d'Azur

L'agriculture biologique est officiellement reconnue en France depuis le début des années 1980 et le règlement communautaire s'applique depuis 1991. Après plusieurs années de forte croissance, ce mode de production stagne. Plus de 13 000 unités sont certifiées en 2008, soit près de 3 % de l'ensemble des exploitations. Elles disposent de 580 milliers d'hectares, soit 2 % de la surface agricole française. En 2008, la surface bio dépasse 4 % de la SAU dans les régions du Sud-Est, alors qu'elle est peu présente dans les terres de grandes cultures du Nord - Pas-de-Calais et de Picardie. ■

Surface agricole utilisée au 31 décembre 2008

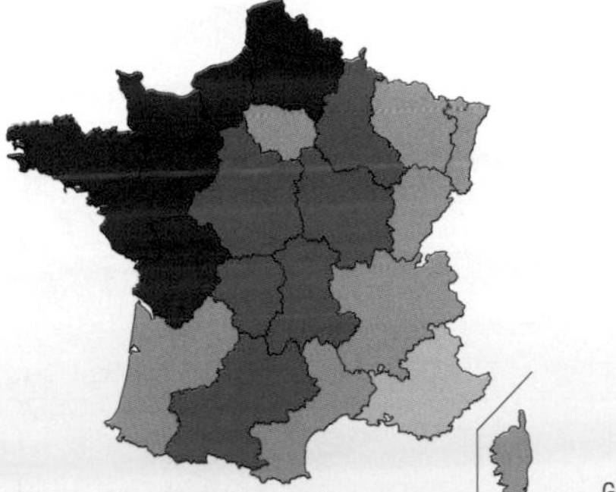

GéoFLA® © IGN 2009 – © INSEE 2010

	Occupation du territoire au 31/12/2008[1]			Exploitations agricoles au 31/12/2007			
					Part des exploitations		
	Superficie totale de la région[2] (milliers d'ha)	SAU de la région (%)	Surface boisée de la région (%)	Nombre total d'exploitations	de moins de 20 ha[3] (%)	de 50 ha ou plus (%)	SAU moyenne par exploitation (ha)
Alsace	833,2	40,5	38,1	11 839	61,2	19,1	**28**
Aquitaine	4 183,4	37,0	**45,0**	43 850	50,6	20,3	32
Auvergne	2 616,9	58,5	28,4	24 177	27,0	49,1	62
Bourgogne	3 175,2	58,5	31,3	21 158	37,4	54,1	84
Bretagne	2 750,7	64,7	12,4	37 658	33,0	38,0	44
Centre	3 953,6	60,8	23,8	25 539	27,8	61,6	92
Champagne-Ardenne	2 572,0	61,5	27,3	24 092	52,8	41,5	65
Corse	871,7	36,1	35,3	2 318	00,7	44,7	66
Franche-Comté	1 630,8	44,8	43,8	9 871	34,8	54,8	67
Île-de-France	1 196,5	48,1	23,7	5 309	**23,5**	**65,5**	**109**
Languedoc-Roussillon	2 776,1	37,9	37,4	32 238	65,9	15,2	30
Limousin	1 705,8	51,2	33,7	14 324	30,1	49,6	60
Lorraine	2 366,9	48,9	36,9	12 646	33,8	55,7	90
Midi-Pyrénées	4 559,7	55,7	28,2	48 574	36,5	36,2	48
Nord - Pas-de-Calais	1 245,1	67,6	**9,5**	13 800	27,6	49,0	60
Basse-Normandie	1 774,0	**76,9**	11,2	24 720	43,7	40,1	50
Haute-Normandie	1 233,4	65,7	18,6	11 945	41,8	48,0	66
Pays de la Loire	3 240,4	70,6	10,9	39 063	33,8	46,5	55
Picardie	1 951,8	68,9	17,8	13 735	24,5	62,9	97
Poitou-Charentes	2 601,6	07,9	17,9	27 435	36,0	46,7	64
Provence - Alpes - Côte d'Azur	3 180,4	**30,0**	37,9	20 898	**69,3**	**15,2**	32
Rhône-Alpes	4 496,7	37,0	30,7	41 703	52,0	25,2	36
France métropolitaine	**54 908,7**	**53,4**	**28,3**	**506 924**	**41,7**	**38,8**	**54**
dont France de province	*53 712,2*	*53,5*	*28,4*	*501 615*	*41,9*	*38,5*	*54*
Guadeloupe	170,5	25,6	40,0	8 762	98,6	n. s.	4
Guyane	8 353,4	0,3	89,9	n. s.	n. s.	n. s.	n. s.
Martinique	110,0	25,3	42,4	3 502	94,5	n. s.	7
La Réunion	252,0	18,8	34,9	7 079	96,7	n. s.	6
France	**63 794,6**	**46,2**	**36,5**	**527 349**	**43,8**	**37,4**	**52**

1. Données semi-définitives hors commune de Paris (10 515 ha).
2. Superficie IGN.
3. Les exploitations de moins de 20 hectares comprennent les exploitations sans superficie agricole utilisée.
Source : SSP.

Définitions

Exploitation agricole : l'exploitation agricole est, au sens de la statistique agricole, une unité de production répondant aux conditions suivantes :
– elle réalise des produits agricoles ;
– elle atteint une certaine dimension, soit un hectare ou plus de superficie agricole utilisée, soit vingt ares ou plus de cultures spécialisées, soit une activité de production agricole supérieure à un minimum (1 vache, 10 ruches, 15 ares de fraises, etc.) ;
– elle est soumise à une gestion courante unique.
Les données concernent les exploitations dont le siège est dans la région concernée.

Superficie agricole utilisée : la SAU est une notion normalisée dans la statistique agricole européenne. Elle comprend les terres arables (y compris pâturages temporaires, jachères, cultures sous verre, jardins familiaux...), les surfaces toujours en herbe et les cultures permanentes (vignes, vergers...).

Cultures céréalières en 2008

en % de la SAU
des exploitations régionales

- 55,5 - 65,2
- 43,1 - 55,5
- 22,4 - 43,1
- 1,0 - 22,4

- non disponible

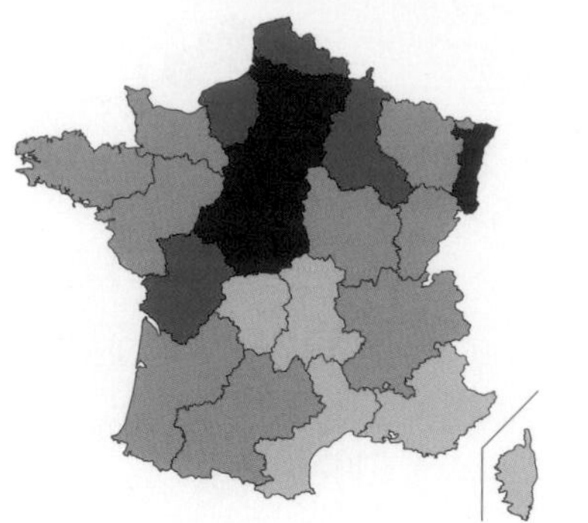

GéoFLA® © IGN 2009 – © INSEE 2010

	Superficie agricole utilisée des exploitations (SAU) en 2008[1]						
		Terres arables			Surfaces toujours en herbe	Cultures permanentes	
	Total (milliers d'ha)	Céréales (%)	Oléagineux (%)	Jachères (%)	(%)	Vignes (%)	Cultures fruitières (%)
Alsace	336,3	56,7	1,3	2,3	23,9	4,7	0,4
Aquitaine	1 404,9	35,2	5,0	4,8	22,1	10,8	1,7
Auvergne	1 500,9	15,1	1,8	0,6	63,3	0,1	0,0
Bourgogne	1 765,3	34,2	11,3	2,8	40,9	1,8	0,1
Bretagne	1 661,3	35,2	2,0	1,5	7,8	0,0	0,2
Centre	2 343,5	55,6	15,9	**5,7**	10,5	1,0	0,2
Champagne-Ardenne	1 557,1	49,4	12,5	2,3	18,0	2,0	0,0
Corse	155,6	1,1	0,0	0,6	**83,6**	4,5	4,5
Franche-Comté	662,6	22,4	5,3	0,9	54,1	0,4	0,1
Île-de-France[2]	572,9	**65,1**	12,5	5,5	2,6	0,0	0,2
Languedoc-Roussillon	955,7	13,0	2,8	5,1	39,8	**28,1**	2,3
Limousin	850,7	9,0	0,6	0,3	66,3	0,0	0,5
Lorraine	1 133,0	37,3	12,0	1,2	39,1	0,0	0,2
Midi-Pyrénées	2 342,7	30,8	10,9	3,7	27,9	1,7	0,7
Nord - Pas-de-Calais	824,0	46,7	2,6	1,7	20,0	0,0	0,1
Basse-Normandie	1 233,4	23,2	3,1	0,7	46,3	0,0	0,3
Haute-Normandie	788,0	43,5	8,9	1,5	26,2	0,0	0,3
Pays de la Loire	2 150,6	31,5	4,1	1,4	22,4	1,8	0,4
Picardie	1 332,3	55,5	7,8	2,5	11,3	0,2	0,2
Poitou-Charentes	1 740,4	43,2	**16,3**	4,3	12,9	4,8	0,2
Provence - Alpes - Côte d'Azur	667,6	14,8	1,3	3,6	46,8	15,0	**6,0**
Rhône-Alpes	1 476,2	22,9	2,6	1,7	50,7	3,7	2,5
France métropolitaine[2]	**27 454,9**	**35,2**	**7,6**	**2,7**	**29,6**	**3,1**	**0,7**
dont France de province	*26 882,0*	*34,6*	*7,5*	*2,6*	*30,2*	*3,2*	*0,7*

Données 2007	Total (milliers d'ha)	Terres arables			Surfaces toujours en herbe	Cultures permanentes	
		Canne à sucre (%)	Banane fruit (%)	Cultures légumières (%)	(%)	Agrumes (%)	Autres fruits (%)
Guadeloupe	34,8	41,7	6,5	8,4	55,6	1,1	0,5
Guyane	23,2	0,8	1,5	28,3	30,7	6,4	7,8
Martinique	25,4	15,6	25,4	9,9	40,5	1,3	0,9
La Réunion	44,6	55,6	1,0	4,3	24,5	0,7	3,7

1. Données semi-définitives.
2. Ne comprend pas Paris (10 515 ha).
Source : SSP, Statistique agricole annuelle 2008 en métropole, 2007 pour les Dom.

Définitions

Cultures légumières : comprennent, dans les Dom, les tubercules, les racines et les bulbes (igname, manioc, patate douce...), les légumes frais (banane légume, melon...) et les légumes secs.

Oléagineux : plantes cultivées pour leur graine riche en huile, utilisée pour l'alimentation humaine ou animale (colza, tournesol, soja...).

Jachères : terres non mises en culture ou portant des cultures non destinées à être récoltées.

Surfaces toujours en herbe : elles sont destinées à la production de plantes fourragères herbacées vivaces et comprennent les prairies semées de longue durée et les prairies naturelles, non semées.

Cheptel ovin en 2008

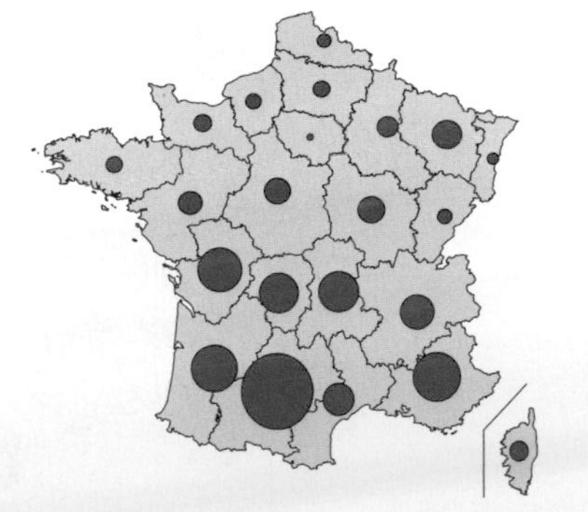

GéoFLA® © IGN 2009 – © INSEE 2010

	Cheptel présent sur l'ensemble des exploitations agricoles au 31/12/ 2008[1] (milliers de têtes)				Production au 31/12/2008[1]	
	Bovins	Porcins	Ovins	Caprins	de lait (milliers d'hectolitres)[2]	d'œufs (millions)[2]
Alsace	168	93	46	4	2 877	218
Aquitaine	822	467	784	34	7 138	373
Auvergne	1 639	288	592	29	11 690	180
Bourgogne	1 382	187	250	34	3 748	128
Bretagne	2 079	**8 338**	92	26	**50 181**	**4 908**
Centre	641	375	240	142	5 290	392
Champagne-Ardenne	638	108	145	2	6 713	94
Corse	76	59	140	45	129	20
Franche-Comté	620	120	74	4	10 820	76
Île-de-France	32	7	13	3	456	291
Languedoc-Roussillon	217	33	371	27	1 171	106
Limousin	1 104	147	575	22	1 940	15
Lorraine	990	113	286	5	12 325	175
Midi-Pyrénées	1 329	477	**2 075**	109	10 945	262
Nord - Pas-de-Calais	701	524	61	2	12 893	417
Basse-Normandie	1 672	561	105	7	26 396	246
Haute-Normandie	644	157	81	3	8 411	90
Pays de la Loire	**2 637**	1 713	187	141	36 014	1 059
Picardie	556	181	[illegible]	[illegible]	9 033	750
Poitou-Charentes	796	376	701	**412**	9 089	439
Provence - Alpes - Côte d'Azur	67	56	855	29	402	238
Rhône-Alpes	1 047	346	422	143	15 983	1 101
France métropolitaine	**19 887**	**14 806**	**8 187**	**1 224**	**243 645**	**11 584**
dont France de province	*19 855*	*14 799*	*8 175*	*1 223*	*243 189*	*11 293*
Guadeloupe	76	15	2	21	0	18
Guyane	14	12	1	1	0	19
Martinique	21	15	15	8	6	53
La Réunion	35	79	1	40	247	121
France	**20 034**	**14 926**	**8 205**	**1 296**	...	...

1. Données semi-définitives.
2. Données 2007 pour les Dom.
Source : SSP.

Définitions

Bovin : espèce herbivore comprenant la vache, le taureau, le veau, le bœuf, la génisse, le broutard et le taurillon. Ce sont des ruminants.
Caprin : espèce herbivore comprenant le bouc, la chèvre et le chevreau appelé par ailleurs cabri. Ce sont des ruminants.
Cheptel : ensemble des animaux fermiers.
Ovin : espèce herbivore regroupant la famille des moutons comprenant le bélier, la brebis et l'agneau.
Porcin : espèce comprenant le verrat, la truie, le porcelet et la cochette.

Production de maïs en 2008

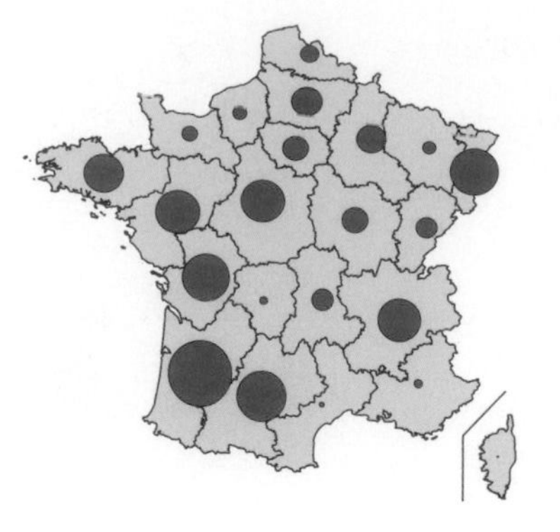

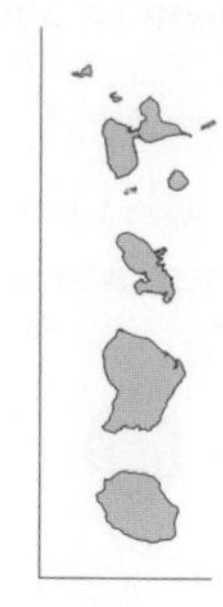

GéoFLA® © IGN 2009 – © INSEE 2010

	Production végétale en 2008 (milliers de quintaux)							
	Céréales					Oléagineux		Pois protéagineux
	Ensemble	Blé tendre		Maïs	Orge et escourgeon	Ensemble	Colza	
		Production	Rendement (q/ha)					
Alsace	18 781	3 182	72	15 168	300	137	99	4
Aquitaine	38 728	5 737	53	**30 761**	911	1 823	395	17
Auvergne	13 043	6 046	55	3 271	1 525	751	400	36
Bourgogne	39 182	20 672	64	4 448	12 218	6 362	5 478	237
Bretagne	41 661	22 146	72	10 128	5 042	1 058	1 038	144
Centre	**92 224**	**50 491**	69	12 302	**21 190**	**11 745**	**9 826**	700
Champagne-Ardenne	56 230	29 339	73	5 336	21 003	6 316	5 990	370
Corse	40	5	30	18	8	0	0	0
Franche-Comté	9 697	4 232	62	2 917	1 905	1 097	871	5
Île-de-France	30 600	19 969	82	4 016	6 102	2 544	2 433	603
Languedoc-Roussillon	4 718	278	45	175	383	794	192	35
Limousin	3 671	1 197	52	421	603	119	67	6
Lorraine	28 107	16 861	69	1 070	9 264	4 432	4 376	42
Midi-Pyrénées	45 610	13 523	57	17 829	4 762	6 899	1 672	145
Nord - Pas-de-Calais	34 181	26 078	90	1 925	5 835	792	792	93
Basse-Normandie	22 002	16 429	78	1 520	2 846	1 373	1 322	242
Haute-Normandie	30 972	24 538	**92**	1 221	4 953	2 807	2 793	337
Pays de la Loire	47 431	26 251	68	12 888	3 303	2 602	1 627	195
Picardie	65 258	48 653	90	5 606	10 523	3 850	3 807	**831**
Poitou-Charentes	51 773	26 354	65	15 755	6 130	7 279	3 435	317
Provence - Alpes - Côte d'Azur	4 268	243	41	481	356	196	45	28
Rhône-Alpes	24 282	6 778	58	12 870	2 550	1 105	533	50
France métropolitaine	**702 460**	**369 002**	**73**	**160 125**	**121 713**	**64 082**	**47 191**	**4 437**
dont France de province	*671 860*	*349 032*	*72*	*156 109*	*115 611*	*61 538*	*44 758*	*3 834*

Source : SSP.

Définitions

Escourgeon : orge hâtive que l'on sème en automne.

Oléagineux : plantes cultivées pour leur graine riche en huile. Outre le colza, les principaux oléagineux sont le tournesol, le soja, le lin oléagineux...

Pois protéagineux : légume sec destiné à l'alimentation animale.

Exploitations agricoles biologiques en 2008

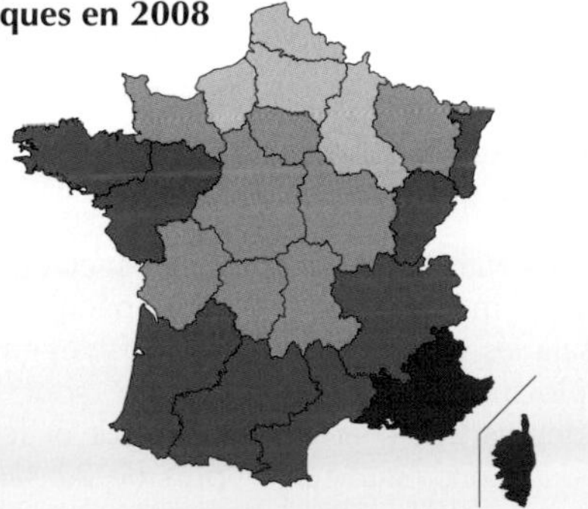

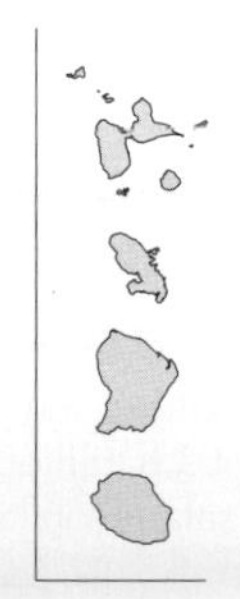

GéoFLA® © IGN 2009 – © INSEE 2010

	Agriculture biologique en 2008							
	Exploitations agricoles biologiques		Superficie agricole utilisée (SAU) bio				Vaches laitières bio	
	Nombre	Part dans les exploitations (%)	Total (ha)	Part dans la SAU (%)	Céréales bio (ha)	Part dans la SAU céréalière (%)	Têtes	Part des vaches bio (%)
Alsace	378	3,2	12 058	3,6	1 395	0,7	2 458	**5,3**
Aquitaine	1 125	2,6	28 657	2,0	5 523	1,1	311	0,3
Auvergne	525	2,2	27 020	1,8	3 325	1,5	2 255	0,9
Bourgogne	511	2,4	29 080	1,6	7 883	1,3	712	1,1
Bretagne	1 057	2,8	36 977	2,2	6 729	1,2	12 226	1,7
Centre	426	1,7	21 071	0,9	6 900	0,5	566	0,8
Champagne-Ardenne	172	**0,7**	7 577	0,5	2 048	0,3	744	0,7
Corse	152	**6,5**	5 788	3,7	125	**6,3**	0	**0,0**
Franche-Comté	328	3,3	22 435	3,4	2 990	2,0	6 408	3,2
Île-de-France	89	1,7	4 504	0,8	2 127	0,6	0	**0,0**
Languedoc-Roussillon	1 323	4,1	47 500	5,0	2 579	2,1	63	0,3
Limousin	303	2,1	16 311	1,9	1 773	2,3	400	1,1
Lorraine	238	1,9	19 290	1,7	3 196	0,8	4 203	2,1
Midi-Pyrénées	1 329	2,7	67 822	2,9	12 709	1,8	1 808	1,1
Nord - Pas-de-Calais	148	1,1	3 534	**0,4**	761	**0,2**	1 098	0,6
Basse-Normandie	495	2,0	27 507	2,2	2 453	0,9	8 847	1,9
Haute-Normandie	87	**0,7**	4 133	0,5	784	**0,2**	866	0,6
Pays de la Loire	1 181	3,0	65 884	3,1	12 166	1,8	13 308	2,5
Picardie	122	0,9	5 485	**0,4**	2 111	0,3	1 018	0,8
Poitou-Charentes	461	1,7	23 082	1,3	6 640	0,9	352	0,3
Provence - Alpes - Côte d'Azur	1 171	5,6	51 556	**7,7**	4 624	4,7	185	2,6
Rhône-Alpes	1 568	3,8	53 648	3,6	6 881	2,0	3 537	1,2
France métropolitaine	**13 189**	**2,6**	**580 956**	**2,1**	**95 722**	**1,0**	**61 386**	**1,6**
dont France de province	*13 100*	*2,6*	*576 452*	*2,1*	*93 595*	*1,0*	*61 386*	*1,6*
Guadeloupe	21	n. s.	67	0,2	...	...	...	...
Guyane	17	n. s.	2 385	0,8	...	...	...	...
Martinique	24	n. s.	188	9,4	...	...	...	...
La Réunion	47	n. s.	203	0,5	...	...	...	...
France	**13 298**	**2,5**	**583 799**	**2,1**	**...**	**...**	**...**	**...**

Source : SSP.

Définitions

AB (Agriculture biologique) : signe de qualité des produits d'origine biologique. Cette production agricole spécifique exclut l'usage d'engrais et de pesticides de synthèse et d'organismes génétiquement modifiés. Il s'agit d'un système qui gère de façon globale la production en favorisant l'agrosystème mais aussi la biodiversité, les activités biologiques des sols et les cycles biologiques.

Agriculture biologique : recourt à des pratiques culturales et d'élevage soucieuses du respect des équilibres naturels. Elle se définit par l'utilisation de pratiques spécifiques de production (emploi d'engrais verts, lutte naturelle contre les parasites), l'utilisation d'une liste limitée de produits de fertilisation, de traitement, de stockage et de conservation. En élevage, à l'alimentation biologique s'ajoutent les conditions de confort des animaux (limites de chargement notamment) et des traitements, en cas de maladie, à base de phytothérapie, homéopathie et aromathérapie. Ainsi, le passage d'une agriculture conventionnelle à biologique nécessite une période de conversion des terres de deux ou trois ans et une période de conversion pour les animaux variable selon les espèces. La conformité des productions agricoles biologiques à un cahier des charges permet l'obtention du certificat pour commercialiser des produits avec la mention « agriculture biologique » (AB).

2.10 Industrie - Construction

I. Établissements industriels
II. Emploi industriel
III. Investissements industriels
IV. Implantations étrangères
V. Production d'énergie
VI. Consommation d'énergie par produit
VII. Consommation d'énergie par secteur

Au 31 décembre 2007, les établissements industriels en France métropolitaine emploient 3,6 millions de salariés, soit 15 % de l'emploi salarié total. L'emploi industriel baisse d'environ 1,5 % par an depuis 2004, et ce dans presque toutes les régions sauf en Midi-Pyrénées et en Corse (où il est très faible).

Les régions industrialisées au nord d'une ligne Nantes-Grenoble

Les régions industrielles se situent plutôt au nord d'une ligne Nantes-Grenoble. Ainsi, dans des régions de tradition industrielle ancienne, comme la Franche-Comté, l'Alsace, la Picardie, la Champagne-Ardenne, plus de 18 % des emplois salariés sont occupés dans le secteur industriel. Le poids de l'industrie est également important dans les Pays de la Loire, où l'industrialisation est plus récente, et la Haute-Normandie.

À l'opposé, l'industrie emploie moins de 10 % de l'effectif total dans trois régions du sud de la France (Languedoc-Roussillon, Provence - Alpes - Côte d'Azur et Corse) et en Île-de-France. Mais un emploi industriel sur six est localisé en Île-de-France, notamment dans l'édition-imprimerie-reproduction, la pharmacie, la construction automobile, le matériel de mesure et de contrôle et la construction aéronautique et spatiale. Rhône-Alpes est la deuxième région industrielle française, avec un emploi industriel sur huit. Les secteurs les plus représentés sont la transformation des matières plastiques, les services industriels du travail des métaux et la fabrication de matériel électrique. Troisième région industrielle en termes d'effectifs, les Pays de la Loire regroupent plus de 7 % de l'emploi industriel, principalement dans les industries agro-alimentaires (IAA), la fabrication d'équipements automobiles, la construction navale, la transformation des matières plastiques et les services industriels du travail des métaux.

Les secteurs industriels présentent souvent une spécificité régionale. Ainsi, 30 % des effectifs des entreprises des biens de consommation sont situés en Île-de-France. La Bretagne et les Pays de la Loire emploient plus de 22 % des effectifs des IAA. L'automobile est surtout présente en Franche-Comté, en Île-de-France et dans le Nord - Pas-de-Calais et les biens d'équipement en Île-de-France et en Rhône-Alpes.

Certaines régions présentent une spécialisation marquée, bien que leur poids industriel soit moins important. Si l'on s'en tient pour chaque région au secteur ayant la plus forte spécificité, le caoutchouc se détache en Auvergne, l'industrie des viandes en Bretagne, la construction aéronautique et spatiale en Aquitaine et en Midi-Pyrénées, la fabrication de matériel électrique dans le Limousin.

Les grands établissements dans les régions fortement industrialisées

Les établissements industriels emploient en moyenne 67 personnes. La taille moyenne des établissements est plus élevée dans les régions fortement industrialisées : Alsace, Haute-Normandie, Franche-Comté (entre 80 et 92 personnes). En revanche, dans les établissements d'Île-de-France, on ne compte en moyenne que 58 personnes, en raison de la présence de nombreux sièges sociaux ne nécessitant pas une concentration de main-d'œuvre.

Les grandes unités de production (plus de 250 salariés) ne représentent que 5 % du total des établissements mais elles regroupent 44 % des effectifs. La part de ces grandes unités de production dans l'emploi total régional est particulièrement élevée en Auvergne – en raison de la présence de Michelin –, en Alsace et en Franche-Comté – avec l'implantation de Peugeot –, en Lorraine et dans le Nord - Pas-de-Calais. ■

Part des établissements industriels de 20 salariés ou plus en 2007

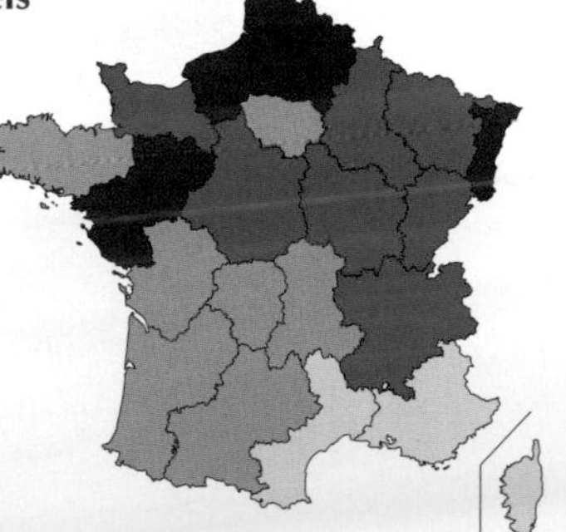

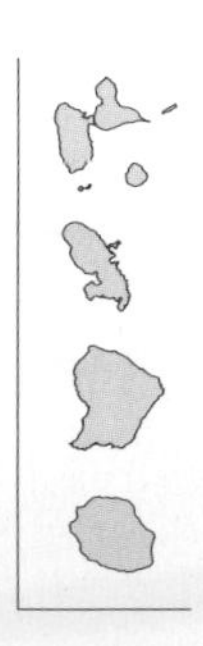

GéoFLA® © IGN 2009 – © INSEE 2010

Régions	Établissements selon le secteur d'activité en 2007 (%)						Établissements selon la taille	
	Agro-alimentaire	Biens de consommation	Automobile	Biens d'équipement	Bien intermédiaires	Énergie	Total	*dont 20 salariés ou plus (%)*
Alsace	23,1	21,9	1,0	16,1	29,3	[illegible]	7 754	*14,1*
Aquitaine	26,4	24,0	0,0	17,8	24,0	7,1	16 462	*8,1*
Auvergne	[illegible]	18,6	0,8	13,1	31,7	8,4	7 743	*9,7*
Bourgogne	25,9	20,0	1,1	16,5	30,3	6,2	8 366	*11,9*
Bretagne	32,4	21,4	0,8	18,2	20,7	6,5	14 042	*10,6*
Centre	24,8	22,2	1,0	15,7	27,2	9,2	11 824	*12,4*
Champagne-Ardenne	29,7	16,4	0,6	14,0	27,4	**11,8**	6 933	*12,3*
Corse	**37,2**	21,5	0,4	17,1	18,2	5,7	1 838	*2,9*
Franche-Comté	23,9	20,3	1,1	12,2	**36,4**	6,0	6 680	*12,2*
Île-de-France	13,5	**51,6**	0,6	12,0	16,1	6,1	55 487	*7,3*
Languedoc-Roussillon	31,3	23,5	0,7	15,7	20,5	8,2	13 106	*5,2*
Limousin	27,0	21,4	0,6	12,2	29,4	9,4	3 984	*10,0*
Lorraine	24,4	18,5	1,1	15,8	29,9	10,3	10 072	*11,4*
Midi-Pyrénées	26,1	22,9	0,7	14,5	24,9	10,8	15 782	*7,9*
Nord - Pas-de-Calais	28,1	18,9	1,1	17,4	27,3	7,4	13 031	*14,5*
Basse-Normandie	30,9	20,9	1,4	14,8	22,9	9,1	6 765	*11,4*
Haute-Normandie	25,4	19,4	1,2	19,0	26,5	8,4	7 080	*13,7*
Pays de la Loire	25,7	22,2	**1,4**	18,2	27,0	5,6	15 741	*14,1*
Picardie	23,6	18,2	0,9	16,5	30,1	10,7	7 368	***14,8***
Poitou-Charentes	29,3	20,8	1,1	17,3	24,7	6,7	8 771	*10,6*
Provence - Alpes - Côte d'Azur	25,6	28,2	0,7	**20,2**	20,4	4,9	25 907	*5,1*
Rhône-Alpes	21,4	21,4	1,1	18,0	32,0	6,1	36 153	*11,7*
France métropolitaine	**23,8**	**27,4**	**0,9**	**16,0**	**24,7**	**7,3**	**300 889**	***9,9***
dont France de province	*26,2*	*21,9*	*0,9*	*16,9*	*26,6*	*7,5*	*245 402*	*10,5*
Guadeloupe	22,1	32,5	0,3	18,1	23,1	3,8	3 871	*2,2*
Guyane	21,7	20,8	0,2	19,9	30,9	6,6	1 199	*3,5*
Martinique	19,8	30,0	0,2	22,9	22,5	4,6	2 948	*3,5*
La Réunion	27,6	26,6	0,8	20,8	21,3	2,8	3 888	*5,0*
France	**23,8**	**27,4**	**0,9**	**16,2**	**24,6**	**7,1**	**312 795**	***9,7***

Champ : établissements actifs au 31 décembre, hors secteurs de l'agriculture, de la Défense et de l'intérim.
Source : Insee, CLAP.

Définitions

Établissements : unités de production géographiquement individualisées, mais juridiquement dépendantes de l'entreprise. L'établissement, unité de production, constitue le niveau le mieux adapté à une approche géographique de l'économie.

Industrie automobile : elle concerne aussi bien les équipementiers spécialisés que les constructeurs de voitures particulières, de véhicules de loisir ou de véhicules utilitaires et les carrossiers. Cette activité intègre donc la filière complète, y compris moteurs et organes mécaniques en amont, dès lors qu'ils sont principalement destinés à des véhicules automobiles. La construction automobile mêle étroitement des producteurs intégrés, des concepteurs, des assembleurs, des donneurs d'ordre et des sous-traitants, ainsi que des prestataires de services d'aménagement de véhicules automobiles.

Secteur de l'énergie : il recouvre la production de combustibles et de carburants (extraction de houille, de lignite et de tourbe, extraction d'hydrocarbures, extraction de minerais d'uranium, cokéfaction et industrie nucléaire, raffinage de pétrole) ainsi que la production et la distribution d'électricité, de gaz et de chaleur, le captage, le traitement et la distribution d'eau.

Industries agroalimentaires (IAA), des biens de consommation, des biens d'équipement, des biens intermédiaires : voir *glossaire*.

Emplois dans le secteur automobile

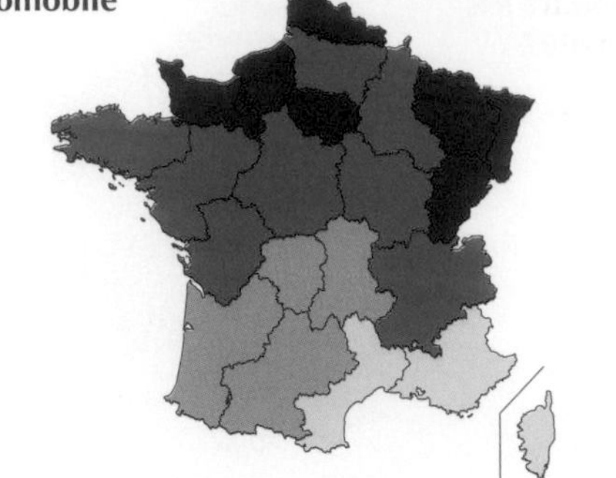

GéoFLA® © IGN 2009 – © INSEE 2010

Régions	Emplois salariés industriels au 31 décembre 2007								Taux d'évolution annuel moyen de l'emploi industriel 2004-2007 (%)
	Ensemble	Poids de la région dans la France (%)	Répartition par secteur d'activité (%)						
			IAA	Biens de consommation	Auto-mobile	Bien d'équipement	Biens intermédiaires	Énergie	
Alsace	153 252	4,2	15,4	12,2	11,2	23,4	32,1	5,7	– 1,3
Aquitaine	149 513	4,1	20,5	12,6	2,9	24,3	32,3	7,5	– 0,6
Auvergne	87 603	2,4	15,9	14,0	1,9	11,6	**52,6**	4,0	– 3,6
Bourgogne	112 685	3,1	14,0	12,3	5,5	19,4	45,0	3,8	– 1,7
Bretagne	183 758	5,0	**37,7**	11,2	5,6	17,7	24,1	3,8	– 1,2
Centre	176 177	4,8	11,6	19,8	5,2	20,7	35,8	6,8	– 1,6
Champagne-Ardenne	98 819	2,7	18,2	12,3	5,2	13,8	45,5	5,0	– 1,1
Corse	5 859	0,2	37,1	7,2	0,6	15,9	20,6	**18,6**	**2,6**
Franche-Comté	101 286	2,8	10,6	13,0	**21,6**	15,3	37,5	2,0	– 2,7
Île-de-France	561 173	**15,3**	8,7	**29,6**	9,3	23,6	19,5	9,2	– 2,0
Languedoc-Roussillon	72 452	2,0	23,6	12,7	1,2	20,0	29,0	13,5	0,0
Limousin	40 674	1,1	17,3	14,7	3,6	12,3	46,0	6,1	– 1,9
Lorraine	148 862	4,1	12,8	9,7	12,6	13,8	43,9	7,2	– 3,2
Midi-Pyrénées	151 556	4,1	16,5	10,4	2,0	**32,9**	30,8	7,5	0,6
Nord - Pas-de-Calais	235 964	6,4	15,4	9,6	11,8	16,0	42,1	5,1	– 2,3
Basse-Normandie	93 187	2,5	22,1	12,7	11,4	15,1	30,5	8,2	– 1,4
Haute-Normandie	135 178	3,7	11,2	12,2	9,6	18,7	40,2	8,0	– 1,5
Pays de la Loire	263 936	7,2	21,7	14,4	5,6	23,4	31,3	3,6	– 1,1
Picardie	127 760	3,5	14,2	12,6	4,6	16,9	48,5	3,1	– 2,7
Poitou-Charentes	99 031	2,7	17,8	11,7	5,8	24,9	34,8	5,0	– 1,7
Provence - Alpes - Côte d'Azur	163 612	4,5	17,1	12,6	0,8	26,4	31,5	11,5	– 0,5
Rhône-Alpes	460 089	12,6	10,4	12,9	5,2	21,4	43,2	6,9	– 0,9
France métropolitaine	**3 622 426**	**99,0**	**15,5**	**15,3**	**7,1**	**20,8**	**34,7**	**6,6**	**– 1,5**
dont France de province	*3 061 253*	*83,6*	*16,8*	*12,6*	*6,6*	*20,2*	*37,5*	*6,2*	*– 1,4*
Guadeloupe	8 780	0,2	30,2	14,5	0,3	16,2	22,9	15,8	0,7
Guyane	3 562	0,1	14,4	7,6	0,0	19,7	41,3	17,0	3,5
Martinique	9 058	0.2	31.0	13.5	0.3	17.7	23.3	14,2	0.5
La Réunion	16 820	0,5	33,3	12,7	0,7	20,8	24,5	8,0	3,5
France	**3 660 646**	**100,0**	**15,7**	**15,2**	**7,0**	**20,8**	**34,6**	**6,7**	**– 1,5**

Champ : hors Défense.
Source : Insee, CLAP.

Définitions

Industries agroalimentaires (IAA) : elles comprennent la transformation des viandes et la fabrication de produits laitiers et d'autres produits alimentaires. Elles regroupent les industries des viandes, du lait, des boissons, du travail du grain, de la fabrication d'aliments pour animaux, les industries alimentaires diverses et l'industrie du tabac. La viticulture, considérée comme une activité agricole, ne relève pas des IAA.

Industries des biens de consommation : elles recouvrent des activités dont le débouché « naturel » est la consommation finale des ménages. Elles comprennent les industries de l'habillement et du cuir, l'édition, l'imprimerie et la reproduction, les industries pharmaceutiques, de la parfumerie et des produits d'entretien et les industries des équipements du foyer.

Industries des biens d'équipement : elles recouvrent des activités de production de biens durables servant principalement à produire d'autres biens. Elles comprennent les constructions navale, aéronautique et ferroviaire, les industries des équipements mécaniques et des équipements électriques et électroniques.

Industries des biens intermédiaires : elles recouvrent des activités qui produisent des biens le plus souvent destinés à être réincorporés dans d'autres biens ou qui sont détruits par leur utilisation pour produire d'autres biens. Elles regroupent les industries des produits minéraux, du bois et du papier, du textile, des composants électriques et électroniques, la chimie, le caoutchouc, la transformation des plastiques, la métallurgie et la transformation des métaux.

Investissements dans le secteur des biens d'équipement en 2007

en millions d'euros
- 309,0 - 589,0
- 163,1 - 309,0
- 79,9 - 163,1
- 0,8 - 79,9
- non disponible

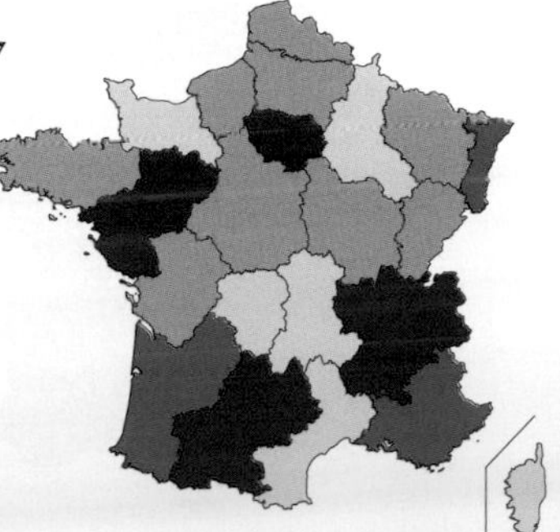

GéoFLA® © IGN 2009 – © INSEE 2010

	Ensemble de l'industrie 2007 (millions d'euros)	Répartition par secteur d'activité en 2007 (%)					Investissements cumulés		
		Agro-alimentaire	Biens de consom-mation	Automobile	Biens d'équipement	Biens intermédiaires	Ensemble industrie 2000-2003 (millions d'euros)	Ensemble industrie 2003-2007 (millions d'euros)	Variation entre 2000-03 et 2004-07 (%)
Alsace	1 093	19,2	13,1	12,7	16,4	38,7	5 775	4 627	– 19,9
Aquitaine	887	18,3	10,4	1,1	18,5	51,6	3 553	3 279	– 7,7
Auvergne	617	14,3	10,9	2,7	7,5	**64,5**	2 355	2 273	– 3,5
Bourgogne	669	12,5	10,3	4,4	12,7	60,0	2 715	2 497	– 8,1
Bretagne	1 029	**40,8**	9,0	7,1	11,6	**31,4**	4 372	3 869	– 11,5
Centre	966	19,1	20,2	4,1	14,2	42,3	4 319	3 930	– 9,0
Champagne-Ardenne	731	37,5	6,6	5,2	7,9	42,8	2 054	2 748	– 3,7
Corse	0	31,0	**1,5**	**0,0**	9,3	58,1	20	38	**87,8**
Franche-Comté	750	7,1	6,1	**36,6**	10,7	39,6	3 210	2 723	– 15,2
Île-de-France	2 752	**7,0**	**26,1**	9,7	21,4	35,8	17 484	11 251	**– 35,6**
Languedoc-Roussillon	361	30,2	4,7	0,8	13,1	51,3	1 184	1 408	18,9
Limousin	191	21,6	7,4	3,7	6,4	60,9	899	715	– 20,5
Lorraine	1 156	8,7	5,4	14,2	8,7	63,0	4 755	4 253	– 10,6
Midi-Pyrénées	875	13,9	8,8	1,3	**44,4**	31,6	3 437	3 811	10,9
Nord - Pas-de-Calais	2 205	17,8	15,5	17,3	**6,0**	44,4	8 760	7 649	– 12,7
Basse-Normandie	505	30,6	14,8	12,6	9,6	32,4	2 134	2 009	– 5,9
Haute-Normandie	1 366	8,6	15,8	14,7	8,9	51,9	4 885	4 971	1,8
Pays de la Loire	1 524	22,6	9,1	9,4	20,3	38,6	5 625	5 705	1,4
Picardie	991	23,6	17,0	3,5	11,0	44,9	3 906	3 727	– 4,6
Poitou-Charentes	573	19,0	5,9	6,3	19,6	49,3	2 004	2 115	5,6
Provence - Alpes - Côte d'Azur	1 007	13,6	5,7	0,2	16,2	64,3	4 124	4 301	4,3
Rhône Alpes	2 965	9,8	14,6	4,0	13,5	58,1	12 115	10 710	– 11,6
France métropolitaine	**23 219**	**16,5**	**13,4**	**8,8**	**14,6**	**46,8**	**100 486**	**88 608**	**– 11,8**
dont France de province	*20 467*	*17,7*	*11,7*	*8,7*	*13,7*	*48,2*	*83 002*	*77 357*	*– 6,8*

Champ : établissements industriels appartenant à des entreprises industrielles de 20 salariés ou plus (hors énergie).
Sources : DGCIS ; Scees - Enquêtes annuelles d'entreprises.

Définitions

Établissements : ce sont des unités de production géographiquement individualisées, mais juridiquement dépendantes de l'entreprise. L'établissement, unité de production, constitue le niveau le mieux adapté à une approche géographique de l'économie. Dans ce tableau, sont retenus les établissements industriels (industries agroalimentaires, des biens de consommation, d'équipement et intermédiaires ou de l'automobile) appartenant à des entreprises industrielles de plus de 20 salariés.

Investissements : somme des dépenses consacrées à l'acquisition ou à la création de moyens de production (terrains, bâtiments, matériels, outillages...).

Etablissements industriels à participation étrangère en 2007

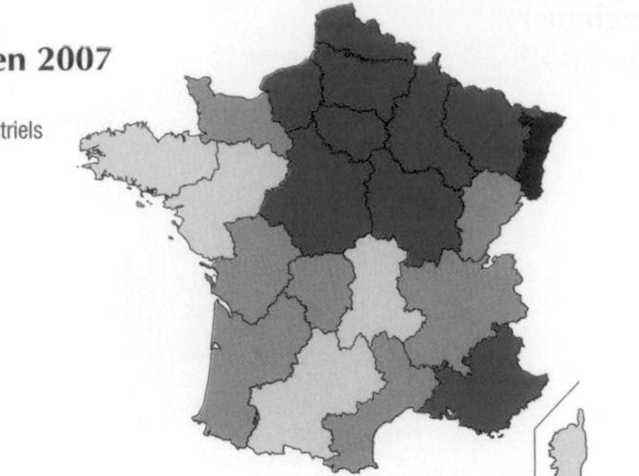

GéoFLA® © IGN 2009 – © INSEE 2010

Régions	Établissements au 31 décembre 2007		Effectif salariés au 31 décembre 2007		Investissements en 2007	
	Nombre	*dont à participation étrangère[1]* (%)	Total	*dont à participation étrangère[1]* (%)	Total (millions d'euros)	*dont à participation étrangère[1]* (%)
Alsace	1 382	***32,4***	121 046	***51,0***	1 100	***63,2***
Aquitaine	2 023	*21,3*	102 458	*30,1*	897	*36,4*
Auvergne	1 069	*14,8*	69 248	*21,1*	617	*20,2*
Bourgogne	1 413	*26,3*	89 017	*40,2*	669	*42,4*
Bretagne	2 211	*13,7*	146 890	*18,9*	1 029	*20,5*
Centre	1 952	*24,5*	135 992	*37,4*	967	*42,5*
Champagne-Ardenne	1 225	*25,0*	77 609	*38,5*	731	*33,4*
Corse	75	***13,3***	1 273	***6,6***	9	***9,9***
Franche-Comté	1 114	*21,8*	83 915	*22,9*	750	*27,8*
Île-de-France	6 169	*26,6*	360 036	*33,2*	2 753	*35,0*
Languedoc-Roussillon	1 060	*20,5*	37 159	*31,0*	362	*40,6*
Limousin	555	*22,3*	30 756	*36,8*	191	*34,7*
Lorraine	1 576	*26,9*	115 176	*43,9*	1 156	*58,9*
Midi-Pyrénées	1 836	*17,6*	104 844	*42,3*	875	*55,2*
Nord - Pas-de-Calais	2 422	*26,3*	188 216	*40,0*	2 205	*46,5*
Basse-Normandie	1 077	*19,4*	72 928	*30,6*	505	*35,9*
Haute-Normandie	1 259	*25,3*	101 827	*35,7*	1 367	*34,6*
Pays de la Loire	3 019	*16,5*	213 010	*26,7*	1 524	*32,3*
Picardie	1 353	*28,5*	106 010	*46,7*	993	*55,6*
Poitou-Charentes	1 326	*18,9*	74 222	*27,4*	573	*26,9*
Provence - Alpes - Côte d'Azur	2 188	*24,7*	95 889	*41,0*	1 008	*54,4*
Rhône-Alpes	5 619	*22,5*	334 817	*37,7*	2 967	*45,4*
France métropolitaine	**41 923**	***22,9***	**2 662 338**	***35,1***	**23 246**	***41,4***
dont France de province	*35 754*	*22,2*	*2 302 302*	*35,4*	*20 493*	*42,2*

1. Établissements appartenant à des entreprises industrielles dont 50 % au moins du capital est détenu par une société étrangère.
Champ : établissements industriels appartenant à des entreprises industrielles de 20 salariés ou plus (hors énergie).
Source : Sessi, EAE.

Définitions

Établissement : unité de production géographiquement individualisée, mais juridiquement dépendante de l'entreprise. L'établissement, unité de production, constitue le niveau le mieux adapté à une approche géographique de l'économie. Dans ce tableau, sont retenus les établissements industriels (industries agro-alimentaires, des biens de consommation, d'équipement et intermédiaires ou de l'automobile) appartenant à des entreprises industrielles de 20 salariés ou plus.

Investissements : somme des dépenses consacrées à l'acquisition ou à la création de moyens de production (terrains, bâtiments, matériels, outillages...).

Production d'électricité primaire en 2007

en kilotonnes d'équivalent pétrole
Valeur maximale : 24 965
Valeur au tiers : 8 322

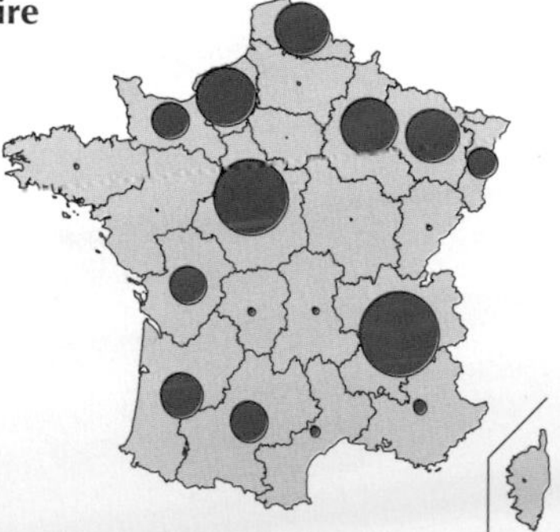

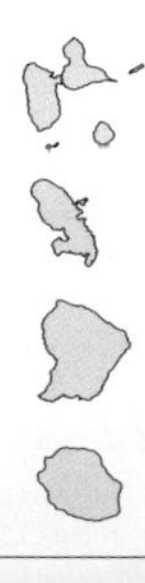

GéoFLA® © IGN 2009 – © INSEE 2010

Régions	Production d'énergie primaire en 2007 hors énergies renouvelables thermiques (ktep)							
	Production totale	Énergies fossiles			Électricité primaire			
		Total	Pétrole brut	Gaz naturel et grisou	Nucléaire	Hydraulique	Éolienne	Solaire photovoltaïque
Alsace	3 144	7	7	0	1 698,0	1 438,7	0,0	0,0
Aquitaine	8 337	**1 189**	334	**855**	6 790,8	356,9	0,0	0,1
Auvergne	154	0	0	0	0,0	145,0	8,6	0,0
Bourgogne	10	0	0	0	0,0	10,4	0,0	0,0
Bretagne	89	0	0	0	0,0	50,6	38,5	0,0
Centre	20 116	46	46	0	**19 846,9**	42,1	**100,7**	0,1
Champagne-Ardenne	11 196	79	79	0	10 749,8	297,6	69,4	0,0
Corse	25	0	0	0	0,0	21,8	2,9	0,0
Franche-Comté	78	0	0	0	0,0	77,5	0,0	0,0
Île-de-France	460	455	**455**	0	0,0	4,8	...	0,0
Languedoc-Roussillon	380	0	0	0	65,7	225,9	88,3	0,0
Limousin	191	0	0	0	0,0	190,9	...	0,0
Lorraine	9 761	56	0	56	9 527,7	87,7	89,8	0,0
Midi-Pyrénées	5 852	53	53	0	4 018,8	1 754,0	26,7	0,0
Nord - Pas-de-Calais	9 700	0	0	0	9 642,5	0,3	57,0	0,0
Basse-Normandie	4 609	0	0	0	4 566,0	17,4	25,7	0,0
Haute-Normandie	11 968	0	0	0	11 928,0	24,1	0,3	0,0
Pays de la Loire	17	0	0	0	0,0	1,8	14,9	0,1
Picardie	30	0	0	0	0,0	0,4	29,9	0,0
Poitou-Charentes	4 960	0	0	0	4 917,1	36,4	6,7	0,1
Provence - Alpes - Côte d'Azur	725	0	0	0	0,0	718,7	6,6	0,0
Rhône-Alpes	**24 965**	0	0	0	18 950,1	**5 961,0**	53,2	**0,4**
France métropolitaine	**116 766**	**1 885**	**974**	**911**	**98 968,7**	**14 956,8**	**954,6**	**1,3**
dont France de province	*116 306*	*1 430*	*519*	*911*	*98 976,1*	*14 944,6*	...	*1,2*

Source : SOeS.

Définitions

Énergie primaire : ensemble des produits énergétiques non transformés, exploités directement ou importés. Ce sont principalement le pétrole brut, les schistes bitumineux, le gaz naturel, les combustibles minéraux solides, la biomasse, le rayonnement solaire, l'énergie hydraulique, l'énergie du vent, la géothermie et l'énergie tirée de la fission de l'uranium.

Tonne-équivalent pétrole (tep) : mesure utilisée pour exprimer et comparer dans une unité commune la valeur énergétique des diverses sources d'énergie. Une tonne-équivalent pétrole correspond à 1 000 m^3 de gaz naturel ou à 11 600 kWh d'électricité. On utilise également la Mtep (mégatonne-équivalent pétrole, soit 1 000 000 tep) et le ktep (kilotonne-équivalent pétrole, soit 1 000 tep).

Selon les conventions internationales les coefficients de conversion sont les suivants :
- pour le charbon 1 tonne = 0,619 tep ;
- pour le gaz naturel 1 tonne = 0,077 tep ;
- pour l'électricité nucléaire 1 MWh = 0,261 tep ;
- pour l'électricité géothermique 1 MWh = 0,86 tep ;
- pour l'électricité d'autres origines 1 MWh = 0,086 tep.

Consommation d'énergies renouvelables en 2007

en % de la consommation totale

- 18,9 - 20,4
- 7,1 - 18,9
- 5,1 - 7,1
- 1,7 - 5,1
- non disponible

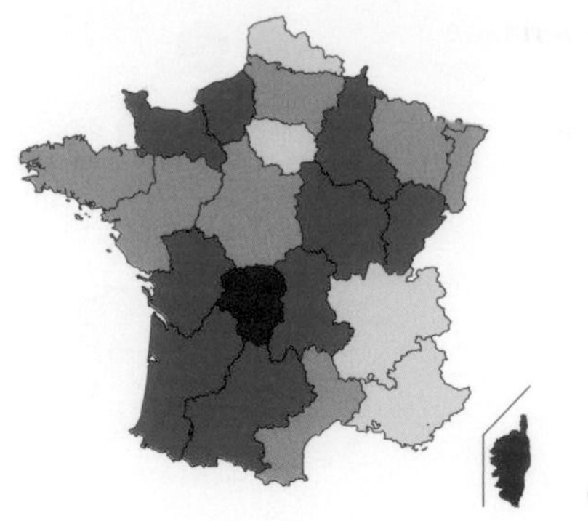

GéoFLA® © IGN 2009 – © INSEE 2010

Régions	Consommation totale recensée (M tep)	Poids de la région (%)	Consommation d'énergie finale en 2007 – Consommation par produit (%)					
			Pétrole	Électricité	Gaz	Énergies renouvelables[1]	Charbon	Chauffage urbain
Alsace	5,1	3,2	40,0	24,3	28,4	5,4	0,1	1,9
Aquitaine	8,3	5,2	43,0	21,9	20,8	11,4	0,6	2,3
Auvergne	3,2	2,0	44,5	22,9	21,0	9,8	1,1	0,7
Bourgogne	4,3	2,7	47,0	22,3	22,2	7,1	0,1	1,3
Bretagne	7,0	4,4	**53,0**	23,6	16,6	5,8	0,3	0,7
Centre	6,2	3,9	48,5	23,1	20,0	6,3	1,0	1,1
Champagne-Ardenne	4,2	2,6	41,4	20,5	21,6	8,6	6,8	1,1
Corse	0,7	0,4	50,7	19,5	10,7	18,9	0,0	0,2
Franche-Comté	3,5	2,2	38,3	20,0	27,7	8,7	2,8	2,5
Île-de-France	24,9	**15,6**	47,2	22,5	24,0	1,8	0,2	**4,3**
Languedoc-Roussillon	4,9	3,1	50,7	25,7	16,5	5,2	1,6	0,4
Limousin	2,1	1,3	38,3	18,0	21,1	**20,3**	0,4	1,9
Lorraine	8,4	5,3	29,7	21,1	22,8	5,2	18,6	2,6
Midi-Pyrénées	6,2	3,9	46,0	23,5	18,7	10,9	0,1	0,8
Nord - Pas-de-Calais	13,0	8,1	27,4	21,9	24,8	2,4	**21,9**	1,5
Basse-Normandie	3,7	2,3	51,0	22,1	18,7	7,5	0,1	0,6
Haute-Normandie	6,4	4,0	41,3	20,5	26,9	7,2	0,9	3,1
Pays de la Loire	7,9	4,9	52,2	24,2	16,6	5,5	0,3	1,2
Picardie	5,2	3,3	38,0	22,3	**29,5**	5,4	1,9	2,9
Poitou-Charentes	4,3	2,7	52,4	21,7	15,0	8,7	1,4	0,8
Provence - Alpes - Côte d'Azur	12,9	8,1	40,9	23,1	16,4	4,3	13,5	1,9
Rhône-Alpes	17,1	10,7	39,6	**31,0**	21,6	4,3	0,8	2,7
France métropolitaine	**159,6**	**100,0**	**42,7**	**23,4**	**21,5**	**5,7**	**4,5**	**2,1**
dont France de province	*134,8*	*84,4*	*41,9*	*23,5*	*21,1*	*6,4*	*5,3*	*1,7*

1. Comprend le bois-énergie, les autres énergies renouvelables et les biocarburants.
Source : SOeS.

Définitions

Consommation d'énergie finale : quantité d'énergie disponible pour l'utilisateur final. C'est la consommation primaire d'énergie, moins la consommation interne de la branche énergie (combustible des centrales classiques et des raffineries, pertes des centrales et des réseaux, pompages, etc.). À l'intérieur de la consommation finale totale, on distingue la consommation finale non énergétique et la consommation finale énergétique, que l'on répartit entre les secteurs consommateurs (transports, sidérurgie, industrie, agriculture et résidentiel-tertiaire).

Énergie renouvelable : énergie produite à partir de sources non fossiles renouvelables, à savoir l'énergie éolienne, solaire, aérothermique, géothermique, hydrothermique, marine et hydroélectrique, la biomasse, le gaz de décharge, le gaz des stations d'épuration d'eaux usées et le biogaz.

Mtep (Mégatonne équivalent pétrole) : énergie thermique équivalente à celle fournie par 1 000 000 tonnes de pétrole, utilisée pour exprimer dans une unité commune la valeur énergétique des diverses sources d'énergie. Selon les conventions internationales, une tonne-équivalent-pétrole équivaut par exemple à 1 616 kg de houille, 1 069 m^3 de gaz d'Algérie ou 954 kg d'essence moteur. Pour l'électricité, 1 tep vaut 11,6 MWh. Mais, lorsqu'elle est produite par une centrale nucléaire, la convention est de tenir compte des pertes de chaleur qui produisent le panache de vapeur d'eau des centrales et de ne retenir qu'un tiers des 11,6 MWh, soit 3,8 MWh (les pertes de transformation des centrales thermiques figurent dans les bilans de l'énergie, par comparaison entre les combustibles utilisés et l'électricité produite).

Consommation de l'industrie en 2007

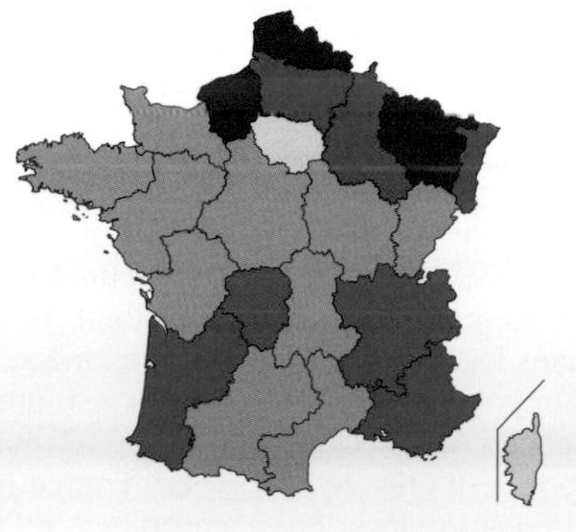

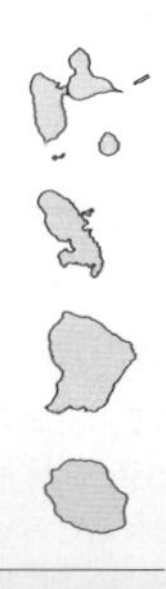

GéoFLA® © IGN 2009 – © INSEE 2010

Régions	Consommation énergétique finale par secteur en 2007				
	Résidentiel et tertiaire (ktep)	Industrie (ktep)	Transports (ktep)	Agriculture (ktep)	Consommation finale par habitant (tep)
Alsace	2 067	1 608	1 361	52	2,8
Aquitaine	3 351	2 250	2 504	235	2,6
Auvergne	1 427	661	1 020	124	2,4
Bourgogne	1 874	714	1 608	147	2,7
Bretagne	2 906	1 045	2 610	459	2,2
Centre	2 767	1 025	2 140	276	2,5
Champagne-Ardenne	1 625	1 268	1 172	163	3,2
Corse	445	6	252	5	2,4
Franche-Comté	1 724	788	944	54	3,0
Île-de-France	11 703	2 127	10 983	64	2,1
Languedoc-Roussillon	2 224	625	1 999	99	**1,9**
Limousin	803	606	593	63	2,8
Lorraine	3 146	3 638	1 484	120	**3,6**
Midi-Pyrénées	2 562	1 189	2 199	223	2,2
Nord - Pas-de-Calais	4 038	6 337	2 504	121	3,2
Basse-Normandie	1 647	644	1 245	125	2,5
Haute-Normandie	1 826	3 038	1 420	90	3,5
Pays de la Loire	3 280	1 333	2 917	361	2,3
Picardie	1 918	1 735	1 425	140	2,7
Poitou-Charentes	1 640	869	1 628	194	2,5
Provence - Alpes - Côte d'Azur	4 371	4 461	3 952	115	2,7
Rhône-Alpes	6 699	5 439	4 830	166	2,8
France métropolitaine	**64 041**	**41 407**	**50 789**	**3 402**	**3,2**
dont France de province	*52 338*	*39 279*	*39 806*	*3 339*	*2,2*

Source : SOeS.

Définitions

Secteur résidentiel-tertiaire : les consommations du résidentiel-tertiaire comprennent celles des logements des ménages et celles des commerces, bureaux et autres services, y compris l'armée. Le secteur du transport a pour l'énergie une acception bien différente des nomenclatures économiques, puisqu'il se réfère à la fonction (transporter des personnes ou des marchandises) et non aux entreprises du secteur. Ainsi les consommations en carburant des ménages et de toutes les entreprises en font partie, mais pas celles des bâtiments des entreprises de transport (qui sont incluses dans le secteur tertiaire).

Tonne-équivalent pétrole (tep) : mesure utilisée pour exprimer et comparer dans une unité commune la valeur énergétique des diverses sources d'énergie. Une tonne-équivalent pétrole correspond à 1 000 m^3 de gaz naturel ou à 11 600 kWh d'électricité. On utilise également la Mtep (mégatonne-équivalent pétrole, soit 1 000 000 tep) et le ktep (kilotonne-équivalent pétrole, soit 1 000 tep).

Selon les conventions internationales les coefficients de conversion sont les suivants :
- pour le charbon 1 tonne = 0,619 tep ;
- pour le gaz naturel 1 tonne = 0,077 tep ;
- pour l'électricité nucléaire 1 MWh = 0,261 tep ;
- pour l'électricité géothermique 1 MWh = 0,86 tep ;
- pour l'électricité d'autres origines 1 MWh = 0,086 tep.

2.11 Commerce - Services - Tourisme - Transports

I. Emploi des services
II. Recherche
III. Accueil touristique
IV. Transports
V. Commerce

Des services liés à la présence de population

Les services sont très concentrés géographiquement, par nature, dans les régions les plus peuplées. Ainsi les trois plus grosses régions, Île-de-France, Provence - Alpes - Côte d'Azur et Rhône-Alpes, produisent près de la moitié de la valeur ajoutée des services. En province, les services administrés (éducation, santé, action sociale et administration générale) offrent presque un emploi des services sur deux, alors qu'en Île-de-France cette part n'est que d'un sur trois. La région francilienne est ainsi la seule où les services aux entreprises représentent le quart des emplois du secteur des services. En matière de recherche et développement, cette région domine aussi, et de loin, toutes les régions métropolitaines. Elle concentre, à elle seule, près de 40 % des chercheurs, devant la région Rhône-Alpes (12 %), Midi-Pyrénées et Provence - Alpes - Côte d'Azur.

Littoral, montagne et espace urbain, terres d'élection de l'activité touristique

La France est la première destination touristique du monde en termes d'arrivées de touristes étrangers dans le pays.

Si l'hôtellerie de chaîne est très fortement implantée en ville, c'est également le cas le long des axes routiers. Dans les villes de province, plus de la moitié de l'offre hôtelière appartient aux chaînes. Par ailleurs, si l'hôtellerie haut de gamme (3 ou 4 étoiles) est très présente à Paris (plus de 60 % des chambres), elle l'est beaucoup moins dans le reste de l'espace urbain français. Le littoral représente près de 20 % de l'offre hôtelière, que ce soit en établissements ou en chambres. La moitié des hôtels littoraux se situent au bord de la Méditerranée. La capacité moyenne des hôtels sur le littoral méditerranéen est supérieure à celle des hôtels du littoral nord ou du littoral atlantique. De plus, sur le littoral méditerranéen, la part des hôtels de 3 et 4 étoiles est presque comparable à celle de Paris.

La France possède le premier parc de campings d'Europe et le deuxième parc mondial derrière les États-Unis. Cinq régions littorales concentrent plus de la moitié des emplacements : le Languedoc-Roussillon (un emplacement sur huit), l'Aquitaine (un sur neuf), Provence - Alpes - Côte d'Azur (un sur dix), la Bretagne et les Pays de la Loire.

En terme de nuitées, Provence - Alpes - Côte d'Azur est la région qui reçoit le plus de touristes interrégionaux (un huitième des nuitées). Le Languedoc-Roussillon, l'Aquitaine, la Bretagne et les Pays de la Loire sont également des régions très réceptrices ; toutefois les touristes séjournent un peu moins longtemps dans les régions de l'ouest que dans les régions plus méridionales. La région Midi-Pyrénées est elle aussi assez réceptrice de touristes avec environ 5 % des nuitées, en particulier grâce à la présence de Lourdes sur son territoire.

La logistique est devenue en quelques années un objet essentiel du développement et de l'aménagement des territoires. Trois régions permettent l'entrée du pays dans l'économie mondiale des échanges, grâce à leur rôle de concentration et d'import/export de marchandises : Île-de-France, Provence - Alpes - Côte d'Azur et Nord - Pas-de-Calais. Si la Haute-Normandie tire parti de ses ports, l'Alsace, bien positionnée dans l'Europe rhénane, offre la palette quasi complète d'accueil des activités logistiques. Rhône-Alpes et Pays de la Loire manquent, quant à elles, de modes de transport non routiers. ■

Éducation, santé, action sociale en 2007

pour 100 emplois salariés dans les services

- 32,9 - 35,3
- 30,0 - 32,9
- 25,2 - 30,0
- 17,5 - 25,2

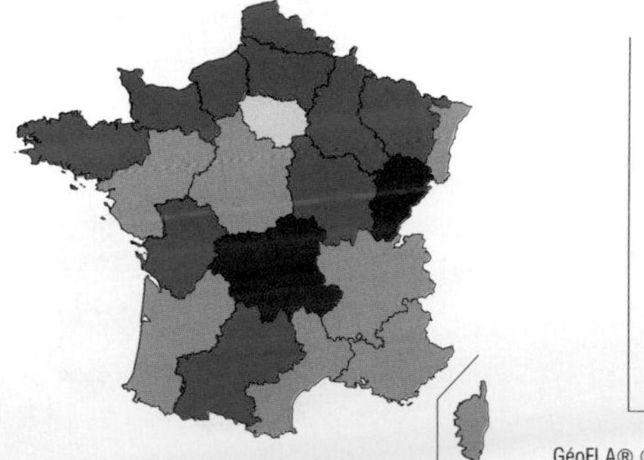
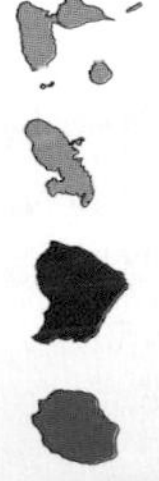

GéoFLA® © IGN 2009 – © INSEE 2010

	Emploi salarié des services au 31 décembre 2007								
		Poids dans l'ensemble des services (%)							
	Effectifs salariés	Commerce	Transport	Activités financières	Activités immobilières	Services aux entreprises	Services aux particuliers	Éducation, santé, action sociale	Administration
Alsace	466 821	**21,5**	6,8	4,1	1,7	14,8	9,0	27,4	14,7
Aquitaine	791 968	20,0	5,8	3,6	2,0	15,6	8,2	29,2	15,7
Auvergne	317 624	18,3	5,6	3,0	**1,5**	13,0	7,2	33,2	18,2
Bourgogne	392 154	20,3	7,0	3,0	1,7	11,8	7,3	31,3	17,7
Bretagne	749 885	19,5	6,1	3,7	1,6	14,8	7,4	31,8	15,0
Centre	588 818	19,0	6,7	4,1	1,8	15,7	7,3	28,5	16,9
Champagne-Ardenne	309 312	19,3	7,3	3,5	1,8	12,5	6,6	30,8	18,3
Corse	76 429	20,1	6,3	**2,3**	1,9	**11,5**	9,6	25,3	**22,9**
Franche-Comté	255 514	18,2	5,7	3,0	1,7	12,3	6,5	32,9	19,8
Île-de-France	4 602 006	**15,6**	7,1	**6,5**	**3,1**	**25,7**	**10,1**	**17,6**	**14,3**
Languedoc-Roussillon	624 906	18,9	**4,8**	3,0	2,2	14,1	8,4	28,2	20,4
Limousin	178 328	17,8	5,7	3,0	1,6	11,8	6,6	**35,2**	18,3
Lorraine	525 789	18,9	6,8	3,3	1,5	12,8	7,2	31,8	17,7
Midi-Pyrénées	729 986	17,7	6,4	3,3	1,7	17,9	7,2	30,1	16,6
Nord - Pas-de-Calais	996 874	18,6	6,6	3,5	1,6	15,3	**6,2**	31,6	16,6
Basse-Normandie	339 918	19,2	5,2	3,3	1,9	12,1	8,0	32,6	17,8
Haute-Normandie	439 768	17,3	**9,7**	3,4	1,9	14,4	7,0	30,0	16,3
Pays de la Loire	850 897	20,0	6,4	4,3	1,7	16,0	6,9	28,8	15,9
Picardie	410 045	19,0	7,8	2,8	1,6	12,3	6,9	32,3	17,1
Poitou-Charentes	405 805	19,7	5,4	5,4	1,6	13,0	7,2	30,5	17,4
Provence - Alpes - Côte d'Azur	1 325 137	18,7	6,5	3,1	2,7	16,4	9,6	25,3	17,8
Rhône-Alpes	1 650 412	18,6	7,2	3,4	2,3	17,4	8,6	26,8	15,7
France métropolitaine	**17 028 396**	**18,1**	**6,6**	**4,3**	**2,2**	**17,9**	**8,4**	**26,2**	**16,2**
dont France de province	*12 426 390*	*19,0*	*6,5*	*3,5*	*1,9*	*15,1*	*7,7*	*29,4*	*16,9*
Guadeloupe	103 895	18,1	4,7	2,7	1,3	12,4	10,2	27,3	23,2
Guyane	36 058	12,1	4,8	1,4	1,0	12,4	5,5	35,2	27,6
Martinique	98 787	16.0	4.7	2.9	1.1	13.5	8.4	28.8	24.6
La Réunion	172 156	17,4	5,2	2,4	1,6	11,3	6,2	31,9	23,9
France	**17 439 292**	**18,1**	**6,6**	**4,3**	**2,2**	**17,8**	**8,4**	**26,3**	**16,4**

Champ : hors Défense et intérim.
Source : Insee, CLAP.

Définitions

Activités financières : cette branche regroupe les activités d'intermédiation financière, d'assurance et des auxiliaires financiers et d'assurance.

Administration : cette branche regroupe l'administration publique, les activités associatives et extra-territoriales.

Services : une activité de service se caractérise essentiellement par la mise à disposition d'une capacité technique ou intellectuelle. À la différence d'une activité industrielle, elle ne peut pas être décrite par les seules caractéristiques d'un bien tangible acquis par le client. Compris dans leur sens le plus large, les services recouvrent un vaste champ d'activités qui va du commerce à l'administration, en passant par les transports, les activités financières et immobilières, les services aux entreprises et services aux particuliers, l'éducation, la santé et l'action sociale. C'est le sens généralement donné par les anglo-saxons au terme « services ».
En France, dans la pratique statistique, ce vaste ensemble est dénommé « activités tertiaires ». On y distingue le tertiaire marchand (transports, commerce, services aux entreprises, services aux particuliers, activités immobilières et financières) du tertiaire non-marchand (éducation, santé, action sociale, administration...) ; les termes secteurs des services sont alors utilisés de façon plus restrictive puisque limités aux services aux entreprises et aux particuliers.

Services aux entreprises, services aux particuliers : voir *Glossaire*.

Chercheurs en 2006

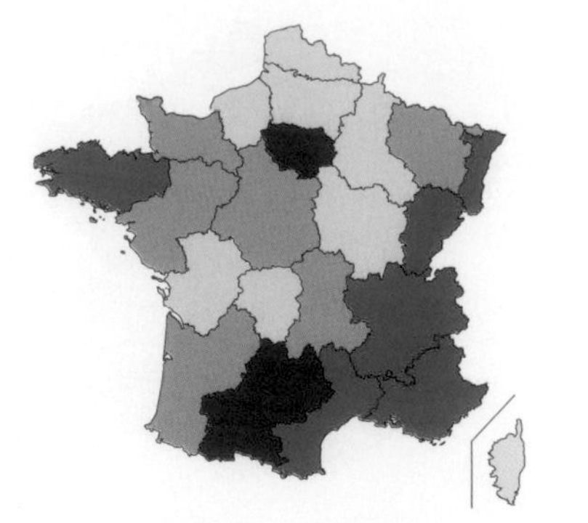

GéoFLA® © IGN 2009 – © INSEE 2010

	Chercheurs en 2006 en équivalent temps plein			Autres personnels de recherche en 2006 en équivalent temps plein	Dépenses intérieures de R&D en 2006		Brevets publiés par la voie nationale en 2007	
	Ensemble		Secteur privé		Total	Secteur privé	Nombre	Poids de la région
	Nombre	Poids de la région (%)	(%)		(millions d'euros)	(%)		(%)
Alsace	5 139	2,4	45,4	3 788	762,1	56,1	237	1,9
Aquitaine	6 520	3,1	50,0	5 012	967,0	64,5	304	2,4
Auvergne	2 611	1,2	46,8	3 978	589,2	76,1	197	1,6
Bourgogne	2 204	1,0	50,9	2 261	370,0	66,5	183	1,5
Bretagne	8 634	4,1	57,8	5 211	1 201,1	62,5	512	4,1
Centre	5 012	2,4	66,0	5 050	953,9	78,3	437	3,5
Champagne-Ardenne	1 580	0,7	56,2	1 322	258,7	75,9	200	1,6
Corse[1]	...	...	...	...	...	...	10	**0,1**
Franche-Comté	3 331	1,6	**75,0**	3 097	629,1	**88,2**	237	1,9
Île-de-France	82 639	**39,1**	59,6	54 633	15 511,7	66,7	4 750	**37,8**
Languedoc-Roussillon	6 643	3,1	**23,4**	5 804	1 408,5	**32,4**	281	2,2
Limousin	985	**0,5**	45,4	822	150,7	67,6	91	0,7
Lorraine	4 051	1,9	33,8	3 216	591,1	47,4	195	1,6
Midi-Pyrénées	15 852	7,5	60,4	8 326	2 988,8	68,4	663	5,3
Nord - Pas-de-Calais	4 709	2,2	30,2	3 283	592,6	46,9	285	2,3
Basse-Normandie	2 577	1,2	56,6	1 711	320,3	65,3	180	1,4
Haute-Normandie	2 652	1,3	62,1	3 514	673,9	85,9	282	2,2
Pays de la Loire	6 066	2,9	55,2	4 745	788,1	65,2	403	3,2
Picardie	2 681	1,3	69,4	2 351	555,9	86,5	263	2,1
Poitou-Charentes	2 150	1,0	43,0	2 020	340,0	61,3	196	1,6
Provence - Alpes - Côte d'Azur[1]	15 726	7,4	48,8	8 929	2 308,5	56,1	746	5,9
Rhône-Alpes	24 613	11,7	56,4	16 971	4 536,4	69,0	1 880	15,0
France métropolitaine	**206 379**	**97,7**	**55,3**	**146 048**	**36 497,9**	**65,5**	**12 532**	**99,7**
dont France de province	*123 739*	*58,6*	*52,4*	*91 415*	*20 986,2*	*64,7*	*7 782*	*61,9*
Ensemble des Dom[2]	1 240	0,6	0,4	1 059	262,4	0,1	36	0,3
Données non régionalisées[3]	3 511	1,7	0,0	5 631	1 149,6	0,0	0	0,0
France	**211 129**	**100,0**	**54,0**	**152 738**	**37 910,1**	**63,1**	**12 568**	**100,0**

1. Corse et Provence - Alpes - Côte d'Azur réunies pour les chercheurs, les autres personnels de recherche et les dépenses intérieures.
2. Y compris Com pour les chercheurs, les autres personnels de recherche et les dépenses intérieures.
3. Les données non régionalisées comprennent le secteur de la Défense et les institutions sans but lucratif (sauf Instituts Curie, Pasteur et Institut national de transfusion sanguine).
Sources : Depp ; Inpi.

Définitions

Brevet : le brevet protège une innovation technique, c'est-à-dire un produit ou un procédé qui apporte une solution technique à un problème technique donné. L'invention pour laquelle un brevet pourra être obtenu, en France, auprès de l'Institut national de la propriété industrielle (INPI) doit également être nouvelle, impliquer une activité inventive et être susceptible d'application industrielle. De nombreuses innovations peuvent faire l'objet d'un dépôt de brevet, à condition de répondre aux critères de brevetabilité et de ne pas être expressément exclues de la protection par la loi. Certaines inventions ne sont pas brevetables mais peuvent faire l'objet d'autres types de protection, comme le dépôt de dessins et modèles ou le droit d'auteur.

Dépense intérieure de recherche et développement (DIRD) : la dépense intérieure de recherche et développement (DIRD) correspond aux travaux de recherche et développement (R&D) exécutés sur le territoire national quelle que soit l'origine des fonds. Une partie est exécutée par les administrations, l'autre par les entreprises. Elle comprend les dépenses courantes (masse salariale des personnels de R&D et dépenses de fonctionnement) et les dépenses en capital (achats d'équipements nécessaires à la réalisation des travaux internes à la R&D et opérations immobilières réalisées dans l'année).

Dépôt d'un brevet , effectifs de R&D, recherche et développement (R&D) : voir *Glossaire*.

Capacité des campings au 1er janvier 2009

en milliers d'emplacements

Valeur maximale : 117

Valeur au tiers : 39

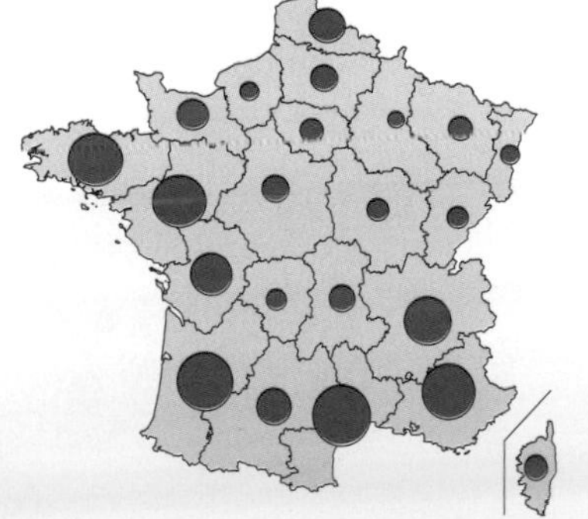

GéoFLA® © IGN 2009 – © INSEE 2010

	Hôtels de tourisme homologués			Campings classés			Meublés labellisés[1] au 1.1. 2008	Résidences de tourisme au 1.1. 2008	Villages de vacances au 1.1. 2006
	Hôtels au 1er janvier 2009		Nuitées en 2008	Terrains au 1.1.2009		Nuitées en 2008			
	Nombre	Capacité (milliers de chambres)	(milliers)	Nombre	Capacité (milliers d'emplacements)	(milliers)	(milliers de lits)	(milliers de lits)	(milliers de lits)
Alsace	552	18,9	5 748	99	11,3	864	7,5	3,5	3,1
Aquitaine	1 100	30,6	8 356	681	107,2	12 883	16,5	54,1	34,7
Auvergne	655	15,3	3 417	308	22,1	1 558	11,2	4,0	12,3
Bourgogne	594	16,6	4 806	209	14,7	1 164	6,0	1,8	1,0
Bretagne	900	25,2	6 723	750	87,7	8 578	**36,7**	16,6	15,3
Centre	683	19,8	5 846	268	22,2	1 718	8,2	5,6	2,1
Champagne-Ardenne	304	9,1	2 744	**89**	**7,8**	616	2,6	1,0	0,4
Corse	373	11,0	2 915	144	19,4	3 271	5,2	13,4	16,9
Franche-Comté	318	7,6	2 041	130	12,6	1 000	7,5	0,7	3,7
Île de France	**2 360**	**150,3**	**66 183**	103	16,2	1 346	**2,1**	30,9	0,3
Languedoc-Roussillon	919	26,4	7 568	749	**117,0**	**17 057**	32,9	46,8	28,0
Limousin	259	**5,6**	**1 342**	186	12,5	738	7,4	**0,3**	5,8
Lorraine	435	13,5	3 702	159	17,0	829	3,6	1,9	2,4
Midi-Pyrénées	1 202	38,8	10 311	559	41,1	4 173	32,6	21,9	16,1
Nord - Pas-de-Calais	408	17,8	6 030	355	35,6	777	6,6	3,1	1,7
Basse-Normandie	509	15,1	4 599	237	29,3	2 537	10,1	5,7	3,3
Haute-Normandie	297	9,6	2 956	109	10,3	**576**	3,8	3,9	0,7
Pays de la Loire	686	21,5	5 929	622	85,8	10 007	9,5	20,8	10,7
Picardie	**246**	8,4	2 421	193	21,4	1 031	3,7	7,0	**0,3**
Poitou-Charentes	499	15,5	4 571	417	55,9	6 485	7,1	8,1	15,0
Provence - Alpes - Côte d'Azur	2 037	60,2	21 333	712	97,4	13 822	18,0	136,2	**37,3**
Rhône Alpes	2 151	67,1	18 074	**844**	73,4	7 647	33,1	**172,1**	33,3
France métropolitaine	**17 487**	**612,1**	**197 615**	**7 923**	**918,7**	**98 762**	**270,0**	**559,7**	**245,2**
dont France de province	*15 127*	*461,8*	*131 433*	*7 820*	*902,5*	*97 416*	*268,0*	*528,8*	*244,8*
Guadeloupe	78	4,7	1 694	...	...	...	...	...	...
Guyane	24	1,2	418	...	...	...	...	...	...
Martinique	83	4,1	1 733	...	...	...	...	...	...
La Réunion	51	2,1	807	...	...	...	...	...	...
France	**17 723**	**624,2**	**202 268**	...	**...**	**...**	**...**	**...**	**...**

1. Labels concernés : Gîtes de France, Clévacances France et Accueil paysan.
Sources : Insee ; DGCIS.

Définitions

Camping (hôtellerie de plein air) : terrain de camping-caravaning homologué par arrêté préfectoral ; classé de 1 à 4 étoiles, mention « loisir » ou « tourisme », dès lors qu'il comporte un emplacement loué au passage. Les conditions requises pour ce classement portent sur les équipements communs, les équipements sanitaires, l'accessibilité aux personnes handicapées.

Hôtel de tourisme homologué : hôtel classé par arrêté préfectoral en six catégories, de 0 à 4 étoiles luxe ; les conditions requises pour ce classement portent sur le nombre de chambres, les locaux communs, l'équipement de l'hôtel, la surface et le confort des chambres, le niveau de service rendu par le personnel de l'hôtel.

Meublé de tourisme : villa, studio ou appartement meublé, à l'usage exclusif de locataires, offerts en location à une clientèle de passage qui effectue un court séjour sans y élire domicile.

Nuitées : produit du nombre de personnes arrivées par le nombre de nuits passées dans l'établissement.

Résidence de tourisme : établissement commercial d'hébergement classé, faisant l'objet d'une exploitation permanente ou saisonnière. Elle est constituée d'un ensemble homogène de chambres ou d'appartements meublés, disposés en unités collectives ou pavillonnaires, offerts en location pour une occupation à la journée, à la semaine ou au mois à une clientèle touristique qui n'y élit pas domicile. Elle est dotée d'un minimum d'équipements et de services communs.

Transport aérien en 2008

en milliers de passagers

Valeur maximale : 86 684

Valeur au tiers : 28 895

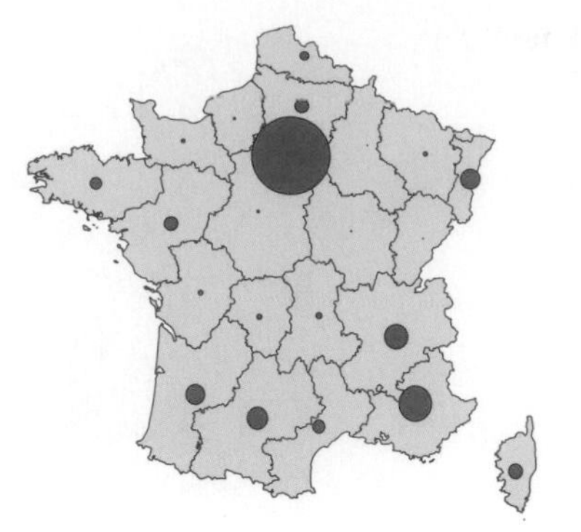

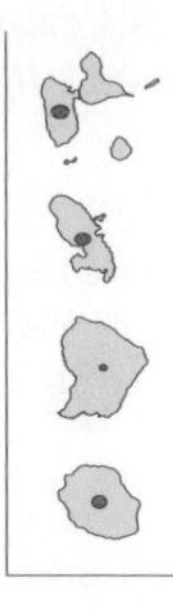

GéoFLA® © IGN 2009 – © INSEE 2010

	Réseau routier au 31 décembre 2008[1]			Réseau ferroviaire en 2008	Transport ferroviaire	Transport aérien en 2008	
	Routes nationales (km)	Autoroutes (km)	Routes départementales et voies communales (km)	(km)	Fret 2006 (kt)	Passagers départs et arrivées (milliers)	Fret avionné (kt)
Alsace	102	301	15 317	788	3 500	5 536	39,2
Aquitaine	538	628	74 360	1 676	4 808	5 665	8,1
Auvergne	514	380	51 323	1 344	2 334	540	0,7
Bourgogne	342	686	48 836	1 790	3 805	18	0,0
Bretagne	1 006	50	65 727	1 173	2 270	1 921	11,0
Centre	346	884	65 076	2 323	6 093	96	6,0
Champagne-Ardenne	437	503	29 322	1 682	4 149	4	39,6
Corse[2]	576	0	7 439	232	...	2 650	5,1
Franche-Comté	427	218	25 748	877	1 272	5	0,0
Île-de-France	489	605	36 359	1 852	10 858	86 684	1 378,3
Languedoc-Roussillon	489	536	47 712	1 423	3 105	2 458	1,6
Limousin	257	263	33 217	908	821	400	0,3
Lorraine	450	465	34 655	1 940	15 703	265	0,0
Midi-Pyrénées	633	652	85 019	1 705	4 722	7 137	50,5
Nord - Pas-de-Calais	197	627	29 585	1 460	18 525	1 016	0,2
Basse-Normandie	340	255	38 029	713	1 155	197	0,1
Haute-Normandie	234	428	28 264	915	6 123	74	0,0
Pays de la Loire	426	746	66 742	1 505	3 183	2 689	26,1
Picardie	371	550	33 801	1 555	5 892	2 486	4,1
Poitou-Charentes	592	300	53 430	1 236	4 536	344	0,0
Provence - Alpes - Côte d'Azur[2]	396	754	47 331	1 418	11 341	17 917	52,2
Rhône-Alpes	603	1 211	89 691	2 718	8 723	8 620	29,1
France métropolitaine	**9 765**	**11 042**	**1 006 983**	**31 233**	**122 918**	**146 722**	**1 652,3**
dont France de province	*9 276*	*10 437*	*970 624*	*29 381*	*112 060*	*60 038*	*274,0*
Guadeloupe	...	0	2 077	///	///	1 911	13,8
Guyane	442	0	1 705	///	///	416	4,7
Martinique	...	7	1 966	///	///	1 572	12,8
La Réunion	...	0	3 005	///	///	1 708	26,8
France	**...**	**11 049**	**1 015 737**	**///**	**///**	**152 330**	**1 710,4**

1. Du fait de la décentralisation, le partage de la gestion du réseau entre l'État et les collectivités locales a été fondamentalement modifié. Une partie du réseau national est transférée sous la responsabilité des départements.
2. Corse et Provence - Alpes - Côte d'Azur sont réunies pour le trafic ferroviaire en 2006.
Sources : SOeS ; direction générale de l'aviation civile ; SNCF ; service technique des routes et autoroutes.

Définitions

Réseau ferroviaire : la longueur totale du réseau correspond à celle des lignes et non à celle des voies ; une liaison de 1 km en double voie a une longueur de voie de 2 km et une longueur de ligne de 1 km.

Routes départementales : ce sont toutes les routes, sans distinction d'aucune sorte, qui font partie du domaine routier départemental. Leur entretien incombe aux départements.

Trafic : distance parcourue par un ensemble de véhicules (généralement à moteur).

Transport : les transports sont des flux de marchandises ou de voyageurs déplacés sur une distance donnée à l'aide d'un véhicule. Plusieurs catégorisations peuvent être faites à l'intérieur des transports : selon le mode de transport, selon les origines et destinations des marchandises ou des voyageurs (national, international, d'échange ou de transit), selon des approches particulières (transports collectifs urbains, transports intérieurs...).

Densité de magasins d'alimentation, spécialisés ou non en 2007

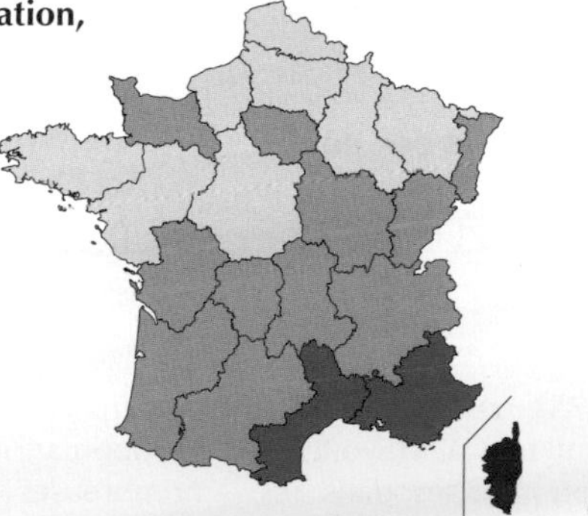

GéoFLA® © IGN 2009 – © INSEE 2010

	Établissements commerciaux au 31 décembre 2007								
		dont (%)				Densité d'établissements pour 10 000 habitants			
	Nombre	*Commerce et réparation automobile*	*Commerce de gros, inter-médiaires*	*Grandes surfaces à prédomin. alimentaire*	*Magasins d'alimentation, spécialisés ou non*	Commerce et réparation automobile	Commerce de gros, inter-médiaires	Grandes surfaces à prédomin. alimentaire	Magasins d'alimentation, spécialisés ou non
Alsace	22 122	*12,4*	*30,5*	*1,7*	*9,9*	15,0	36,7	2,0	11,9
Aquitaine	45 715	*12,2*	*24,5*	*1,4*	*10,6*	17,6	35,3	2,0	15,2
Auvergne	16 992	***14,6***	*19,8*	*1,5*	*12,0*	18,5	25,1	1,8	15,2
Bourgogne	20 037	*13,6*	*23,3*	*1,9*	*10,0*	16,6	28,6	2,4	12,2
Bretagne	34 985	*11,5*	*21,3*	*2,1*	*9,0*	12,8	23,7	2,3	10,0
Centre	27 428	*13,7*	*22,9*	*1,9*	*9,1*	14,8	24,7	2,0	9,9
Champagne-Ardenne	14 804	*13,7*	*25,0*	*2,0*	*8,9*	15,1	27,6	2,2	9,8
Corse	6 088	*11,3*	*17,2*	*1,0*	***15,3***	**22,7**	34,5	2,0	**30,8**
Franche-Comté	12 914	*14,0*	*19,8*	*2,1*	*10,9*	15,6	22,0	2,3	12,1
Île-de-France	182 005	*7,6*	***36,3***	*1,0*	*8,2*	11,8	**56,7**	1,5	12,8
Languedoc-Roussillon	40 936	*12,0*	*22,0*	*1,2*	*14,3*	18,9	34,8	1,8	22,6
Limousin	8 794	*14,0*	*20,4*	*1,9*	*11,6*	16,7	24,3	2,3	13,8
Lorraine	24 111	*13,9*	*21,7*	*2,4*	*9,4*	14,4	22,3	2,4	9,7
Midi-Pyrénées	38 787	*13,2*	*22,9*	*1,4*	*11,4*	18,0	31,2	1,9	15,6
Nord - Pas-de-Calais	39 965	*11,2*	*22,6*	*2,2*	*10,5*	11,2	22,5	2,2	10,5
Basse-Normandie	17 754	*12,9*	*19,9*	*2,0*	*10,9*	15,6	24,1	**2,4**	13,2
Haute-Normandie	18 848	*12,7*	*20,4*	*1,8*	*10,2*	13,2	21,1	1,9	10,6
Pays de la Loire	38 299	*12,6*	*24,6*	*1,7*	*8,0*	13,8	26,8	1,9	8,7
Picardie	17 801	*14,5*	*21,8*	***2,4***	*8,9*	13,5	20,4	2,2	8,3
Poitou-Charentes	22 712	*13,1*	*21,8*	*1,5*	*10,2*	17,0	28,0	1,9	13,2
Provence - Alpes - Côte d'Azur	89 071	*11,3*	*24,9*	*0,9*	*11,1*	20,6	45,3	1,6	20,1
Rhône-Alpes	83 482	*12,4*	*25,1*	*1,1*	*9,0*	16,9	34,3	1,6	13,5
France métropolitaine	**823 650**	***11,4***	***26,2***	***1,4***	***10,0***	**15,2**	**34,7**	**1,9**	**13,2**
dont France de province	*641 645*	*12,5*	*23,3*	*1,6*	*10,5*	*15,9*	*29,7*	*2,0*	*13,3*
Guadeloupe	13 124	*11,5*	*23,6*	*0,4*	*14,5*	37,4	76,9	1,4	47,1
Guyane	2 812	*13,0*	*21,3*	*0,7*	*17,3*	16,5	27,0	0,9	22,0
Martinique	9 037	*13.5*	*27.4*	*0.7*	*12.7*	30.6	62.1	1.5	28.7
La Réunion	12 570	*11,2*	*28,7*	*0,8*	*12,9*	17,6	44,7	1,3	20,2
France	**861 193**	***11,5***	***26,2***	***1,4***	***10,1***	**15,4**	**35,3**	**1,9**	**13,6**

Source : Insee, Clap.

Définitions

Commerce : regroupe les entreprises ou établissements dont l'activité principale est l'achat de produits à des tiers pour la revente en état, sans transformation. Cette activité peut comporter accessoirement des activités de production.

L'activité des intermédiaires du commerce qui mettent en rapport les acheteurs et les vendeurs, ou exécutent des opérations commerciales pour le compte d'un tiers, sans être propriétaires des produits concernés, fait également partie du commerce.

Commerce et réparation automobile : comprend les entreprises ou établissements de commerce de gros ou de détail, sous toutes leurs formes, en neuf comme en occasion, de véhicules automobiles, y compris véhicules utilitaires et motos, de leurs pièces et le commerce de détail de carburant, ainsi que les services de réparation et de maintenance de ces véhicules.

Magasin : établissement de vente au détail qui a une réelle activité de vente et possède donc une surface de vente. Les établissements auxiliaires, comme les entrepôts ou les bureaux d'entreprises commerciales, sans chiffre d'affaires propre ne sont pas considérés comme point de vente.

Prédominance alimentaire : un établissement de vente au détail est à prédominance alimentaire lorsque son chiffre d'affaires en produits alimentaires, boissons et tabac représente plus de 35 % des ventes totales.

Commerce et réparation automobile, grandes surfaces à prédominance alimentaire, magasins spécialisés : voir *Glossaire*.

2.12 Développement social urbain

I. Population en ZUS
II. Population en ZFU
III. Démographie des ZUS et des autres quartiers CUCS
IV. Indicateurs sociaux en ZUS et autres quartiers CUCS
V. Activité et chômage en ZUS et autres quartiers CUCS
VI. Demandeurs d'emploi en ZUS et ZFU
VII. Retards scolaires en ZUS

La France compte 751 zones urbaines sensibles (ZUS), dont une à Mayotte et une à Saint-Martin (non reprises dans les tableaux ci-contre), et 100 zones franches urbaines (ZFU). Créés en 1996, ces deux types de quartiers constituent toujours les cibles privilégiées de la politique de la ville, les ZUS en tant que « zones de population », les ZFU en tant que « zones d'exonérations des entreprises ». Mais depuis 2007, environ 1 700 nouveaux quartiers – appelés ici « autres quartiers CUCS » – sont pris en compte, aux côtés des ZUS, dans les Contrats urbains de Cohésion sociale (CUCS), le nouveau cadre du volet « population » de la politique de la ville.

Les ZUS regroupent 6,9 % de la population française en 2006. Cette part dépasse 10 % en Corse et dans les régions très urbaines de l'Île-de-France et du Nord - Pas-de-Calais. Elle atteint un maximum d'environ 15 % pour la Réunion et la Guyane. La population des ZUS de France métropolitaine a baissé en moyenne de 0,4 % par an entre 1999 et 2006, après une baisse de 0,6 % par an entre 1990 et 1999. Certaines régions ont pourtant vu la population de leurs ZUS augmenter entre 1999 et 2006 : l'Île-de-France, Provence - Alpes - Côte d'Azur, l'Aquitaine, le Languedoc-Roussillon et la Corse. Ces hausses, observées en dépit des travaux de rénovation urbaine, sont liées (sauf pour l'Aquitaine) à une augmentation du nombre de personnes par logement. Contredisant la tendance générale à la décohabitation, elles témoignent de la faiblesse de l'offre vis à vis de la demande en logements sociaux dans ces régions.

Dans presque toutes les régions, la part de la population jeune et celle des familles nombreuses en 2006 restent beaucoup plus élevées en ZUS que dans l'ensemble du milieu urbain comprenant un quartier de politique de la ville. La particularité des ZUS est encore plus nette pour les indicateurs liés aux revenus. La part des « bas revenus » est ainsi deux à trois fois plus forte, selon la région, pour les ZUS que pour les unités urbaines. L'indicateur de chômage est en général deux fois plus élevé en ZUS qu'en unité urbaine. La Réunion et la Corse font exception avec un profil général des ZUS moins marqué par rapport à leur environnement urbain (données non encore disponibles pour les départements antillo-guyanais).

À l'aune des indicateurs sociaux, les « autres quartiers CUCS » sont dans toutes les régions de France métropolitaine en situation clairement intermédiaire entre les ZUS et les unités urbaines, un peu plus près des ZUS pour tous les indicateurs sauf la part de familles nombreuses. Par ailleurs, en France de province, si 61 % des logements en ZUS sont des HLM, ces derniers ne comptent que pour 39 % des logements en « autres quartiers CUCS ».

Dans toutes les régions de France métropolitaine, les parts des étrangers, des non-diplômés et des RMIstes parmi les demandeurs d'emploi (de catégorie 1) sont beaucoup plus élevées en ZUS que dans l'ensemble de la région. Pour toutes ces régions sauf la Corse, les retards d'au moins deux ans parmi les élèves de sixième sont beaucoup plus fréquents en ZUS que dans la région entière. ■

Part de la population en ZUS en 2006

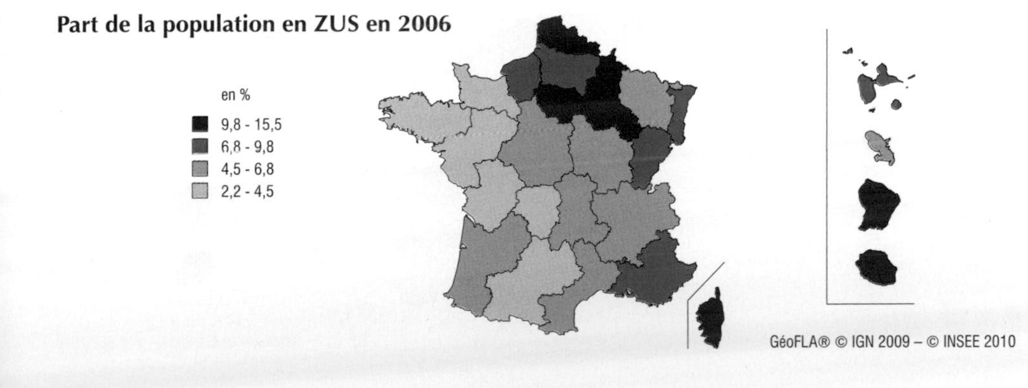

	Nombre de ZUS	Population en ZUS 2006	Part de la population régionale en ZUS 2006 (%)	Taux d'évolution annuel moyen (%) de la population en ZUS 1999-2006	de la population en ZUS 1990-1999	du nombre de logements en ZUS 1999-2006	du nombre moyen de personnes par logement en ZUS 1999-2006
Alsace	19	128 345	7,1	– 0,6	– 0,5	0,0	– 0,7
Aquitaine	24	139 415	4,5	0,4	– 0,3	**0,7**	– 0,4
Auvergne	17	65 637	4,9	– 1,3	– 0,4	0,1	– 1,4
Bourgogne	22	78 385	4,8	**– 2,0**	– 1,4	– 0,7	– 1,3
Bretagne	20	87 458	2,8	– 1,0	– 0,7	0,1	– 1,1
Centre	30	116 954	4,6	– 1,3	– 1,2	– 0,5	– 0,9
Champagne-Ardenne	31	131 171	9,8	– 1,6	– 0,8	– 0,5	– 1,1
Corse	5	30 061	10,2	**1,0**	**– 1,5**	0,0	**0,8**
Franche-Comté	23	78 111	6,8	– 1,2	– 1,1	– 0,4	– 0,9
Île-de-France	157	1 273 703	**11,0**	0,2	– 0,4	– 0,1	0,2
Languedoc-Roussillon	28	137 149	5,4	0,4	– 0,7	0,2	0,2
Limousin	3	18 347	2,5	– 0,3	**– 0,2**	0,0	– 0,4
Lorraine	38	145 534	6,2	– 1,3	– 1,1	– 0,4	– 1,0
Midi-Pyrénées	14	60 089	**2,2**	– 0,5	– 1,2	**– 1,0**	0,4
Nord - Pas-de-Calais	73	409 536	10,2	– 0,5	– 0,3	0,2	0,7
Basse-Normandie	12	50 708	3,5	1,0	– 1,0	– 0,3	**– 1,7**
Haute-Normandie	25	124 810	6,9	– 1,7	– 0,9	– 0,7	– 1,1
Pays de la Loire	29	142 783	4,1	– 1,1	– 0,7	– 0,1	– 1,0
Picardie	21	132 894	7,0	– 0,7	– 0,6	0,0	– 0,7
Poitou-Charentes	14	65 742	3,8	– 1,0	– 0,6	0,3	– 1,4
Provence - Alpes - Côte d'Azur	48	394 239	8,2	0,4	0,4	0,2	0,2
Rhône-Alpes	64	339 273	5,6	– 0,3	– 1,0	– 0,3	– 0,1
France métropolitaine	**717**	**4 150 344**	**6,8**	**– 0,4**	**– 0,6**	**– 0,1**	**– 0,3**
dont France de province	*560*	*2 876 641*	*5,8*	*– 0,6*	*– 0,7*	*– 0,1*	*– 0,6*
Guadeloupe	7	30 078	7,5	...	...	...	...
Guyane	4	29 174	14,2	...	...	...	...
Martinique	6	24 202	6,1	...	...	...	...
La Réunion	15	121 186	15,5	...	...	...	...
France	**749**	**4 354 984**	**6,9**	**...**	**...**	**...**	**...**

Note : les évolutions sont des estimations;
Source : Insee, Recensements de la population 1999 et 2006.

Définitions

Zones urbaines sensibles (ZUS) : territoires infra-urbains définis en 1996 pour être la cible prioritaire de la politique de la ville, en fonction de considérations locales liées aux difficultés que connaissent les habitants. Caractérisées par l'existence de grands ensembles d'habitat dégradé, les ZUS sont des zones dites de population.

Part de la population en ZFU en 2006

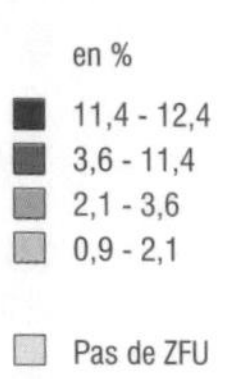

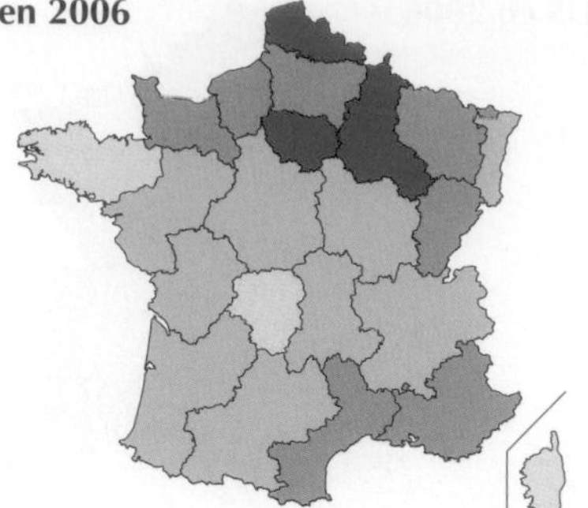

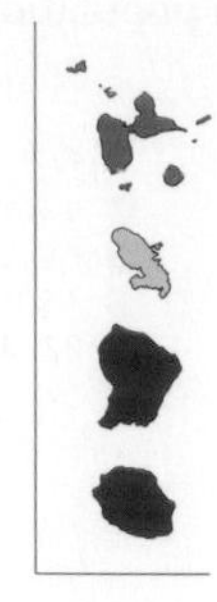

GéoFLA® © IGN 2009 – © INSEE 2010

	Nombre total de ZFU	Population en ZFU 2006	Part de la population régionale en ZFU 2006 (%)	Nombre de ZFU de 1re génération 1997	Nombre de ZFU de 2e génération 2004	Nombre de ZFU de 3e génération 2006
Alsace	3	34 170	1,9	2	1	0
Aquitaine	1	36 358	1,2	1	0	0
Auvergne	1	23 028	1,7	0	1	0
Bourgogne	2	17 592	1,1	1	0	1
Bretagne	0	0	0,0	0	0	0
Centre	4	45 646	1,8	2	1	1
Champagne-Ardenne	4	48 529	3,6	3	1	0
Corse	0	0	0,0	0	0	0
Franche-Comté	3	33 235	2,9	1	1	1
Île-de-France	26	485 180	4,2	9	14	3
Languedoc-Roussillon	4	56 230	2,2	3	1	0
Limousin	0	0	0,0	0	0	0
Lorraine	4	55 056	2,4	1	2	1
Midi-Pyrénées	1	44 217	1,6	0	1	0
Nord - Pas-de-Calais	10	172 283	4,3	3	4	3
Basse-Normandie	4	38 352	2,6	1	2	1
Haute-Normandie	3	39 521	2,2	1	2	0
Pays de la Loire	4	48 828	1,4	1	3	0
Picardie	5	54 792	2,9	3	2	0
Poitou-Charentes	1	17 103	1,0	0	1	0
Provence - Alpes - Côte d'Azur	6	116 668	2,4	3	1	2
Rhône-Alpes	7	110 477	1,8	3	3	1
France métropolitaine	**93**	**1 477 265**	**2,4**	**38**	**41**	**14**
dont France de province	*67*	*992 085*	*2,0*	*29*	*27*	*11*
Guadeloupe	2	16 089	4,0	2	0	0
Guyane	2	25 538	12,4	2	0	0
Martinique	1	7 490	1,9	1	0	0
La Réunion	2	89 898	11,5	1	0	1
France	**100**	**1 616 280**	**2,6**	**44**	**41**	**15**

Source : Insee, Recensement de la population 2006.

Définitions

Zones Franches Urbaines (ZFU) : quartiers de plus de 10 000 habitants (8 500 pour la troisième génération) situés dans des zones dites sensibles ou défavorisées. Les ZFU sont des zones dites d'entreprise : les entreprises y bénéficient d'un dispositif d'exonérations de charges fiscales et sociales pendant cinq ans. La première génération de ZFU date de 1997, la deuxième de 2004 et la troisième de 2006.

ZUS : part des moins de 18 ans en 2007 (champ CNAMTS)

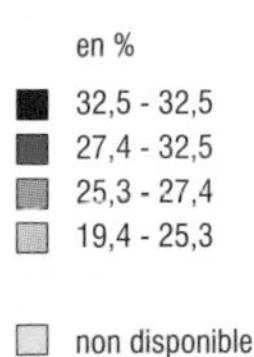

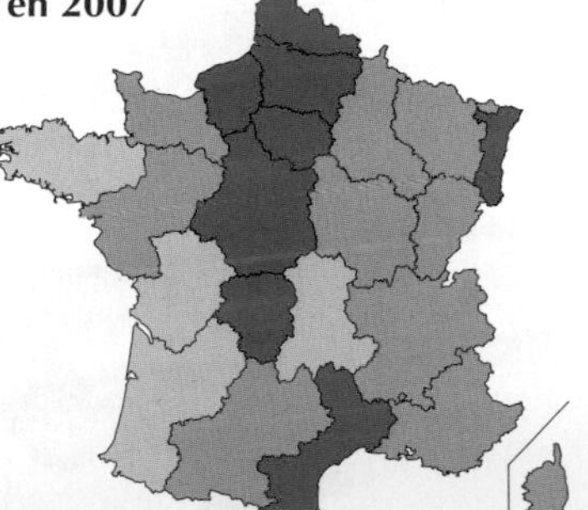

GéoFLA® © IGN 2009 – © INSEE 2010

	Part des moins de 18 ans en 2007 (%)			Part des ménages d'au moins 6 personnes en 2006 (%)		
	ZUS	Autres Quartiers CUCS	Ensemble des unités urbaines avec la présence d'un CUCS ou d'une ZUS[1]	ZUS	Autres Quartiers CUCS	Ensemble des unités urbaines avec la présence d'un CUCS ou d'une ZUS[1]
Alsace	28,1	23,5	22,0	7,3	3,5	2,8
Aquitaine	23,1	20,7	20,1	3,3	1,8	1,6
Auvergne	21,8	**17,7**	**18,2**	**3,0**	**1,3**	**1,3**
Bourgogne	25,3	24,3	19,5	4,7	3,1	1,9
Bretagne	24,4	21,5	20,6	3,1	1,4	1,5
Centre	27,8	23,6	21,0	7,1	3,1	2,3
Champagne-Ardenne	26,4	22,6	21,2	5,1	2,8	2,4
Corse	**19,4**	20,1	18,6	2,5	2,9	2,1
Franche-Comté	26,3	21,2	20,5	5,4	2,9	2,4
Île-de-France	27,4	25,7	22,1	**9,6**	**7,5**	**4,0**
Languedoc-Roussillon	27,7	21,9	21,4	6,9	2,5	2,3
Limousin	**28,9**	21,1	18,9	5,0	2,4	1,5
Lorraine	26,4	23,4	20,6	5,4	2,9	2,2
Midi-Pyrénées	20,8	21,5	20,9	6,1	2,1	1,7
Nord-Pas-de-Calais	28,6	**27,0**	**24,6**	6,7	5,5	3,8
Basse-Normandie	27,1	23,5	20,9	4,1	2,3	1,9
Haute-Normandie	28,2	24,8	22,2	6,7	3,5	2,6
Pays de la Loire	25,5	24,4	21,4	3,7	2,9	1,8
Picardie	28,7	25,4	23,4	7,4	4,4	3,6
Poitou-Charentes	24,2	21,7	19,3	3,0	1,7	1,4
Provence - Alpes - Côte d'Azur	26,4	23,4	20,0	7,2	4,3	2,5
Rhône-Alpes	26,3	24,4	21,7	6,2	4,4	2,6
France métropolitaine	**26,9**	**24,7**	**21,7**	**6,9**	**5,0**	**2,9**
dont France de province	*20,6*	*24,2*	*21,5*	*5,8*	*3,8*	*2,4*
Guadeloupe	...	...	...	...	...	...
Guyane	...	...	...	...	...	...
Martinique	...	...	...	...	...	...
La Réunion	32,5	32,5	31,1	9,1	10,5	8,6
France	...	...	...	...	...	...

1. Ensemble de la région pour La Réunion.
Note : géolocalisation des fichiers de la CNAMTS et de la DGFIP : les fichiers fiscaux de la DGFIP et les fichiers des assurés de la CNAMTS font partie des grands fichiers de nature administrative permettant l'élaboration de données infra-communales. Ils ne permettent cependant pas d'appréhender toute la population et peuvent en renvoyer une image légèrement différente de celle issue des recensements de la population.
Sources : CNAMTS, Insee.

Définitions

Zones urbaines sensibles (ZUS) : territoires infra-urbains définis en 1996 pour être la cible prioritaire de la politique de la ville, en fonction de considérations locales liées aux difficultés que connaissent les habitants. Caractérisées par l'existence de grands ensembles d'habitat dégradé, les ZUS sont des zones dites de population.

Autres quartiers CUCS : remplaçant en 2006 les Contrats de Ville, les Contrats urbains de Cohésion sociale (CUCS) concernent la quasi-totalité des ZUS, mais aussi une nouvelle génération d'environ 1 700 quartiers, également sélectionnés sur la base d'un constat de difficultés sociales. Ces nouveaux quartiers de la politique de la ville sont appelés ici « autres quartiers CUCS ».

ZUS : part des bas revenus en 2005

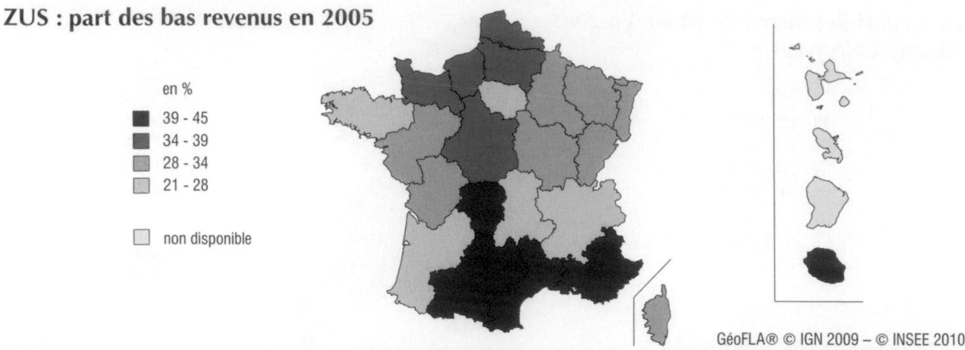

	Part des des « bas revenus » en 2005 (%)			Part des allocataires CMUC en 2007 (%)		
	ZUS	Autres Quartiers CUCS	Ensemble des unités urbaines avec la présence d'un CUCS ou d'une ZUS[1]	ZUS	Autres Quartiers CUCS	Ensemble des unités urbaines avec la présence d'un CUCS ou d'une ZUS[1]
Alsace	30,6	18,5	11,8	19,9	13,2	8,6
Aquitaine	24,9	18,4	9,3	19,6	15,6	8,4
Auvergne	23,7	21,7	10,5	17,9	16,9	8,9
Bourgogne	27,8	25,9	10,4	21,6	21,5	9,7
Bretagne	26,5	17,2	8,8	21,7	14,8	8,4
Centre	36,8	21,1	10,7	28,7	17,7	10,2
Champagne-Ardenne	31,8	19,0	14,0	26,4	16,0	12,7
Corse	21,3	21,7	15,2	11,6	12,1	8,9
Franche-Comté	31,5	22,3	11,9	26,3	19,0	10,7
Île-de-France	24,2	20,9	11,1	15,1	13,7	7,6
Languedoc-Roussillon	**44,8**	**28,8**	**18,6**	**35,8**	**24,0**	**16,9**
Limousin	39,6	22,5	10,9	34,5	18,4	10,5
Lorraine	31,8	23,1	12,5	23,9	17,4	9,4
Midi-Pyrénées	39,1	20,0	10,6	32,3	16,8	9,7
Nord - Pas-de-Calais	34,3	26,9	16,4	28,9	22,0	14,2
Basse-Normandie	35,4	17,9	12,3	31,5	15,7	11,9
Haute-Normandie	34,2	21,9	13,3	25,6	16,8	11,3
Pays de la Loire	28,6	23,4	9,4	23,9	20,1	9,1
Picardie	34,6	23,1	16,3	27,3	18,9	14,3
Poitou-Charentes	29,4	16,7	11,4	27,1	19,0	12,4
Provence - Alpes - Côte d'Azur	38,6	27,3	13,9	30,1	21,4	8,0
Rhône-Alpes	26,9	20,7	10,2	20,4	15,1	7,7
France métropolitaine	**29,9**	**23,0**	**12,1**	**22,4**	**17,4**	**9,3**
dont France de province	*32,7*	*24,1*	*12,5*	*25,9*	*19,4*	*10,2*
Guadeloupe	...	...	...	...	...	...
Guyane	...	...	...	...	...	...
Martinique	...	...	...	...	...	...
La Réunion	44,6	45,6	38,8	48,1	48,7	44,0
France	**...**	**...**	**...**	**...**	**...**	**...**

1. Ensemble de la région pour La Réunion.

Note : géolocalisation des fichiers de la CNAMTS et de la DGFIP : Les fichiers fiscaux de la DGFIP et les fichiers des assurés de la CNAMTS font partie des grands fichiers de nature administrative permettant l'élaboration de données infra-communales. Ils ne permettent cependant pas d'appréhender toute la population et peuvent en renvoyer une image légèrement différente de celle issue des recensements de la population.

Sources : DGFIP, Insee, CNAMTS .

Définitions

Zones urbaines sensibles (ZUS) : territoires infra-urbains définis en 1996 pour être la cible prioritaire de la politique de la ville, en fonction de considérations locales liées aux difficultés que connaissent les habitants. Caractérisées par l'existence de grands ensembles d'habitat dégradé, les ZUS sont des zones dites de population.

Autres quartiers CUCS : remplaçant en 2006 les Contrats de Ville, les Contrats urbains de Cohésion sociale (CUCS) concernent la quasi-totalité des ZUS, mais aussi une nouvelle génération d'environ 1 700 quartiers, également sélectionnés sur la base d'un constat de difficultés sociales. Ces nouveaux quartiers de la politique de la ville sont appelés ici « autres quartiers CUCS ».

Part des « bas revenus » : il s'agit de la part de la population appartenant à un ménage dont le revenu par unité de consommation est inférieur au premier décile du revenu par unité de consommation observé sur l'ensemble des communes de plus de 10 000 habitants de France métropolitaine.

Part des allocataires CMUC : il s'agit de la part des bénéficiaires de la Cmuc (Couverture mutuelle universelle complémentaire) parmi l'ensemble des bénéficiaires de la CNAMTS.

ZUS : part des HLM en 2006

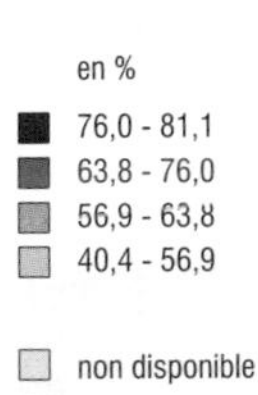

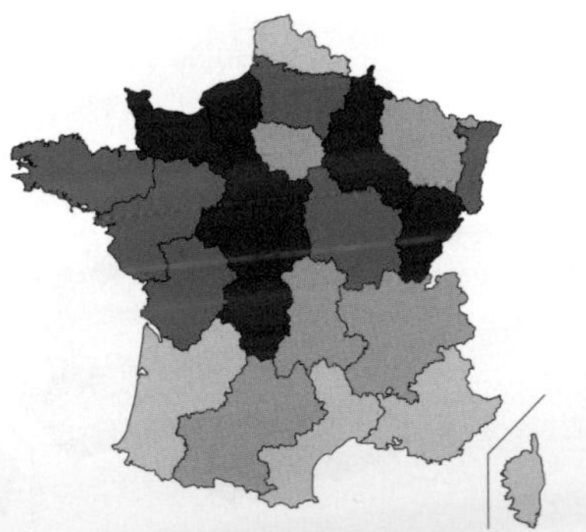

GéoFLA® © IGN 2009 – © INSEE 2010

	Part des HLM en 2006 (%)			Part des employés et ouvriers chez les salariés en 2006 (%)		
	ZUS	Autres Quartiers CUCS	Ensemble des unités urbaines avec la présence d'un CUCS ou d'une ZUS[1]	ZUS	Autres Quartiers CUCS	Ensemble des unités urbaines avec la présence d'un CUCS ou d'une ZUS[1]
Alsace	63,8	40,4	20,6	86,7	77,9	64,6
Aquitaine	53,4	29,4	15,1	79,1	71,8	60,8
Auvergne	56,9	27,2	17,7	80,8	75,4	64,3
Bourgogne	68,5	**73,9**	22,6	86,1	**86,1**	66,0
Bretagne	66,4	41,6	19,4	83,3	75,4	62,1
Centre	80,9	62,7	25,6	**88,8**	82,0	63,9
Champagne-Ardenne	**81,1**	52,7	**36,5**	86,1	79,9	**68,6**
Corse	40,4	22,5	16,0	79,0	75,7	67,6
Franche-Comté	77,3	51,7	26,2	86,5	76,5	66,9
Île-de-France	58,0	51,0	24,6	75,6	70,8	51,9
Languedoc-Roussillon	53,4	18,3	15,6	83,3	76,6	60,0
Limousin	78,9	45,5	19,6	84,0	77,4	63,0
Lorraine	60,8	50,8	21,2	85,6	81,2	65,8
Midi-Pyrénées	61,2	29,7	13,3	84,0	75,5	57,3
Nord - Pas-de-Calais	51,9	36,4	23,8	81,0	78,2	67,5
Basse-Normandie	77,0	53,7	30,7	85,9	78,0	66,7
Haute-Normandie	76,0	51,7	32,4	85,8	78,3	65,4
Pays de la Loire	67,0	58,6	22,4	83,2	79,0	59,8
Picardie	69,4	52,0	31,7	84,8	78,8	68,3
Poitou-Charentes	65,2	37,0	20,9	81,1	68,8	63,1
Provence - Alpes - Côte d'Azur	46,0	28,1	13,8	81,0	75,4	63,8
Rhône-Alpes	62,2	48,7	21,3	81,3	77,2	61,2
France métropolitaine	**60,4**	**42,6**	**21,9**	**80,4**	**74,7**	**59,9**
dont France de province	*61,4*	*38,6*	*20,8*	*83,1*	*76,9*	*63,7*
Guadeloupe	...	...	...	...	...	...
Guyane	...	...	...	...	...	...
Martinique	...	...	...	...	...	...
La Réunion	46,6	29,8	18,1	77,8	78,2	73,7
France	**...**	**...**	**...**	**...**	**...**	**...**

1. Ensemble de la région pour La Réunion.
Sources : DGFIP, Insee, DADS.

Définitions

Zones urbaines sensibles (ZUS) : territoires infra-urbains définis en 1996 pour être la cible prioritaire de la politique de la ville, en fonction de considérations locales liées aux difficultés que connaissent les habitants. Caractérisées par l'existence de grands ensembles d'habitat dégradé, les ZUS sont des zones dites de population.

Autres quartiers CUCS : remplaçant en 2006 les Contrats de Ville, les Contrats urbains de Cohésion sociale (CUCS) concernent la quasi-totalité des ZUS, mais aussi une nouvelle génération d'environ 1 700 quartiers, également sélectionnés sur la base d'un constat de difficultés sociales. Ces nouveaux quartiers de la politique de la ville sont appelés ici « autres quartiers CUCS ».

Part des HLM : part des ménages occupant un logement loué auprès d'un organisme HLM.

Part des employés et ouvriers : il s'agit de la part cumulée des employés et des ouvriers parmi l'ensemble des salariés présents dans les fichiers des Déclarations annuelles de Données sociales (DADS), hors agriculteurs exploitants.

ZUS : indicateur de chômage des 25-64 ans fin 2005

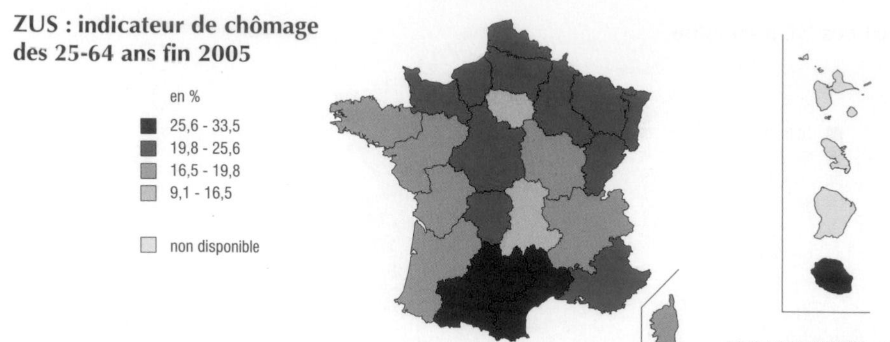

GéoFLA® © IGN 2009 – © INSEE 2010

	Taux d'activité des 25-64 ans en 2006 (%)			Indicateur de chômage des 25-64 ans fin 2005 (%)		
	ZUS	Autres Quartiers CUCS	Ensemble des unités urbaines avec la présence d'un CUCS ou d'une ZUS[1]	ZUS	Autres Quartiers CUCS	Ensemble des unités urbaines avec la présence d'un CUCS ou d'une ZUS[1]
Alsace	70,6	77,5	79,8	21,9	15,4	10,8
Aquitaine	76,8	**79,4**	80,5	17,0	13,9	9,4
Auvergne	73,5	76,4	79,1	14,5	14,7	9,0
Bourgogne	74,3	75,0	80,0	17,2	16,9	9,4
Bretagne	74,8	78,1	79,7	16,5	13,2	9,1
Centre	70,9	77,8	80,8	22,7	15,2	9,1
Champagne-Ardenne	72,4	75,5	78,8	20,2	14,9	11,3
Corse	70,2	72,0	73,2	9,1	11,1	9,8
Franche-Comté	70,9	76,5	79,6	21,9	17,4	10,4
Île-de-France	**77,1**	79,0	**82,4**	14,8	13,6	9,5
Languedoc-Roussillon	61,6	68,9	73,2	**26,4**	**21,9**	**15,3**
Limousin	70,6	75,3	80,1	21,7	13,4	8,3
Lorraine	67,1	70,0	75,3	19,8	14,7	10,1
Midi-Pyrénées	68,7	75,8	80,8	25,6	16,0	10,5
Nord - Pas-de-Calais	67,6	70,4	75,0	21,1	17,4	11,9
Basse-Normandie	70,6	77,9	79,1	21,5	13,6	10,8
Haute-Normandie	70,0	76,4	78,9	20,4	15,2	10,7
Pays de la Loire	75,0	77,6	80,9	18,8	16,3	9,3
Picardie	70,4	74,3	77,3	21,0	15,8	12,0
Poitou-Charentes	72,9	78,4	79,2	18,7	13,3	10,7
Provence - Alpes - Côte d'Azur	65,3	70,8	74,9	23,9	17,8	11,6
Rhône-Alpes	74,1	76,8	80,7	17,3	14,1	8,9
France métropolitaine	**72,5**	**75,4**	**79,4**	**18,3**	**15,3**	**10,2**
dont France de province	*70,2*	*73,5*	*78,1*	*20,3*	*16,3*	*10,5*
Guadeloupe	...	...	...	...	...	...
Guyane	...	...	...	...	...	...
Martinique	...	...	...	...	...	...
La Réunion	66,5	64,5	66,4	33,5	35,4	29,2
France	**...**	**...**	**...**	**...**	**...**	**...**

1. Ensemble de la région pour La Réunion.
Sources : DGFIP, Insee, Pôle Emploi.

Définitions

Zones urbaines sensibles (ZUS) : territoires infra-urbains définis en 1996 pour être la cible prioritaire de la politique de la ville, en fonction de considérations locales liées aux difficultés que connaissent les habitants. Caractérisées par l'existence de grands ensembles d'habitat dégradé, les ZUS sont des zones dites de population.

Autres quartiers CUCS : remplaçant en 2006 les Contrats de Ville, les Contrats urbains de Cohésion sociale (CUCS) concernent la quasi-totalité des ZUS, mais aussi une nouvelle génération d'environ 1 700 quartiers, également sélectionnés sur la base d'un constat de difficultés sociales. Ces nouveaux quartiers de la politique de la ville sont appelés ici « autres quartiers CUCS ».

Taux d'activité des 25-64 ans : part des actifs de 25 à 64 ans (travaillant ou au chômage) dans l'ensemble de la population du même âge.

Indicateur de chômage des 25-64 ans : il est obtenu en rapportant le nombre de demandeurs d'emploi de catégorie A à l'ANPE au nombre d'actifs du même âge.

ZUS : part des étrangers parmi les demandeurs d'emploi (catégorie 1) fin 2007

	Caractéristiques des demandeurs d'emploi en fin de mois (DEFM) de catégorie 1 au 31-12-2007								
	Moins de 25 ans (%)			Femmes (%)			Étrangers (%)		
	ZUS	ZFU	Ensemble de la région	ZUS	ZFU	Ensemble de la région	ZUS	ZFU	Ensemble de la région
Alsace	22,0	23,0	20,9	40,0	40,1	46,0	32,1	34,4	15,5
Aquitaine	20,4	20,3	19,0	46,6	47,4	52,5	21,6	23,9	7,5
Auvergne	20,2	21,5	20,9	48,7	46,4	51,3	18,5	26,0	6,0
Bourgogne	22,5	22,3	22,1	**49,5**	**50,2**	52,1	23,7	23,8	8,0
Bretagne	18,7	///	19,4	44,1	///	51,3	17,3	///	4,0
Centre	20,3	20,3	20,9	44,8	44,3	50,4	31,0	35,3	10,2
Champagne-Ardenne	22,4	22,7	23,4	43,4	42,8	47,8	17,1	20,6	7,0
Corse	21,9	///	19,7	49,2	///	**52,7**	**13,1**	///	11,3
Franche-Comté	19,0	**17,4**	20,3	41,9	41,8	48,6	28,1	30,1	10,5
Île-de-France	**15,5**	**17,4**	**13,2**	45,8	45,6	47,3	33,7	**36,0**	**23,7**
Languedoc-Roussillon	24,6	24,4	19,0	40,1	40,0	47,6	30,0	33,3	10,2
Limousin	20,2	///	21,6	48,5	///	50,3	**36,4**	///	8,8
Lorraine	21,9	20,8	22,7	39,6	38,7	46,1	18,5	22,0	7,7
Midi-Pyrénées	23,1	23,7	19,4	43,4	43,3	51,3	29,7	32,7	9,6
Nord - Pas-de-Calais	24,9	24,3	**26,4**	**39,5**	39,2	**43,7**	14,0	16,3	5,9
Basse-Normandie	23,0	22,6	23,5	42,7	41,9	49,4	13,9	14,7	**4,0**
Haute-Normandie	**26,6**	**26,0**	25,5	44,3	42,2	48,3	19,5	25,5	7,2
Pays de la Loire	22,1	23,1	21,9	45,2	44,3	51,7	20,2	20,1	6,1
Picardie	25,3	25,3	24,7	45,0	44,5	49,0	18,6	20,7	6,6
Poitou-Charentes	20,2	22,4	21,1	45,0	44,7	51,7	14,8	**8,4**	4,4
Provence - Alpes - Côte d'Azur	16,8	17,7	17,2	39,6	**37,6**	46,8	24,0	25,7	12,1
Rhône-Alpes	18,8	19,0	18,4	41,4	40,0	48,2	28,0	28,6	12,5
France métropolitaine	**19,9**	**20,6**	**19,6**	**43,2**	**42,6**	**48,4**	**25,2**	**27,8**	**11,5**
dont France de province	*21,6*	*22,1*	*21,2*	*42,2*	*41,3*	*48,7*	*22,0*	*24,1*	*8,6*
Guadeloupe	...	...	...	...	...	...	...	...	...
Guyane	...	...	...	...	...	...	...	...	...
Martinique	...	...	...	...	...	...	...	...	...
La Réunion	23,3	22,4	24,0	43,5	44,3	44,3	1,9	2,0	1,8
France	...	...	...	...	...	...	...	...	...

Sources : Pôle Emploi, Insee.

Définitions

Zones urbaines sensibles (ZUS) : territoires infra-urbains définis en 1996 pour être la cible prioritaire de la politique de la ville, en fonction de considérations locales liées aux difficultés que connaissent les habitants. Caractérisées par l'existence de grands ensembles d'habitat dégradé, les ZUS sont des zones dites de population.

Zones Franches Urbaines (ZFU) : quartiers de plus de 10 000 habitants (8 500 pour la troisième génération) situés dans des zones dites sensibles ou défavorisées. Les ZFU sont des zones dites d'entreprise : les entreprises y bénéficient d'un dispositif d'exonérations de charges fiscales et sociales pendant cinq ans. La première génération de ZFU date de 1997, la seconde de 2004 et la troisième de 2006.

DEFM de catégorie 1 : les demandeurs d'emploi de catégorie 1 à Pôle-Emploi sont à la recherche d'un contrat à durée indéterminée et à temps plein, n'ont pas exercé d'activité d'une durée supérieure à 78 heures dans le mois et sont tenus d'effectuer des actes positifs de recherche d'emploi. Les données localisées de 2007 sont encore présentées dans cette catégorie, qui se distingue de la catégorie A par (en plus) les demandeurs en activité réduite de moins de 78 heures et (en moins) les demandeurs d'emplois à durée déterminée ou à temps partiel.

ZUS : part des non diplômés parmi les demandeurs d'emploi (catégorie 1) fin 2007

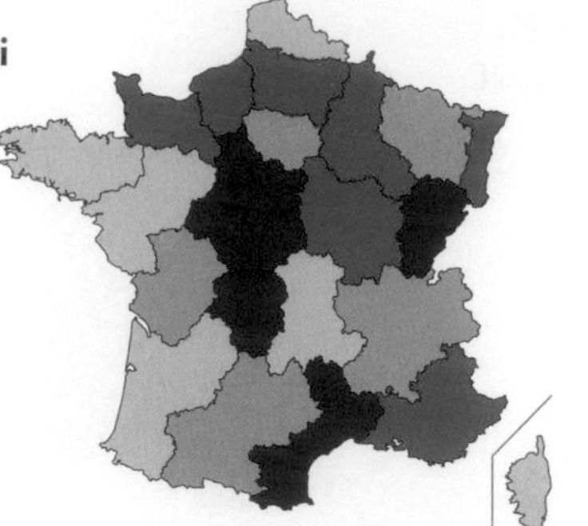

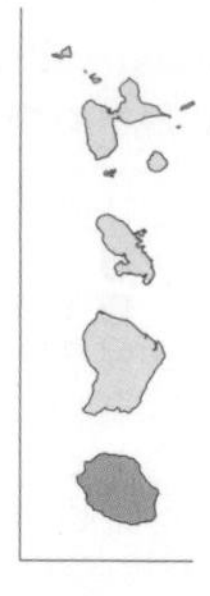

GéoFLA® © IGN 2009 – © INSEE 2010

	Caractéristiques des demandeurs d'emploi en fin de mois (DEFM) de catégorie 1 au 31-12-2007								
	Sans diplôme (%)			Inscrits depuis plus de 2 ans (%)			RMIstes (%)		
	ZUS	ZFU	Ensemble de la région	ZUS	ZFU	Ensemble de la région	ZUS	ZFU	Ensemble de la région
Alsace	21,7	22,6	13,0	9,6	10,4	9,0	21,6	21,9	11,7
Aquitaine	16,7	18,6	9,5	11,5	11,4	10,2	18,1	17,1	10,5
Auvergne	18,0	18,1	10,0	14,3	14,6	11,6	24,9	23,6	13,2
Bourgogne	22,7	22,4	13,5	11,6	11,8	11,0	20,5	18,7	12,4
Bretagne	14,6	///	6,1	12,2	///	10,1	22,7	///	11,2
Centre	24,8	**26,8**	13,0	11,7	11,4	11,4	21,1	21,2	11,2
Champagne-Ardenne	21,8	21,2	15,6	12,5	12,9	12,1	23,6	25,8	14,7
Corse	13,0	///	10,1	5,4	///	3,9	12,1	///	9,8
Franche-Comté	24,2	23,9	14,9	12,1	12,6	10,8	27,2	**30,9**	13,6
Île-de-France	20,7	23,2	13,3	12,1	11,6	12,2	14,8	15,1	12,2
Languedoc-Roussillon	24,8	26,0	10,6	10,2	9,5	9,6	24,1	24,3	15,0
Limousin	**28,4**	///	11,4	11,1	///	10,9	27,8	///	14,4
Lorraine	19,2	19,6	12,5	10,0	10,1	9,7	25,4	26,8	14,6
Midi-Pyrénées	20,5	19,9	8,5	8,6	7,1	9,5	22,5	20,5	12,4
Nord - Pas-de-Calais	17,5	18,3	13,2	**16,5**	**16,1**	**15,5**	27,2	28,3	**19,6**
Basse-Normandie	21,9	21,5	13,7	12,3	13,0	10,5	**28,1**	28,4	13,4
Haute-Normandie	21,9	22,5	14,4	12,0	10,6	12,0	23,3	25,5	14,2
Pays de la Loire	17,6	16,2	9,4	11,0	11,0	10,1	23,9	25,2	11,6
Picardie	22,2	22,4	**15,9**	14,4	14,6	13,5	22,4	23,4	12,7
Poitou-Charentes	18,9	15,6	10,4	13,3	12,1	12,1	26,1	18,4	12,9
Provence - Alpes - Côte d'Azur	23,0	24,3	11,8	12,2	11,3	9,8	27,5	28,0	14,7
Rhône-Alpes	19,3	19,6	10,9	8,3	8,4	8,0	18,0	19,5	10,8
France métropolitaine	**20,6**	**21,8**	**12,0**	**12,1**	**11,9**	**11,1**	**21,4**	**21,9**	**13,2**
dont France de province	*20,5*	*21,1*	*11,6*	*12,1*	*12,0*	*10,8*	*23,9*	*24,8*	*13,5*
Guadeloupe	...	...	...	...	...	...	...	...	...
Guyane	...	...	...	...	...	...	...	...	...
Martinique	...	...	...	...	...	...	...	...	...
La Réunion	20,0	21,3	20,9	19,4	20,0	19,5	29,7	28,9	29,1
France	...	...	...	...	...	...	...	...	...

Sources : Pôle Emploi, Insee.

Définitions

Zones urbaines sensibles (ZUS) : territoires infra-urbains définis en 1996 pour être la cible prioritaire de la politique de la ville, en fonction de considérations locales liées aux difficultés que connaissent les habitants. Caractérisées par l'existence de grands ensembles d'habitat dégradé, les ZUS sont des zones dites de population.

Zones Franches Urbaines (ZFU) : quartiers de plus de 10 000 habitants (8 500 pour la troisième génération) situés dans des zones dites sensibles ou défavorisées. Les ZFU sont des zones dites d'entreprise : les entreprises y bénéficient d'un dispositif d'exonérations de charges fiscales et sociales pendant cinq ans. La première génération de ZFU date de 1997, la seconde de 2004 et la troisième de 2006.

DEFM de catégorie 1 : les demandeurs d'emploi de catégorie 1 à Pôle-Emploi sont à la recherche d'un contrat à durée indéterminée et à temps plein, n'ont pas exercé d'activité d'une durée supérieure à 78 heures dans le mois et sont tenus d'effectuer des actes positifs de recherche d'emploi. Les données localisées de 2007 sont encore présentées dans cette catégorie, qui se distingue de la catégorie A par (en plus) les demandeurs en activité réduite de moins de 78 heures et (en moins) les demandeurs d'emplois à durée déterminée ou à temps partiel.

ZUS : part des retards d'au moins un an parmi les élèves de 6e en 2008-2009

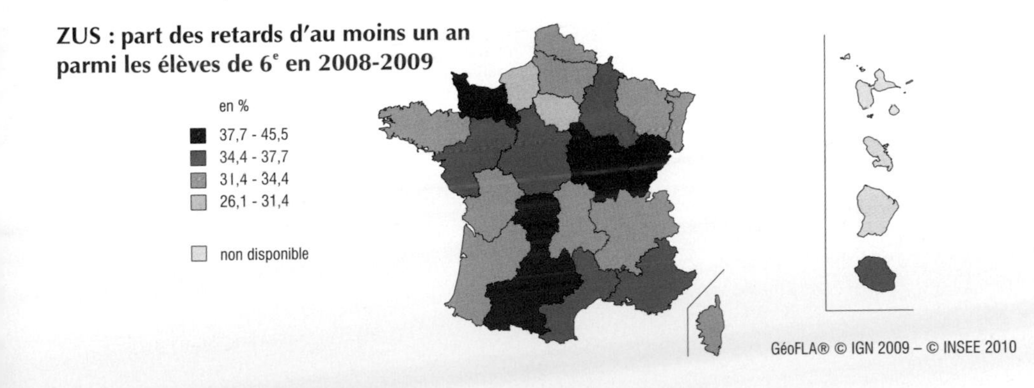

	Élèves de 6e (y compris redoublants) à la rentrée 2008-2009						
		Avance (%)		Retard (%)		Retard d'au moins 2 ans (%)	
	Effectif en ZUS	ZUS	Ensemble de la région	ZUS	Ensemble de la région	ZUS	Ensemble de la région
Alsace	1 774	1,0	2,3	33,5	17,7	3,1	1,1
Aquitaine	1 510	**2,5**	3,3	31,4	18,7	3,8	1,6
Auvergne	689	2,3	2,9	32,9	20,2	4,8	**2,0**
Bourgogne	943	1,5	3,0	38,3	18,8	2,8	1,1
Bretagne	1 012	1,3	3,0	32,5	16,8	2,5	1,0
Centre	1 394	1,6	3,3	34,4	18,8	3,0	1,2
Champagne-Ardenne	1 609	1,7	3,2	36,5	21,5	2,7	1,3
Corse	295	1,0	3,0	26,1	20,8	1,0	1,4
Franche-Comté	1 014	1,7	2,7	39,9	19,0	7,5	1,6
Île-de-France	18 923	2,1	4,0	28,9	18,1	3,0	1,7
Languedoc-Roussillon	1 824	1,2	2,9	35,9	19,9	3,2	1,5
Limousin	266	1,9	2,6	**45,5**	21,0	**8,6**	**2,0**
Lorraine	1 792	0,8	2,6	33,5	18,1	2,3	0,8
Midi-Pyrénées	748	1,3	2,8	38,1	18,3	4,9	1,6
Nord - Pas-de-Calais	5 895	2,1	3,1	33,0	**21,7**	3,6	1,7
Basse-Normandie	637	2,0	3,1	37,7	21,4	1,6	1,1
Haute-Normandie	1 756	2,1	3,0	29,5	18,7	2,1	1,0
Pays de la Loire	1 720	1,6	3,2	36,0	19,4	3,1	1,3
Picardie	1 844	2,0	3,3	33,7	20,2	1,9	0,9
Poitou-Charentes	757	2,0	3,8	32,4	19,9	2,5	1,2
Provence - Alpes - Côte d'Azur	5 760	1,8	3,6	35,6	19,9	3,8	1,5
Rhône-Alpes	4 455	**2,5**	**4,1**	33,9	18,7	3,4	1,3
France métropolitaine	**56 617**	**1,9**	**3,4**	**32,5**	**19,1**	**3,2**	**1,4**
dont France de province	*37 694*	*1,8*	*3,2*	*34,3*	*19,3*	*3,3*	*1,3*
Guadeloupe	...	...	...	...	...	...	...
Guyane	...	...	...	...	...	...	...
Martinique	...	...	...	...	...	...	...
La Réunion	2 437	1,6	2,1	34,6	28,8	5,8	4,4
France	**...**	**...**	**...**	**...**	**...**	**...**	**...**

Sources : DEPP, Insee.

Définitions

Zones urbaines sensibles (ZUS) : territoires infra-urbains définis en 1996 pour être la cible prioritaire de la politique de la ville, en fonction de considérations locales liées aux difficultés que connaissent les habitants. Caractérisées par l'existence de grands ensembles d'habitat dégradé, les ZUS sont des zones dites de population.

Avances et retards scolaires des élèves de 6e : sont comptés en « avance » les élèves ayant au moins un an d'avance et « en retard » ceux ayant au moins un an de retard par rapport à l'âge normal. Les établissements pris en compte sont les collèges publics et privés sous contrat. La localisation de l'élève est au lieu de résidence.

Fiches régions de l’Union européenne

Régions de l'Union européenne

I. Population
II. Évolution de la population
III. Natalité
IV. Solde migratoire
V. Solde naturel
VI. Les moins de 20 ans
VII. Dépendance démographique des personnes âgées
VIII. Niveau d'éducation
IX. Emploi
X. Emploi des 55-64 ans
XI. Emploi des femmes
XII. Chômage
XIII. Produit intérieur brut
XIV. Intensité de recherche et développement
XV. Emploi industriel
XVI. Emploi agricole
XVII. Capacité d'accueil touristique

Au 1er janvier 2008, les 27 pays de l'Union européenne comptent 271 régions de niveau correspondant à celui des régions françaises (NUTS II[1]). Six états membres, trop petits, n'ont pas de découpage en régions : Chypre, Estonie, Lettonie, Lituanie, Luxembourg et Malte. Par ailleurs, le découpage sépare par exemple Londres de sa banlieue, alors qu'il n'en est rien pour Paris et l'Île-de-France. Les régions dites ultrapériphériques (telles que les départements d'outre-mer pour la France) font également partie de ce découpage. Il faut donc interpréter avec prudence les palmarès entre régions européennes.

Vieillissement général

Au cours des cinquante dernières années, la population des 27 pays est passée d'environ 400 millions d'habitants à près de 500 millions. Jusqu'à la fin des années 1980, l'accroissement naturel (naissances moins décès) était de loin la principale composante de la croissance de la population. Les européens ayant au fil du temps de moins en moins d'enfants, les migrations internationales ont vu leur importance augmenter pour devenir le principal moteur de la croissance démographique à partir du début des années 1990.

Dans le nord-est et l'est de l'Union, la population est en baisse. La quasi-totalité des régions de Bulgarie, de Roumanie, d'Allemagne orientale, de Pologne, de Lettonie et Lituanie conjugue soldes naturel et migratoire négatifs. À l'inverse, dans presque toutes les régions d'Irlande, de France, de Belgique, d'Espagne méditerranéenne et d'Autriche occidentale, la population augmente parce que les naissances l'emportent sur les décès, et les entrées sur les sorties.

Dans presque toutes les autres régions, l'attractivité du territoire compense un solde naturel négatif.

La population vieillit dans tous les pays depuis les années 1980, autrement dit la part des jeunes diminue alors que celle des personnes âgées augmente. En 2006, il existe des régions, particulièrement en Italie et en Allemagne, qui comptent moins de trois personnes en âge de travailler pour une personne âgée de 65 ans ou plus. Cette situation est encore exceptionnelle, mais elle deviendra la règle en 2026 pour les trois quarts de la population de l'Union ; certaines régions pourraient être touchées dramatiquement par ce phénomène, particulièrement en Allemagne orientale.

Disparités des marchés du travail régionaux

Les objectifs de Lisbonne en matière d'emploi ne seront probablement pas atteints en 2010. Avec la récession qui frappe actuellement l'Europe et le reste du monde, les marchés de l'emploi risquent de se détériorer, ce qui rendra plus difficile encore la réalisation de ces objectifs. Une centaine de régions a atteint ou dépassé le seuil de 70 % de taux d'emploi (objectif de 2010), alors qu'une vingtaine n'a pas encore atteint les 55 %.

Presque toutes les régions du Royaume-Uni, des Pays-Bas et de l'Autriche connaissent des

1. Au 1er janvier 2008, le Danemark a introduit deux régions de ce niveau ; en Allemagne les trois régions de Sachsen-Anhalt ont été fusionnées ; en Slovénie, une des régions a été éclatée en deux. Au Royaume-Uni (Écosse du Nord-Est), le découpage régional a été modifié en créant de nouvelles régions.

taux d'emploi et d'activité élevés, des taux de chômage faibles et obtiennent de bons résultats dans l'emploi des jeunes. D'autres régions, en Grèce, dans le sud de l'Italie et dans le sud de l'Espagne, affichent des différences marquées dans la participation des hommes et des femmes au marché du travail et obtiennent de moins bons résultats dans l'emploi des jeunes.

Plus de la moitié des régions a dépassé l'objectif de Lisbonne de 60 % de femmes ayant un emploi, alors qu'une vingtaine n'a pas encore atteint les 45 %. C'est au Sud, en Italie, France, Grèce, Espagne et Malte, et à l'Est en Pologne et Hongrie que le taux d'emploi des femmes est faible.

En Europe centrale – Autriche, Italie du nord, Hongrie –, ainsi qu'aux Pays-Bas, au Danemark, en Estonie et en Lituanie, les taux de chômage sont faibles, inférieurs à 6 %. On constate un chômage très élevé principalement dans les régions ultrapériphériques françaises et espagnoles, dans le sud de l'Espagne et de l'Italie, en Allemagne de l'est et en Slovaquie de l'est. Mais dans ces régions orientales de l'Allemagne et de la Slovaquie, l'écart entre la participation des hommes et des femmes sur le marché du travail est peu important.

En Suède, au Portugal, en République tchèque et en Allemagne occidentale, les taux d'emploi et d'activité sont relativement élevés, particulièrement pour les travailleurs âgés. En France, Pologne, Hongrie et Roumanie, les régions connaissent quelques difficultés en matière de participation des travailleurs jeunes ou âgés sur leurs marchés du travail.

Processus de rattrapage dynamique de l'économie dans les nouveaux États membres

Les régions aux PIB les plus faibles se concentrent en Allemagne orientale et dans les nouveaux États membres. En Espagne, seule la région Extremadura se situe au-dessous de la limite de 75 % du PIB moyen européen, de même qu'en France les quatre départements d'outre-mer. Les régions d'Allemagne orientale affichent toutes des valeurs supérieures à 75 %. À l'exception de Prague et de Bratislava, très bien placées aux 12e et 18e rang des régions européennes, de Mazowieckie en Pologne et de Malte, toutes les autres régions des nouveaux États membres ont un PIB par habitant en SPA inférieur à 75 % de la moyenne de l'Union européenne à 27.

Les régions les plus aisées se trouvent dans le sud de l'Allemagne et du Royaume-Uni, dans le nord de l'Italie, en Belgique, au Luxembourg, aux Pays-Bas, en Irlande, en Autriche et en Scandinavie. S'y ajoutent les régions capitales autour de Madrid, Paris, Athènes et Prague.

Le processus de rattrapage qui s'est amorcé depuis le début des années 1990 dans les nouveaux États membres s'est considérablement accéléré depuis 2000. Globalement, le PIB de l'ensemble des nouveaux États membres a progressé de quelques 7,7 points de pourcentage entre 2001 et 2006, se hissant à 53,7 % de la moyenne de l'UE à 27. La crise économique qui a éclaté à la mi-2008 fait craindre que ce rythme ne puisse se maintenir. Toutefois, les régions des nouveaux États membres n'en profitent pas toutes dans les mêmes proportions, particulièrement en Hongrie, Pologne et à Malte.

Parmi les pays de l'ancienne Union à 15, les régions les plus dynamiques se situent majoritairement en Grèce, en Espagne, en Irlande et au Royaume-Uni. Les moins dynamiques à l'inverse sont la plupart des régions de Belgique, d'Allemagne, de France, d'Italie, d'Autriche et du Portugal.

L'accroissement des investissements dans la recherche et le développement est l'un des principaux objectifs de la stratégie de Lisbonne, pour relever la compétitivité industrielle de l'Union. En 2005, une quarantaine de régions consacrent plus de 2 % de leur PIB à la recherche et au développement ; la moitié d'entre elles atteint le seuil de 3 %, objectif fixé par l'Union pour 2010. Elles sont situées en Allemagne, Suède, Finlande, Autriche et aux Pays-Bas. En France, seules l'Île-de-France et Midi-Pyrénées dépassent ce seuil, Midi-Pyrénées surclassant même l'Île-de-France. La plupart des régions-capitales sont, dans leur pays respectif, les régions à plus forte intensité de R&D.

Les services moins développés dans les nouveaux pays membres

L'agriculture, utilisatrice de la moitié des sols, façonne le paysage rural. Le nord de l'Europe est spécialisé dans l'élevage et les grandes cultures mobilisant de larges surfaces, aux résultats agricoles les plus élevés, alors que le sud est spécialisé dans l'horticulture et les cultures permanentes sur des exploitations de petite taille, aux performances économiques plus modestes.

Les ovins se concentrent dans les régions plus rustiques, accidentées comme le nord de la Grèce, le nord et l'ouest du Royaume-Uni, ou encore Extremadura en Espagne. Les bovins prospèrent dans des régions aux précipitations abondantes avec une herbe de qualité : Cantabrie en Espagne, Bretagne et Normandie, régions bordant la mer du Nord, mais aussi la Lombardie exposée aux vents de l'Adriatique.

Les céréales sont en Europe les cultures les plus importantes et les plus répandues. Le grenier à blé européen se situe dans la moitié nord de la France (premier producteur de l'UE) et en Allemagne.

L'emploi agricole est important dans beaucoup de régions orientales de l'Union, en Roumanie (jusqu'à 48 %), Pologne (entre un quart et un tiers des emplois régionaux) et en Grèce.

Les régions industrielles se situent plutôt au centre de l'Europe (près du tiers de la main-d'œuvre dans presque toutes les régions tchèques et deux régions slovaques), ainsi qu'en Allemagne du Sud, et au nord de l'Italie et de l'Espagne. C'est dans certaines régions espagnoles comme l'Andalousie que le secteur de la construction a le poids le plus élevé en termes d'emploi.

La part des services dans l'emploi différencie fortement nouveaux et anciens États membres. Pour ces derniers, elle est toujours supérieure à 60 %, sauf au Portugal. Les services dominent l'emploi total (part supérieure à 75 %) dans des régions situées en Belgique, Allemagne, France, Pays-Bas, Suède, Royaume-Uni, Finlande, Autriche, République tchèque, Italie et Luxembourg.

Le paysage commercial est assez contrasté entre le nord et le sud de l'Europe. La vente au détail de produits alimentaires est devenue l'apanage des hypermarchés ou supermarchés dans les pays du Nord, alors qu'elle se maintient plutôt dans des commerces spécialisés dans les pays du Sud.

France, Italie et Espagne se partagent les fortes activités touristiques

La suprématie des trois pays les plus touristiques, la France, l'Italie et l'Espagne, est indéniable quand on classe les régions comportant les plus grandes capacités d'hébergement. Sur les vingt premières régions, neuf sont situées en France, cinq en Italie et quatre autres en Espagne. Les deux régions restantes sont West Wales and The Valleys au Royaume-Uni et le Tyrol en Autriche. La position de force des régions françaises s'explique par de fortes capacités d'hébergement en campings.

Parmi les vingt régions totalisant le plus grand nombre d'arrivées dans les hôtels et les campings, seize se trouvent également dans ces trois pays, à savoir l'Espagne, la France et l'Italie. Avec 31,4 millions de touristes, l'Île-de-France, avec sa métropole Paris, occupe indiscutablement la première place. Aux places suivantes se trouvent deux régions espagnoles, Catalogne (16,9 millions d'arrivées) avec Barcelone et Andalousie (16,6 millions), puis la France encore avec Provence - Alpes - Côte d'Azur (12,1 millions).■

Pour en savoir plus

- *Annuaire des régions 2009*, Eurostat, octobre 2009.
- *Regions of the European Union - A statistical portrait* – 2009 edition, Eurostat, 2008.

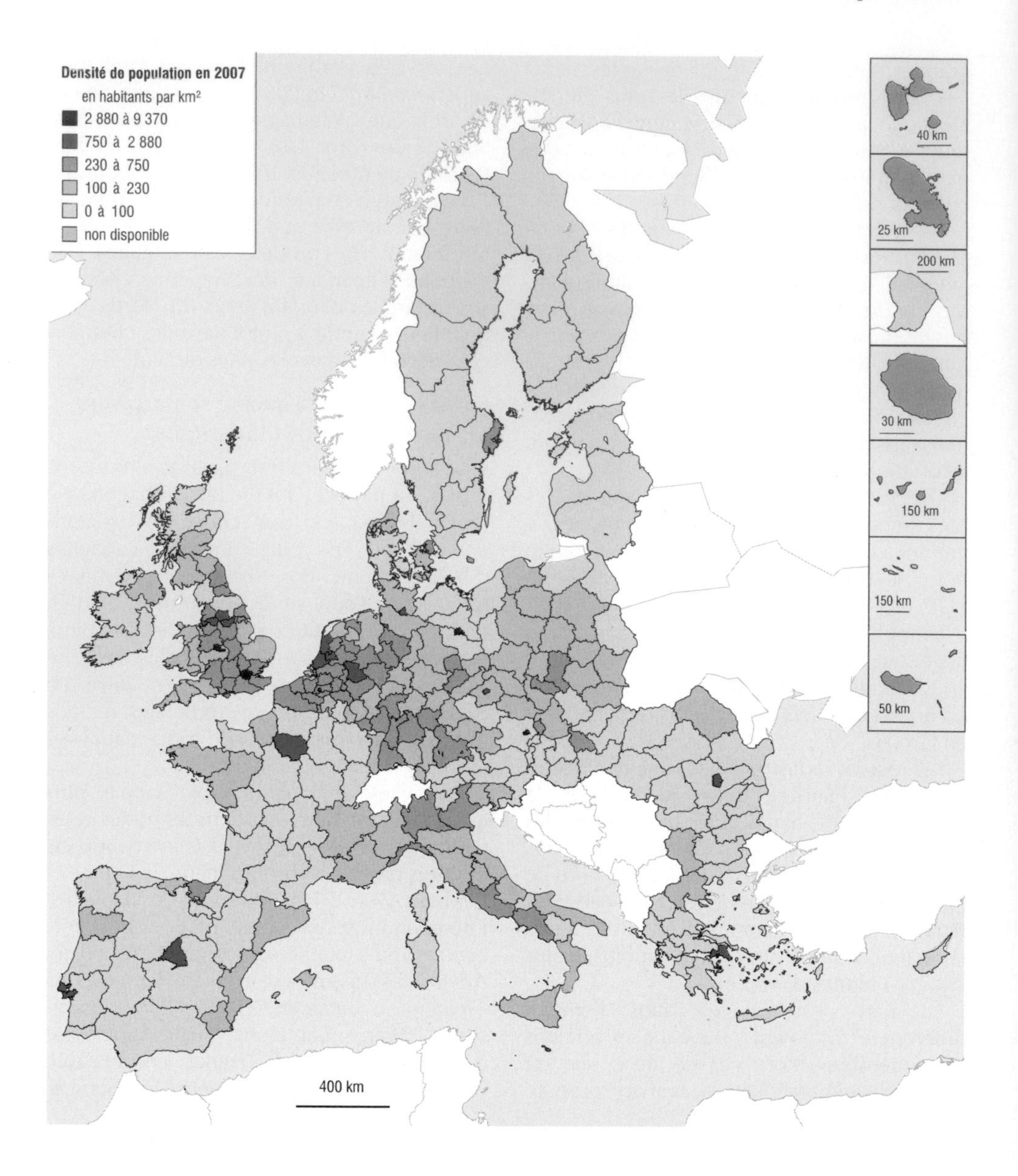

Densité de population en 2007

en habitants/km²

Allemagne	230,5	**France**	**100,5**	Pays-Bas	484,6
Autriche	99,7	Grèce	85,4	Pologne	121,9
Belgique	349,0	Hongrie	108,2	Portugal	115,1
Bulgarie	69,2	Irlande	63,1	République tchèque	133,2
Chypre	84,2	Italie	200,4	Roumanie	93,8
Danemark	126,4	Lettonie	36,6	Royaume-Uni	250,7
Espagne	87,9	Lituanie	54,0	Slovaquie	110,0
Estonie	30,9	Luxembourg	184,1	Slovénie	99,8
Finlande	17,4	Malte	1 296,1	Suède	22,2
		Union européenne à 27	115,1		

Source : Eurostat.

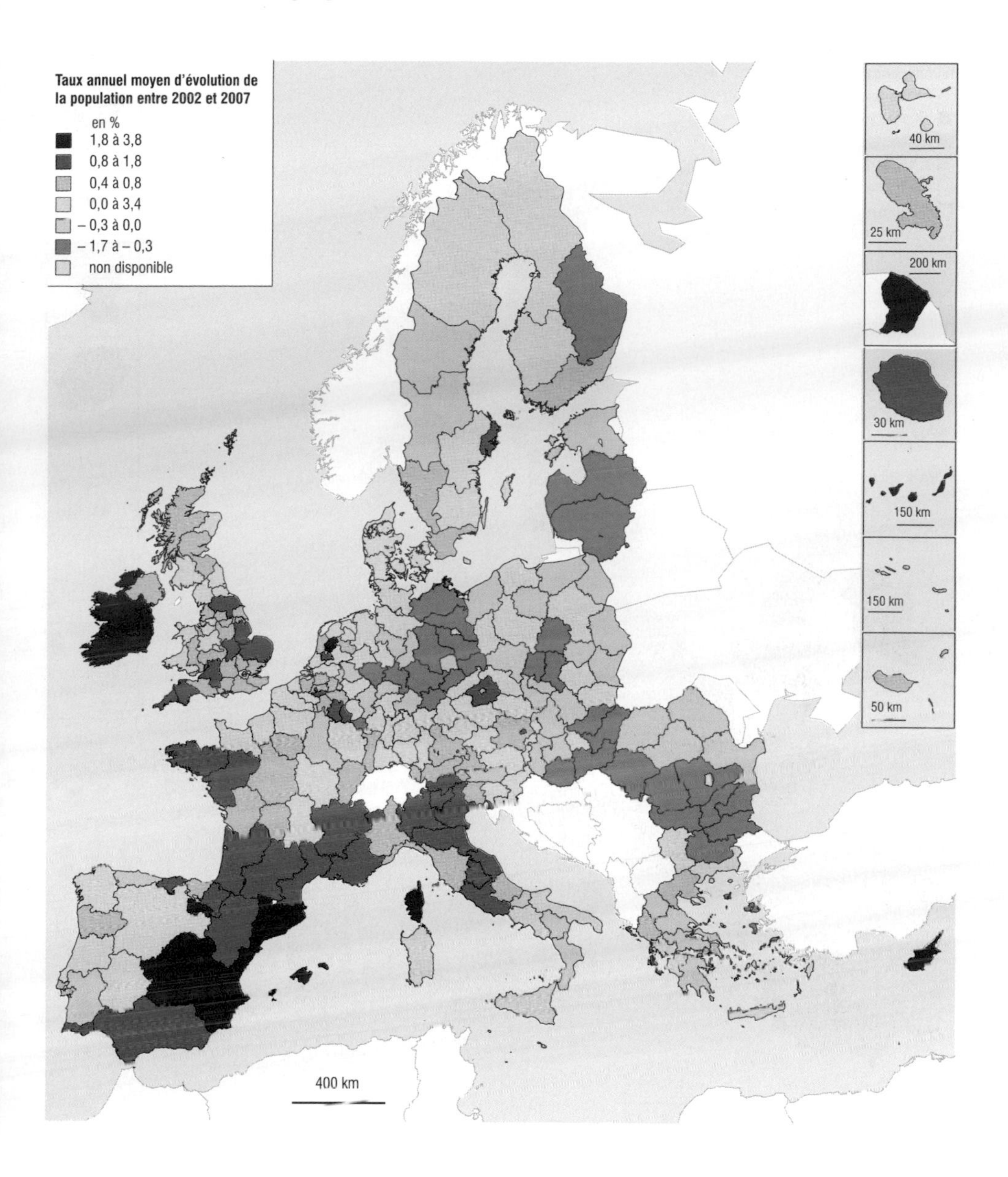

Taux annuel moyen d'évolution de la population entre 2002 et 2007

en %

Allemagne	0,0	**France**	**0,7**	Pays-Bas	0,3
Autriche	0,6	Grèce	0,4	Pologne	– 0,1
Belgique	0,5	Hongrie	– 0,2	Portugal	0,5
Bulgarie	– 0,5	Irlande	2,0	République tchèque	0,2
Chypre	2,0	Italie	0,7	Roumanie	– 0,2
Danemark	0,3	Lettonie	– 0,6	Royaume-Uni	0,5
Espagne	1,7	Lituanie	– 0,5	Slovaquie	0,1
Estonie	– 0,3	Luxembourg	1,4	Slovénie	0,2
Finlande	0,3	Malte	0,7	Suède	0,5
		Union européenne à 27	**0,4**		

Source : Eurostat.

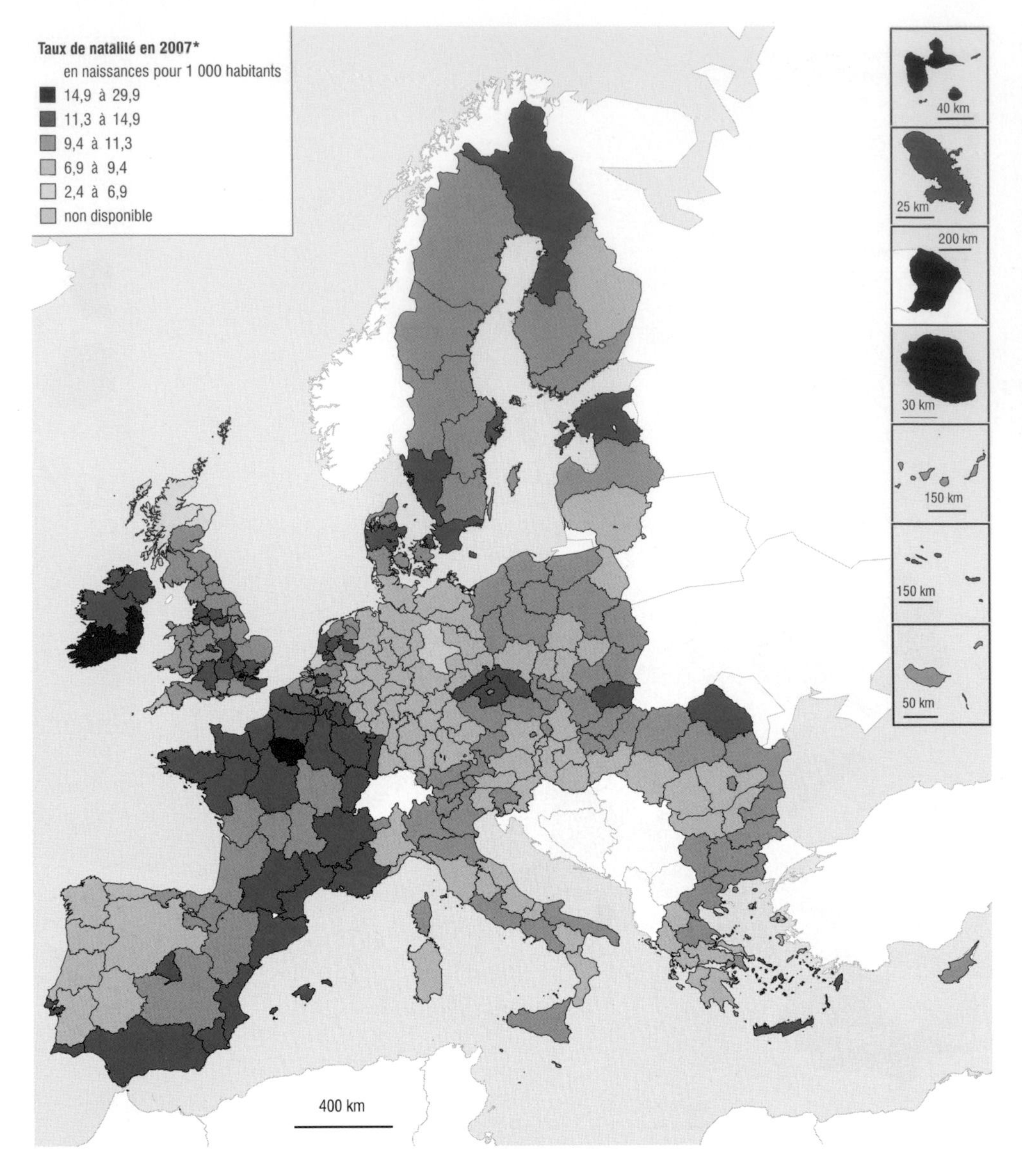

* Données 2006 pour l'Allemagne, la France, la Lituanie et la Lettonie ; données 2005 pour l'Irlande, le Luxembourg, Malte et la Pologne ; données 2003 pour le Royaume-Uni.

Taux brut de natalité en 2007

en nombre de naissances pour 1 000 habitants

Pays	Taux	Pays	Taux	Pays	Taux
Allemagne	8,3	**France**	**12,9**	Pays-Bas	11,1
Autriche	9,2	Grèce	10,0	Pologne	10,2
Belgique	11,4	Hongrie	9,7	Portugal	9,7
Bulgarie	9,8	Irlande	16,2	République tchèque	11,1
Chypre	10,9	Italie	9,5	Roumanie	10,0
Danemark	11,7	Lettonie	10,2	Royaume-Uni	12,7
Espagne	11,0	Lituanie	9,6	Slovaquie	10,1
Estonie	11,8	Luxembourg	11,4	Slovénie	9,9
Finlande	11,1	Malte	9,5	Suède	11,7
		Union européenne à 27	**10,6**		

Source : Eurostat.

IV. Solde migratoire

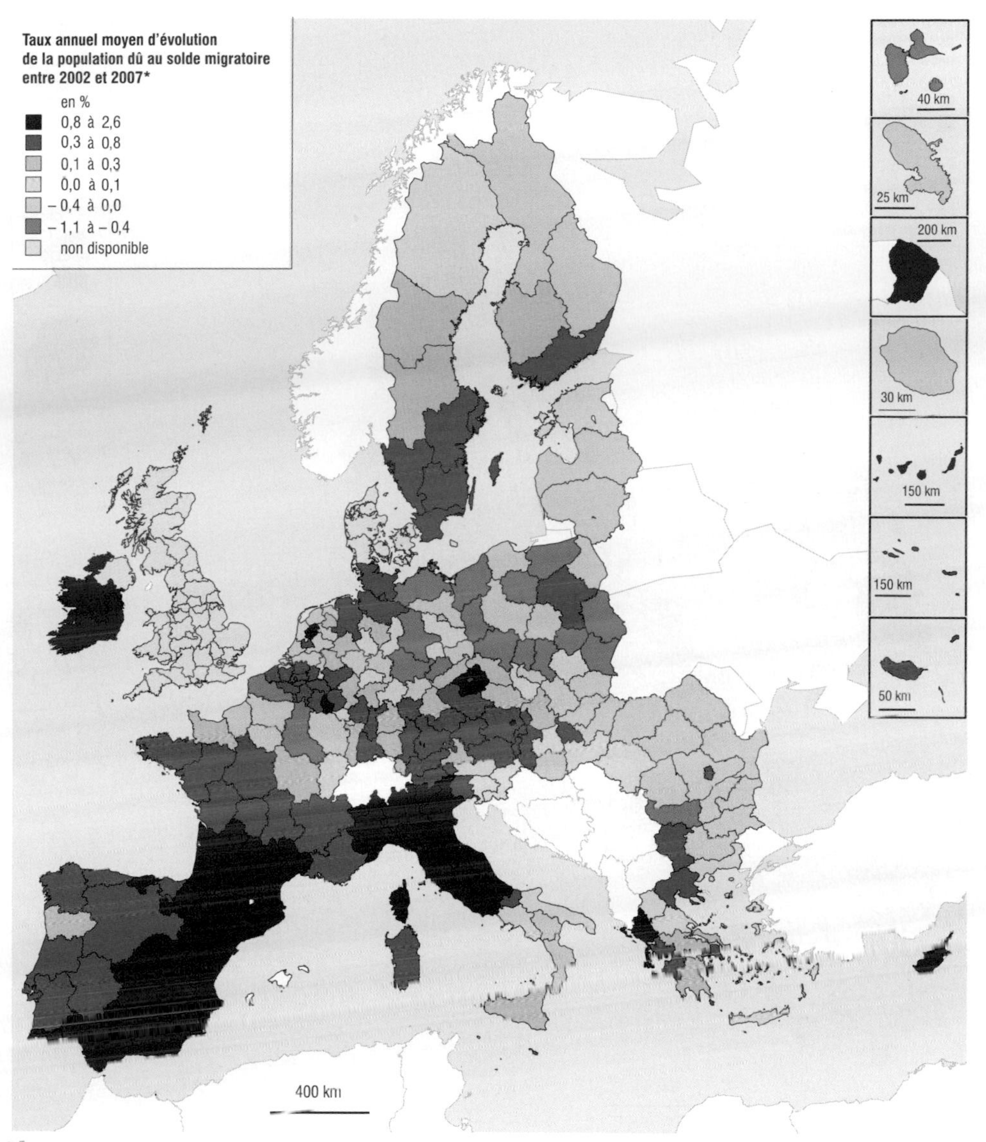

* Données 2001-2005 pour la Pologne.

Taux annuel moyen d'évolution de la population dû au solde migratoire entre 2002 et 2007

en %

Allemagne	0,1	**France**	**0,3**	Pays-Bas	0,0
Autriche	0,5	Grèce	0,4	Pologne	0,0
Belgique	0,4	Hongrie	0,2	Portugal	0,5
Bulgarie	0,0	Irlande	1,2	République tchèque	0,2
Chypre	1,6	Italie	0,8	Roumanie	0,0
Danemark	0,1	Lettonie	– 0,1	Royaume-Uni	0,3
Espagne	1,5	Lituanie	– 0,2	Slovaquie	0,0
Estonie	0,0	Luxembourg	1,0	Slovénie	0,2
Finlande	0,1	Malte	0,5	Suède	0,4
		Union européenne à 27	0,4		

Source : Eurostat.

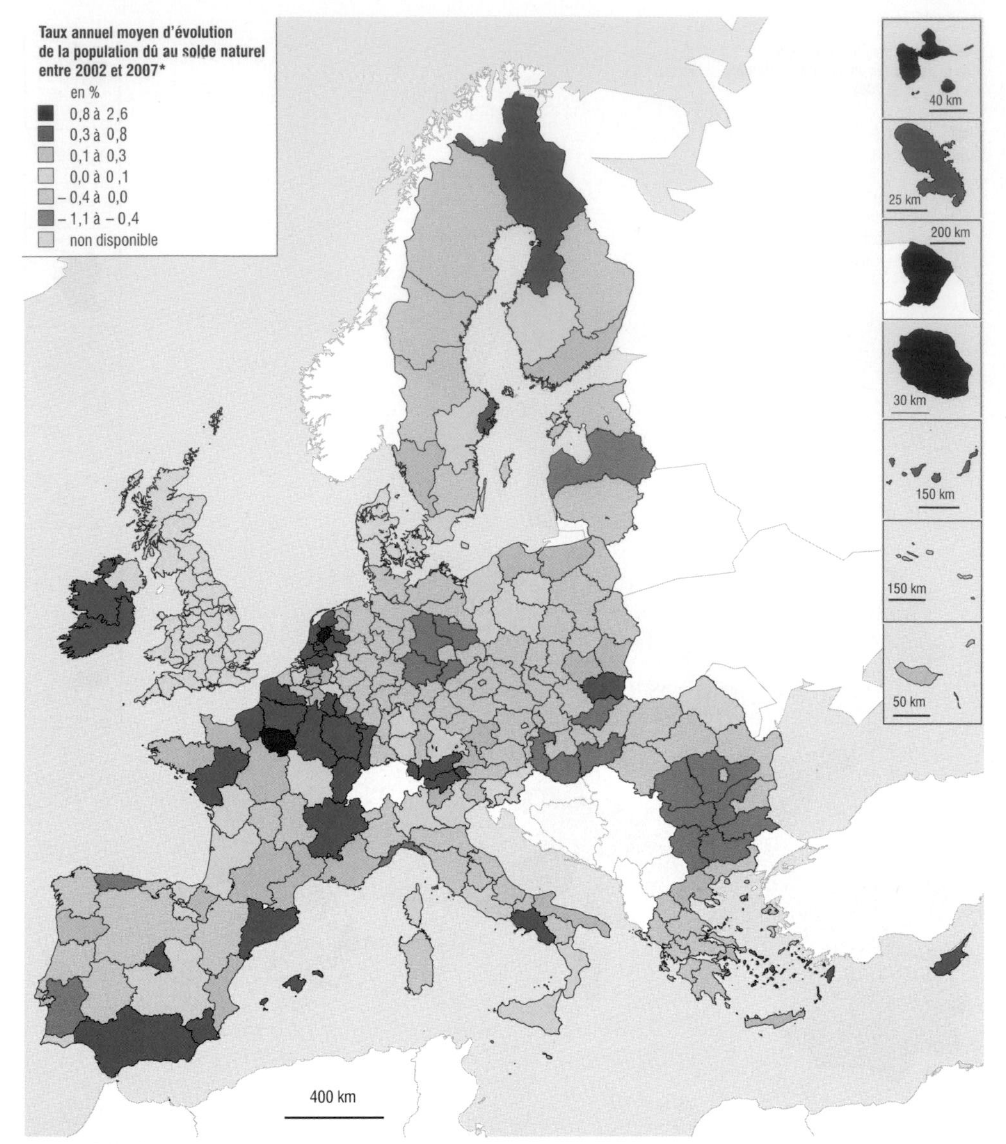

* Données 2001-2005 pour la Pologne.

Taux annuel moyen d'évolution de la population dû au solde naturel entre 2002 et 2007

en %

Allemagne	– 0,2	**France**	**0,4**	Pays-Bas	0,3
Autriche	0,0	Grèce	0,0	Pologne	0,0
Belgique	0,1	Hongrie	– 0,4	Portugal	0,0
Bulgarie	– 0,5	Irlande	0,8	République tchèque	– 0,1
Chypre	0,4	Italie	0,0	Roumanie	– 0,2
Danemark	0,1	Lettonie	– 0,5	Royaume-Uni	0,2
Espagne	0,2	Lituanie	– 0,3	Slovaquie	0,0
Estonie	– 0,3	Luxembourg	0,4	Slovénie	0,0
Finlande	0,2	Malte	0,2	Suède	0,1
		Union européenne à 27	**0,1**		

Source : Eurostat.

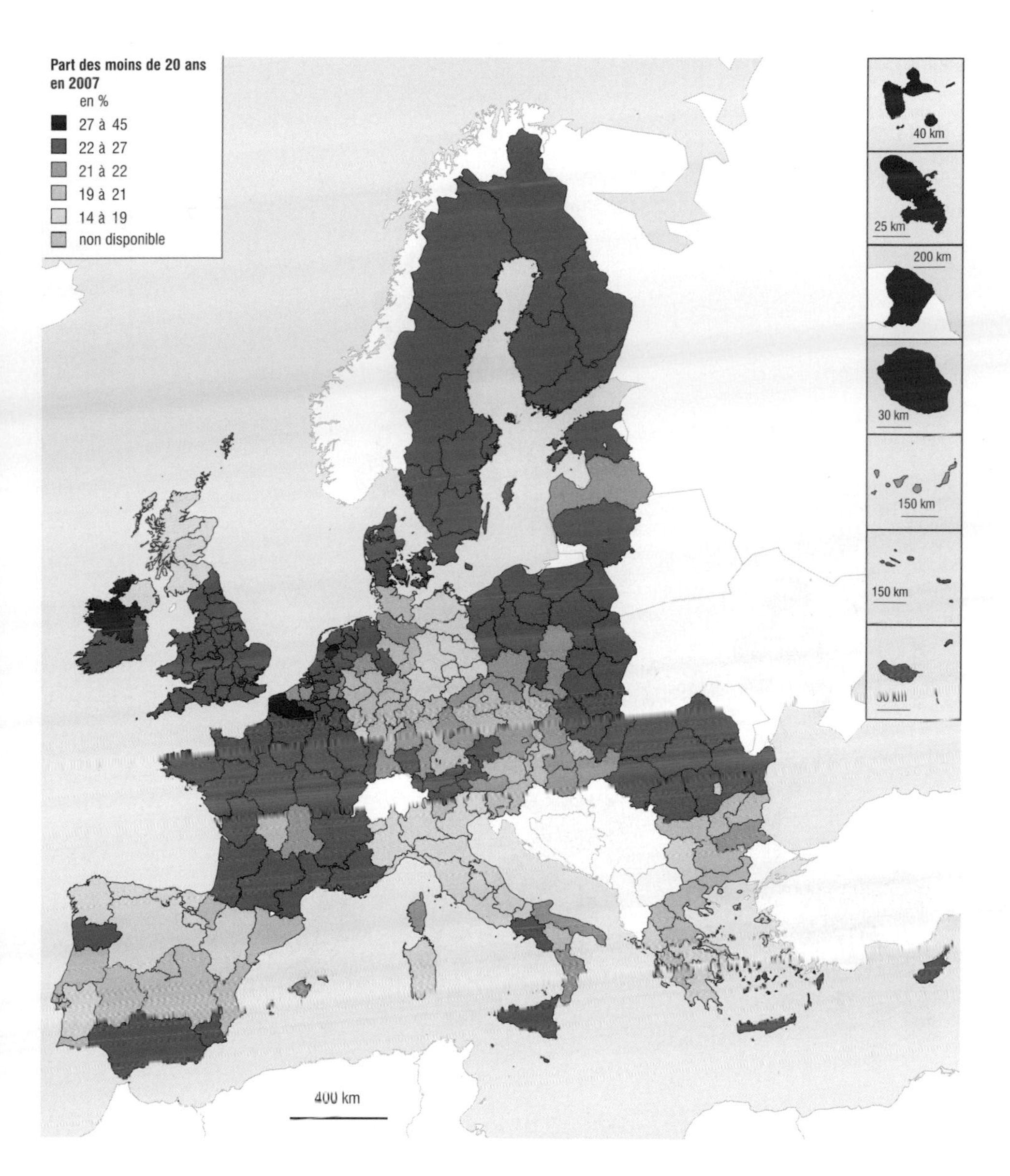

Population âgée de moins de 20 ans au 1er janvier 2007

en % de la population totale

Allemagne	19,7	**France**	**25,0**	Pays-Bas	24,2
Autriche	21,6	Grèce	19,6	Pologne	23,1
Belgique	23,1	Hongrie	21,4	Portugal	21,0
Bulgarie	19,8	Irlande	27,0	République tchèque	20,7
Chypre	25,1	Italie	19,0	Roumanie	22,8
Danemark	24,5	Lettonie	21,7	Royaume-Uni	24,2
Espagne	19,7	Lituanie	23,7	Slovaquie	23,5
Estonie	22,5	Luxembourg	24,2	Slovénie	19,9
Finlande	23,2	Malte	23,7	Suède	23,8
		Union européenne à 27	**21,9**		

Source : Eurostat.

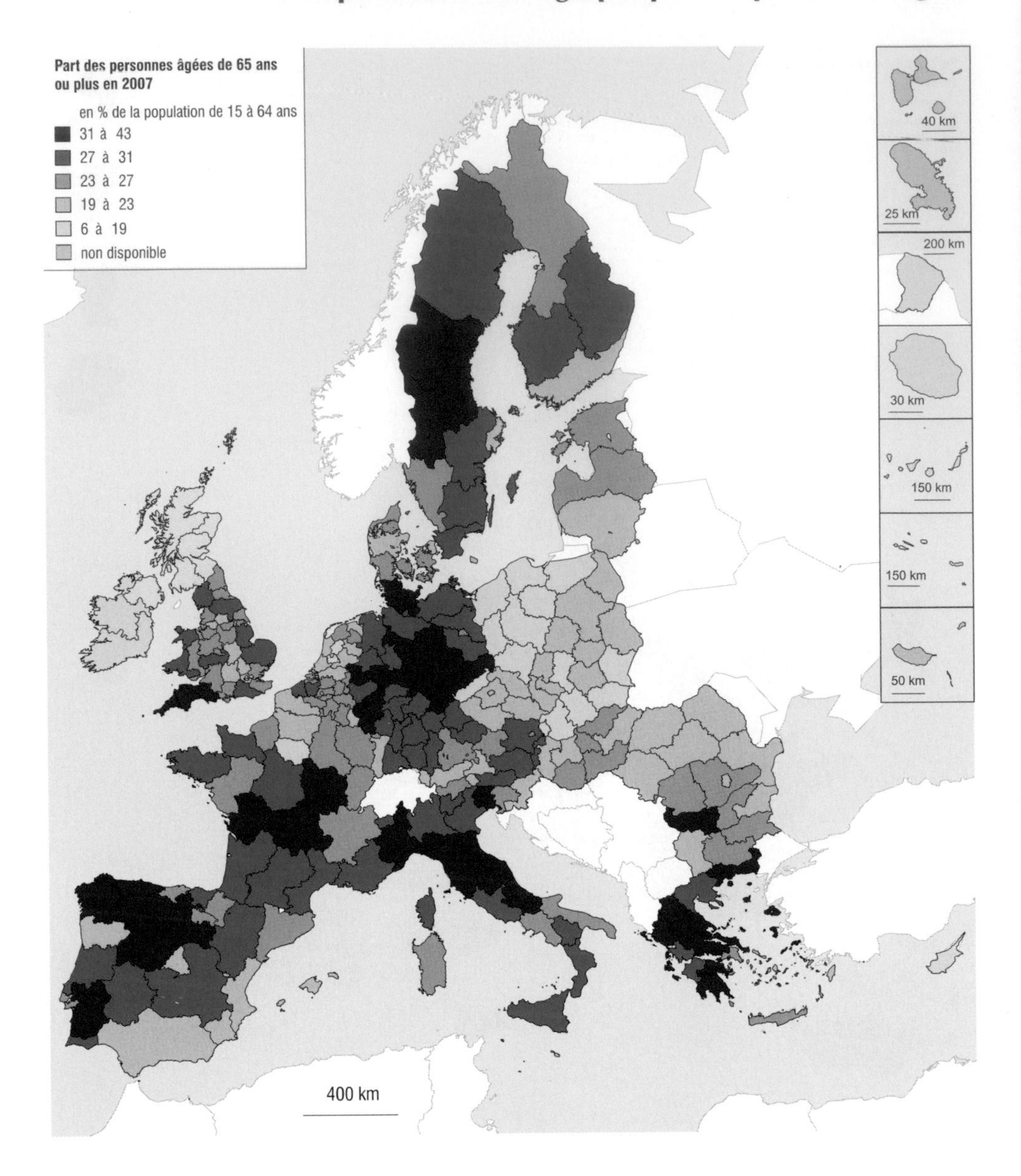

Taux de dépendance démographique des personnes âgées de 65 ans ou plus au 1er janvier 2007

en % de la population âgée de 15 à 64 ans

Allemagne	29,9	**France**	**25,1**	Pays-Bas	21,5
Autriche	25,0	Grèce	27,6	Pologne	19,0
Belgique	25,9	Hongrie	23,2	Portugal	25,6
Bulgarie	24,9	Irlande	15,8	République tchèque	20,2
Chypre	17,6	Italie	30,2	Roumanie	21,3
Danemark	23,2	Lettonie	24,8	Royaume-Uni	24,1
Espagne	24,2	Lituanie	22,7	Slovaquie	16,5
Estonie	25,1	Luxembourg	20,7	Slovénie	22,7
Finlande	24,8	Malte	19,8	Suède	26,4
		Union européenne à 27	**25,2**		

Source : Eurostat.

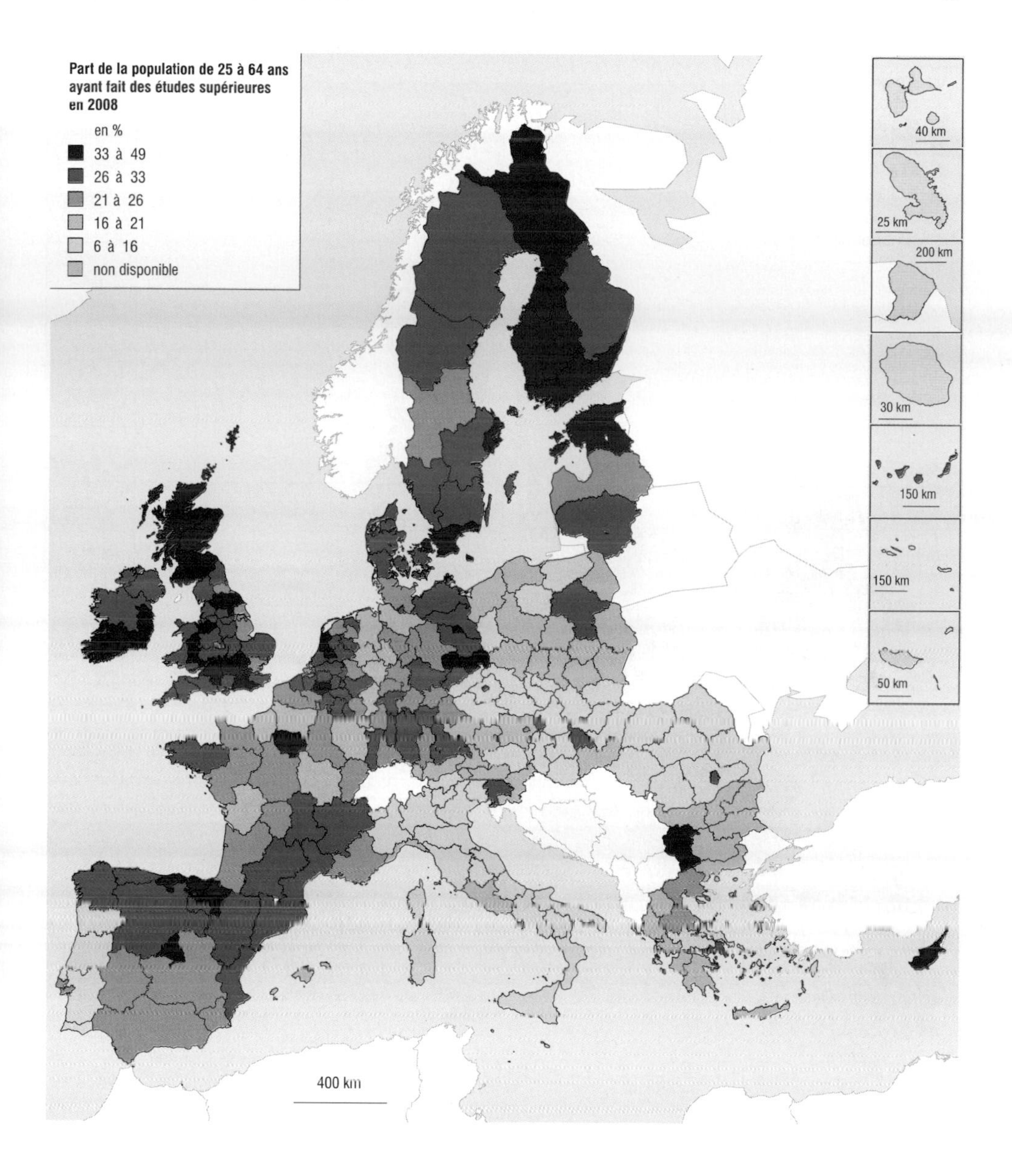

Part de la population de 25 à 64 ans ayant fait des études supérieures en 2008

en %

Allemagne	25,3	**France métropolitaine**	**27,4**	Pays-Bas	31,9
Autriche	18,1	Grèce	22,6	Pologne	19,6
Belgique	32,3	Hongrie	19,2	Portugal	14,3
Bulgarie	22,8	Irlande	32,7	République tchèque	14,5
Chypre	34,5	Italie	14,4	Roumanie	12,8
Danemark	33,7	Lettonie	25,2	Royaume-Uni	31,8
Espagne	29,2	Lituanie	30,4	Slovaquie	14,8
Estonie	34,3	Luxembourg	27,7	Slovénie	22,6
Finlande	36,6	Malte	13,1	Suède	31,8
		Union européenne à 27	24,2		

Source : Eurostat.

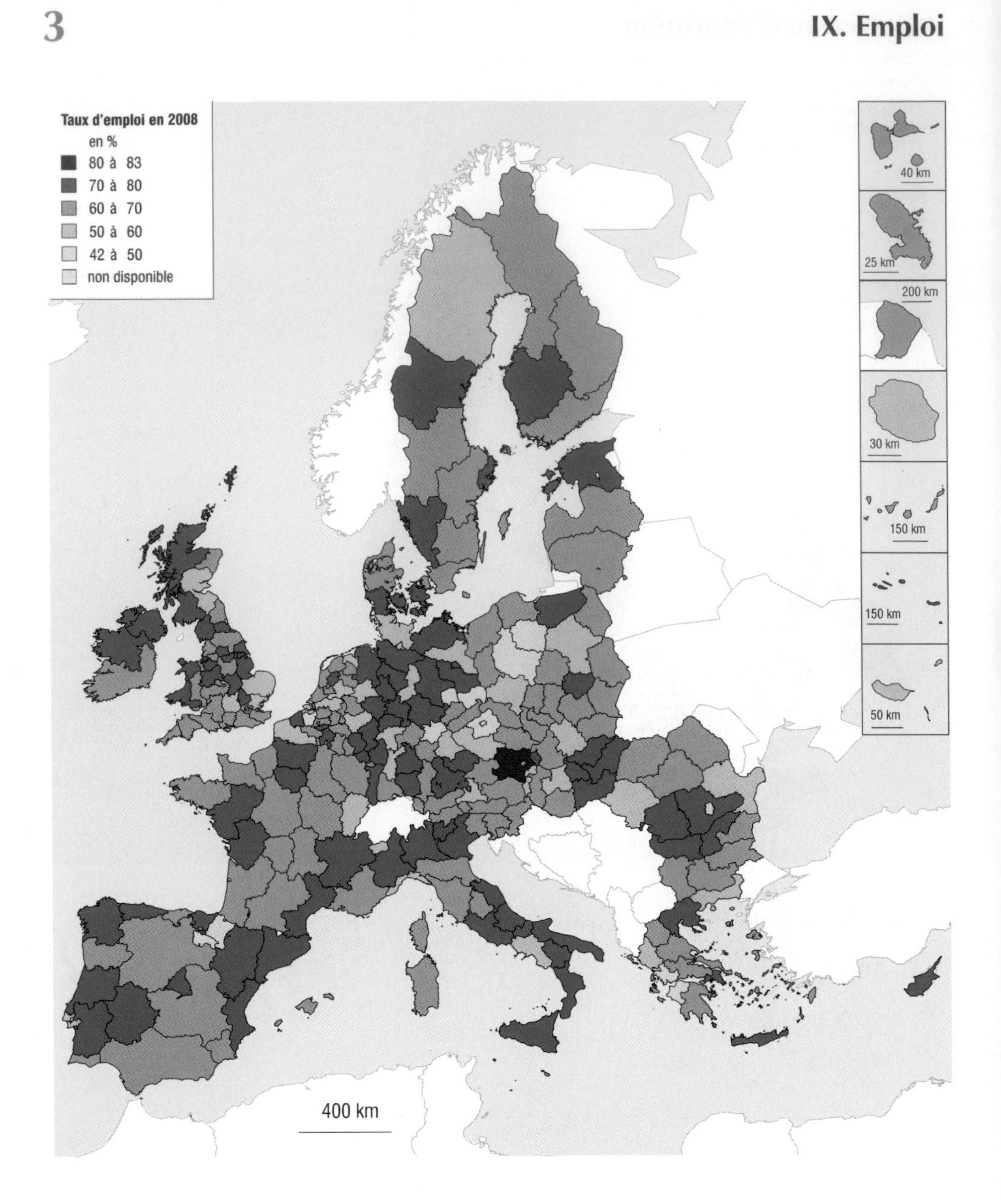

Taux d'emploi global en 2008

part de la population active occupée de 15 à 64 ans dans la population de 15 à 64 ans en %

Allemagne	70,7	**France**	**64,6**	Pays-Bas	77,2
Autriche	72,1	Grèce	61,9	Pologne	59,2
Belgique	62,4	Hongrie	56,7	Portugal	68,2
Bulgarie	64,0	Irlande	67,6	République tchèque	66,6
Chypre	70,9	Italie	58,7	Roumanie	59,0
Danemark	78,1	Lettonie	68,6	Royaume-Uni	71,5
Espagne	64,3	Lituanie	64,3	Slovaquie	62,3
Estonie	69,8	Luxembourg	63,4	Slovénie	68,6
Finlande	71,1	Malte	55,2	Suède	74,3
		Union européenne à 27	65,9		

Source : Eurostat.

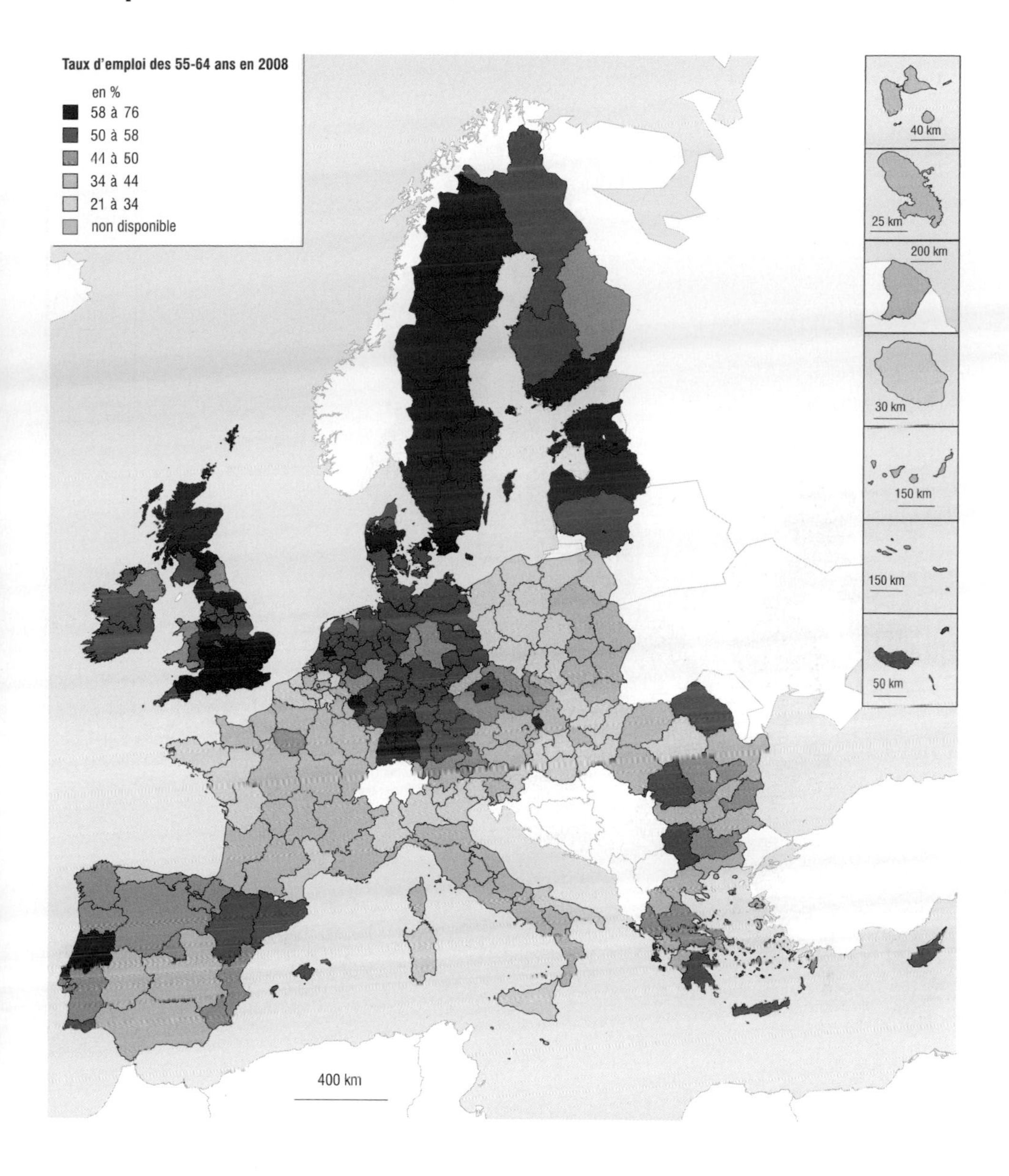

Taux d'emploi des 55-64 ans en 2008

part de la population de 55 à 64 ans active occupée dans la population des 55 à 64 ans en %

Allemagne	53,8	**France**	**38,2**	Pays-Bas	53,0
Autriche	41,0	Grèce	42,8	Pologne	31,6
Belgique	34,5	Hongrie	31,4	Portugal	50,8
Bulgarie	46,0	Irlande	53,6	République tchèque	47,6
Chypre	54,8	Italie	34,4	Roumanie	43,1
Danemark	57,0	Lettonie	59,4	Royaume-Uni	58,0
Espagne	45,6	Lituanie	53,1	Slovaquie	39,2
Estonie	62,4	Luxembourg	34,1	Slovénie	32,8
Finlande	56,5	Malte	29,1	Suède	70,1
		Union européenne à 27	**45,6**		

Source : Eurostat.

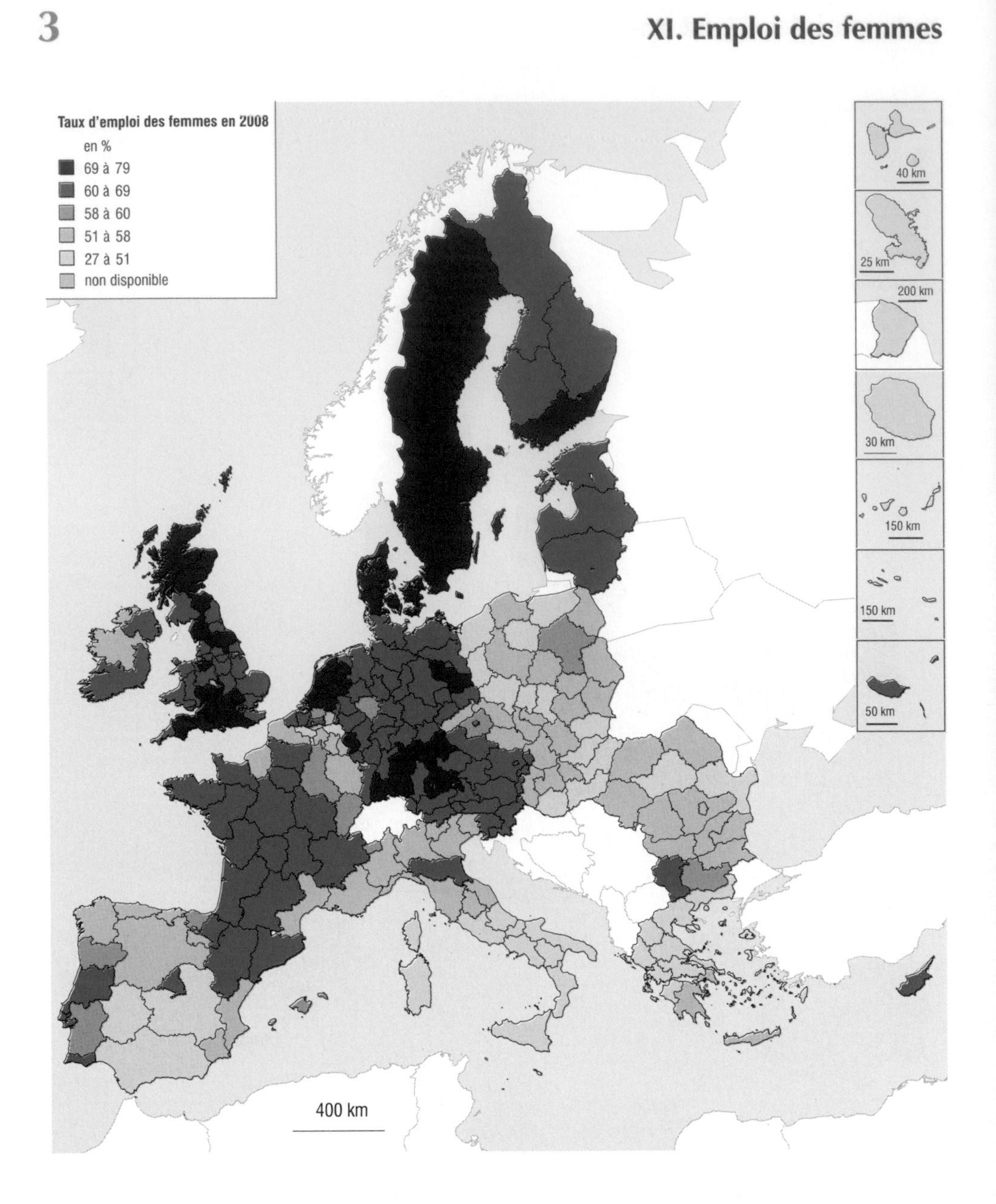

Taux d'emploi des femmes en 2008

part des femmes de 15 à 64 ans actives occupées dans la population des femmes de 15 à 64 ans en %

Allemagne	65,4	**France**	**60,1**	Pays-Bas	71,1
Autriche	65,8	Grèce	48,7	Pologne	52,4
Belgique	56,2	Hongrie	50,6	Portugal	62,5
Bulgarie	59,5	Irlande	60,2	République tchèque	57,6
Chypre	62,9	Italie	47,2	Roumanie	52,5
Danemark	74,3	Lettonie	65,4	Royaume-Uni	65,8
Espagne	54,9	Lituanie	61,8	Slovaquie	54,6
Estonie	66,3	Luxembourg	55,1	Slovénie	64,2
Finlande	69,0	Malte	37,4	Suède	71,8
		Union européenne à 27	59,0		

Source : Eurostat.

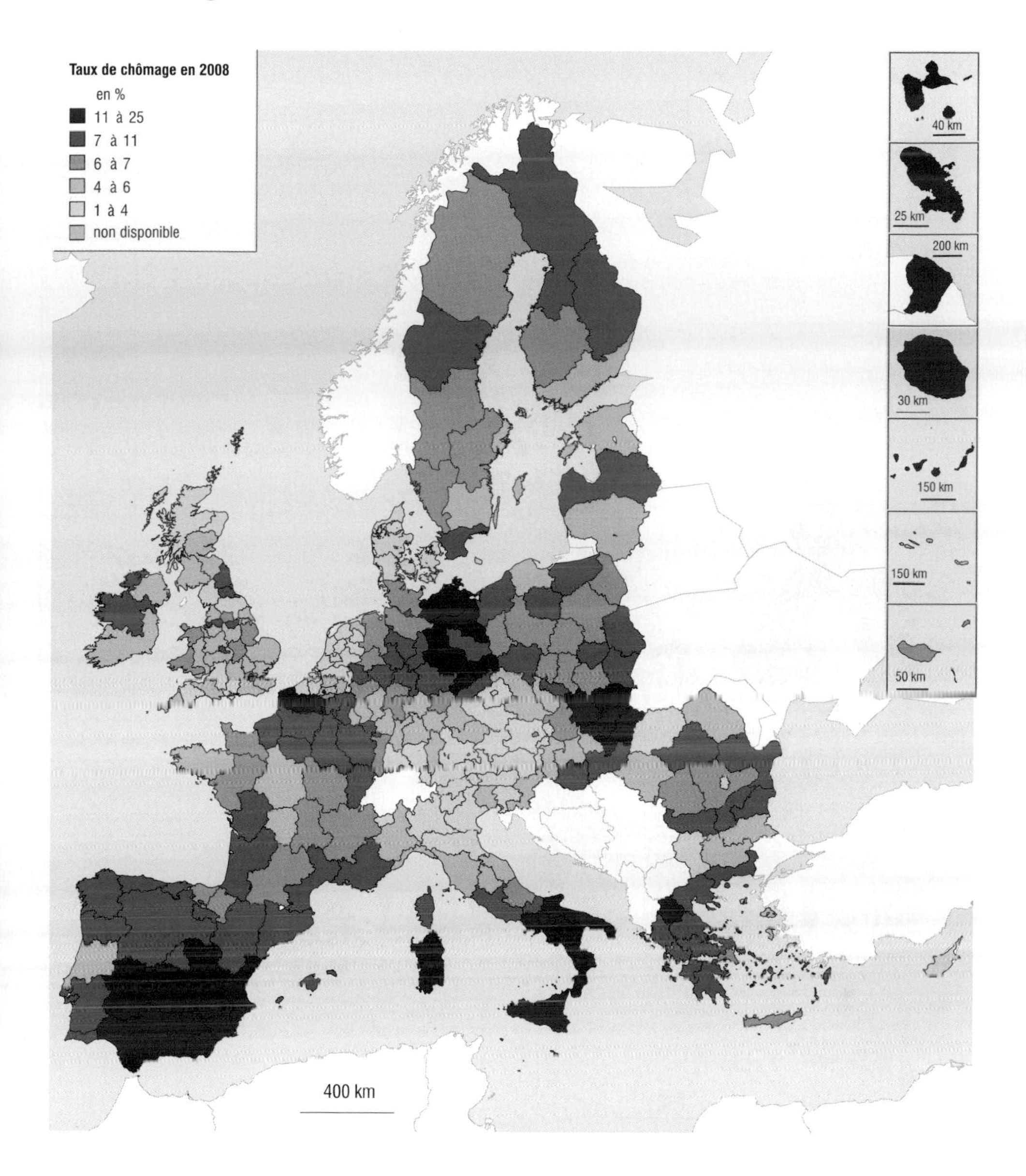

Taux de chômage en 2008

en % de la population active

Allemagne	7,5	**France**	**7,8**	Pays-Bas	2,8
Autriche	3,8	Grèce	7,7	Pologne	7,1
Belgique	7,0	Hongrie	7,8	Portugal	7,6
Bulgarie	5,6	Irlande	6,0	République tchèque	4,4
Chypre	3,7	Italie	6,7	Roumanie	5,8
Danemark	3,3	Lettonie	7,5	Royaume-Uni	5,6
Espagne	11,3	Lituanie	5,8	Slovaquie	9,5
Estonie	5,5	Luxembourg	5,1	Slovénie	4,4
Finlande	6,4	Malte	6,0	Suède	6,2
		Union européenne à 27	**7,0**		

Source : Eurostat.

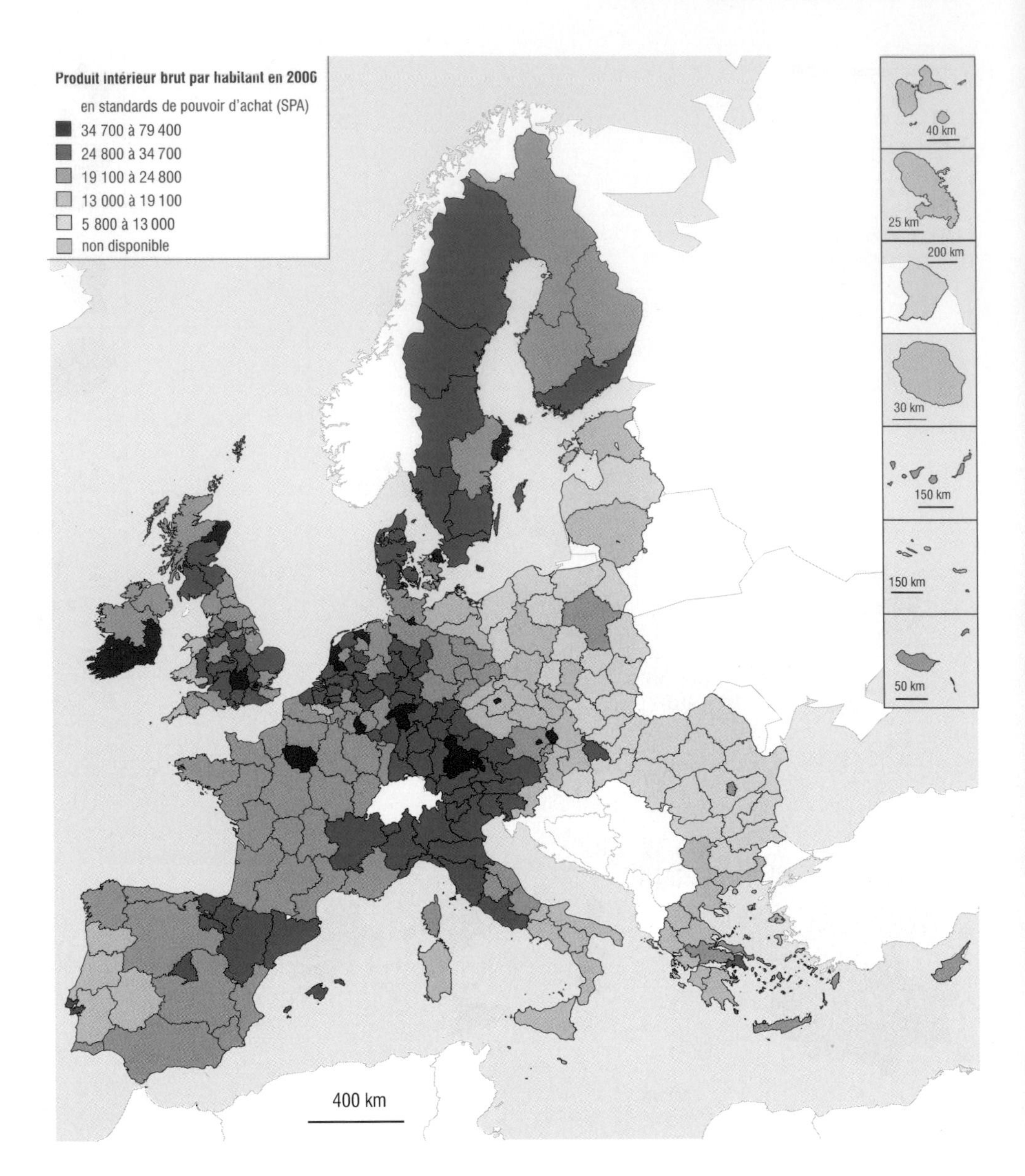

Produit intérieur brut en 2006

en standards de pouvoir d'achat (SPA) par habitant

Allemagne	27 400	**France**	**25 900**	Pays-Bas	30 900
Autriche	29 400	Grèce	22 200	Pologne	12 400
Belgique	28 000	Hongrie	15 000	Portugal	18 000
Bulgarie	8 600	Irlande	34 800	République tchèque	18 300
Chypre	21 300	Italie	24 500	Roumanie	9 100
Danemark	29 100	Lettonie	12 400	Royaume-Uni	28 400
Espagne	24 600	Lituanie	13 100	Slovaquie	15 000
Estonie	15 400	Luxembourg	63 100	Slovénie	20 700
Finlande	27 100	Malte	18 200	Suède	28 700
		Union européenne à 27	23 600		

Source : Eurostat.

XIV. Intensité de recherche et développement

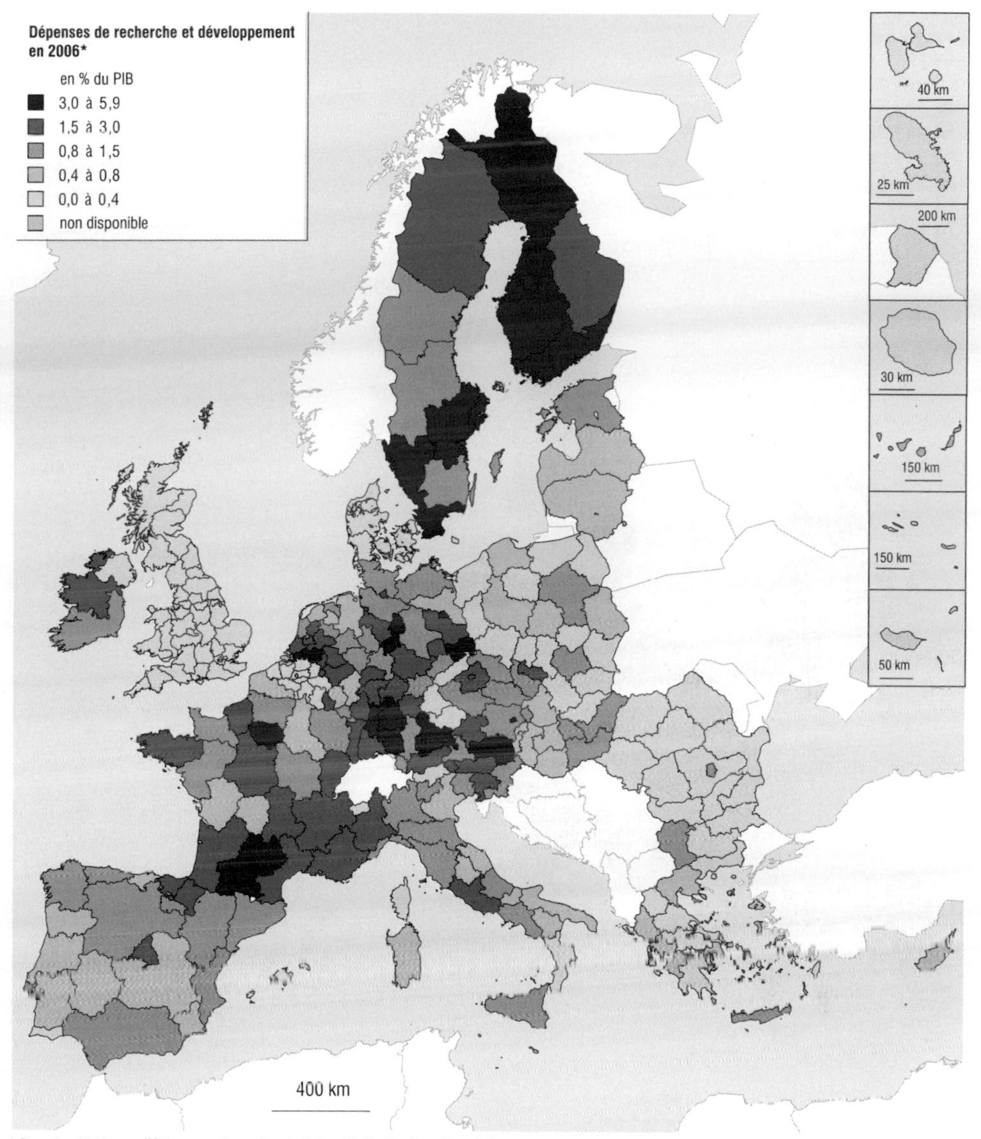

* Données 2005 pour l'Allemagne, Bruxelles, la Grèce, l'Italie, les Pays-Bas, le Portugal et la Suède ; données 2004 pour la France.

Dépenses de recherche et développement en 2006

en % du PIB

Allemagne	2,5	**France**	**2,1**	Pays-Bas	1,7
Autriche	2,5	Grèce	0,6	Pologne	0,6
Belgique	1,9	Hongrie	1,0	Portugal	1,0
Bulgarie	0,5	Irlande	1,3	République tchèque	1,6
Chypre	0,4	Italie	1,1	Roumanie	0,5
Danemark	2,5	Lettonie	0,7	Royaume-Uni	1,8
Espagne	1,2	Lituanie	0,8	Slovaquie	0,5
Estonie	1,2	Luxembourg	1,7	Slovénie	1,6
Finlande	3,5	Malte	0,6	Suède	3,7
		Union européenne à 27	**1,9**		

Source : Eurostat.

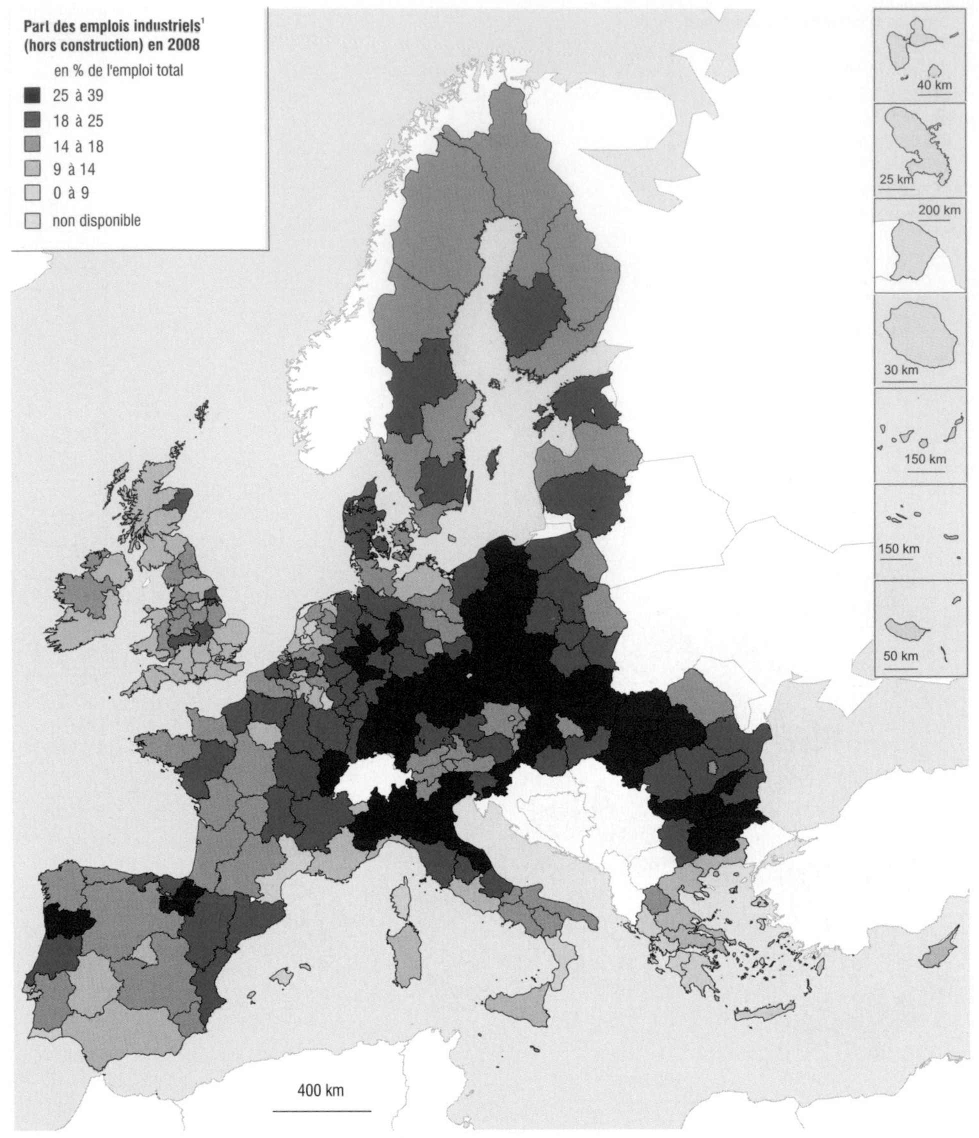

1. Données 2007 pour la Bulgarie, la Pologne, la Slovénie et la Suède.

Part de l'emploi industriel (hors construction) en 2008

en % de l'emploi total

Pays	%	Pays	%	Pays	%
Allemagne	23,2	**France métropolitaine**	**15,6**	Pays-Bas	12,3
Autriche	17,9	Grèce	10,1	Pologne[1]	23,8
Belgique	17,4	Hongrie	24,2	Portugal	18,6
Bulgarie[1]	26,5	Irlande	13,6	République tchèque	31,3
Chypre	10,8	Italie	21,3	Roumanie	23,5
Danemark	15,8	Lettonie	17,3	Royaume-Uni	13,1
Espagne	15,9	Lituanie	19,6	Slovaquie	28,9
Estonie	23,4	Luxembourg	7,6	Slovénie[1]	28,9
Finlande	18,2	Malte	17,7	Suède[1]	15,2
		Union européenne à 27[1]	**19,4**		

1. Données 2007.
Sources : Eurostat, Insee.

XVI. Emploi agricole

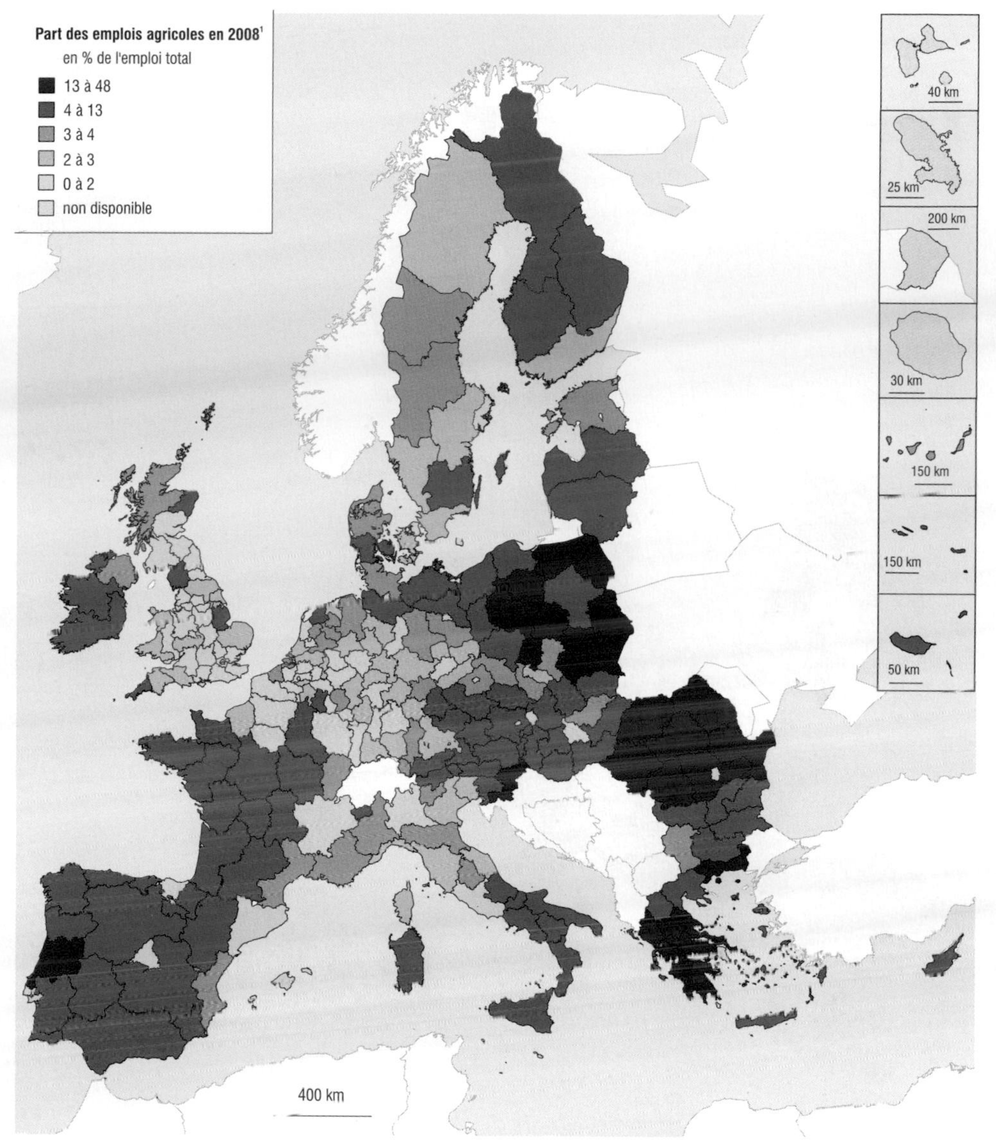

1. Données 2007 pour la Bulgarie, la Pologne, la Slovénie et la Suède.

Part de l'emploi agricole en 2008

en % de l'emploi total

Allemagne	2,2	**France métropolitaine**	**3,0**	Pays-Bas	2,7
Autriche	5,6	Grèce	8,5	Pologne[1]	14,7
Belgique	1,8	Hongrie	4,5	Portugal	11,5
Bulgarie[1]	7,5	Irlande	5,7	République tchèque	3,3
Chypre	4,3	Italie	3,8	Roumanie	28,8
Danemark	2,8	Lettonie	7,9	Royaume-Uni	1,4
Espagne	4,3	Lituanie	7,9	Slovaquie	4,0
Estonie	3,9	Luxembourg	1,8	Slovénie[1]	9,8
Finlande	4,5	Malte	2,0	Suède[1]	2,2
		Union européenne à 27[1]	**5,6**		

1. Données 2007.
Sources : Eurostat, Insee.

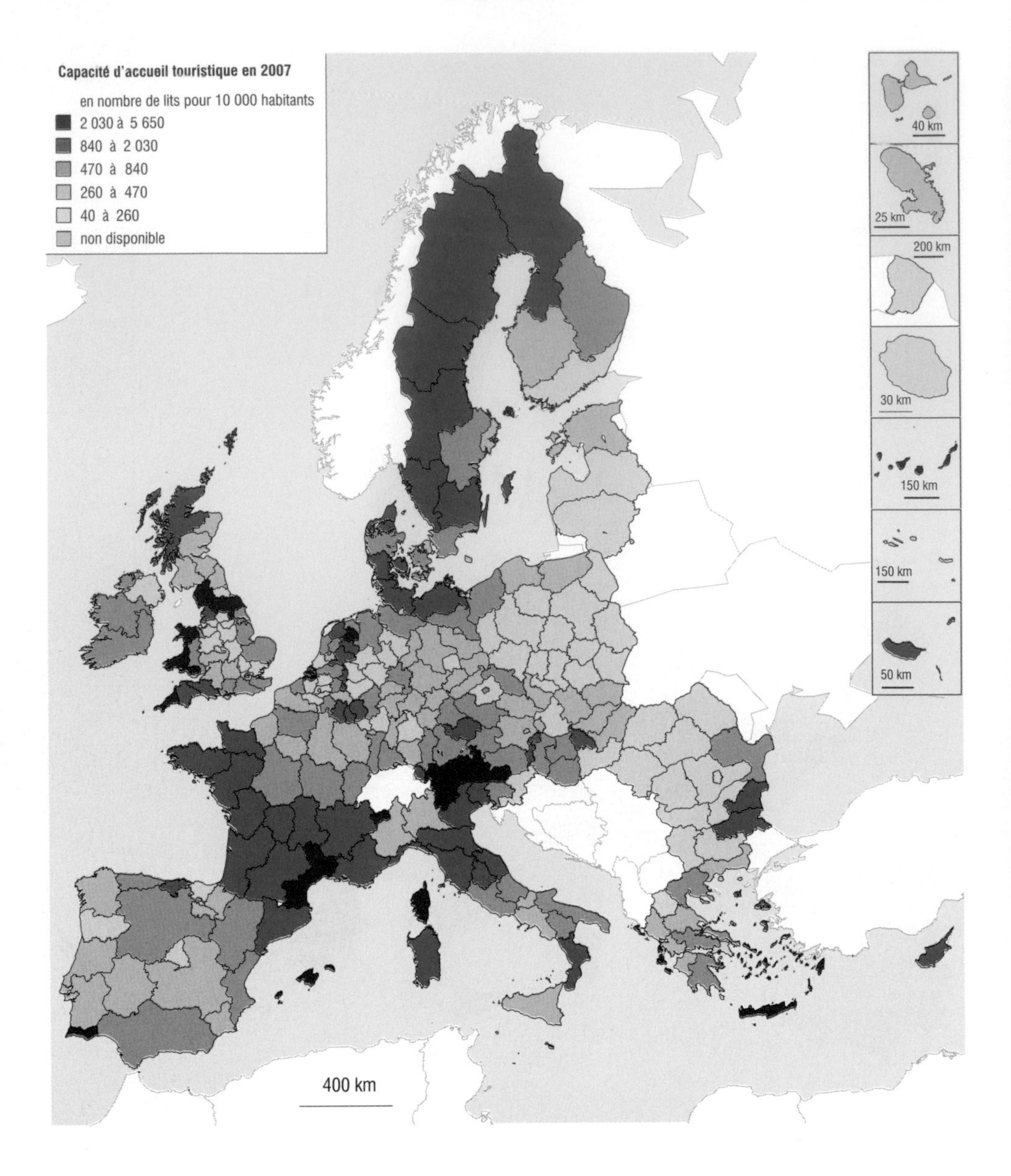

Capacité d'accueil touristique en 2007

en nombre de lits touristiques pour 10 000 habitants

Allemagne	390	**France**	**900**	Pays-Bas	740
Autriche	1 140	Grèce	710	Pologne	150
Belgique	350	Hongrie	310	Portugal	430
Bulgarie	350	Irlande	500	République tchèque	440
Chypre	1 190	Italie	760	Roumanie	130
Danemark	690	Lettonie	110	Royaume-Uni	500
Espagne	700	Lituanie	100	Slovaquie	300
Estonie	330	Luxembourg	1 390	Slovénie	340
Finlande	420	Malte	1 000	Suède	830
		Union européenne à 27	**550**		

Source : Eurostat.

Annexe

Glossaire

AB (Agriculture biologique) : signe de qualité des produits d'origine biologique. Cette production agricole spécifique exclut l'usage d'engrais et de pesticides de synthèse et d'organismes génétiquement modifiés. Il s'agit d'un système qui gère de façon globale la production en favorisant l'agrosystème mais aussi la biodiversité, les activités biologiques des sols et les cycles biologiques.

Accident corporel de la circulation : est défini comme accident corporel de la circulation tout accident impliquant au moins un véhicule routier en mouvement, survenant sur une voie ouverte à la circulation publique, et dans lequel au moins une personne est blessée ou tuée. Sont exclus les actes volontaires (homicides volontaires, suicides) et les catastrophes naturelles. Les nombres d'accidents et de victimes sont obtenus par l'exploitation du fichier national des accidents corporels de la circulation routière, établi à partir des informations transmises par les services de police et de gendarmerie.

Accident du travail avec arrêt : accident survenu par le fait ou à l'occasion du travail, quelle qu'en soit la cause, ayant entraîné un arrêt de travail d'au moins 24 heures en sus du jour de l'accident. Dans ce tableau, les accidents de travail « proprement dits » sont séparés des accidents de trajet.

Accueil enfance et jeunesse handicapées : ils recouvrent les établissements d'éducation spéciale tes que les instituts médico-éducatifs (IME), les instituts thérapeutiques, éducatifs et pédagogiques (Itep), les établissements pour enfants et adolescents polyhandicapés, les établissements pour déficients moteurs, les instituts d'éducation sensorielle (établissements pour déficients auditifs, instituts pour déficients visuels), ainsi que les services d'éducation spéciale et de soins à domicile (Sessad).

Accueil des adultes handicapés : les établissements d'hébergement comprennent les foyers d'hébergement, les maisons d'accueil spécialisé, les foyers de vie, ainsi que les foyers d'accueil médicalisés. Les établissements de travail protégé regroupent les établissements et services d'aide par le travail et les entreprises adaptées.

Activités financières : cette branche regroupe les activités d'intermédiation financière, d'assurance et des auxiliaires financiers et d'assurance.

Administration : cette branche regroupe l'administration publique, les activités associatives et extra-territoriales.

Administrations publiques locales : comprennent les collectivités locales et les organismes divers d'administration locale (Odal). Les collectivités locales regroupent les collectivités territoriales à compétence générale (communes, départements et régions), les groupements de communes à fiscalité propre (communautés urbaines, communautés d'agglomération et communautés de communes) et certaines activités des syndicats de communes. Les Odal regroupent principalement des établissements publics locaux (centres communaux d'action sociale, caisses des écoles, services départementaux d'incendie et de secours...), les établissements publics locaux d'enseignement (collèges, lycées d'enseignement général et professionnel), les associations récréatives et culturelles financées majoritairement par les collectivités territoriales et les chambres consulaires (commerce et industrie, agriculture et métiers).

Agriculture : au sens le plus large ce secteur de l'économie comprend les cultures, l'élevage, la chasse, la pêche et la sylviculture. La nomenclature d'activités française établit une distinction entre l'activité agricole (exploitation des ressources naturelles en vue de la production des divers produits de la culture et de l'élevage) et l'activité de pêche (exploitation professionnelle des ressources halieutiques en milieu marin ou en eau douce).

Agriculture biologique : recourt à des pratiques culturales et d'élevage soucieuses du respect des équilibres naturels. Elle se définit par l'utilisation de pratiques spécifiques de production (emploi d'engrais verts, lutte naturelle contre les parasites), l'utilisation d'une liste limitée de produits de fertilisation, de traitement, de stockage et de conservation. En élevage, à l'alimentation biologique s'ajoutent les conditions de confort des animaux (limites de chargement notamment) et des traitements, en cas de maladie, à base de phytothérapie, homéopathie et aromathérapie. Ainsi, le passage d'une agriculture conventionnelle à biologique nécessite une période de conversion des terres de deux ou trois ans et une période de conversion pour les animaux variable selon les espèces. La conformité des productions agricoles biologiques à un cahier des charges permet l'obtention du certificat pour commercialiser des produits avec la mention « agriculture biologique » (AB).

Aide au logement (ou allocations logement) : prestations sociales dont la finalité est de réduire les dépenses de logement des familles (loyer, mensualités d'emprunt). Elles sont accordées sous condition de ressources, permettant donc aux bénéficiaires de parvenir au niveau du minimum concerné. Elles sont calculées en tenant compte également de la situation familiale, de la nature du logement et du lieu de résidence du bénéficiaire.

Aide sociale départementale : les compétences des départements en matière d'aide sociale recouvrent l'aide sociale aux personnes âgées, aux personnes handicapées, à l'enfance et les dépenses liées au RMI.
L'aide sociale aux personnes âgées comprend les dépenses relatives à l'aide à domicile (aides ménagères...) ainsi que les dépenses liées aux prises en charge en hébergement.
L'aide sociale aux personnes handicapées recouvre les dépenses d'aides à domicile (aides ménagères ou auxiliaires de vie...) ainsi que les aides à l'hébergement (accueil en établissements, accueil de jour et accueil familial).
L'aide sociale à l'enfance tient compte des dépenses pour les enfants placés, y compris les frais inhérents à ce placement, et également des mesures d'aide éducative.
Les dépenses totales liées au RMI comprennent les dépenses de RMI stricto sensu (versement de l'allocation et charges d'insertion des dispositifs RMI) ainsi que les dépenses de Contrat insertion - revenu minimum d'activité (CI-RMA) et les dépenses liées aux contrats d'avenir.

Aire urbaine : ensemble de communes, d'un seul tenant et sans enclave, constitué par un pôle urbain, et par des communes rurales ou unités urbaines (couronne périurbaine) dont au moins 40 % de la population résidente travaille dans le pôle ou dans des communes attirées par celui-ci.

Allocation aux adultes handicapés (AAH) : instituée en 1975, elle s'adresse aux personnes handicapées ne pouvant prétendre ni à un avantage vieillesse ni à une rente d'accident du travail.

Allocation de parent isolé : cette allocation est un minimum social et permet de garantir un revenu minimum aux parents qui assument seuls la charge d'au moins un enfant né ou à naître.

Allocation de rentrée scolaire : elle est versée sous condition de ressources aux familles ayant un ou plusieurs enfants scolarisés et âgés de 6 à 18 ans.

Allocation de soutien familial : elle est versée aux personnes qui ont au moins la charge d'un enfant privé de l'aide de l'un ou de ses deux parents, qu'il soit orphelin, non reconnu ou abandonné par son père ou sa mère.

Allocation du minimum vieillesse (ASV et ASPA) : l'allocation supplémentaire vieillesse (ASV), créée en 1956, s'adresse aux personnes âgées de plus de 65 ans (60 ans en cas d'inaptitude au travail) et leur assure un niveau de revenu égal au minimum vieillesse. Une nouvelle prestation, l'allocation de solidarité aux personnes âgées (ASPA) est entrée en vigueur le 13 janvier 2007. Cette allocation unique se substitue, pour les nouveaux bénéficiaires, aux prestations de premier étage du minimum (qui ne font pas partie des minima sociaux) et à l'allocation supplémentaire vieillesse (ASV).

Allocations familiales : allocations versées sans condition de ressources aux familles assumant la charge de deux enfants ou plus (dès le 1er enfant dans les Dom), jusqu'à 20 ans.

Apprentis : jeunes âgés de 16 à 25 ans qui préparent un diplôme de l'enseignement professionnel ou technologique dans le cadre d'un contrat de travail de type particulier associant une formation en entreprise – sous la responsabilité d'un maître de stage – et des enseignements dispensés dans un centre de formation d'apprentis (CFA).

Autre titre de participation (ATP) : ne sont comptabilisées dans les licences que les adhésions à une fédération qui donnent lieu au paiement d'une cotisation annuelle. Toute autre forme d'adhésion, le plus souvent dans le cadre d'une pratique ponctuelle ou de courte durée, est considérée comme un « Autre Titre de Participation » (ATP).

Autres déchets : déchets provenant des soins médicaux ou vétérinaires et déchets biologiques ; déchets métalliques ; déchets non métalliques du verre, du bois, déchets contenant du PCB (polychlorobiphényle) ; déchets courants mélangés ; équipements hors d'usage ; véhicules au rebut, déchets de piles, accumulateurs et batteries ; déchets solidifiés, stabilisés ou vitrifiés.

Autres déchets chimiques : dépôts et résidus chimiques, boues d'effluents industriels.

Autres personnes sans activité professionnelle : comprennent les chômeurs n'ayant jamais travaillé, les élèves ou étudiants, les personnes diverses sans activité professionnelle de moins de 60 ans et celles de 60 ans ou plus (sauf retraités).

Autres quartiers CUCS : remplaçant en 2006 les Contrats de Ville, les Contrats urbains de Cohésion sociale (CUCS) concernent la quasi-totalité des ZUS, mais aussi une nouvelle génération d'environ 1 700 quartiers, également sélectionnés sur la base d'un constat de difficultés sociales. Ces nouveaux quartiers de la politique de la ville sont appelés ici « autres quartiers CUCS ».

Avances et retards scolaires des élèves de 6e : sont comptés en « avance » les élèves ayant au moins un an d'avance et « en retard » ceux ayant au moins un an de retard par rapport à l'âge normal. Les établissements pris en compte sont les collèges publics et privés sous contrat.

Baccalauréat professionnel : créé en 1985, ce baccalauréat a été délivré pour la première fois en 1987. Ce diplôme est généralement préparé en deux ans dans les lycées professionnels par des élèves déjà titulaires du BEP.

Base de données sur la qualité de l'air (BDQA) : on regroupe dans la BDQA les résultats des enregistrements et des relevés de chacun des capteurs d'une région, collectés par les différents réseaux agréés. La fréquence des mesures pour un capteur dépend du paramètre mesuré, mais en général il s'agit d'une mesure tous les quarts d'heure. Les résultats de concentration sont exprimés en microgrammes par m^3 d'air.
Les tableaux présentés ne concernent que les stations dites de fond, installées en zones urbaines, représentatives des grandes agglomérations, et non pas les capteurs de surveillance particulière (industrie, points noirs, etc.). Par ailleurs on ne retient que les résultats fournis par des capteurs ayant fonctionné au moins 75 % du temps. La moyenne des capteurs d'une agglomération est censée représenter le niveau de pollution de l'agglomération. De même la moyenne des capteurs de la région est censée représenter l'état et le niveau de pollution dans les zones urbaines de la région.
Les seuils de pollution sont de plusieurs types :
– les seuils opérationnels, seuils d'information de la population et seuils d'alerte de la population, à des expositions momentanées en cas de pics de pollution, au-delà desquels des mesures techniques ou contraignantes sont prises par les autorités compétentes (restrictions ou interdictions de circulation par exemple) ;
– les seuils de tolérance des populations ou des végétaux à des expositions prolongées aux pollutions, plus de nature scientifique ou médicale (seuils d'exposition à des risques pour la santé).
Les indicateurs retenus pour une région sont de différents types :
– le nombre de jours avec au moins un dépassement de seuil d'information (ou d'alerte) de la population (quel que soit le capteur). Si un jour donné un capteur au moins de la région dépasse le seuil alors on compte une journée. Par exemple si le 2 janvier, 3 capteurs de la région ont dépassé au moins une fois le seuil de 180 µg en moyenne horaire, on compte 1 jour. On dénombre ainsi le nombre de jours où il y a eu au moins un épisode de pollution sur la région ;
– le nombre de jours moyen de dépassement par capteur : pour un capteur donné on somme les jours où il y a eu au moins un dépassement de seuil. On somme ensuite sur tous les capteurs et on divise par le nombre total de capteurs (ayant dépassé ou non).
Ainsi si le premier indicateur apprécie le nombre d'épisodes sur la région, le deuxième indicateur permet de nuancer l'intensité ou la ponctualité des phénomènes.

BEP : brevet d'études professionnelles.

Bibliothèques municipales : le nombre annuel de prêts est rapporté à la population des communes où se situe une bibliothèque. Toutes les bibliothèques recensées sont interrogées à l'enquête mais, parmi les établissements répondant à l'enquête, seules sont retenues celles dont :
– les dépenses de personnel sont égales ou supérieures à 7 500 euros, équivalent à un agent de catégorie C à mi-temps ;
– les dépenses de personnel sont inférieures à 7 500 euros mais qui ont un budget d'acquisition supérieur à 900 euros et qui sont ouvertes au moins 6 heures par semaine.

Bovin : espèce herbivore comprenant la vache, le taureau, le veau, le bœuf, la génisse, le broutard et le taurillon. Ce sont des ruminants.

Brevet : le brevet protège une innovation technique, c'est-à-dire un produit ou un procédé qui apporte une solution technique à un problème technique donné. L'invention pour laquelle un brevet pourra être obtenu, en France, auprès de l'Institut national de la propriété industrielle (INPI) doit également être nouvelle, impliquer une activité inventive et être susceptible d'application industrielle. De nombreuses innovations peuvent faire l'objet d'un dépôt de brevet, à condition de répondre aux critères de brevetabilité et de ne pas être expressément exclues de la protection par la loi. Certaines inventions ne sont pas brevetables mais peuvent faire l'objet d'autres types de protection, comme le dépôt de dessins et modèles ou le droit d'auteur.

BTS : brevet de technicien supérieur. Ce diplôme est préparé généralement en deux ans après le baccalauréat.

Camping (hôtellerie de plein air) : terrain de camping-caravaning homologué par arrêté préfectoral ; classé de 1 à 4 étoiles, mention « loisir » ou « tourisme », dès lors qu'il comporte un emplacement loué au passage. Les conditions requises pour ce classement portent sur les équipements communs, les équipements sanitaires, l'accessibilité aux personnes handicapées.

Canton : subdivision territoriale de l'arrondissement. C'est la circonscription électorale dans le cadre de laquelle est élu un conseiller général. Les cantons ont été créés, comme les départements, par la loi du 22 décembre 1789. Dans la plupart des cas, les cantons englobent plusieurs communes. Mais les cantons ne respectent pas toujours les limites communales : les communes les plus peuplées appartiennent à plusieurs cantons. Un canton appartient à un et un seul arrondissement. Si le canton accueille encore, en principe, certains services de l'État (gendarmerie, perception), la loi du 6 février 1992 relative à l'administration territoriale de la République et le décret du 1er juillet 1992 portant charte de la déconcentration l'ignorent totalement.

CAP : certificat d'aptitude professionnelle.

Capacité et besoin de financement des Administrations publiques (APU) : principal indicateur de convergence, sous le nom de « déficit public », des finances publiques dans l'Union européenne. Il s'agit du solde du compte de capital des APU qui mesure la différence entre l'ensemble de leurs dépenses courantes, de leurs dépenses d'investissement non financier et des transferts en capital qu'elles effectuent, d'une part, et l'ensemble de leurs ressources non financières, d'autre part. Il est souvent présenté en termes de points de PIB (rapport, exprimé en pourcentage, entre le besoin de financement et le PIB).

Capacité touristique d'ensemble de la région (rapportée à la population) selon Eurostat : il s'agit de la capacité touristique de la région en termes d'accueil dans les groupes d'établissements suivants :
– hôtels et établissements assimilés ;
– campings touristiques ;
– logements pour vacances ;
– autres établissements d'hébergement collectif ;
– hébergement touristique : toute installation qui, régulièrement ou occasionnellement pourvoit à l'hébergement de touristes.
Elle est exprimée en nombre de places / lits pour 10 000 habitants.

Caprin : espèce herbivore comprenant le bouc, la chèvre et le chevreau appelé par ailleurs cabri. Ce sont des ruminants.

Catégories socioprofessionnelles : la nomenclature des professions et catégories socioprofessionnelles dite PCS a remplacé, en 1982, la CSP. Elle classe la population selon une synthèse de la profession (ou de l'ancienne profession), de la position hiérarchique et du statut (salarié ou non). Elle comporte trois niveaux d'agrégation emboîtés :
– les groupes socioprofessionnels (8 postes) ;
– les catégories socioprofessionnelles (24 et 42 postes) ;
– les professions (486 postes).
Cette version (PCS-2003) est en vigueur depuis le 1er janvier 2003. Les premier et deuxième niveaux sont restés inchangés par rapport à la version en vigueur de 1982 à 2003. La rénovation de 2003 a donc porté uniquement sur le troisième niveau qui comprenait 455 postes dans la version 1982. Elle a permis de regrouper des professions dont la distinction était devenue obsolète, et d'en éclater d'autres afin de tenir compte de l'apparition de nouveaux métiers ou de nouvelles fonctions transversales aux différentes activités industrielles. Il existe une version de la nomenclature des professions plus détaillée à l'usage des entreprises, dite PCS-ESE-2003.

Cause de décès : les statistiques sont élaborées à partir de la confrontation des certificats médicaux de décès adressés à l'Inserm par les DDASS (Directions départementales de l'action sanitaire et sociale), avec les données sociodémographiques, transmises par l'Insee. Toute déclaration de décès est en principe accompagnée par la déclaration de la cause de décès dressée sur bulletin anonyme. Celle-ci est codée selon les règles de classification internationale des maladies. L'importance de certaines maladies, qui peuvent être « impliquées » dans le décès sans être considérées comme la cause immédiate de celui-ci, est sous-estimée : c'est le cas des maladies circulatoires, de l'alcoolisme et du tabagisme.

Cheptel : ensemble des animaux fermiers.

Chirurgie : concerne des soins impliquant le plus souvent un acte opératoire. La chirurgie ambulatoire regroupe les séjours de moins de 24 heures avec intervention chirurgicale.

Chômage au sens du BIT : en application de la définition internationale adoptée par le Bureau international du travail (BIT), un chômeur est une personne en âge de travailler (15 ans ou plus) et qui répond simultanément à trois conditions :
– être sans emploi, c'est-à-dire ne pas avoir travaillé, ne serait-ce qu'une heure, durant une semaine de référence ;
– être disponible pour prendre un emploi sous 15 jours ;
– avoir cherché activement un emploi dans le mois précédent ou en avoir trouvé un qui commence dans moins de trois mois.

Commerce : regroupe les entreprises ou établissements dont l'activité principale est l'achat de produits à des tiers pour la revente en état, sans transformation. Cette activité peut comporter accessoirement des activités de production.
L'activité des intermédiaires du commerce qui mettent en rapport les acheteurs et les vendeurs, ou exécutent des opérations commerciales pour le compte d'un tiers, sans être propriétaires des produits concernés, fait également partie du commerce.

Commerce et réparation automobiles : comprend les entreprises ou établissements de commerce de gros ou de détail, sous toutes leurs formes, en neuf comme en occasion, de véhicules automobiles, y compris véhicules utilitaires et motos, de leurs pièces et le commerce de détail de carburant, ainsi que les services de réparation et de maintenance de ces véhicules.

Communauté d'agglomération : établissement public de coopération intercommunale (EPCI) regroupant plusieurs communes formant, à la date de sa création, un ensemble de plus de 50 000 habitants d'un seul tenant et sans enclave autour d'une ou plusieurs communes centre de plus de 15 000 habitants. Ces communes s'associent au sein d'un espace de solidarité, en vue d'élaborer et conduire ensemble un projet commun de développement urbain et d'aménagement de leur territoire.

Communauté de communes : EPCI regroupant plusieurs communes d'un seul tenant et sans enclave. Elle a pour objet d'associer des communes au sein d'un espace de solidarité en vue de l'élaboration d'un projet commun de développement et d'aménagement de l'espace.

Communauté urbaine : EPCI regroupant plusieurs communes qui s'associent au sein d'un espace de solidarité, pour élaborer et conduire ensemble un projet commun de développement urbain et d'aménagement de leur territoire. Les communautés urbaines créées depuis la loi du 12 juillet 1999 doivent constituer un ensemble d'un seul tenant et sans enclave de plus de 500 000 habitants.

Commune : plus petite subdivision administrative française mais aussi la plus ancienne, puisqu'elle a succédé aux villes et paroisses du Moyen Âge. Elle a été instituée en 1789 avant de connaître un début d'autonomie avec la loi du 5 avril 1884, véritable charte communale. Le maire est l'exécutif de la commune qu'il représente et dont il gère le budget. Il est l'employeur du personnel communal et exerce les compétences de proximité (écoles, urbanisme, action sociale, voirie, transports scolaires, ramassage des ordures ménagères, assainissement...). Il est également agent de l'État pour les fonctions d'état civil, d'ordre public, d'organisation des élections et de délivrance de titres réglementaires.

Communes multipolarisées : communes situées hors des aires urbaines (pôle urbain et couronne périurbaine), dont au moins 40 % de la population résidente ayant un emploi travaille dans plusieurs aires urbaines, sans atteindre ce seuil avec une seule d'entre elles, et qui forment avec elles un ensemble d'un seul tenant.

Composition pénale : le procureur de la République peut proposer une composition pénale à une personne majeure qui reconnaît avoir commis un ou plusieurs délits énumérés par la loi. La composition pénale consiste en une ou plusieurs mesures : amende, remise du permis de conduire ou de chasser, travail non rémunéré au profit de la collectivité, stage ou formation dans un service sanitaire, social ou professionnel... Cette procédure est applicable à l'ensemble des contraventions et aux délits punis d'une peine d'emprisonnement inférieure ou égale à 5 ans. Lorsque l'auteur des faits donne son accord aux mesures proposées, le procureur de la République saisit par requête le président de la juridiction aux fins de validation de la composition. L'exécution de la composition pénale éteint l'action publique ; elle figure au Casier judiciaire.

Condamné : personne détenue dans un établissement pénitentiaire en vertu d'une condamnation judiciaire définitive.

Connaissance locale de l'appareil productif (Clap) : système d'information alimenté par différentes sources dont l'objectif est de fournir des statistiques localisées au lieu de travail jusqu'au niveau communal, sur l'emploi salarié et les rémunérations pour les différentes activités des secteurs marchand et non marchand. Le référentiel d'entreprises et d'établissements est constitué à partir du Répertoire national des entreprises et des établissements (Sirene). Les données sur l'emploi salarié résultent d'une mise en cohérence des informations issues de l'exploitation des Déclarations annuelles de données sociales (DADS), des bordereaux récapitulatifs de cotisations de l'Union pour le Recouvrement de Sécurité Sociale et des Allocations Familiales (Urssaf) ainsi que des fichiers de paye de la fonction publique d'État.

Conseillers généraux : situation à la date des dernières élections cantonales de mars 2008. En général, chaque canton élit un conseiller général, sauf à Paris où les cantons correspondent aux arrondissements ; les conseillers de Paris ne sont pas compris.

Consommation d'énergie finale : quantité d'énergie disponible pour l'utilisateur final. C'est la consommation primaire d'énergie, moins la consommation interne de la branche énergie (combustible des centrales classiques et des raffineries, pertes des centrales et des réseaux, pompages, etc.). À l'intérieur de la consommation finale totale, on distingue la consommation finale non énergétique et la consommation finale énergétique, que l'on répartit entre les secteurs consommateurs (transports, sidérurgie, industrie, agriculture et résidentiel tertiaire).

Construction : l'activité de construction est essentiellement une activité de mise en œuvre ou d'installation sur le chantier du client et qui concerne aussi bien les travaux neufs que la rénovation, la réparation ou la maintenance. Ces industries correspondent au code EH de la NES « bâtiment et travaux publics ».

Contrat ou emploi aidé : contrat de travail dérogatoire au droit commun, pour lequel l'employeur bénéficie d'aides, qui peuvent prendre la forme de subventions à l'embauche, d'exonérations de certaines cotisations sociales, d'aides à la formation. Le principe général est de diminuer, par des aides directes ou indirectes, les coûts d'embauche et/ou de formation pour l'employeur. Ces emplois aidés sont, en général, accessibles prioritairement à des « publics cibles », telles les personnes « en difficulté sur le marché du travail » ou les jeunes. Ils relèvent du secteur marchand (c'est le cas par exemple des contrats « initiative emploi ») ou du secteur non marchand (par exemple « contrats d'accompagnement dans l'emploi »).

Contrat d'accompagnement dans l'emploi (CAE) : contrat de travail à durée déterminée, destiné à faciliter l'insertion professionnelle des personnes sans emploi rencontrant des difficultés sociales et professionnelles particulières d'accès à l'emploi. Sa durée minimale est de 6 mois et sa durée maximale de 24 mois renouvellement compris ; il peut s'agir d'un temps partiel (avec un minimum de 20 heures hebdomadaires, sauf exception) ou d'un temps complet. La possibilité de conclure un CAE est ouverte aux employeurs du secteur non marchand (pour l'essentiel, collectivités territoriales, autres personnes morales de droit public, personnes morales de droit privé chargées de la gestion d'un service public, associations loi 1901). La conclusion d'un tel contrat ouvre droit, pour l'employeur, à différentes aides : exonération de cotisations sociales patronales à hauteur du Smic, aide à la rémunération fixée en pourcentage du Smic (pouvant aller jusqu'à 95 % du Smic).

Contrat en alternance : contrat de travail incluant une formation diplômante ou qualifiante et s'adressant en grande majorité aux jeunes de moins de 26 ans en cours d'insertion dans la vie professionnelle. Depuis la loi du 4 mai 2004, le contrat de professionnalisation a succédé aux contrats de qualification, d'adaptation et d'orientation. Par extension, le terme peut englober les contrats d'apprentissage qui reposent aussi sur le mécanisme d'alternance entre cours théoriques et emploi.

Contrat en apprentissage : contrat de travail qui a pour but de donner à des jeunes travailleurs ayant satisfait à l'obligation scolaire une formation générale, théorique et pratique, en vue de l'obtention d'une qualification professionnelle sanctionnée par un diplôme de l'enseignement professionnel ou technologique, un titre d'ingénieur ou un titre répertorié. L'apprentissage repose sur le principe de l'alternance entre enseignement théorique en centre de formation d'apprentis (CFA) et enseignement du métier chez l'employeur avec lequel l'apprenti a signé son contrat.

Contrat initiative emploi (CIE) : ce contrat s'adresse à des personnes sans emploi, inscrites ou non sur les listes des demandeurs d'emploi, rencontrant des difficultés sociales et professionnelles d'accès à l'emploi. Les publics éligibles sont définis plus précisément au niveau régional. Les contrats prennent la forme d'un contrat à durée indéterminée ou à durée déterminée de 24 mois maximum. L'emploi peut être à temps partiel ou à temps complet ; s'il est à temps partiel, la durée hebdomadaire de travail doit être d'au moins 20 heures sauf cas particuliers. Ce contrat est destiné aux employeurs du secteur marchand et plus précisément, à l'ensemble des employeurs affiliés à l'assurance chômage. L'employeur reçoit une aide mensuelle de l'État fixée par arrêté du préfet de région, dans la limite de 47 % du Smic. Cette aide est cumulable avec certains dispositifs d'allégement ou d'exonération de cotisations patronales de sécurité sociale.

Contrat de professionnalisation : contrat de travail en alternance à durée déterminée ou indéterminée incluant une action de professionnalisation. Il s'adresse à tous les jeunes âgés de 16 à 25 ans révolus et aux demandeurs d'emploi âgés de 26 ans ou plus. Son objectif est de permettre aux salariés d'acquérir une qualification professionnelle et de favoriser leur insertion ou réinsertion professionnelle. L'action de professionnalisation comporte des périodes de travail en entreprise et des périodes de formation ; sa durée est en principe comprise entre 6 et 12 mois, mais peut être portée à 24 mois par accord collectif de branche. La durée de formation est d'au moins 15 % de la durée de l'action de professionnalisation. Les bénéficiaires âgés de 16 à 25 ans révolus sont rémunérés en pourcentage du Smic (entre 55 % et 80 %) selon leur âge et leur niveau de formation ; les autres salariés perçoivent une rémunération qui ne peut être ni inférieure au Smic ni à 85 % du salaire minimum conventionnel. Ce contrat ouvre droit pour l'employeur à une exonération des cotisations patronales de sécurité sociale quand le bénéficiaire a entre 16 et 25 ans ou quand il s'agit d'un demandeur d'emploi âgé de 45 ans ou plus.
Le contrat de professionnalisation a été créé par la loi du 4 mai 2004 relative à la formation professionnelle. Il succède aux contrats de qualification, contrats d'adaptation et contrats d'orientation.

Couple : couple de fait, marié ou non, de deux personnes âgées de 15 ans ou plus de sexe différent. Au sein d'un ménage, un couple, avec ou sans enfant, constitue une famille.

Couronne périurbaine : ensemble des communes de l'aire urbaine à l'exclusion de son pôle urbain.

Couverture maladie universelle complémentaire (CMUC) : depuis le 1er janvier 2000, la couverture maladie universelle complémentaire fournit une couverture maladie complémentaire gratuite à toute personne résidant en France de manière stable et régulière, sous condition de ressources fixée par décret.

Création d'entreprise : la statistique des créations d'entreprises est constituée à partir des informations du répertoire national des entreprises et des établissements (Sirene). Depuis le 1er janvier 2007, la notion de création d'entreprise s'appuie sur un concept harmonisé au niveau européen pour faciliter les comparaisons : une création d'entreprise correspond à la mise en œuvre de nouveaux moyens de production. Par rapport aux immatriculations dans Sirene, on retient comme création pour satisfaire au concept harmonisé :
– les créations d'entreprise correspondant à la création de nouveaux moyens de production (il y a nouvelle immatriculation dans Sirene) ;
– les cas où l'entrepreneur (il s'agit en général d'un entrepreneur individuel) reprend une activité après une interruption de plus d'un an (il n'y a pas de nouvelle immatriculation dans Sirene mais reprise de l'ancien numéro Siren) ;
– les reprises par une entreprise nouvelle de tout ou partie des activités et moyens de production d'une autre entreprise (il y a nouvelle immatriculation dans Sirene) lorsqu'il n'y a pas continuité de l'entreprise reprise. On considère qu'il n'y a pas continuité de l'entreprise si parmi les trois éléments suivants concernant le siège de l'entreprise, au moins deux sont modifiés lors de la reprise : l'unité légale contrôlant l'entreprise, l'activité économique et la localisation.

Crèches collectives : établissements ayant pour objet de garder pendant la journée, durant le travail de leurs parents, les enfants de moins de trois ans, dans des locaux et avec un personnel prévu à cet effet (crèches collectives de quartier, de personnel ou d'entreprise).

Crèches parentales : organisées et gérées par des parents d'enfants de moins de trois ans, réunis en association. Une personne compétente assure une présence permanente auprès des enfants.

Crime : infraction la plus grave, jugée par la cour d'assises et dont l'auteur encourt une peine de réclusion criminelle, à perpétuité ou à temps, à laquelle peuvent s'ajouter des amendes et toute autre peine complémentaire. La tentative de crime est punie comme le crime (homicide volontaire, coups mortels, viol, vol à main armée...).

Crimes et délits contre les biens : ils regroupent les vols, recels, destructions, dégradations, détournements de fonds...

Crimes et délits contre les personnes : ils regroupent les homicides, les coups et blessures volontaires ou involontaires, les atteintes aux mœurs (dont proxénétisme, viols, agressions sexuelles), les infractions contre la famille et l'enfant (dont violences, mauvais traitements, abandons) ainsi que les prises d'otages, séquestrations, rapts, menaces et chantages, atteintes à la dignité et à la personnalité...

Criminalité : les crimes et délits constatés en France sont des faits bruts portés pour la première fois à la connaissance des services de police et de gendarmerie. Leur qualification peut être modifiée par l'autorité judiciaire. Sont exclus des statistiques de la criminalité constatée les contraventions ainsi que les délits relatifs à la circulation routière, les actes de police administrative et les infractions relevées par d'autres administrations (douanes, services fiscaux et répression des fraudes, inspection du travail...).

Cultures légumières : comprennent, dans les Dom, les tubercules, les racines et les bulbes (igname, manioc, patate douce...), les légumes frais (banane légume, melon...) et les légumes secs.

D

Déchets de composés chimiques : solvants usés, déchets acides, alcalins ou salins, catalyseurs chimiques usés, huiles usagées.

Déchets industriels dangereux : déchets qui nécessitent des modalités particulières de collecte et de traitement car ils peuvent contenir des éléments polluants. Sont considérés comme dangereux : les huiles usagées, piles, accumulateurs et batteries, l'amiante, les déchets toxiques en quantité dispersée (DTQD), les déchets arséniés, cyanurés, mercuriés, chromés ou contenant des PCB (polychlorobiphényles) ou PCT (polychlorotriphényles), les déchets phytosanitaires, les sous-produits de la sidérurgie, les solvants, les emballages souillés, les boues industrielles.

Déchets ménagers et assimilés (DMA) : ensemble des déchets pris en compte par les collectes traditionnelles et les collectes sélectives réalisées le plus souvent dans le cadre du service public d'élimination des déchets. Ils comprennent :
– les ordures ménagères au sens strict (fraction collectée en mélange, fraction collectée sélectivement en porte à porte ou par apport volontaire, matières sèches recyclables, déchets fermentescibles) ;
- les déchets des artisans, commerçants, administrations et divers collectés en petites quantités dans les mêmes conditions que les ordures ménagères, en mélange et en porte à porte ;
Ces deux catégories constituent les ordures ménagères au sens large ;
– les déchets occasionnels des ménages (encombrants ménagers, déchets de jardinage, de bricolage, déchets ménagers spéciaux).

Déchets minéraux : déchets minéraux et déchets d'opérations thermiques.

Déciles : si on ordonne une distribution de salaires, de revenus, de chiffre d'affaires..., les déciles sont les valeurs qui partagent cette distribution en dix parties égales. Ainsi, pour une distribution de salaires : le premier décile (noté généralement D1) est le salaire au-dessous duquel se situent 10 % des salaires et le neuvième décile (noté généralement D9) est le salaire au-dessous duquel se situent 90 % des salaires. Le premier décile est, de manière équivalente, le salaire au-dessus duquel se situent 90 % des salaires et le neuvième décile est le salaire au-dessus duquel se situent 10 % des salariés.

Déclaration annuelle des données sociales (DADS) : formalité déclarative que doit accomplir toute entreprise employant des salariés, en application du code de la Sécurité sociale et du code Général des Impôts. Dans ce document commun aux administrations fiscales et sociales, les employeurs, y compris les administrations et les établissements publics, fournissent annuellement et pour chaque établissement, la masse des traitements qu'ils ont versés, les effectifs employés et une liste nominative de leurs salariés indiquant pour chacun, le montant des rémunérations salariales perçues. Le champ de l'exploitation des DADS par l'Insee couvre actuellement l'ensemble des employeurs et de leurs salariés, à l'exception des agents des ministères, titulaires ou non, des services domestiques (division 95 de la NAF rév. 1) et des activités extra-territoriales (division 99 de la NAF rév. 1). Le champ de la publication des résultats exclut en outre les apprentis, les stagiaires, les emplois aidés, les dirigeants salariés de leur entreprise ainsi que les agents des collectivités territoriales.

DEFM de catégorie 1 : les demandeurs d'emploi de catégorie 1 à Pôle Emploi sont à la recherche d'un contrat à durée indéterminée et à temps plein, n'ont pas exercé d'activité d'une durée supérieure à 78 heures dans le mois et sont tenus d'effectuer des actes positifs de recherche d'emploi. Les données localisées de 2007 sont encore présentées dans cette catégorie, qui se distingue de la catégorie A par (en plus) les demandeurs en activité réduite de moins de 78 heures et (en moins) les demandeurs d'emplois à durée déterminée ou à temps partiel.

Délit : infraction jugée par le tribunal correctionnel passible d'une peine d'emprisonnement (qui ne peut dépasser 10 ans), d'une amende, d'une peine de jour-amende, d'un stage de citoyenneté, d'une peine de travail d'intérêt général, d'une peine privative ou restrictive de libertés (suspension ou annulation du permis de conduire ou du permis de chasser, confiscation, interdiction d'émettre des chèques, interdiction d'exercer certaines activités professionnelles...) ou d'une peine complémentaire. Lorsqu'un délit est puni de l'emprisonnement, celui-ci peut être remplacé par une peine alternative.

Demandes d'emploi en fin de mois (DEFM) : personnes inscrites à Pôle Emploi et ayant une demande en cours au dernier jour du mois. Les demandeurs d'emploi considérés ici sont ceux de catégorie A qui sont tenus de faire des actes positifs de recherche d'emploi, sans emploi (anciennes catégories 1 2 3 hors activité réduite).

Densité selon Eurostat : population totale divisée par la superficie. On utilise ici le concept de superficie terrestre (excluant les eaux intérieures comme les lacs ou fleuves) partout où la donnée est disponible. Dans plusieurs pays, on utilise la superficie totale, incluant la superficie des lacs et fleuves, parce que c'est le seul concept pour lequel les données sont disponibles.

Dépense intérieure de recherche et développement (DIRD) : la dépense intérieure de recherche et développement (DIRD) correspond aux travaux de recherche et développement (R&D) exécutés sur le territoire national quelle que soit l'origine des fonds. Une partie est exécutée par les administrations, l'autre par les entreprises. Elle comprend les dépenses courantes (masse salariale des personnels de R&D et dépenses de fonctionnement) et les dépenses en capital (achats d'équipements nécessaires à la réalisation des travaux internes à la R&D et opérations immobilières réalisées dans l'année).

Dépenses de fonctionnement : regroupent principalement les frais de rémunération des personnels, les dépenses d'entretien et de fourniture, les intérêts de la dette et les frais de fonctionnement divers correspondant aux compétences de la collectivité.

Dépenses d'investissement : concernent des opérations en capital ; elles comprennent les remboursements d'emprunts, les prêts et avances accordés par la collectivité, les dépenses directes d'investissement et les subventions d'équipement versées.

Dépôt d'un brevet : le dépôt d'un brevet permet d'obtenir un monopole d'exploitation (pour une durée maximale de 20 ans en cas de dépôt en France à l'Institut national de la propriété industrielle, l'INPI). Le déposant est ainsi le seul à pouvoir utiliser le brevet et peut interdire toute utilisation, fabrication, importation, etc., de l'invention effectuée sans son autorisation. Il peut poursuivre les contrefacteurs devant les tribunaux. Le brevet se révèle aussi être un moyen de dissuasion.

Dioxyde de soufre (SO_2) : le dioxyde de soufre (SO_2) peut, sous l'action du rayonnement solaire, se transformer par oxydation en trioxyde de soufre (SO_3) puis, en présence d'eau, en acide sulfurique (H_2SO_4). Irritant respiratoire, le dioxyde de soufre agit en synergie avec d'autres substances notamment les particules en suspension. L'UE a fixé des concentrations de référence reprises par la législation française :
– seuil d'alerte : 500 microgrammes par m^3 sur 3 heures consécutives ;
– seuil d'information et de recommandation : 300 microgrammes par m^3 en moyenne horaire ;
– seuil de la protection de la santé humaine : 125 microgrammes par m^3 en moyenne journalière.

Directive « nitrates » : cette directive du 12 décembre 1991 (91/676/CEE) concerne la protection des eaux contre la pollution par les nitrates à partir de sources agricoles. Elle a pour objet la limitation des émissions d'azote par l'agriculture, et plus particulièrement par les effluents des élevages intensifs. L'objectif est d'assurer un meilleur respect des normes relatives à la teneur en nitrate des eaux brutes superficielles et souterraines destinées à la consommation humaine, et de réduire le développement de zones soumises à l'eutrophisation.

Elle prévoit :
– la désignation de « zones vulnérables », parties de territoires alimentant des masses d'eau dépassant ou risquant de dépasser le seuil de 50 mg/l en nitrate, ainsi que celles présentant des tendances à l'eutrophisation ;
– la rédaction d'un code de bonnes pratiques agricoles ;
– la mise en place de programmes d'action sur chacune des zones vulnérables désignées ;
– la réalisation d'un programme de surveillance.

Dispositif de surveillance de la qualité de l'air (DNSQA) : composé de plusieurs réseaux de mesures de la qualité de l'air, encore appelés « réseaux d'alerte » ou « réseaux de surveillance ». La surveillance est assurée pour le compte de l'État par des associations agréées de surveillance de la qualité de l'air (AASQA). Elles regroupent les pouvoirs publics, les collectivités locales, des industriels, des associations de protection de l'environnement... Certaines villes importantes ne sont pas encore équipées de réseau de surveillance.

Dotation globale de fonctionnement (DGF) : instituée par la loi du 3 janvier 1979, elle est un prélèvement opéré sur le budget de l'État et distribué aux collectivités locales pour la première fois en 1979. Son montant est établi selon un mode de prélèvement et de répartition fixé chaque année par la loi de finances. Elle est versée aux régions depuis 2004.

Eaux de baignade : en France, l'eau des sites de baignade est contrôlée au minimum une fois par mois par les services de l'État. Chaque eau de baignade est classée dans l'une des quatre catégories suivantes, les eaux de qualité A et B étant réputées conformes à la réglementation européenne, celles de qualité C et D non conformes :
– A, eau de bonne qualité ;
– B, eau de qualité moyenne ;
– C, eau pouvant être momentanément polluée ;
– D, eau de mauvaise qualité.

Écoles de commerce, vente, gestion, comptabilité : établissements privés, comprenant parfois des classes préparatoires intégrées qui constituent une première année d'études. Ces écoles sont ou non reconnues par l'État et délivrent des diplômes visés ou non par le ministère de l'Éducation nationale.

Écoles paramédicales et sociales : seules sont retenues les écoles recrutant au niveau du baccalauréat et au-delà.

Édifices civils et religieux : châteaux et architectures civiles remarquables, édifices et patrimoine religieux.

Effectifs de R&D : ensemble des personnels, chercheurs et personnels de soutien technique ou administratif, qui effectuent les travaux de R&D. Les chercheurs et assimilés sont des spécialistes travaillant à la conception ou à la création de connaissances, de produits, de procédés, de méthodes et de systèmes nouveaux et à la gestion des projets concernés. Les qualifications concernées sont : les enseignants-chercheurs, les catégories de chercheurs et d'ingénieurs de recherche pour autant que ceux-ci réalisent effectivement des travaux de R&D dans les EPST, les ingénieurs et les administratifs de haut niveau participant à des travaux de R&D dans les Epic et dans les entreprises. Les doctorants financés par les ministères (allocation de recherche, Cifre), par les organismes de recherche ou associations sont dénombrés dans la catégorie des chercheurs. Le personnel de soutien participe à la R&D en exécutant des tâches scientifiques ou techniques sous le contrôle de chercheurs. Il intègre aussi des travailleurs qualifiés ou non et le personnel de bureau qui participent à l'exécution des projets de R&D.

Énergie primaire : ensemble des produits énergétiques non transformés, exploités directement ou importés. Ce sont principalement le pétrole brut, les schistes bitumineux, le gaz naturel, les combustibles minéraux solides, la biomasse, le rayonnement solaire, l'énergie hydraulique, l'énergie du vent, la géothermie et l'énergie tirée de la fission de l'uranium.

Énergie renouvelable : énergie produite à partir de sources non fossiles renouvelables, à savoir l'énergie éolienne, solaire, aérothermique, géothermique, hydrothermique, marine et hydroélectrique, la biomasse, le gaz de décharge, le gaz des stations d'épuration d'eaux usées et le biogaz.

Enfant d'une famille : est comptée comme enfant d'une famille toute personne vivant au sein du même ménage (au sens du recensement) que son (ses) parent(s) avec le(s)quel(s) elle forme une famille, quel que soit son âge, si elle est célibataire et n'a pas de conjoint ou d'enfant vivant dans le ménage (avec lesquels elle constituerait alors une famille en tant qu'adulte). L'enfant d'une famille peut être l'enfant des deux parents, de l'un ou de l'autre, un enfant adopté ou un enfant en tutelle de l'un ou l'autre parent. Aucune limite d'âge n'est fixée pour être enfant d'une famille. Un petit-fils ou une petite-fille n'est pas considéré comme « enfant d'une famille ». Un couple dont tous les enfants ont quitté le foyer parental est compté parmi les couples sans enfant.

Enquête Emploi : réalisée par l'Insee, depuis 1950, l'enquête Emploi est la source statistique qui permet de mesurer le chômage au sens du BIT. Elle fournit aussi des données sur les professions, l'activité des femmes ou des jeunes, la durée du travail, les emplois précaires. Elle permet de mieux cerner la situation des chômeurs et les changements de situation vis-à-vis du travail. Depuis 2003, l'enquête Emploi est trimestrielle et sa collecte auprès d'un échantillon de ménages, est réalisée en continu sur toutes les semaines de chaque trimestre.

Enseignants du premier degré : instituteurs, professeurs des écoles et autres enseignants chargés de classes du premier degré, directeurs d'écoles et psychologues déchargés de classes.

Enseignants du second degré : personnel titulaire et non-titulaire enseignant dans les établissements du second degré. Sont inclus les personnels de remplacement et de documentation.

Enseignement du premier degré : enseignement préélémentaire et élémentaire, y compris enseignement spécialisé sous tutelle du ministère de l'Éducation nationale.

Enseignement du second degré : enseignement dispensé dans les collèges, les lycées d'enseignement général et technologique, les lycées professionnels du ministère de l'Éducation nationale ou d'autres ministères (principalement le ministère de l'Agriculture).

Enseignement privé : écoles privées soit sous contrat simple (personnel rémunéré par l'État) ou sous contrat d'association (prise en charge par l'État des dépenses de personnel et de fonctionnement de l'externat), soit hors contrat.

Enseignement supérieur : enseignement dispensé dans les universités, les instituts universitaires de technologie (IUT), les instituts universitaires de formation des maîtres (IUFM), les sections de techniciens supérieurs (STS), les classes préparatoires aux grandes écoles (CPGE), les écoles d'ingénieurs, les écoles de commerce, gestion, vente et comptabilité, les écoles paramédicales et sociales, etc.

Entreprise : l'entreprise est la plus petite combinaison d'unités légales de droit français qui constitue une unité organisationnelle de production de biens et de services jouissant d'une certaine autonomie de décision, notamment pour l'affectation de ses ressources courantes. L'entreprise peut être :
– une unité légale « indépendante », i.e. non rattachée à un groupe. On distingue l'entreprise individuelle qui ne possède pas de personnalité juridique distincte de celle de la personne physique de son exploitant ou la personne morale, le plus souvent sous forme d'entreprise sociétaire, par exemple Société Anonyme (SA) ou Société à Responsabilité Limitée (SARL) ;
– une entreprise issue du profilage d'un groupe, en abrégé et par abus de langage « entreprise profilée ».

Entreprise artisanale au sens économique : entreprise ayant une activité principale relevant des secteurs de l'artisanat (en NAF 700) et dont l'effectif salarié ne dépasse pas un certain seuil. Compte tenu des évolutions récentes, ce seuil a été porté à 19 salariés, ce qui correspond à celui des « très petites entreprises ». Dans le Répertoire des Entreprises et Établissements (REE, Sirene), une entreprise est considérée comme artisanale si l'une des conditions suivantes est remplie :
– l'entreprise est inscrite à la Chambre des Métiers ;
– le code d'activité principale au Répertoire des Métiers est renseigné.

Escourgeon : orge hâtive que l'on sème en automne.

Espace à dominante rurale : ensemble des communes n'appartenant pas à l'espace à dominante urbaine.

Espace à dominante urbaine : ensemble, d'un seul tenant, de plusieurs aires urbaines et des communes multipolarisées qui s'y rattachent. Dans l'espace urbain multipolaire, les aires urbaines sont soit contiguës, soit reliées entre elles par des communes multipolarisées. Cet espace forme un ensemble connexe. Un espace urbain composé d'une seule aire urbaine est dit monopolaire.
La France compte actuellement 96 espaces urbains. Les aires urbaines n'étant pas définies dans les départements d'outre-mer (Dom), les espaces urbains ne le sont pas non plus.

Espérance de vie : l'espérance de vie à la naissance (ou à l'âge 0) représente la durée de vie moyenne, autrement dit l'âge moyen au décès, d'une génération fictive soumise aux conditions de mortalité de l'année. Elle caractérise la mortalité indépendamment de la structure par âge.

Elle est un cas particulier de l'espérance de vie à l'âge x. Cette espérance représente, pour une année donnée, l'âge moyen au décès des individus d'une génération fictive d'âge x qui auraient, à chaque âge, la probabilité de décéder observée cette année-là au même âge. Autrement dit, elle est le nombre moyen d'années restant à vivre au-delà de cet âge x (ou durée de survie moyenne à l'âge x), dans les conditions de mortalité par âge de l'année considérée.

Estimations d'emploi : les estimations d'emploi désignent une synthèse de sources permettant une couverture exhaustive de l'emploi total (salarié et non salarié), exprimé en nombre de personnes physiques (et non en nombre de postes de travail), et une ventilation à un niveau sectoriel et géographique assez fin. Elles ont pour objectif la couverture de l'emploi total et la cohérence entre les différents niveaux d'agrégation. Les estimations d'emploi comportent des estimations annuelles, portant sur l'emploi total au 31 décembre, et des estimations infra-annuelles (mensuelles et trimestrielles), portant sur un champ plus restreint (emploi salarié des secteurs marchands et emploi salarié privé des secteurs non-marchands).
Les estimations produites avant septembre 2009 se fondent sur les niveaux d'emploi dans le recensement général de la population de 1999, auxquels sont appliqués des indices d'évolution de l'emploi issus de sources variées, notamment l'enquête Acemo de la Dares et les données des Urssaf (exploitées via les fichiers Épure) et de l'Unédic.
À partir de 2009, les estimations d'emploi annuelles sont calculées à partir du dispositif Estel (Estimations d'emploi localisées), qui se fonde sur l'utilisation des sources administratives en niveau. Pour les salariés, il s'agit des Déclarations Annuelles de Données Sociales (DADS « grand format ») contenant, en plus des DADS stricto sensu, les données du fichier de paye des agents de l'État et celles des particuliers employeurs). Pour les non-salariés agricoles, les sources mobilisées sont les fichiers de la Mutualité Sociale Agricole (MSA) et pour les non-salariés non agricoles, les fichiers de l'Agence Centrale des Organismes de Sécurité Sociale (Acoss) qui est la Caisse Nationale des Unions de Recouvrement des Cotisations de Sécurité Sociale et d'Allocations Familiales (Urssaf).
Le passage à Estel permet d'améliorer les estimations d'emploi annuelles par rapport au système précédent dans plusieurs dimensions : meilleure qualité des données (prise en compte explicite de la multiactivité, amélioration de la qualité des sources en amont, restriction du nombre de sources utilisées), double localisation au lieu de résidence et au lieu de travail, ventilation plus fine (au niveau géographique et au niveau des catégories de travailleurs), concept d'emploi « répertoire BIT » précis et stable dans le temps, homogénéisation des méthodes et traitements, délais plus courts.
Le concept central d'Estel – le nombre de personnes en emploi – est proche de celui du BIT. La mesure est datée au 31 décembre de chaque année. Estel estime un nombre de personnes en emploi. Mais à la différence du recensement, l'emploi d'Estel n'est pas déclaratif car appréhendé à partir des sources administratives afin de compter en emploi toute personne dès lors qu'elle a effectué un travail déclaré d'au moins une heure pendant la dernière semaine de l'année ou qu'elle a un lien formel avec son emploi (pour les salariés, il s'agit grosso modo de repérer les contrats de travail « actifs » fin décembre).

Établissement : unité de production géographiquement individualisée, mais juridiquement dépendante de l'entreprise. L'établissement, unité de production, constitue le niveau le mieux adapté à une approche géographique de l'économie.

Établissements de l'aide sociale à l'enfance : outre les maisons d'enfants à caractère social et les foyers de l'enfance, ils comprennent des établissements d'accueil mère-enfant, des pouponnières à caractère social et des centres de placement familial social.

Établissements d'hébergement pour personnes âgées (EHPA) : regroupent l'ensemble des établissements médico-sociaux ou de santé qui reçoivent des personnes âgées pour un accueil permanent, temporaire, de jour ou de nuit. Ils regroupent une grande diversité de services adaptés à différentes situations : résidences d'hébergement temporaire, logements-foyers, maisons de retraite, unités de soins de longue durée.

Établissements multi-accueil : proposent au sein d'une même structure différents modes d'accueil d'enfants de moins de 6 ans. Ils offrent fréquemment une combinaison de plusieurs modes d'accueil collectifs : des places d'accueil régulier (de type crèche ou jardins d'enfants), des places d'accueil occasionnel (de type halte-garderie) ou des places d'accueil polyvalent (utilisées selon les besoins tantôt pour de l'accueil régulier, tantôt pour de l'accueil occasionnel). Ces structures peuvent être gérées de façon traditionnelle ou par des parents. Certains de ces établissements assurent aussi à la fois de l'accueil collectif et familial.

Établissements Seveso : la Directive européenne dite « Seveso » concerne les établissements industriels à risques majeurs. La directive dite « Seveso 2 », entrée en vigueur en février 1999, renforce le dispositif de prévention des accidents majeurs prévu par la directive « Seveso 1 ». Notamment, le champ d'application est révisé : absence de distinction entre l'activité de stockage et l'utilisation de substances dangereuses, extension aux installations manipulant et stockant des explosifs. Les établissements « Seveso » font, bien entendu, partie des installations classées pour l'environnement, soumises à autorisation. La directive « Seveso 2 » définit deux catégories d'entreprises en fonction de la quantité de substances dangereuses présentes :
A - les établissements « seuils hauts » font l'objet d'une attention particulière de l'État.
B - les établissements « seuils bas » ont des contraintes moindres, mais ils doivent élaborer une politique de prévention des accidents majeurs.

État matrimonial légal : situation conjugale d'une personne au regard de la loi : célibataire, mariée, veuve, divorcée. Au recensement de la population, l'état matrimonial légal correspond à ce que les personnes ont déclaré et peut donc parfois différer de leur situation légale. L'union libre ou la liaison par un Pacs ne constituent pas un état matrimonial légal.

Étranger : personne qui réside en France et ne possède pas la nationalité française, soit qu'elle possède une autre nationalité (à titre exclusif), soit qu'elle n'en ait aucune (c'est le cas des personnes apatrides). Les personnes de nationalité française possédant une autre nationalité (ou plusieurs) sont considérées en France comme françaises. Un étranger n'est pas forcément immigré, il peut être né en France (les mineurs notamment).

Exploitation agricole : l'exploitation agricole est, au sens de la statistique agricole, une unité de production répondant aux conditions suivantes :
– elle réalise des produits agricoles ;
– elle atteint une certaine dimension, soit un hectare ou plus de superficie agricole utilisée, soit vingt ares ou plus de cultures spécialisées, soit une activité de production agricole supérieure à un minimum (une vache, 10 ruches, 15 ares de fraises, etc.) ;
– elle est soumise à une gestion courante unique.
Les données concernent les exploitations dont le siège est dans la région concernée.

Famille : partie d'un ménage comprenant au moins deux personnes et constituée soit d'un couple (marié ou non) avec le cas échéant son ou ses enfant(s) appartenant au même ménage, soit d'un adulte avec son ou ses enfant(s) appartenant au même ménage (famille monoparentale). Les seuls enfants pris en compte dans les familles sont les enfants célibataires et sans enfant vivant avec eux. Un ménage peut comprendre zéro, une ou plusieurs familles. Au sein d'un ménage, un individu peut soit appartenir à une seule famille, soit n'appartenir à aucune famille.

Famille monoparentale : une famille monoparentale comprend un parent isolé et un ou plusieurs enfants célibataires (n'ayant pas d'enfant).

Fédération sportive : union d'associations sportives (régie par la loi de 1901), dont l'objet est de rassembler les groupements sportifs qui y sont affiliés ainsi que les licenciés, dans le but d'organiser la pratique sportive à travers notamment les compétitions. Les fédérations peuvent être agréées par le ministère : la loi leur reconnaît alors une mission de service public. Parmi elles, certaines reçoivent une délégation pour organiser la pratique d'une discipline sportive. Elles passent avec l'État un contrat permanent autorisant l'organisation de compétitions.

Financement de l'État : fonds provenant surtout du Fonds de la formation professionnelle et de la promotion sociale auquel contribuent le Fonds national pour l'emploi, Pôle Emploi, le Fonds social européen, le budget de formation des agents de la Fonction publique.

Financement des collectivités territoriales : la décentralisation des fonds publics est intervenue au 1er juin 1983 et a été confortée par la loi quinquennale de décembre 1983, relative au travail, à l'emploi et à la formation professionnelle. Les régions ont par ailleurs pris en charge, depuis le 1er janvier 1999, les formations qualifiantes et pré-qualifiantes des jeunes de moins de 26 ans.

Financement des entreprises : prélèvements sur la masse salariale de 1,6 % au titre de la formation continue. On distingue :
– le secteur « 1,6 % strict » : les entreprises participent soit directement, soit indirectement par les organis-

mes paritaires collecteurs agréés, nationaux ou régionaux ;
– le secteur « 1,6 % extensions » : formation pour les collectivités locales, les personnels hospitaliers, les artisans et les agriculteurs.

Fonction publique : on distingue trois fonctions publiques, la fonction publique d'État, la fonction publique territoriale et la fonction publique hospitalière. Au sens strict, un agent de la fonction publique travaille dans un organisme public dans lequel le recrutement se fait sur la base du droit public. Néanmoins, certaines missions de service public sont assurées, hors de ce périmètre, par des agents travaillant dans d'autres types d'organismes publics, par des organismes privés ou par des entreprises publiques ou privées. Ces personnes travaillent dans les services civils et militaires de l'État (administrations centrales et services déconcentrés), dans les collectivités territoriales (régions, départements, communes) et dans les établissements publics à caractère administratif, nationaux ou locaux, tels que CNRS, universités, hôpitaux publics, centres de gestion de la fonction publique territoriale, caisses des écoles...

Fonction publique d'État : agents employés par les ministères et les établissements publics administratifs (Épa).

Fonction publique hospitalière : ensemble du personnel (médical et non médical, y compris les internes et autres praticiens en formation) des hôpitaux publics et des établissements d'hébergement pour personnes âgées.

Fonction publique territoriale : agents des organismes régionaux et départementaux (conseil régional, conseil général, préfecture de police de Paris, services de secours et d'incendie, centre de gestion de la fonction publique territoriale...), des organismes communaux et intercommunaux (communes, centres communaux d'action sociale, caisses des écoles, syndicats intercommunaux...) et de certains organismes privés d'action locale.

Formation continue : légalement obligatoire depuis 1971, elle a pour but d'assurer aux salariés, employés ou demandeurs d'emploi, une formation destinée à conforter, améliorer ou acquérir des connaissances professionnelles.

Formations d'ingénieurs : ensemble des écoles et formations d'ingénieurs (universitaires ou non), y compris les formations d'ingénieurs en partenariat (FIP), habilitées à délivrer un diplôme d'ingénieur.

Gestion active de la dette ou réaménagement de la dette : comprend d'une part les remboursements anticipés de dette classiques refinancés par emprunt et comptabilisés à l'article 166 « refinancement de dette » ; d'autre part les mouvements de dette équilibrés en dépenses et en recettes correspondant à l'utilisation des nouveaux produits de gestion active de la dette : crédit long terme renouvelable (CLTR), ouverture de crédit à long terme (OCLT) et prêt à capital et taux modulable (PCTM) comptabilisés à l'article 16 449 « emprunts assortis d'une option de tirage sur ligne de trésorerie : opérations afférentes à l'option de tirage sur ligne de trésorerie ».

Grandes surfaces à prédominance alimentaire : ce sont les magasins qui réalisent plus du tiers de leur chiffre d'affaires en produits alimentaires. On distingue :
– les « hypermarchés », dont la surface de vente est d'au moins 2 500 m^2 ;
– les « supermarchés », dont la surface est comprise entre 400 m^2 et 2 500 m^2 et qui réalisent plus des deux tiers de leur chiffre d'affaires dans la vente de produits alimentaires ;
– les « magasins populaires », de même taille que les supermarchés, mais qui réalisent entre un tiers et deux tiers de leur chiffre d'affaires en alimentaire ;

Groupement de communes à fiscalité propre : structure intercommunale dont le financement est assuré par le recours à la fiscalité directe locale. Il s'agit des communautés de communes, des communautés d'agglomération, des communautés urbaines et des syndicats d'agglomération nouvelle.

Groupement d'établissements (Greta) : les établissements publics d'enseignement du second degré sont essentiellement regroupés en Greta au sein desquels les conseillers en formation continue assurent la mise en place des actions.

Halte-garderie : établissement destiné à des gardes occasionnelles de quelques heures, pour les enfants de moins de six ans.

Hospitalisation complète : activité des unités et services qui, accueillant et hébergeant des malades, se caractérisent par un équipement en lits d'hospitalisation, et par des équipes médicales et paramédicales qui assurent le diagnostic, les soins et la surveillance.

Hospitalisation court séjour : médecine générale et spécialités médicales (cardiologie, etc.), chirurgie générale et spécialités chirurgicales (ORL, stomatologie, etc.), gynécologie-obstétrique.

Hospitalisation de jour : les venues en hospitalisation de jour, de nuit et en anesthésie ou chirurgie ambulatoire résultent de l'activité des unités hospitalières qui effectuent pendant la seule journée des investigations spécialisées, des traitements médicaux séquentiels délicats, des interventions chirurgicales courtes ou une surveillance post-thérapeutique particulière (séjours de moins de 24 heures).

Hôtel de tourisme homologué : hôtel classé par arrêté préfectoral en six catégories, de 0 à 4 étoiles luxe ; les conditions requises pour ce classement portent sur le nombre de chambres, les locaux communs, l'équipement de l'hôtel, la surface et le confort des chambres, le niveau de service rendu par le personnel de l'hôtel.

Immigré : selon la définition adoptée par le Haut Conseil à l'intégration, personne née étrangère à l'étranger et résidant en France. Les personnes nées françaises à l'étranger et vivant en France ne sont donc pas comptabilisées. À l'inverse, certains immigrés ont pu devenir français, les autres restant étrangers. Les populations étrangère et immigrée ne se confondent pas totalement : un immigré n'est pas nécessairement étranger et réciproquement, certains étrangers sont nés en France (essentiellement des mineurs). La qualité d'immigré est permanente : un individu continue à appartenir à la population immigrée même s'il devient français par acquisition. C'est le pays de naissance, et non la nationalité à la naissance, qui définit l'origine géographique d'un immigré.

Incapacité permanente : accident ayant entraîné au cours de l'année la reconnaissance d'une incapacité permanente de travail, partielle ou totale.

Indicateur conjoncturel de fécondité : somme des taux de fécondité par âge observés une année donnée. Il est équivalent au nombre moyen d'enfants que mettrait au monde une génération de femmes qui, tout au long de leur vie, auraient à chaque âge les taux de fécondité observés l'année considérée. L'évolution de l'indicateur conjoncturel de fécondité donne une mesure synthétique de l'évolution des taux de fécondité, indépendamment de la structure par âge de la population.

Indicateur de chômage des 25-64 ans : il est obtenu en rapportant le nombre de demandeurs d'emploi de catégorie A à Pôle Emploi au nombre d'actifs du même âge.

Industrie : en première approximation, relèvent de l'industrie les activités économiques qui combinent des facteurs de production (installations, approvisionnements, travail, savoir) pour produire des biens matériels destinés au marché. Une distinction est généralement établie entre l'industrie manufacturière et les industries d'extraction mais le contour précis de l'industrie dans chaque opération statistique est donné par la liste des items retenus de la nomenclature économique à laquelle cette opération se réfère (NAF, NES, NA, etc.).

Industrie automobile : elle concerne aussi bien les équipementiers spécialisés que les constructeurs de voitures particulières, de véhicules de loisir ou de véhicules utilitaires et les carrossiers. Cette activité intègre donc la filière complète, y compris moteurs et organes mécaniques en amont, dès lors qu'ils sont principalement destinés à des véhicules automobiles. La construction automobile mêle étroitement des producteurs intégrés, des concepteurs, des assembleurs, des donneurs d'ordre et des sous-traitants, ainsi que des prestataires de services d'aménagement de véhicules automobiles.

Industries agroalimentaires (IAA) : elles comprennent la transformation des viandes et la fabrication de produits laitiers et d'autres produits alimentaires. Elles regroupent les industries des viandes, du lait, des boissons, du travail du grain, de la fabrication d'aliments pour animaux, les industries alimentaires diverses et l'industrie du tabac. La viticulture, considérée comme une activité agricole, ne relève pas des IAA.

Industries des biens de consommation : recouvrent des activités dont le débouché « naturel » est la consommation finale des ménages. Ces industries correspondent au code EC de la NES qui comprend l'habillement et cuir, l'édition, imprimerie et reproduction, la pharmacie, parfumerie et entretien ainsi que les équipements du foyer.

Industries des biens d'équipement : recouvrent des activités de production de biens durables servant principalement à produire d'autres biens. Ces industries correspondent au code EE de la NES qui regroupe la construction navale, aéronautique et ferroviaire, les équipements mécaniques et les équipements électriques et électroniques.

Industries des biens intermédiaires : recouvrent des activités qui produisent des biens le plus souvent destinés à être réincorporés dans d'autres biens ou qui sont détruits par leur utilisation pour produire d'autres biens. Ces industries correspondent au code EF de la NES qui comprend les produits minéraux, le textile, le bois et papier, la chimie, caoutchouc et plastiques, la métallurgie et transformation des métaux ainsi que les composants électriques et électroniques.

Infractions économiques et financières : elles regroupent les escroqueries, les faux et contrefaçons, les infractions à la législation sur les chèques (en particulier falsifications ou usages de chèques volés), les falsifications ou usages de cartes de crédit, le travail clandestin, les infractions sur les sociétés (comme l'abus de biens sociaux).

Installations classées pour la protection de l'environnement (ICPE) : le code de l'environnement soumet « les usines, ateliers, dépôts, chantiers, carrières, et d'une manière générale, les installations exploitées ou détenues par toute personne physique ou morale, publique ou privée, qui peuvent présenter des dangers ou des inconvénients soit pour la commodité du voisinage, soit pour la santé, la sécurité ou la salubrité publique, soit pour l'agriculture, soit pour la protection de la nature ou de l'environnement, soit pour la conservation des sites et des monuments » à des procédures d'autorisation ou de déclaration suivant la gravité des dangers ou des nuisances que peut présenter leur exploitation.

Intensité de recherche et développement selon Eurostat : pourcentage des dépenses consacrées à la recherche et développement dans le PIB. Le seuil de 3 % a été fixé par l'UE pour 2010.

Interruption médicale de grossesse (IMG) : accouchement provoqué et prématuré. Cet événement intervient lorsque le fœtus est atteint d'une maladie incurable ou que la grossesse met en jeu la vie de la mère.

Interruption volontaire de grossesse (IVG) : autorisées par la loi Veil depuis 1975, les IVG doivent faire l'objet d'une déclaration sous la forme d'un bulletin statistique anonyme. L'Institut national d'études démographiques (Ined) est chargé par la loi d'analyser et de publier les résultats issus de l'exploitation de ces bulletins, en liaison avec l'Institut national de la santé et de la recherche médicale (Inserm).

Investissements : somme des dépenses consacrées à l'acquisition ou à la création de moyens de production (terrains, bâtiments, matériels, outillages, etc.).

Jachères : terres non mises en culture ou portant des cultures non destinées à être récoltées.

Jardins d'enfants : accueillent, de façon régulière, des enfants âgés de 3 à 6 ans. Conçus comme une alternative à l'école maternelle, ces établissements doivent assurer le développement des capacités physiques et mentales des enfants par des exercices et des jeux.

Licence sportive : acte unilatéral de la fédération sportive qui permet la pratique sportive et la participation aux compétitions, et le cas échéant (selon les statuts de la fédération) la participation au fonctionnement de la fédération. Toute autre forme d'adhésion est considérée comme un « autre titre de participation » (ATP). Le nombre de licences sportives délivrées ainsi que le nombre de clubs affiliés est connu grâce à un recensement dénommé « recensement des licences et des clubs auprès des fédérations sportives agréées ». Seules les licences sont recensées et un licencié peut en détenir plusieurs.

Logement : local utilisé pour l'habitation. Il peut être :
– séparé, c'est-à-dire complètement fermé par des murs et cloisons, sans communication avec un autre local si ce n'est par les parties communes de l'immeuble (couloir, escalier, vestibule...) ;
– indépendant, à savoir ayant une entrée d'où l'on a directement accès sur l'extérieur ou les parties communes de l'immeuble, sans devoir traverser un autre local.

Les logements sont répartis en quatre catégories : résidences principales, résidences secondaires, logements occasionnels, logements vacants. Il existe des logements ayant des caractéristiques particulières, mais qui font tout de même partie des logements au sens de l'Insee : les logements-foyers pour personnes âgées, les chambres meublées, les habitations précaires ou de fortune (caravanes, mobile home, etc.).

Logement collectif : logement dans un immeuble collectif (appartement).

Logement-foyer : ensemble résidentiel constitué de petits logements autonomes et doté de services collectifs.

Logement individuel : construction qui ne comprend qu'un logement (maison).

Logement occasionnel : logement ou pièce indépendante utilisé occasionnellement pour des raisons professionnelles ; la distinction entre résidence secondaire et logement occasionnel étant parfois difficile à établir, les deux catégories sont souvent regroupées.

Magasin : établissement de vente au détail qui a une réelle activité de vente et possède donc une surface de vente. Les établissements auxiliaires, comme les entrepôts ou les bureaux d'entreprises commerciales, sans chiffre d'affaires propre ne sont pas considérés comme point de vente.

Magasins spécialisés : la spécialisation s'apprécie à partir de la gamme des produits vendus. Il existe 8 gammes relatives aux produits alimentaires et 11 gammes relatives aux produits non alimentaires. Si l'une de ces 19 gammes génère plus de la moitié du chiffre d'affaires du magasin, le commerce est spécialisé sur cette gamme. Dans le cas contraire, il faut considérer les gammes significatives : celles générant au moins 5 % du chiffre d'affaires. De leur nombre dépend la spécialisation. Avec 4 classes concernées au plus, le commerce est spécialisé : son classement précis au sein des groupes s'effectue en fonction de la gamme réalisant le plus fort chiffre d'affaires. Avec 5 classes concernées ou davantage, le commerce est non spécialisé.

Maison de retraite : établissement d'hébergement collectif offrant une prise en charge globale de la personne âgée.

Maladie professionnelle : maladie reconnue pour laquelle une indemnité ou une rente a été versée pour la première fois au cours de l'année. Une maladie est dite professionnelle si elle est la conséquence de l'exposition d'un travailleur à un risque physique, chimique, biologique, ou si elle résulte des conditions d'exercice de son activité. La législation sociale a défini des « tableaux de maladies professionnelles », précisant les conditions médicales, techniques et administratives nécessaires et suffisantes pour que la maladie soit reconnue.

Médiane : si on ordonne une distribution de salaires, de revenus, de chiffre d'affaires... la médiane est la valeur qui partage cette distribution en deux parties égales. Ainsi, pour une distribution de salaires, la médiane est le salaire au-dessous duquel se situent 50 % des salaires. C'est de manière équivalente le salaire au-dessus duquel se situent 50 % des salariés.

Ménage : au sens du recensement de la population, un ménage désigne l'ensemble des personnes qui partagent la même résidence principale, sans que ces personnes soient nécessairement unies par des liens de parenté (en cas de cohabitation, par exemple). Un ménage peut être constitué d'une seule personne. Il y a égalité entre le nombre de ménages et le nombre de résidences principales. Les personnes vivant dans des habitations mobiles, les mariniers, les personnes sans-abri, et les personnes vivant en communauté (foyers de travailleurs, maisons de retraite, résidences universitaires, maisons de détention, etc.) sont considérées comme vivant hors ménage. Selon les enquêtes, d'autres conditions sont utilisées pour définir ce qu'est un ménage.

Ménage fiscal : ménage constitué par le regroupement des foyers fiscaux répertoriés dans un même logement. Son existence, une année donnée, tient au fait que coïncident une déclaration indépendante de revenus (dite déclaration n° 2042) et l'occupation d'un logement connu à la taxe d'habitation (TH). Sont exclus des ménages fiscaux :
- les ménages constitués de personnes qui ne sont pas fiscalement indépendantes (le plus souvent des étudiants). Ces personnes sont en fait comptabilisées dans le ménage où elles sont déclarées à charge (ménages de leur(s) parent(s) dans le cas des étudiants) ;
- les contribuables vivant en collectivité (foyers de travailleurs, maisons de retraite, maisons de détention...) ;
- les sans-abri.

Meublé de tourisme : villa, studio ou appartement meublé, à l'usage exclusif de locataires, offerts en location à une clientèle de passage qui effectue un court séjour sans y élire domicile.

Migrations résidentielles interrégionales sur cinq ans : il s'agit des changements de lieu de résidence. Dans le passé, la résidence antérieure était celle au 1er janvier de l'année du précédent recensement ; les deux dernières périodes intercensitaires, 1982-1990 et 1990-1999 étaient respectivement de 8 ans et de 9 ans. Désormais, la résidence antérieure est celle au 1er janvier cinq ans auparavant. Les enfants de moins de cinq ans n'étant pas nés à la date de référence de la résidence antérieure, ils ne sont pas inclus dans la population susceptible d'avoir migré.

Minimum vieillesse : ensemble de prestations destinées à garantir, sous certaines conditions, un revenu minimum à toute personne âgée de 65 ans ou plus (ou 60 ans en cas d'inaptitude au travail), française ou étrangère, résidant en France. Depuis le 1er janvier 1994, elles sont financées par le Fonds de solidarité vieillesse.

Mtep (Mégatonne-équivalent pétrole) : énergie thermique équivalente à celle fournie par 1 000 000 tonnes de pétrole, utilisée pour exprimer dans une unité commune la valeur énergétique des diverses sources d'énergie. Selon les conventions internationales, une tonne-équivalent pétrole équivaut par exemple à 1 616 kg de houille, 1 069 m^3 de gaz d'Algérie ou 954 kg d'essence moteur. Pour l'électricité, 1 tep vaut 11,6 MWh. Mais lorsqu'elle est produite par une centrale nucléaire, la convention est de tenir compte des pertes de chaleur qui produisent le panache de vapeur d'eau des centrales et de ne retenir qu'un tiers des 11,6 MWh, soit 3,8 MWh (les pertes de transformation des centrales thermiques figurent dans les bilans de l'énergie, par comparaison entre les combustibles utilisés et l'électricité produite).

Musées : sites et musées archéologiques, écomusées et musées d'art et tradition populaire, musées des Beaux-Arts, muséums et musées d'histoire naturelle, musées thématiques (cités des sciences, musée Grévin, musées de la marine, de l'automobile, des tissus, etc.).

N

Naissance : toute naissance survenue sur le territoire français fait l'objet d'une déclaration à l'état civil. Cette déclaration doit être faite dans les trois jours suivant l'accouchement, le jour de l'accouchement n'étant pas compté dans ce délai. En outre, si le dernier jour du délai est férié, celui-ci est prorogé jusqu'au premier jour ouvrable qui suit le jour férié.
Depuis mars 1993, l'officier de l'état civil enregistre un acte de naissance si l'enfant a respiré. Dans le cas contraire, il enregistre un acte d'enfant sans vie. Les renseignements sont demandés au déclarant, et chaque fois qu'il est possible, contrôlés d'après le livret de famille.

Nationalité : lien juridique qui relie un individu à un État déterminé. De ce lien découlent des obligations à la charge des personnes qui possèdent la qualité de Français, en contrepartie desquelles sont conférés des droits politiques, civils et professionnels, ainsi que le bénéfice des libertés publiques.

Niveau d'éducation selon Eurostat : part des personnes de 25 à 64 ans ayant fait des études supérieures, c'est-à-dire les niveaux V et VI de la classification internationale type de l'éducation CITE.
Niveau V : premier cycle de l'enseignement supérieur (ne conduisant pas directement a un titre de chercheur de haut niveau) ;
Niveau VI : deuxième cycle de l'enseignement supérieur (conduisant a un titre de chercheur hautement qualifié).

Niveaux de formation :
– Niveau VI : sorties du 1er cycle du second degré (6e, 5e, 4e) et des formations préprofessionnelles en un an ;
– Niveau V bis : sorties de 3e générale, de 4e et 3e technologiques et des classes du second cycle court avant l'année terminale ;
– Niveau V : sorties de l'année terminale des cycles courts professionnels et abandons de la scolarité du second cycle long avant la classe terminale ;
– Niveau IV : sorties des classes terminales du second cycle long et abandons des scolarisations post-baccalauréat avant d'atteindre le niveau III ;
– Niveau III : sorties avec un diplôme de niveau bac + 2 ans (DUT, BTS, Deug, écoles des formations sanitaires ou sociales, etc.) ;
– Niveaux II et I : sorties avec un diplôme de second ou troisième cycle universitaire ou un diplôme de grande école.

Nuitées : produit du nombre de personnes arrivées par le nombre de nuits passées dans l'établissement.

Oléagineux : plantes cultivées pour leur graine riche en huile, utilisée pour l'alimentation humaine ou animale (colza, tournesol, soja...).

Omnipraticiens : médecins généralistes, certains d'entre eux pouvant détenir une compétence complémentaire (allergologie, gérontologie gériatrie, médecine du sport...).

Oxydes d'azote (NO_2, NO) : certains gaz jouent un rôle important dans la pollution atmosphérique notamment le monoxyde d'azote (NO) et le dioxyde d'azote (NO_2). Bien que leurs effets soient différents, il est fréquent de raisonner sur la somme de NO et de NO_2, exprimée en équivalent-NO_2, que l'on caractérise par le terme NO_x. Avec le dioxyde de soufre, les NO_x sont à l'origine des dépôts acides. Ils sont également des éléments précurseurs de la pollution photo-chimique.
L'UE a fixé des concentrations de référence reprises par la législation française :
– seuil d'alerte : 400 microgrammes par m^3 sur 3 heures consécutives ;
– seuil d'information et de recommandation : 200 microgrammes par m^3 en moyenne horaire ;
– seuil de la protection de la santé humaine : 200 microgrammes par m^3 en moyenne horaire.

Ovin : Espèce herbivore regroupant la famille des moutons comprenant le bélier, la brebis et l'agneau.

Ozone : l'ozone troposphérique est à distinguer de l'ozone stratosphérique dont la fonction bénéfique est fondamentale, notamment pour la protection contre les ultraviolets. Ce n'est pas un polluant primaire, émis directement par une source, mais secondaire résultant de l'interaction physico-chimique de composés anthropiques comme les oxydes d'azote, et de facteurs naturels comme le rayonnement ultraviolet. Les phénomènes de formation de l'ozone sont complexes et s'analysent à une échelle très grande (les précurseurs sont parfois transportés par les masses d'air sur plusieurs centaines de kilomètres).
L'ozone est un gaz irritant. Les enfants, les personnes âgées, les asthmatiques et les insuffisants respiratoires y sont particulièrement sensibles.
L'UE a fixé des concentrations de référence reprises par la législation française :
– seuil d'alerte : 240 microgrammes par m^3 sur 3 heures consécutives ;
– seuil d'information et de recommandation : 180 microgrammes par m^3 en moyenne horaire ;
– seuil de la protection de la santé humaine :120 microgrammes par m^3 en moyenne sur 8 heures consécutives.

Pacte civil de solidarité (Pacs) : contrat entre deux personnes majeures, de sexe différent ou de même sexe, pour organiser leur vie commune. Il a été promulgué par la loi du 15 novembre 1999. Il établit des droits et des obligations entre les deux contractants, en terme de soutien matériel, de logement, de patrimoine, d'impôts et de droits sociaux. Par contre, il est sans effet sur les règles de filiation et de l'autorité parentale si l'un des contractants est déjà parent. Le pacs peut être dissous par la volonté de l'un ou des deux contractants, qui adresse(nt) une déclaration au tribunal d'instance. Il est automatiquement rompu par le mariage ou par le décès de l'un ou des deux contractants.

Parité : la loi n°2000-493 du 6 juin 2000 tend à favoriser l'égal accès des femmes et des hommes aux mandats électoraux et aux fonctions électives. Pour les municipales, s'agissant du scrutin de liste dans les communes de plus de 3 500 habitants, le Code électoral précise : « Sur chacune des listes, l'écart entre le nombre de candidats des deux sexes ne peut être supérieur à un ». Pour les régionales, une réforme de 2003 a instauré une alternance stricte entre hommes et femmes sur les listes. La loi sur la parité ne s'applique pas aux élections cantonales (scrutin majoritaire à 2 tours). Cependant, une disposition de la loi du 31 janvier 2007 impose aux candidat(e)s aux élections cantonales de se présenter au côté d'un(e) remplaçant(e) de l'autre sexe, le remplaçant en cas de décès ou de démission.

Part de l'industrie (hors construction) dans l'emploi total selon Eurostat : rapport de la population ayant un emploi dans l'industrie à l'emploi de l'ensemble des secteurs.

Part des allocataires CMUC : il s'agit de la part des bénéficiaires de la CMUC (Couverture Mutuelle Universelle Complémentaire) parmi l'ensemble des bénéficiaires de la CNAMTS.

Part des « bas revenus » : il s'agit de la part de la population appartenant à un ménage dont le revenu par unité de consommation est inférieur au premier décile du revenu par unité de consommation observé sur l'ensemble des communes de plus de 10 000 habitants de France métropolitaine.

Part des employés et ouvriers : il s'agit de la part cumulée des employés et des ouvriers parmi l'ensemble des salariés présents dans les fichiers des Déclarations annuelles de Données sociales (DADS), hors agriculteurs exploitants.

Part des HLM : part des ménages occupant un logement loué auprès d'un organisme HLM.

Personnel enseignant : le personnel est comptabilisé en personnes physiques ; chaque enseignant compte pour une personne, qu'il exerce à temps complet ou à temps partiel.

Pluies efficaces : les pluies (ou précipitations) efficaces sont égales à la différence entre les précipitations totales et l'évapotranspiration réelle. Les précipitations efficaces peuvent être calculées directement à partir des paramètres climatiques et de la réserve utile du sol (RU). L'eau des précipitations efficaces est répartie, au niveau du sol, en deux fractions : l'écoulement superficiel et l'infiltration. Comme les précipitations totales, les pluies efficaces s'expriment en hauteur (en millimètres) rapportée à une unité de temps ou bien en volume (par exemple, milliards de m^3 par an).

Pois protéagineux : légume sec destiné à l'alimentation animale.

Pôle Emploi : opérateur du service public de l'emploi. Il est issu de la fusion entre l'ANPE et le réseau des Assedic. Il a pour mission d'accompagner tous les demandeurs d'emploi dans leur recherche jusqu'au placement, assurer le versement des allocations aux demandeurs indemnisés, aider les entreprises dans leurs recrutements et recouvrer les cotisations.

Pôle urbain : unité urbaine offrant au moins 5 000 emplois et qui n'est pas située dans la couronne périurbaine d'un autre pôle urbain.

Population active : au sens du recensement de la population, la population active comprend les personnes qui déclarent exercer une profession (salariée ou non), même à temps partiel ; aider un membre de la famille dans son travail (même sans rémunération) ; être apprenti, stagiaire rémunéré ; être chômeur à la recherche d'un emploi ; être étudiant ou retraité mais occupant un emploi ; être militaire du contingent (tant que cette situation existait). Ne sont pas retenues les personnes qui, bien que s'étant déclarées chômeurs, précisent qu'elles ne recherchent pas d'emploi.

Population active occupée (BIT) : la population active occupée « au sens du BIT » comprend les personnes (âgées de 15 ans ou plus) ayant travaillé (ne serait-ce qu'une heure) au cours d'une semaine de référence, qu'elles soient salariées, à leur compte, employeurs ou aides dans l'entreprise ou l'exploitation familiale. Elle comprend aussi les personnes pourvues d'un emploi mais qui en sont temporairement absentes pour un motif tel qu'une maladie (moins d'un an), des congés payés, un congé de maternité, un conflit du travail, une formation, une intempérie, etc. Les militaires du contingent, les apprentis et les stagiaires rémunérés effectuant un travail font partie de la population active occupée.

Population des ménages : un ménage désigne l'ensemble des personnes qui partagent la même résidence principale, sans que ces personnes soient nécessairement unies par des liens de parenté. Un ménage peut être constitué d'une seule personne. Il y a égalité entre le nombre de ménages et le nombre de résidences principales. Les personnes vivant dans des habitations mobiles (y compris mariniers), les sans-abri et les personnes vivant en communauté (foyers de travailleurs, maisons de retraite, résidences universitaires, maisons de détention, etc .) sont considérées comme vivant hors ménage.

Population par âge au 1er janvier : estimations localisées de population (ELP), effectuées chaque année par l'Insee. L'âge s'entend comme l'âge révolu atteint au 1er janvier de l'année considérée.

Populations 1999, 2007 et 2009 : pour l'année 1999, les estimations de population au 1er janvier s'appuient sur les dénombrements issus du recensement de la population datant du 8 mars 1999, dont les données sont ramenées au 1er janvier. Pour l'année 2007, les estimations de population proviennent du recensement de la population 2007. En dehors des recensements de la population, le niveau de la population est évalué annuellement à partir des statistiques d'état civil et d'une estimation du solde migratoire.

Population pénale : comprend l'ensemble des individus, prévenus et condamnés, détenus dans les établissements pénitentiaires ou sous contrôle de l'administration pénitentiaire par l'intermédiaire du bracelet électronique.

Porcin : espèce comprenant le verrat, la truie, le porcelet et la cochette.

Praticien libéral : tout praticien (y compris remplaçant) exerçant au moins une activité en clientèle privée à l'exception des médecins hospitaliers assurant des consultations privées à l'hôpital.

Praticien salarié : tout praticien exerçant exclusivement en établissement d'hospitalisation, en établissement médico-social, en centre de soins ou en centre de recherche ou d'enseignement.
Les praticiens sont classés en libéraux ou salariés en fonction de leur activité déclarée à titre principal.

Prévenu : personne détenue dans un établissement pénitentiaire qui n'a pas encore été jugée ou dont la condamnation n'est pas définitive.

Prédominance alimentaire : un établissement de vente au détail est à prédominance alimentaire lorsque son chiffre d'affaires en produits alimentaires, boissons et tabac représente plus de 35 % des ventes totales.

Prestation d'accueil du jeune enfant : allocation à plusieurs niveaux, comprenant, sous condition de ressources, une allocation de base ainsi qu'une prime à la naissance et à l'adoption. Les familles peuvent également recevoir, sans condition de ressources, un complément de libre choix d'activité en cas de cessation ou réduction d'activité et un complément de libre choix du mode de garde en cas de recours à une assistante maternelle ou à une garde d'enfants à domicile.

Procédures alternatives aux poursuites : mise en œuvre de certaines mesures alternatives aux poursuites permettant d'assurer la réparation du dommage causé à la victime, de mettre fin au trouble résultant de l'infraction et de contribuer au reclassement de l'auteur des faits. En fonction de la gravité et de la nature des infractions commises, le procureur dispose d'un certain nombre de possibilités : procéder à un rappel à la loi, demander de régulariser la situation au regard de la loi, faire procéder à une médiation pénale avec la victime, orienter l'auteur des faits vers une structure sanitaire, sociale ou professionnelle pour un stage ou une formation...

Produit intérieur brut (PIB) : agrégat représentant le résultat final de l'activité de production des unités productrices résidentes. Il peut se définir de trois manières : la somme des valeurs ajoutées brutes des différents secteurs institutionnels ou des différentes branches d'activité, augmentée des impôts moins les subventions sur les produits (lesquels ne sont pas affectés aux secteurs et aux branches d'activité) ; la somme des emplois finals intérieurs de biens et de services (consommation finale effective, formation brute de capital fixe, variations de stocks), plus les exportations, moins les importations ; la somme des emplois des comptes d'exploitation des secteurs institutionnels (rémunération des salariés, impôts sur la production et les importations moins les subventions, excédent brut d'exploitation et revenu mixte).

Produit intérieur brut (PIB) selon Eurostat : indicateur de la production d'un pays ou d'une région. Il reflète la valeur totale de tous les biens et services produits, diminué de la valeur des biens et services utilisés dans la consommation intermédiaire pour leur production. En exprimant le PIB en SPA (standards de pouvoir d'achat), on élimine les différences de niveau de prix entre les pays. Les calculs par habitant permettent de comparer des économies et des régions présentant d'importantes différences en taille absolue. Le PIB régional par habitant en SPA est la variable principale pour déterminer si les régions sont susceptibles de bénéficier d'une aide dans le cadre de la politique structurelle de l'UE.
Le seuil d'éligibilité pour l'allocation des fonds structurels au titre de l'objectif de cohésion est 75 % de la moyenne de l'Union européenne du PIB par habitant.

Proportion de bacheliers dans une génération : il s'agit de la proportion de bacheliers d'une génération fictive d'individus qui auraient, à chaque âge, les taux de candidature et de réussite observés l'année considérée. Ce nombre est obtenu en calculant, pour chaque âge, le rapport du nombre de lauréats à la population totale de cet âge, et en faisant la somme de ces taux par âge. Les âges pris en compte dans le calcul ne sont pas les mêmes pour les séries générales et technologiques que pour les séries professionnelles, compte tenu pour ces dernières d'une scolarité décalée d'un an et d'une répartition par âge assez différente. La proportion retenue ici est calculée au lieu de scolarisation.

Psychiatrie infanto-juvénile : elle concerne majoritairement les enfants ou adolescents âgés de moins de 17 ans ; certains patients âgés de plus de 17 ans, toutefois, peuvent être soignés dans ces structures médicales. Sont considérés ici les lits installés en hospitalisation complète.

Recensement de la population : le recensement de la population a pour objectifs le dénombrement des logements et de la population résidant en France et la connaissance de leurs principales caractéristiques : sexe, âge, activité, professions exercées, caractéristiques des ménages, taille et type de logement, modes de transport, déplacements quotidiens.
Institué en 1801, le recensement s'est déroulé tous les 5 ans jusqu'en 1936. De 1946 à 1999, les intervalles intercensitaires ont varié de 6 à 9 ans. Les informations recueillies intéressent les collectivités territoriales,

les services de l'État mais aussi les entreprises, sociologues, urbanistes...
Elles sont une aide pour définir :
– au niveau national les politiques sociales et les infrastructures à mettre en place ;
– au niveau local les politiques urbaines, de transport, de logement, d'équipements culturels et sportifs, les infrastructures scolaires et la mise en place de structures d'accueil pour les jeunes enfants et les personnes âgées.
Pour les acteurs privés, le recensement sert aux projets d'implantation d'entreprises ou de commerces et services.
La loi du 27 février 2002, relative à la démocratie de proximité, a modifié en profondeur les méthodes de recensement. Depuis janvier 2004, le comptage traditionnel est remplacé par des enquêtes de recensement annuelles.
Les communes de moins de 10 000 habitants continuent d'être recensées exhaustivement, comme lors des précédents recensements mais une fois tous les 5 ans au lieu de tous les 8 ou 9 ans.
Les communes de 10 000 habitants ou plus font désormais l'objet d'une enquête annuelle auprès d'un échantillon de 8 % de la population, dispersé sur l'ensemble de leur territoire. Au bout de 5 ans, tout le territoire de ces communes est pris en compte et les résultats du recensement sont calculés à partir de l'échantillon de 40 % de leur population ainsi constitué.
À la fin de l'année 2008, à l'issue des cinq premières enquêtes de recensement, l'Insee a publié, pour la première fois selon la nouvelle méthode, la population légale de chaque commune. Depuis juillet 2009, l'Insee a diffusé la totalité des résultats statistiques (caractéristiques des habitants et logements : âge, diplômes, etc.) pour tous les niveaux géographiques à partir de la commune.
À partir de 2009, les résultats statistiques complets sur les habitants et leurs logements ont été progressivement publiés. Début 2010, l'Insee a publié les populations légales 2007 qui sont entrées en vigueur le 1er janvier 2010.

Recettes de fonctionnement : proviennent des quatre taxes directes (habitation, foncier bâti, foncier non bâti, professionnelle), des recettes fiscales indirectes (taxe sur les cartes grises, taxes additionnelles aux droits de mutation, taxe sur les permis de conduire), des dotations versées par l'État, des ressources d'exploitation des domaines et des produits financiers.

Recettes d'investissement : sont constituées des dotations et des subventions, telles que les fonds de compensation de la TVA, la dotation globale d'équipement, les autres subventions d'investissement et les emprunts.

Recherche et développement (R&D) : les travaux de recherche et développement ont été définis et codifiés par l'Organisation de coopération et de développement économiques (OCDE), chargée d'assurer la comparabilité des informations entre les pays membres de l'organisation (Manuel de Frascati, 2002). Ils englobent les travaux de création entrepris de façon systématique en vue d'accroître la somme des connaissances, y compris la connaissance de l'homme, de la culture et de la société, ainsi que l'utilisation de cette somme de connaissances pour de nouvelles applications. Ils regroupent de façon exclusive les activités suivantes :
– la recherche fondamentale (ces travaux sont entrepris soit par pur intérêt scientifique, recherche fondamentale libre, soit pour apporter une contribution théorique à la résolution de problèmes techniques, recherche fondamentale orientée) ;
– la recherche appliquée (vise à discerner les applications possibles des résultats d'une recherche fondamentale ou à trouver des solutions nouvelles permettant d'atteindre un objectif déterminé choisi à l'avance) ;
– le développement expérimental (fondé sur des connaissances obtenues par la recherche ou l'expérience pratique, est effectué, au moyen de prototype ou d'installations pilotes, en vue de lancer de nouveaux produits, d'établir de nouveaux procédés ou d'améliorer substantiellement ceux qui existent déjà).

Regroupements de communes : ce terme recouvre d'une part les syndicats de communes non dotés d'une fiscalité propre (Sivu, Sivom, etc.), d'autre part les groupements à fiscalité propre (syndicats d'agglomération nouvelle, communautés de communes, communautés d'agglomération et communautés urbaines).

Réseau ferroviaire : la longueur totale du réseau correspond à celle des lignes et non à celle des voies ; une liaison de 1 km en double voie a une longueur de voie de 2 km et une longueur de ligne de 1 km.

Réserve Naturelle (RN) : les réserves naturelles sont des territoires classés lorsque la conservation de la faune, de la flore, du sol, des eaux, de gisements de minéraux et de fouilles et, en général, du milieu naturel présente une importance particulière ou qu'il convient de les soustraire à toute intervention artificielle susceptible de les dégrader. Le classement peut intégrer une partie du domaine public maritime et les eaux territoriales françaises.

Résidence de tourisme : établissement commercial d'hébergement classé, faisant l'objet d'une exploitation permanente ou saisonnière. Elle est constituée d'un ensemble homogène de chambres ou d'appartements meublés, disposés en unités collectives ou pavillonnaires, offerts en location pour une occupation à la journée, à la semaine ou au mois à une clientèle touristique qui n'y élit pas domicile. Elle est dotée d'un minimum d'équipements et de services communs.

Résidence principale : logement occupé de façon habituelle et à titre principal par une ou plusieurs personnes qui constituent un ménage. Il y a ainsi égalité entre le nombre de résidences principales et le nombre de ménages.

Résidence secondaire : logement utilisé pour les week-ends, les loisirs ou les vacances. Les logements meublés loués (ou à louer) pour des séjours touristiques sont aussi classés en résidences secondaires.

Résidents : cela peut être des personnes physiques ou des personnes morales.
Personnes physiques :
– les personnes, quelle que soit leur nationalité, qui ont leur domicile principal en France, à l'exception des fonctionnaires et militaires étrangers en poste en France qui sont non-résidents quelle que soit la durée de leur mission ;
– les fonctionnaires et militaires français en poste à l'étranger ;
– les fonctionnaires français mis à la disposition d'une organisation internationale ou de tout autre employeur non-résident.
Personnes morales :
– les personnes morales (françaises ou étrangères) pour leurs seuls établissements situés en France, à l'exception des personnes morales non-résidentes énumérées ;
– les ambassades, missions diplomatiques, consulats français à l'étranger et les unités de l'armée française stationnées à l'étranger.

Retraite : ensemble des prestations sociales que perçoit une personne au-delà d'un certain âge du fait qu'elle-même ou son conjoint a exercé une activité professionnelle et a cotisé à un régime d'assurance vieillesse. Il existe deux sortes de pensions : celles de droits directs (droits acquis par un individu en contrepartie de ses cotisations passées) et celles de droits dérivés ou pensions de réversion qui profitent au veuf, à la veuve ou à l'orphelin du cotisant après le décès de celui-ci.

Revenu disponible : le revenu disponible d'un ménage comprend les revenus d'activité, les revenus du patrimoine, les transferts en provenance d'autres ménages et les prestations sociales (y compris les pensions de retraite et les indemnités de chômage), nets des impôts directs. Quatre impôts directs sont pris en compte : l'impôt sur le revenu, la taxe d'habitation, la contribution sociale généralisée (CSG) et la contribution à la réduction de la dette sociale (CRDS).

Revenu fiscal : il correspond à la somme des ressources déclarées par les contribuables sur la déclaration des revenus, avant tout abattement. Il ne correspond pas au revenu disponible. Le revenu fiscal comprend ainsi les revenus d'activité salariée et indépendante, les pensions d'invalidité et les retraites (hors minimum vieillesse), les pensions alimentaires reçues (déduction faite des pensions versées), certains revenus du patrimoine ainsi que les revenus sociaux imposables : indemnités de maladie et de chômage (hors RMI). Le revenu fiscal est ventilé en quatre grandes catégories : les revenus salariaux, les revenus des professions non salariées (bénéfices), les pensions, retraites et rentes ainsi que les autres revenus (essentiellement des revenus du patrimoine). Le revenu fiscal est exprimé suivant trois niveaux d'observation : l'unité de consommation (UC), le ménage et la personne.

Revenu minimum d'insertion (RMI) : créé en 1988, il a pour objectif de garantir un niveau minimum de ressources et faciliter l'insertion ou la réinsertion de personnes disposant de faibles revenus. Le RMI est versé à toute personne remplissant les conditions suivantes : résider en France, être âgé d'au moins 25 ans (sauf cas particuliers : femmes enceintes, etc.), disposer de ressources inférieures au montant du RMI et conclure un contrat d'insertion. Le RMI est une allocation dite « différentielle » : l'intéressé touche la différence entre le montant du RMI et ses ressources mensuelles. Les ressources prises en compte pour le calcul du RMI sont celles du demandeur mais aussi de son conjoint ou concubin et l'allocation dépend également des personnes à sa charge. Le Revenu de solidarité active (RSA), entré en vigueur le 1er juin 2009 en France métropolitaine, se substitue au Revenu minimum d'insertion.

Revenu salarial annuel moyen net de prélèvement : il s'obtient en divisant le montant total des rémunérations nettes versées, après déduction des cotisations sociales ouvrières obligatoires et de CSG et CRDS, par le nombre de personnes salariées. Effectifs et revenus sont évalués au lieu de résidence du salarié.

Routes départementales : ce sont toutes les routes, sans distinction d'aucune sorte, qui font partie du domaine routier départemental. Leur entretien incombe aux départements.

Secteur d'activité : un secteur regroupe des entreprises de fabrication, de commerce ou de services qui ont la même activité principale (au regard de la nomenclature d'activité économique considérée). L'activité d'un secteur n'est donc pas tout à fait homogène et comprend des productions ou services secondaires qui relèveraient d'autres items de la nomenclature que celui du secteur considéré. Au contraire, une branche regroupe des unités de production homogènes.

Secteur privé : établissements dépendant d'une entité de statut juridique à caractère commercial ou à but non lucratif (organisme mutualiste, association, etc.).

Secteur public : établissements dépendant d'une entité de statut juridique public (État, collectivité territoriale, organisme public à caractère administratif).

Secteur résidentiel-tertiaire : les consommations du résidentiel-tertiaire comprennent celles des logements des ménages et celles des commerces, bureaux et autres services, y compris l'armée. Le secteur du transport a pour l'énergie une acception bien différente des nomenclatures économiques, puisqu'il se réfère à la fonction (transporter des personnes ou des marchandises) et non aux entreprises du secteur. Ainsi les consommations en carburant des ménages et de toutes les entreprises en font partie, mais pas celles des bâtiments des entreprises de transport (qui sont incluses dans le secteur tertiaire).

Services : une activité de services se caractérise essentiellement par la mise à disposition d'une capacité technique ou intellectuelle. À la différence d'une activité industrielle, elle ne peut pas être décrite par les seules caractéristiques d'un bien tangible acquis par le client. Compris dans leur sens le plus large, les services recouvrent un vaste champ d'activités qui va du commerce à l'administration, en passant par les transports, les activités financières et immobilières, les services aux entreprises et services aux particuliers, l'éducation, la santé et l'action sociale. C'est le sens généralement donné par les anglo-saxons au terme « services ».
En France, dans la pratique statistique, ce vaste ensemble est dénommé « activités tertiaires ». On y distingue le tertiaire marchand (transports, commerce, services aux entreprises, services aux particuliers, activités immobilières et financières) du tertiaire non-marchand (éducation, santé, action sociale, administration, etc.) ; les termes secteurs des services sont alors utilisés de façon plus restrictive puisque limités aux services aux entreprises et aux particuliers.

Services administrés ou non marchands : on considère qu'une unité rend des services non marchands lorsqu'elle les fournit gratuitement ou à des prix qui ne sont pas économiquement significatifs. Ces activités de services se rencontrent dans les postes suivants de la NES : éducation, santé, action sociale (EQ) et administration (FR).

Services aux entreprises : ces activités correspondent au code EN de la NES. Elles comprennent les postes et télécommunications, les conseils et assistance, les services opérationnels et également la recherche et développement. L'Insee classant les services marchands en fonction de leur utilisateur principal, les services de télécommunication, les services juridiques, les activités de contrôles, les analyses techniques... sont des services aux entreprises même lorsqu'ils sont partiellement consommés par les ménages.

Services aux particuliers : ces activités correspondent au code EP de la NES. Elles regroupent les hôtels et restaurants, les activités récréatives, culturelles et sportives ainsi que les services personnels et domestiques.

Services de soins à domicile : une place correspond à la prise en charge d'une personne, à son domicile, pendant un an.

Services marchands : on considère qu'une unité rend des services marchands lorsqu'elle les vend (en grande partie ou en totalité) à des prix économiquement significatifs. Ces activités de services correspondent aux intitulés et codes de la NES suivants : commerce (EJ), transports (EK), activités financières (EL), activités immobilières (EM), services aux entreprises (EN) et services aux particuliers (EP). En toute rigueur, il faudrait parler de services principalement marchands car, pour certaines activités, coexistent des parties marchandes et non-marchandes.

Sida et VIH : syndrome d'immunodéficience acquise et virus de l'immunodéficience humaine.

Soins de longue durée : unité sanitaire assurant l'hébergement de longue durée des personnes âgées atteintes d'affections chroniques nécessitant un environnement médical permanent, avec des moyens plus lourds que ceux des maisons de retraite.

Soins de suite et de réadaptation moyen séjour : convalescence, rééducation fonctionnelle, cure médicale.

Solde apparent des entrées et des sorties : calculé par la différence entre la variation totale de population et celle due au solde naturel.

Solde naturel (ou accroissement naturel ou excédent naturel de population) : différence entre le nombre de naissances et le nombre de décès enregistrés au cours d'une période. Les mots « excédent » ou « accroissement » sont justifiés par le fait qu'en général le nombre de naissances est supérieur à celui des décès. Mais l'inverse peut se produire, et le solde naturel est alors négatif.

Stratégie de Lisbonne : pendant le Conseil européen de Lisbonne (mars 2000), les chefs d'État ou de gouvernement ont lancé une stratégie dite « de Lisbonne » dans le but de faire de l'Union européenne l'économie la plus compétitive au monde et de parvenir au plein emploi avant 2010. Développée au cours de plusieurs Conseils européens postérieurs à celui de Lisbonne, cette stratégie repose sur trois piliers :
– un pilier économique qui doit préparer la transition vers une économie compétitive, dynamique et fondée sur la connaissance. L'accent est mis sur la nécessité de s'adapter continuellement aux évolutions de la société de l'information et sur les efforts à consentir en matière de recherche et de développement ;
– un pilier social qui doit permettre de moderniser le modèle social européen grâce à l'investissement dans les ressources humaines et à la lutte contre l'exclusion sociale. Les États membres sont appelés à investir dans l'éducation et la formation, et à mener une politique active pour l'emploi afin de faciliter le passage à l'économie de la connaissance ;
– un pilier environnemental qui a été ajouté lors du Conseil européen de Göteborg en juin 2001 et qui attire l'attention sur le fait que la croissance économique doit être dissociée de l'utilisation des ressources naturelles.
Pour atteindre les buts fixés en 2000, une liste d'objectifs chiffrés a été arrêtée. Le bilan à mi-parcours en 2005 a démontré que les indicateurs utilisés dans la méthode ouverte de coordination (MOC) ont fait perdre de vue la hiérarchisation des objectifs et que les résultats atteints sont mitigés.
Pour cette raison, le Conseil a approuvé un nouveau partenariat qui vise à concentrer les efforts sur la réalisation d'une croissance plus forte et durable et la création d'emplois plus nombreux et de meilleure qualité.
Le Conseil européen de Lisbonne (mars 2000) a considéré que le but général de ces mesures était d'augmenter le taux d'emploi global de l'Union européenne à 70 % et le taux d'emploi des femmes à plus de 60 % d'ici 2010. Le Conseil européen de Stockholm (mars 2001) a ajouté deux objectifs intermédiaires et un objectif supplémentaires :
– le taux d'emploi global et le taux d'emploi des femmes doivent atteindre respectivement 67 % et 57 % en 2005 ;

– le taux d'emploi des travailleurs âgés doit atteindre 50 % d'ici 2010.
Au cœur de la stratégie de Lisbonne qui vise à renforcer l'emploi et la croissance en Europe, la politique de recherche et de développement est une des priorités de l'Union européenne. La recherche forme avec l'éducation et l'innovation le « triangle de la connaissance » qui doit permettre à l'Europe de préserver son dynamisme économique et son modèle social. Le septième programme-cadre de recherche (2007-2013) a pour objectif de renforcer l'Espace européen de la recherche et d'inciter les investissements nationaux pour atteindre l'objectif de 3 % du PIB.

STS : section de technicien supérieur, préparant après le baccalauréat au brevet de technicien supérieur (BTS).

Superficie agricole utilisée (SAU) : la SAU est une notion normalisée dans la statistique agricole européenne. Elle comprend les terres arables (y compris pâturages temporaires, jachères, cultures sous verre, jardins familiaux, etc.), les surfaces toujours en herbe et les cultures permanentes (vignes, vergers, etc.).

Surfaces toujours en herbe : elles sont destinées à la production de plantes fourragères herbacées vivaces et comprennent les prairies semées de longue durée et les prairies naturelles, non semées.

Taux brut de mortalité : rapport entre le nombre de décès de l'année et la population totale moyenne de l'année.

Taux brut de nuptialité : rapport du nombre de mariages célébrés au cours d'une période à la population totale en milieu de période.

Taux d'accroissement naturel selon Eurostat : différence entre le taux brut de natalité et le taux brut de mortalité (ou rapport entre l'accroissement naturel et la population moyenne).

Taux d'accroissement dû au solde migratoire apparent selon Eurostat : différence entre le taux d'accroissement total de la population et le taux d'accroissement naturel.

Taux d'activité : rapport entre le nombre d'actifs (actifs occupés et chômeurs) et l'ensemble de la population correspondante.

Taux d'activité des 25-64 ans : part des actifs de 25 à 64 ans (travaillant ou au chômage) dans l'ensemble de la population du même âge.

Taux de chômage : nombre de chômeurs rapporté à la population active qui comprend les actifs occupés (y compris militaires du contingent et apprentis) et les chômeurs.

Taux de chômage localisé : synthèse des informations de l'enquête Emploi (chômage au sens du BIT) et des DEFM (chômage répertorié). Le chômage régional est obtenu par ventilation du chômage (France métropolitaine) à l'aide de la structure géographique observée dans les DEFM à chaque trimestre. Chaque série régionale ainsi obtenue est ensuite désaisonnalisée (corrigée des variations saisonnières).

Taux de chômage selon Eurostat : représente les personnes au chômage en pourcentage de la population active (main-d'œuvre ou total des personnes ayant un emploi et de celles au chômage). L'indicateur est basé sur l'enquête européenne sur les forces de travail.
Les personnes au chômage comprennent les personnes âgées de 15 ans à 74 ans qui étaient (les trois conditions doivent être simultanément remplies) :
– sans travail pendant la semaine de référence ;
– disponibles pour travailler ;
– activement à la recherche d'un travail ou qui avaient trouvé un travail qu'elles commenceraient dans un délai de trois mois au maximum.

Taux de création : rapport du nombre des créations d'entreprises d'une année au stock d'entreprises au 1er janvier de cette même année.

Taux de migration nette : il est évalué en rapportant le solde des entrées et des sorties à la population moyenne de la région sur la période considérée. Les taux par groupe d'âges sont calculés en référence à l'âge des personnes au 1er janvier 2006, et non pas à l'âge des personnes au moment de la migration, qui n'est pas connu.

Taux d'emploi selon Eurostat : rapport des personnes ayant un emploi aux personnes en âge de travailler (de 15 à 64 ans). Les personnes en emploi sont celles de 15-64 ans qui, au cours de la semaine de référence, ont effectué un travail en vue d'une rémunération, d'un bénéfice ou d'un gain familial, ne serait-ce que durant une heure, ou qui n'étaient pas au travail mais qui avaient un emploi ou une activité dont ils étaient momentanément absents.
Objectif fixé par la stratégie de Lisbonne : 70 % des personnes en âge de travailler doivent avoir un emploi en 2010.

Taux d'emploi des 55-64 ans selon Eurostat : rapport de la population âgée de 55 à 64 ans ayant un emploi à la population totale de 55 à 64 ans.
Objectif fixé par le conseil européen de Stockholm : la moitié des 55-64 ans doit avoir un emploi en 2010.

Taux d'emploi des femmes selon Eurostat : rapport des femmes actives occupées à la population des femmes en âge de travailler (15 à 64 ans).
Objectif fixé par la stratégie de Lisbonne : en 2010, 60% des femmes de 15 à 64 ans doivent avoir un emploi .

Taux de dépendance démographique des personnes âgées selon Eurostat : rapport des personnes de 65 ans ou plus à la population des personnes de 15 ans à 64 ans.

Taux de fécondité : le taux de fécondité à un âge donné (ou pour une tranche d'âges) est le nombre d'enfants nés vivants des femmes de cet âge au cours de l'année, rapporté à la population moyenne de l'année des femmes de même âge. Par extension, le taux de fécondité est le rapport du nombre de naissances vivantes de l'année à l'ensemble de la population féminine en âge de procréer (nombre moyen des femmes de 15 à 50 ans sur l'année). À la différence de l'indicateur conjoncturel de fécondité, son évolution dépend en partie de l'évolution de la structure par âge des femmes âgées de 15 à 50 ans.

Taux de mortalité : pour chaque cause de décès, on peut calculer les taux bruts de mortalité pour les hommes, les femmes ou les deux sexes, en rapportant les décès domiciliés à la population. La structure par sexe et âge de la population peut influencer ces taux.

Taux de mortalité infantile : rapport entre le nombre d'enfants décédés à moins d'un an et l'ensemble des enfants nés vivants.

Taux de natalité : rapport du nombre de naissances vivantes de l'année à la population totale moyenne de l'année considérée.

Taux de réussite : rapport du nombre de candidats admis au nombre de candidats présents à l'examen.

Taxe d'habitation : taxe établie au nom des personnes physiques ou morales qui ont, pour quelque raison que ce soit, la disposition ou la jouissance à titre privatif de locaux imposables.

Taxe foncière sur les propriétés bâties : taxe due par les propriétaires ou usufruitiers des immeubles bâtis situés en France, fixés au sol à perpétuelle demeure et présentant le caractère de véritables constructions.

Taxe foncière sur les propriétés non bâties : taxe due par les propriétaires et usufruitiers des propriétés non bâties situées en France, à l'exception de celles expressément exonérées.

Taxe professionnelle : taxe due par toutes les personnes physiques ou morales qui exercent, à titre habituel, une activité non salariée revêtant un caractère professionnel, localisée en France et pour laquelle aucune exonération n'est prévue.

Tertiaire : le secteur tertiaire recouvre un vaste champ d'activités qui va du commerce à l'administration, en passant par les transports, les activités financières et immobilières, les services aux entreprises et services aux particuliers, l'éducation, la santé et l'action sociale.

Le périmètre du secteur tertiaire est de fait défini par complémentarité avec les activités agricoles et industrielles (secteurs primaire et secondaire).

Tonne-équivalent pétrole (tep) : mesure utilisée pour exprimer et comparer dans une unité commune la valeur énergétique des diverses sources d'énergie. Une tonne-équivalent pétrole correspond à 1 000 m^3 de gaz naturel ou à 11 600 kWh d'électricité. On utilise également la Mtep (mégatonne-équivalent pétrole, soit 1 000 000 tep) et le ktep (kilotonne-équivalent pétrole, soit 1 000 tep).

Selon les conventions internationales les coefficients de conversion sont les suivants :
- pour le charbon 1 tonne = 0,619 tep ;
- pour le gaz naturel 1 tonne = 0,077 tep ;
- pour l'électricité nucléaire 1 MWh = 0,261 tep ;
- pour l'électricité géothermique 1 MWh = 0,86 tep ;
- pour l'électricité d'autres origines 1 MWh = 0,086 tep.

Trafic : distance parcourue par un ensemble de véhicules (généralement à moteur).

Traitement des déchets : le terme de traitement regroupe un ensemble de procédés visant à réduire dans des conditions contrôlées le potentiel polluant initial, la quantité ou le volume de déchets. Trois grands modes sont utilisés : le stockage-enfouissement, qui est un traitement final (accueil de déchets ultimes), la valorisation qui regroupe des traitements intermédiaires et le traitement thermique (final et/ou intermédiaire). Le traitement de déchets produit de nouveaux déchets.
L'enfouissement s'effectue dans des lieux aménagés qui existent en trois classes en fonction du type de déchets :
- Classe I : réservés au stockage de déchets industriels spéciaux et des déchets ultimes : terrains très imperméables, maîtrise des eaux de surface et souterraines (lixiviat : liquide chargé bactériologiquement et chimiquement issu de la circulation des eaux dans les déchets), enfouissement étanche des déchets stabilisés.
- Classe II : stockage de déchets ménagers et assimilés : imperméabilité des terrains, maîtrise des eaux de surface et souterraines (lixiviats), gestion des gaz de fermentation, dépôts selon les techniques appropriées (compactage, broyage, etc.).
- Classe III : stockage de matériaux inertes (faible perméabilité des terrains, pas de lessivage des déchets).

Le traitement thermique (ou incinération en termes de la directive européenne) des déchets est un processus qui constitue une filière significative. Il s'effectue avec ou sans valorisation énergétique. Ce traitement peut s'effectuer par combustion avec excès d'air (ou communément incinération) ou par pyrolyse-thermo-

lyse avec un apport d'air limité. Ces deux techniques génèrent des mâchefers : matériaux incombustibles collectés en fin de combustion pouvant être valorisés par différentes voies (valorisation routière, élimination en CET, maturation). Dans le cas de la pyrolyse, l'oxydation étant incomplète, des sous-produits combustibles restent à traiter de façon appropriée. Dans le cas de la combustion, il y a un ensemble des procédés qui visent à extraire, neutraliser ou détruire des composés polluants contenus dans les fumées. Ces procédés conduisent à la formation de refus d'épuration des fumées d'incinération d'ordures ménagères (Refiom), considérés come des déchets dangereux qui contiennent des métaux lourds et des éléments chlorés. Considérés à ce titre comme des déchets ultimes, ils sont destinés à être enfouis dans les centres de classe I.
Le traitement biologique est un procédé de transformation par les micro-organismes des déchets fermentescibles en un résidu organique à évolution lente ; Il se pratique par compostage qui est un traitement aérobie conduisant à la formation de compost valorisable et de refus de compostage non valorisable. Le compostage s'effectue à l'échelle individuelle, à l'échelle de proximité dans des installations simples ou de façon industrielle dans des installations de moyenne ou de grande capacité. La méthanisation est un traitement biologique anaérobie de déchets fermentescibles produisant deux sous-produits organiques : le biogaz et le digestat.

Transferts courants (hors recettes fiscales) : comprennent notamment la dotation globale de fonctionnement (DGF), la dotation générale de décentralisation (DGD) et la dotation spéciale instituteurs (DSI).

Transferts en capital : comprennent notamment les versements du Fonds de compensation de la taxe sur la valeur ajoutée (FCTVA), la dotation globale d'équipement (DGE), la dotation régionale d'équipement scolaire (DRES) et la dotation départementale d'équipement des collèges (DDEC).

Transport : les transports sont des flux de marchandises ou de voyageurs déplacés sur une distance donnée à l'aide d'un véhicule. Plusieurs catégorisations peuvent être faites à l'intérieur des transports : selon le mode de transport, selon les origines et destinations des marchandises ou des voyageurs (national, international, d'échange ou de transit), selon des approches particulières (transports collectifs urbains, transports intérieurs, etc.).

Tué : victime d'accident, décédée sur le coup ou dans les trente jours qui suivent l'accident. Avant le 1er janvier 2005, le délai retenu n'était que de six jours.

Union européenne (UE) : créée le 1er janvier 1993 par l'application du Traité de Maastricht, l'Union européenne (UE) prend le relais dans la construction européenne de la CEE (Communauté économique européenne). L'UE est une union intergouvernementale, mais n'est pas un État destiné à se substituer aux États membres existants. Elle est une entité juridique indépendante des États qui la composent et dispose de compétences propres (politique agricole commune, pêche, politique commerciale, etc.), ainsi que des compétences qu'elle partage avec ses États membres. Elle est reconnue comme étant une organisation internationale. Sur le plan économique, elle dispose d'une union douanière, ainsi que pour seize de ses États membres, d'une monnaie unique, l'euro. L'Union est donc une structure supranationale hybride empreinte à la fois de fédéralisme et d'inter-gouvernementalisme. Aujourd'hui, les pays de l'Union européenne sont au nombre de 27.

Unité de consommation (UC) : système de pondération attribuant un coefficient à chaque membre du ménage et permettant de comparer les niveaux de vie de ménages de taille ou de composition différente. Avec cette pondération, le nombre de personnes est ramené à un nombre d'unités de consommation (UC). Pour comparer le niveau de vie des ménages, on ne peut s'en tenir à la consommation par personne. En effet, les besoins d'un ménage ne s'accroissent pas en stricte proportion de sa taille. Lorsque plusieurs personnes vivent ensemble, il n'est pas nécessaire de multiplier tous les biens de consommation (en particulier, les biens de consommation durables) par le nombre de personnes pour garder le même niveau de vie. Aussi, pour comparer les niveaux de vie de ménages de taille ou de composition différente, on utilise une mesure du revenu corrigé par unité de consommation à l'aide d'une échelle d'équivalence. L'échelle actuellement la plus utilisée (dite de l'OCDE) retient la pondération suivante : 1 UC pour le premier adulte du ménage, 0,5 UC pour les autres personnes de 14 ans ou plus et 0,3 UC pour les enfants de moins de 14 ans.

Unité urbaine : ensemble de communes liées par la continuité de l'habitat, sur lesquelles s'étend une agglomération peuplée d'au moins 2 000 habitants. Une agglomération est un ensemble d'habitations tel qu'aucune n'est séparée de la plus proche de plus de 200 mètres.

Université : ensemble des unités de formation et de recherche (UFR), Institut d'études politiques de Paris (IEP), Observatoire de Paris, Institut national des langues et civilisations orientales (Inalco), Instituts universitaires de technologie (IUT), ainsi que les écoles d'ingénieurs rattachées (dont les Instituts nationaux polytechniques -INP-) et les instituts intégrés.

V

Valeur ajoutée : solde du compte de production. Elle est égale à la valeur de la production diminuée de la consommation intermédiaire. Une partie de la valeur ajoutée n'est pas ventilée par région, elle est dite « hors territoire ».

Village de vacances : ensemble d'hébergement faisant l'objet d'une exploitation globale de caractère commercial ou non, destiné à assurer des séjours de vacances et de loisirs, selon un prix forfaitaire comportant la fourniture de repas ou de moyens individuels pour les préparer et l'usage d'équipements collectifs, permettant des activités de loisirs sportifs et culturels.

Z

Zones urbaines sensibles (ZUS) : territoires infra-urbains définis en 1996 pour être la cible prioritaire de la politique de la ville, en fonction de considérations locales liées aux difficultés que connaissent les habitants. Caractérisées par l'existence de grands ensembles d'habitat dégradé, les ZUS sont des zones dites de population.

Zones Franches Urbaines (ZFU) : quartiers de plus de 10 000 habitants (8 500 pour la troisième génération) situés dans des zones dites sensibles ou défavorisées. Les ZFU sont des zones dites d'entreprise : les entreprises y bénéficient d'un dispositif d'exonérations de charges fiscales et sociales pendant cinq ans. La première génération de ZFU date de 1997, la seconde de 2004 et la troisième de 2006.

Zones vulnérables aux nitrates : parties de territoires alimentant des masses d'eau dépassant ou risquant de dépasser le seuil de 50 mg/l en nitrate, ainsi que celles présentant des tendances à l'eutrophisation. Ces zones sont définies par la directive « nitrates » qui concerne la protection des eaux contre la pollution par les nitrates à partir de sources agricoles.